# BRO MORGANNWG
## 2012

# CYFANSODDIADAU

## a

# BEIRNIADAETHAU

Golygydd:
J. ELWYN HUGHES

*Cyhoeddir gan Lys yr Eisteddfod*

ISBN 978-0-9530950-6-3

*Argraffwyd gan Wasg Gomer,*
*Llandysul, Ceredigion SA44 4JL*

# CYNGOR YR EISTEDDFOD GENEDLAETHOL 2012

**Cymrodyr**
Aled Lloyd Davies
R. Alun Evans
John Gwilym Jones
James Nicholas
Alwyn Roberts

## SWYDDOGION Y LLYS

**Llywydd**
Prydwen Elfed-Owens

**Is-Lywyddion**
Jim Parc Nest (Archdderwydd)
Dylan Jones (Cadeirydd Pwyllgor Gwaith 2012)
John Glyn Jones (Cadeirydd Pwyllgor Gwaith 2013)

**Cadeirydd y Cyngor**
Garry Nicholas

**Is-Gadeirydd y Cyngor**
Eifion Lloyd Jones

**Cyfreithwyr Mygedol**
Philip George
Emyr Lewis

**Trysorydd**
Eric Davies

**Cofiadur yr Orsedd**
Penri Roberts

**Ysgrifennydd**
Geraint R. Jones, Gwern Eithin, Glan Beuno, Bontnewydd, Caernarfon, Gwynedd

**Prif Weithredwr**
Elfed Roberts, 40 Parc Tŷ Glas, Llanisien, Caerdydd, CF14 5DU (0845 4090 300)

**Trefnydd**
Hywel Wyn Edwards

**Dirprwy Drefnydd**
Alwyn M. Roberts

# RHAGAIR

Rwy'n hynod falch o gael cyflwyno i'ch sylw gyfrol *Cyfansoddiadau a Beirniadaethau Eisteddfod Genedlaethol Bro Morgannwg, 2012*. *Hynod* falch oherwydd gallai hon fod wedi bod yr Eisteddfod Genedlaethol gyntaf erioed i broblemau cyfrifiadurol beri i'r gyfrol flynyddol hon *beidio* ag ymddangos erbyn wythnos yr Eisteddfod.

Rwy'n ddiolchgar iawn i'm cyfaill da, Vivian Allan Jones, am adfer fy nogfennau coll o grombil fy nghyfrifiadur ac i'm mab, Siôn Elwyn, am ei gymorth amhrisiadwy drwy gyfnod o ymbalfalu â chyfrifiadur a meddalwedd newydd a dieithr yn ystod yr union gyfnod pan oeddwn ar ganol golygu'r gwaith hwn.

Gosodwyd 48 o gystadlaethau eleni yn y gwahanol feysydd (Barddoniaeth, Rhyddiaith, Drama, Dysgwyr, Cerddoriaeth, Gwyddoniaeth, etc.) a denwyd rhyw 490 gystadleuwyr. Dwy gystadleuaeth a fethodd ddenu'r un ymgeisydd (fel y llynedd a'r flwyddyn flaenorol) ac ataliwyd y wobr ar bum achlysur (eto fel y llynedd) o gymharu â theirgwaith yn 2010. Cynhwysa'r gyfrol 56 o feirniadaethau a 24 o gyfansoddiadau. Hon yw'r ugeinfed gyfrol i mi ei golygu a'r uchafswm geiriau yn ystod cyfnod fy ngolygyddiaeth oedd tua 100,000 (yn 2007). Eleni, fodd bynnag, cynhwysa'r gyfrol oddeutu 112,000 o eiriau ac mae sawl rheswm dros hynny fel y daw'n amlwg i chi wrth bori drwyddi.

O ran derbyn beirniadaethau mewn pryd, roedd dros 80% o'r beirniaid eleni, fel y llynedd, yn dilyn yr un calendr â'r gweddill ohonom – diolch amdanyn nhw. Er i wyth beirniad fod hyd at wythnos ar ôl y dyddiad cau yn cyflwyno'u gwaith, tri arall a achosodd yr anhwylustod mwyaf, gan fynnu pennu eu dyddiad cau eu hunain a hynny hyd at ddeunaw diwrnod ar ôl Mai 15. Bu bron i ddifeindrwydd a hunanoldeb y rhain beri i'w beirniadaethau gael eu hepgor, er nad ymboenent, yn amlwg, pa mor annheg fyddai hynny â'r cystadleuwyr (ac â phrynwyr a darllenwyr y gyfrol hon). Mae'r neges yn glir i bawb a gaiff y fraint o gael eu gwahodd i feirniadu yn yr Eisteddfod Genedlaethol, a mentraf ailadrodd y genadwri honno, gan obeithio na syrth ar glustiau byddar beirniaid y dyfodol: oni ragwelant y gallant gyflawni'r gorchwyl o fewn y dyddiad penodedig, yna dylent wrthod y gwahoddiad!

Fel arfer yn ystod cyfnod y golygu, cefais gymorth parod Hywel Wyn Edwards, Trefnydd yr Eisteddfod, a chydweithrediad effeithlon ac effeithiol Lois Jones yn y Swyddfa yn yr Wyddgrug. Mawr yw fy niolch i'r ddau.

Dylan Jones, Cyhoeddiadau Nereus, Y Bala, a gysododd yr emyn-dôn fuddugol eto eleni, gan gyflawni gwaith graenus a glân yn ôl ei arfer. Felly hefyd waith Gari Lloyd, y cysodydd yng Ngwasg Gomer – mae cydweithio gydag ef bob amser yn rhwydd a didrafferth.

J. Elwyn Hughes

# CYNNWYS

(Nodir rhif y gystadleuaeth yn ôl y *Rhestr Testunau* ar ochr chwith y dudalen)

\* \* \*

## ADRAN LLENYDDIAETH

### BARDDONIAETH

## ADRAN DRAMA A FFILM

# ADRAN LLENYDDIAETH

## BARDDONIAETH

**Dilyniant o gerddi mewn cynghanedd gyflawn** heb fod dros 250 llinell:
Llanw

---

BEIRNIADAETH MERERID HOPWOOD

Roedd derbyn amlen ac ynddi ddeg dilyniant yn argoeli'n dda. Fodd
bynnag, buan y bu'n rhaid cofio mai 'beth yw safon ymgais?' ac nid 'pa sawl
ymgais?' yw'r cwestiwn sy'n cyfrif. Gwaetha'r modd, mae dau ddilyniant,
sef gwaith *Yr Eryr* a *Rhôs y Wlad* – er nad yn gwbl ddiawen – yn gwbl ddi-
gynghanedd, ac felly bu'n rhaid eu diystyru.

*Pridd y Cloddiau*: Bydd rhestru teitlau'r cerddi yn y dilyniant hwn yn rhoi
syniad i'r darllenydd o'r math o waith ydyw: 'Sefydlu gyda'r hil ddynol
yn erbyn pob rhyfel', 'Ymwneud â'r deall dynol gan gryfhau', 'Cysuro',
'Parhau a llwyddo â'r deall dynol', 'Ymwneud a ffynnu â'r deall meidrol'
ac, yn olaf, 'Ei oruchafiaeth, ei hanes a'i ymwneud â'r ddynolryw'. Mae'r
bardd yn medru cynganeddu ac yn amrywio mesurau i bwrpas. Credaf mai
ysbryd tangnefedd yw'r llanw, rhyw rym a ddaw 'â'i anadlu cymodlon',
ac er mor fawr yw apêl y syniad, ofnaf nad yw'r dweud yn ddigon clir.
Teimlaf fod angen tynhau'r ymadrodd ac ystwytho'r iaith i wella llinellau
fel: 'A ddaw â heth dros y moelydd hwythau/ â'u byw ar rawd a boer eu
rhuadau'. Y gamp i *Pridd y Cloddiau* nawr fydd gadael i'r athronydd wneud
lle i'r bardd, a thrwy hynny wneud lle i lai o eiriau. Mae chwynnu geiriau'n
gofyn am amser, ond rwy'n sicr y bydd y gerdd yn harddach a grymusach
o wneud hynny. Heb os, mae gan *Pridd y Cloddiau* neges bwysig.

*Derfel* Efallai nad yw awen wrth-ddinesig y bardd hwn yn gallu apelio at
feirniad a aned ac a faged yng Nghaerdydd. Yn arddull y stori arswyd,
gyda chroes mewn ffont ysgeler yn gwahanu'r adrannau, cyflwynodd *Derfel*
ddilyniant sy'n gwaradwyddo bywyd nos y stryd (Wind Street, Abertawe,
a bod yn fanwl). Mae rhywfaint gormod o bregethu i'm chwaeth i ac efallai
ddim digon o gydymdeimlad. Wedi dweud hyn, mae *Derfel* yn gwybod
rheolau'r gynghanedd ac mae ei weledigaeth ar y diwedd mai 'unigol yw'r
don olaf' yn ddi-ddadl. Credaf y byddai'r gerdd yn gryfach pe byddai wedi
osgoi ymadroddi lletchwith fel 'A'u gwên o ddanheddog ias', 'anesmwyth
wŷr', 'ddihalog harddwch', a.y.b., lle mae rhoi ansoddair o flaen enw'n
mynd yn erbyn rhythmau naturiol y Gymraeg. Trueni bod y bardd wedi

1

defnyddio cymaint o eiriau hen ffasiwn fel 'llychwin', 'andras', 'galanas', 'llindag'; maen nhw'n tynnu sylw atynt eu hunain fel geiriau unigol, a hynny mewn modd sy'n torri ar lif y gerdd, yn hytrach nag uno â'r geiriau eraill i hoelio ein sylw ar y gerdd gyfan. Mae lle i gredu hefyd mai 'awdl' sydd yma yn hytrach na 'dilyniant', oherwydd anodd dychmygu'r un isadran yn sefyll ar ei phen ei hun. Nid bod hynny'n beth gwael ynddo'i hun o gwbl – dim ond yn broblem o ran gofynion y gystadleuaeth arbennig hon.

*Min y Môr*: Mae hwn yn gynganeddwr rhwydd, ac mae sŵn esmwyth yn y gerdd gyntaf. Mae'n canu clodydd yr oedolion sy'n troi at ddysgu'r Gymraeg a'r gair 'cadw' yn y llinell bert 'i gadw'r iaith gyda'r hwyr', yn ein hatgoffa'n gelfydd fod iaith yn gwmni ac yn gymdeithas. Trueni ei fod yn cymysgu cymaint o ddelweddau yn yr englyn olaf – lle mae geiriau yn 'gaerau', yn 'angor' ac yn 'faeth'. Mae'r ail gerdd, er gwaetha'r daith bell i'r Wladfa, yn tueddu i droi yn yr unfan, a hen drawiadau fel 'a dynion mewn cadwyni' yn pylu gwefr. Ac eto yma, mae'r bardd yn dangos ei fod yn gallu gweld o'r newydd gyda'r darlun sydd mewn llinell fel 'lliw eira'n llaw'r Iwerydd' (er y byddai'n rhaid dileu'r 'r' ar ôl 'llaw' i ateb gofynion y gynghanedd). Mwy o gyffyrddiadau felly a byddai'r gwaith yn sicr yn cyrraedd tir uwch.

*Ceartas*: Gair Gwyddelig sy'n cwmpasu'r syniad o gyfiawnder a thegwch a chydraddoldeb yw'r ffugenw. Tynnu sylw at ddiffyg cyfiawnder economaidd a wna'r gyntaf o'r chwe cherdd a geir yn y dilyniant hwn. Mae'r gerdd ddychan hon yn dangos bod 'y marina' yn gartref i'r rhai sydd â 'diemyntau am yddfau main' a modrwyau 'yn beichio'r bysedd bychain'. Yn yr ail gerdd, 'Y bugail', cyflwyna'r syniad hyfryd o'r afon ar benllanw yn gwlychu blaenau'r traeth: 'a dwg ei hiraeth o fyd y gorwel', medd *Ceartas*, wrth i lanw'r afon gario llais bugail Jwdea. Credaf y dylid mynd yn ôl at y gerdd hon a'i thynhau gan holi a yw pob gair yn talu am ei le. (Tybed, er enghraifft, a yw'r 'dwst' a'r 'bylchau' a'r 'hau' yn perthyn yn ddigon tynn i'w gilydd yn yr englyn olaf ond un?) Clywir llais tyner yn 'Gwlad yr olewydd' ac, yn fy marn i, dyma'r gerdd sy'n canu orau. Yn hon, awn i fyd cythryblus y Palesteiniaid a'r Iddewon: 'Afon wae yw'r dŵr fan hyn'. Cyfeiria at weddi Al-Bahr, gweddi'r môr, ac yma yn sŵn gynnau'r Haganáh, dywed: 'Daw eco oes, llais Tad-cu/ Yn ei henaint yn canu/ Alawon yr olewydd' ac, yn wir, llais Tad-cu sy'n rhoi undod i'r gerdd gyfan. Yn 'Lloches', mentra lunio cerdd am ragfarnau, cyn troi yn y gerdd 'Carcharor' at obaith Sgwâr Tahrir lle 'genir y gwanwyn' a 'gwrthryfel anwel y we'. Rhyw dynnu'r llanw braidd yn drwsgl i'r stori a wna'r englyn olaf – ond nid hynny yw'r broblem yn gymaint â'i fod yn gosod delwedd y llanw ochr yn ochr â delwedd y 'gell', yr 'iau' a'r 'golau', a thrwy hynny'n peri cryn gymysgwch. Efallai mai drwy dynnu gormod o elfennau'r cerddi blaenorol at ei gilydd y mae'r gerdd olaf, 'Gwenllïan ni', yn colli gafael. Ond yn sicr, er nad yw'r gerdd yn codi i dir uchel eleni, mae rhywun yn teimlo bod gwir addewid y tu ôl iddi.

*Saunders*: Dyma fardd sy'n gallu canu ac sy'n gallu ein cipio ni o un emosiwn i'r llall. Weithiau, mae ar y cyrion anesmwyth, e.e. ym mae Caerdydd 'wyf fin o wynt yn fan hyn'; dro arall, mae yn ei chanol hi mewn stomp eisteddfod:

> Y mae'r dorf yma ar dân;
> teimlir *feedback* yr acen
> yn rheg o odl a rocio'r gân
> a thwrw 'mhob llythyren.

Fel y gwelir o'r patrwm odl yn yr esiampl uchod, defnyddia fesurau'n amrywiol ac yn hyderus. Yng ngwaith *Saunders*, cawn gyfle i groesawu ffurf newydd y 'drydargerdd' i gystadleuaeth y Gadair (gweler '#SantesDwynwenHapus'). Ond weithiau, teimlir bod brwdfrydedd *Saunders* yn peri iddo golli ystwythder ac mae'r canu'n mynd yn herciog heb bwrpas amlwg. Heb os, gall weld mewn tri-dimensiwn, a gall baentio'r hyn a wêl mewn geiriau byw, ond nid yw'n gyson – e.e. mewn cwpled sy'n disgrifio plant ysgol uwchradd, nid yw'r ail linell yn gymar teilwng i'r llinell gyntaf wych: 'daw yr haid-llygaid-i'r-llawr/ o oerfel arddegau dirfawr'. Yna, mae cnewyllyn cerdd arbennig yn yr un sy'n trafod genedigaeth plentyn ond efallai fod ar y bardd angen ychydig mwy o amser neu bellter i ddod o hyd i'r geiriau gorau bosib. Er bod adlais Dic Jones ar yr hir-a-thoddaid olaf ac er bod y syniad a fynegir yn y tair llinell olaf yn graff, mae'r bardd yn colli traw wrth ddadwneud ei gyngor ei hun 'na hwyliwn heno i heli hen haniaeth', meddai. Drwy sôn am 'heli hen haniaeth', dyma fe ei hun mewn perygl mawr o hwylio i'r union fan. Ond beth am y clo?

> O drai yr eigion hawliwn diriogaeth
> Rhag inni gilio'n don nad aeth â berw'r
> Llanw hwnnw i draethell hunaniaeth.

Yma, synhwyrwn ein bod yng nghwmni bardd sy'n gwybod yn gywir i ble sydd eisiau mynd. Does dim angen bod yn broffwyd i wybod y bydd yn cyrraedd yno cyn bo hir.

*Rhwng y ddwyborth*: Does dim amheuaeth gen i nad hwn yw bardd y galon yn y gystadleuaeth hon. Ni ellir darllen y dilyniant heb deimlo angerdd ei gân. Mae'n gynganeddwr medrus, yn amrywio mesurau'n effeithiol, ac mae ganddo rywbeth i'w ddweud. Mae'n dechrau'n delynegol: 'Â'r haf yn tynnu'i rwyfau/ Yn y Cafn a'r nos yn cau'. Wrth sôn am ymwelwyr yr haf, dywed: 'Duw ŵyr, mae eu harian da yn hanfod/ i euro'r gawod pan dyr y gaea', ac yn yr un gerdd, dengys ei fod yn gallu rhoi mynegiant rhwydd

3

i'r gwir oesol: 'Nid haf yw popeth, daw tro ar bethau', ac eto 'Daw oriau rhwyfo mewn byd arafach'. Wrth weld trai'r bywyd glan-môr Cymreig, a dyheu am lanw, mae'r hen bysgotwr yn dal gafael mewn gobaith er gwaethaf popeth. Fe ŵyr mai dal ati yw'r peth gorau – ac efallai'r unig beth – i'w wneud: 'Am na ŵyr yr hyn ŷm ni ond morio/ Y tonnau eto nes tynnu ati'. Rhwystredigaeth fawr ar fy rhan i fel beirniad yw gorfod cydnabod fod gormod o ôl brys mewn gormod o fannau i godi'r dilyniant diffuant hwn i dir uwch eto. Gobeithiaf yn daer y bydd *Rhwng y ddwyborth* yn gallu caniatáu i'r cyffro sydd yn y gerdd hon siarad ag e eto yn y man; rwy'n sicr ei fod yn gyffro digon pwerus i'w ddihuno eilwaith ond y tro nesaf, boed iddo bwyllo. Bydded yn ddigon dewr i dynnu llinellau o'r gwaith, gorffen cerdd yn ei blas, sicrhau bod berf ym mhob cymal, a gwirio mân faterion cystrawen. Does dim dwywaith nad yw'r ddawn ganddo i gipio'r Gadair.

*Cranc*: Hwn yw pensaer y gystadleuaeth. Mae wedi adeiladu ei ddilyniant yn ofalus. Lluniodd dair prif gerdd a phob un yn dair rhan (ac, yn achos 'Cwrdd', yn bedair). Yna, fe'u gosododd rhwng ei gilydd yn gelfydd mewn cyfresi. Daw'r dilyniant i ben â cherdd glo 'Wedi'r penllanw'. Mae holl dechnegau Cerdd Dafod yn ddiogel yn ei arfogaeth. Mae pennill agoriadol a chlo cerdd fel 'Cwrdd 2' yn dangos fod *Cranc* yn gallu edrych a gwrando a rhoi mynegiant i'r hyn a wêl ac a glyw'n gofiadwy:

> Heb lygad ar droad y rhod heddiw
> mae'r meddwl yn datod,
> funud wrth funud, am fod
> wynebau'n fy adnabod [...]

> Yn ddistaw fe wrandawaf ar ei wers
> a daw'r un don gyntaf
> yn ei hôl. Er na welaf
> ei thro, ei synhwyro a wnaf.

Mae uchafbwyntiau fel hyn yn ildio'u lle i benillion fel y cyntaf yn 'Traeth 3' sy'n dechrau:

> Daw'r dŵr o'r dyfnder yn ôl ei arfer
> i bair trawsffurfiol
> o gregyn, creigiau, gwymon a thonnau
> sy'n gydberthynol ...

a rywsut, mae *Cranc* yn colli gafael. Yn 'Ymryson 3', mewn darlun o artaith gornestau'r Babell Lên, dywed fel hyn: 'sŵn dweud syniadau ydyw', ac i raddau, efallai mai dyma'r union broblem a welir mewn darnau fel yr un a ddyfynnir uchod – h.y. ceir gormod o bwyslais ar 'y syniad' ac nid ar y 'peth ei hun' – yr hanfod. Hanfod y gerdd yn achos *Cranc* yw'r 'Crëwr' a'r 'Duw byw' sy'n 'rhoi llond môr o drysorau inni'. Dyma'r weledigaeth a grynhoir yn y gerdd olaf, lle mae creaduriaid y traeth (a'r cranc, mae'n debyg, yn eu plith) yn disgwyl 'am Ei donnau amdanynt':

> Mewn lle hallt, yma'n y llaid
> a'r dŵr, mae'r creaduriaid
> yn disgwyl trwy'u hwyl a'u hynt
> am Ei donnau amdanynt,
> trostynt, trwyddynt, nes i'r trai
> hel eu siâr nôl o'i siwrnai.

*Owallt*: Fel *Cranc*, mae *Owallt* yn gallu defnyddio'r pen i saernïo'r gwaith, ac yn sicr, gwelir ôl meddwl gofalus ar waith yn y fan hon. Saif y cerddi i gyd fel gweithiau unigol, ac eto, gan eu bod yn canu i'r un testun, sef coffadwriaeth am dad, maen nhw hefyd yn creu cyfanwaith fel dilyniant. O'r hir-a-thoddaid cyntaf, 'Môr', mae'r bardd yn dangos meistrolaeth a gafael ar y testun. Mae hefyd yn dangos menter, â'r gair 'yfflon' yn mynnu sylw. Ceir yma fynegiant clir o'r gwirionedd oesol fod marwolaeth yn ddidrugaredd – mae'n dwyn elfennau cadarnaf bywyd, yn union fel y mae cŷn y môr yn torri'r tir.

> Yn ras y tonnau ar draws y twyni,
> Yn sŵn y gragen, mae hen hen ynni,
> Mewn creigiau yfflon ac ym mriwsioni
> Ara'r foryd, yn y môr a'i ferwi.
> Ôl ei gŷn ar glogwyni'n greithiau clir,
> Ac ar y pentir mae'r tir yn torri.

Gŵyr *Owallt* yn union beth yw galar. Mae'n ein taro ar awr ddirybudd: 'Digyfarch y daw gofid / i'n poeni, llechgi yw llid', ac er mwyn osgoi'r cnoadau hyn rhaid cadw'n brysur: 'sgwrio i osgoi hiraeth'. Yn y gerdd 'Esblygiad' sy'n ddeialog, credaf, rhwng stori'r môr a stori'r gwyddonydd, ei fod yn mentro esbonio mai o'r un gell y daethom i gyd, ac er i'r gell ymrannu'n filiynau o greadigaethau, erys ynom i gyd ryw ran fach o'r un dechreuad: 'Rhywfodd y mae'r dechreufyd / Ynof fi yn fyw o hyd'.

Mae sŵn yr hen bennill yn gyfeiliant tyner i'r gerdd 'Dau', ac yn hon gwelwn ddawn y bardd ar ei gorau. Mae'n disgrifio dau gariad ar draeth yn gwbl ddall i ddim ond ei gilydd, y naill na'r llall heb y syniad lleiaf o'r grymoedd mawr sydd ar waith ar dir a môr:

> Welson nhw mo'r llanw'n llenwi
> bwa'r bae i yrru'r bwi,
> mwy na naddu'i rym anniddig,
> mwy na'r môr yn cario'r cerrig.

Mae'r gerdd yn cloi'n gofiadwy gyda'r atgof am ddillad claerwyn 'yn ei law yn gwmwl ewyn'.

Nid yw'r ddwy gerdd nesaf yn y dilyniant yn cyrraedd yr un ucheldir, yn fy marn i, er bod rhythmau 'Grymoedd' yn gweithio'n well na 'Tro'. Yn 'Tro' rwy'n teimlo bod y llinellau – er eu bod mewn cynghanedd gyflawn – yn gweld eisiau cymar. Nid yw'r gynghanedd yn cael ei defnyddio i'w llawn botensial rywsut. Tuedda'r llinellau i fynd yn groes i acenion naturiol cerdd dafod, yn hytrach na gweithio o'u mewn. Ac eto, yma hefyd, gwelwn lygad sylwgar ar waith yn nisgrifiad y ffosil: 'Yno, roedd hanes –/ darn fel haearn o laid/ yn dal ein doe'. Ni ellir gwadu nad yw'n dweud calon y gwir, a hynny'n ddiffwdan mewn llinell fel 'ni wyddom ddim am a ddaw', gan atgyfnerthu neges ganolog y dilyniant. Ceir yn 'Unigrwydd' un o ddarluniau mwyaf trawiadol y gwaith, wrth i ni weld y tad 'yn grwm, yn grwm yn ei groth/ dan iau y bywyd newydd'. Rhoddir i'r gŵr, sy'n blyg yn ei boen, groth, a daw'r groth yn symbol o fagwrfa'r cancr sy'n tyfu'n fywyd newydd ac yn gwagio'r tad o'r hyn a oedd.

Os am weld dawn y bardd i roi mynegiant newydd i hen lun, trowch at 'Henaint'. Ceir portread synhwyrus o ddau, efallai hen wraig a hen ddyn, yn eistedd ochr yn ochr â'i gilydd ar derfyn oes: 'Y ddau'n llesg a'r dydd yn llusgo/ yn eu côl, a'r byd yn cilio'. Nid oes dim yn llenwi'r dydd ond 'geiriau byr ac oriau barus'. Cyffyrddiadau felly sy'n peri i'r darllenydd wybod ei fod yng nghwmni rhywun a fydd yn ei helpu i weld yr hen fyd o'r newydd.

Nid oes angen y dyfyniadau gwyddonol ar ddechrau rhai o'r cerddi. Rhaid i'r bardd gael mwy o ffydd yn nychymyg y darllenwyr, a llawer mwy o ffydd yn ei ddawn ei hun i gyfleu ei weledigaeth. At hyn, weithiau, er enghraifft yn 'Penyd', gellid bod wedi cryfhau'r gerdd drwy hepgor y llinell glo, ac efallai'r pennill olaf i gyd yn 'Ffarwelio'. Efallai, hefyd, mai gwell fyddai osgoi'r gyfeiriadaeth at ddelweddau beirdd eraill a chael hyder yn eich llais eich hun. Ond mân bethau yw'r rhain, mewn dilyniant sydd drwyddo draw yn gyfoethog ei fynegiant ac sy'n argyhoeddi o ran diffuantrwydd ei weledigaeth.

Ar ôl trafodaeth fuddiol a chyfle i rannu sylwadau â'm cydfeirniaid, mae'n bleser gallu cyhoeddi'r farn fod *Owallt* yn deilwng o Gadair Eisteddfod Genedlaethol 2012.

Gan mai cerddi digynghanedd carbwl a gyflwynodd *Yr Eryr* a *Rhôs y Wlad*, nid yn y gystadleuaeth hon y mae eu lle. Wyth bardd, felly, sy'n ymgiprys am y Gadair ac mae cryn dipyn i'w ganmol yng ngherddi pump o'r rheini. Rhoddaf sylwadau ar bob un o'r wyth yn nhrefn teilyngdod.

*Pridd y Cloddiau*: Chwe cherdd ac iddynt deitlau anaddawol o draethodol, megis 'Sefydlu gyda'r hil ddynol yn erbyn pob rhyfel'. Mynnodd ailgylchu'r un dyhead heddychol a'r un trawiadau hyd syrffed, ac er bod ganddo grap go lew ar y rheolau, mae'n rhy hoff o eiriau gwlanog a pheryglus o gyfleus i gynganeddwr, fel 'rhawd', 'anian', 'bryd', 'hynt' a 'hoen'. Fe dalai iddo ymarfer ei grefft a cheisio canu'n fwy diriaethol.

*Derfel*: Cerddi di-deitl sy'n debycach i awdl nag i ddilyniant. Ac awdl ryfeddol yw hi hefyd: un foddfa fawr o waed a thrythyllwch ac ansoddeiriau afradlon a chymysgu delweddau. Mae'r stori'n dechrau'n addawol gyda delwedd y meirw byw yn codi liw nos o ddyfnderoedd Wind Street yn Abertawe. Yn nhafarnau a chlybiau'r ddinas cawn ferched yn hudo dynion i ddifancoll – bron nad yw Ellis Wynne wedi atgyfodi yn yr unfed ganrif ar hugain! Rhaid canmol yr ymgais i gonsurio naws gothig, hunllefus, ond mae'r ordd foesol yn rhy drwm o lawer. Gall *Derfel* gynganeddu'n weddol gywir ac mae ganddo drawiadau gwreiddiol. Mwy o gynildeb sydd ei angen, a'r amynedd i gaboli ei waith.

*Min y Môr*: Bardd praffach o dipyn, a bardd sydd wedi cyflwyno rhannau, o leiaf, o'i waith i gystadleuaeth y Gadair o leiaf ddwywaith o'r blaen. Llanw a thrai yn Llŷn yw'r hyn sy'n cydio'r tair cerdd ynghyd ac yn eu clymu, yn ddigon simsan, wrth y testun. Y gerdd gryfaf yw'r englynion o fawl i adfywiad y Gymraeg yn Nant Gwrtheyrn. Gall weithio englynion celfydd, fel hwn:

> Mae yma bridd i'n mamiaith, – cawn o'i hau
> y cynhaea'n obaith,
> ac o'i dysgu, hybu'r iaith,
> o'i charu, rhannu'r heniaith.

Yna ceir teyrnged i'r chwarelwyr a'r amaethwyr a fentrodd i'r Wladfa ac, yn olaf, cerdd wannach am blentyndod, carwriaeth a phriodas y bardd yn Llŷn. Maen nhw'n gerddi digon dymunol ond, er cystal crefftwr yw'r cystadleuydd hwn ar ei orau, mae yma ddiffyg gwefr a diffyg newydd-deb, a disgwylid mwy o uchelgais ac o amrywiaeth deunydd mewn dilyniant.

*Saunders*: Does dim diffyg newydd-deb yn nilyniant *Saunders*, na diffyg amrywiaeth mydryddol chwaith. Mae rhyw fflach o ddyfeisgarwch ym mhob un o'r naw cerdd, a hynny yn llais herfeiddiol y genhedlaeth iau. Cawn brofi cyffro Stomp Eisteddfod Wrecsam yng nghwmni'r 'rocars geiriau' sy'n gwirioni ar *'feedback* yr acen', math o gerdd a weithiai'n well ar lafar nag ar bapur. Cawn ddilyn y bardd i weithdy rapio lle mae'n llwyddo i droi 'haid-llygaid-i'r-llawr' yr ysgol gyfun yn rapwyr Cymraeg sy'n 'mynegi min o agwedd'. Ar ymweliad ag ysgol gynradd yn y Rhondda wedyn, gwêl obaith i'r iaith yn mrwdfrydedd y plant, a chaiff y gobaith hwnnw ei ymgorffori yn y gerdd olaf yng ngenedigaeth ei blentyn ei hun sy'n ei gymell, mewn *tour de force* o uchafbwynt rhethregol, i'n herio i warchod ein hunaniaeth a'r gelfyddyd farddol hithau rhag suddo i'w bedd. Hyfryd o synhwyrus yw trosiad y garwriaeth rhwng dysgwr a'r Gymraeg y mae ei rhythmau'n ei fwytho 'yn goflaid glyd sy'n gafael hyd glwydo'. Delweddau estynedig hefyd sy'n cynnal y gerdd i Fae Caerdydd, ei bortread o'i ewyrth a '#SantesDwynwenHapus' ('tyr ewyndon a'r iaith yn trendio'), ac er na ellir llai nag edmygu clyfrwch y bardd fe osodir cryn straen ar y delweddau mewn ambell fan. Ei fwrlwm heintus yw ei gryfder a'i wendid. Mae'n gynganeddwr cyffrous ond caiff ei hudo'n rhy aml gan gywreinder ar draul manylder ystyr ac ystwythder mynegiant. Ystyrier y pennill hwn:

> Yn dwym i'r iard y mae'r iaith
> a thân heniaith yn uno'r
> dreigiau hyn drwy'r awr ginio.

Oes, mae yma gynganeddion croes o gyswllt cryf, ond pam *'i'r* iard', pam 'iaith' a 'heniaith', a pham na chaiff y gytsain ar ddiwedd yr ail linell ei hateb? Felly hefyd linell fel 'ond byw rhyw *lymaid* a byrlymu', neu 'er i'w mam trwm yw y trai': croes o gyswllt gymhleth unwaith eto ond llinell amheus ei gramadeg a'i haceniad. Pe gallai arfer mwy o hunanddisgyblaeth heb aberthu ei greadigrwydd amlwg, buasai *Saunders* yn gystadleuydd peryglus am y Gadair.

*Ceartas*: Bardd llai gwreiddiol na *Saunders* ond mwy gwastad ei safon, a'i fynegiant yn dynnach drwyddo draw (annisgwyl yw 'creigiau mil', 'y cod gorwag'). Gosodir cywair y dilyniant yn y gerdd agoriadol, 'Y Marina', sy'n dychanu hawddfyd y dosbarth ariannog yn grafog ddigon. Yn 'Y Bugail' caiff hedd y marina ei fygwth gan 'lanw' proffwydoliaeth un sy'n galw o doeon Jwdea am ddial ar 'hil y budrelw', sef y proffwyd Amos, mae'n siŵr. Braidd yn ymdrechgar y gwelaf i'r ddyfais hon. Palesteiniad, aelod o hil a ddietifeddwyd, sy'n llefaru yn y cywydd celfydd 'Gwlad yr Olewydd', ac yn 'Lloches' fe gyfosodir yn drawiadol eiriau urddasol ceisiwr lloches â hiliaeth filain y 'Brit born an' bred'. 'Carcharor' y gerdd nesaf yw un o garcharorion gwleidyddol llywodraeth yr Aifft adeg y 'Gwanwyn Arabaidd'. Os yw'r symudiad o ormes i obaith yn drwsgl – 'Alaw'n byd, fel hyn y bu/ Erioed

– a fydd gwaredu?// O bydd …' – mae'r modd y delweddir 'gwrthryfel anwel' y gwefannau cymdeithasol yn taro deuddeg:

> A hadau anweledig – y gwanwyn
> Eginant yn styfnig;
> Hadau seiber rhwng cerrig
> Oer y maes yn chwarae mig.

Uchafbwynt y dilyniant yw'r cywydd 'Gwenllïan ni', merch sydd, fel y Wenllïan hanesyddol, wedi ei difreinio; ond mam ifanc yw hon sy'n dygnu byw ar lethrau Merthyr, un o blant 'Cymru y craciau amrwd'. Ceir yma ganu grymus, llawn argyhoeddiad, ond straenllyd yw'r modd y cydir mor daclus o obeithiol ar y diwedd wrth gerddi'r marina gan ddarogan y daw 'llanw'r bugail hwnnw' i ysgubo pob anghyfiawnder o'r neilltu. Mae *Ceartas* yn fardd abl a chanddo gydwybod gymdeithasol gref; ei wendid yw fod perygl i'r farddoniaeth gael ei mygu gan rethreg.

*Rhwng y ddwyborth*: Fel ymgais *Min y Môr*, trai Cymreictod yn Llŷn yw deunydd y cerddi hyn ond mae byd o wahaniaeth rhwng y ddau ddilyniant. Llais cyfoes, diystrydeb ac angerddol yw hwn. Ar ddechrau'r dilyniant, mae'n un â'i hynafiaid a fu'n codi'r cimychiaid yng Nghafn Enlli, 'Yma 'mhenrhyn eu huniaith'. Cawn ddarlun afieithus wedyn o'r genhedlaeth newydd, ei ŵyr bach direidus sy'n 'patro'i lasfor o stori', ond pa fath o Lŷn fydd yn wynebu'r bychan? Ingol yw'r cerddi hynny sy'n lleisio hiraeth am fyd Cymreiciach, fel y cywydd 'Porth lle 'na' lle mae 'Llŷn dy daid' wedi ei dal mewn hanes a'r genhedlaeth hŷn yn 'rhyw yngan geiriau angof' a'r hen enwau'n golygu dim i'r to iau. Daw mymryn o gysur gydag ymadawiad ymwelwyr Awst – 'A Llŷn yn llonydd, mae'r lle yn llawnach' – enghraifft o gynildeb y bardd ar ei orau. Ond does dim dianc rhag y felan a'r 'achos' bellach yn smonach, prisiau tai y tu hwnt i gyrraedd, a'r sawl sy'n meiddio codi ei lais yn cael ei alw'n hiliol. Daw ton o hyder dros dro ym mrafado'r dafarn wrth wylio glewion y cae rygbi'n trechu'r hen elyn, cyn dychwelyd 'I niwl a hen rigolau'n cysgodion/ Yn Aberdaron, lle brwd i eiriau'. 'Lled y Swnt yw'r golled sydd' – dyna'r gwirionedd creulon y mae *Rhwng y ddwyborth* yn mynnu syllu i fyw ei lygad. Ond eto, o raid, tra bo 'criw iawn yr hogia cry' yn dal i 'leibio'n hiaith mewn clwb nos', mae'n dal i gredu, ac os yw wal y cei i'w gweld yn bell does dim dewis ond dyfalbarhau a chyrchu'r nod.

Lluniodd *Rhwng y ddwyborth* ddilyniant tyn a chwbl argyhoeddiadol, gan lwyddo i fynegi ei weledigaeth yn afaelgar mewn cynghanedd rywiog. Fodd bynnag, mae rhyw lacrwydd diofal mewn sawl man, fel petai heb gael cyfle i gaboli pob un o'r cerddi fel y dylsai. Mae hynny'n arbennig o wir, gwaetha'r modd, am y gerdd agoriadol, lle byddai ambell ferf wedi ystwytho'r gystrawen. Yn rhy aml mae rhyw gloffni'n andwyo'r cyfanwaith, fel cwpled clo'r cywydd ardderchog 'Porth lle 'na': 'A'r enwau oll yn colli/ Yma o'n hiaith ydym ni'; llinell ddiafael fel 'Canllaw y Drefn wna'r cynllun'; neu aneglurder y cwpled: 'Can'awydd [*sic*] eu caneuon/ Yn rhannu'i fand â Bryn Fôn'. Gellir maddau ambell broest i'r odl (Syrio/ Sahara, helw/ hwylia'), ond syndod yw ei weld yn baglu mewn llinell wallus o gynghanedd sain: 'Rhaffau'r gwreiddiau yma i gyd'. Pe bai *Rhwng y ddwyborth* wedi llwyddo i gynnal ei safon uchel ei hun drwy gydol y dilyniant, buasai'r Gadair o fewn ei gyrraedd eleni.

*Cranc*: Dyma'r dilyniant mwyaf anghyffredin ei gynllun. Ceir 'Cwrdd 1', 'Ymryson 1', 'Traeth 1' a 'Gardd 1', ac yna fe ailadroddir y patrwm dair gwaith gan ychwanegu pedwaredd gerdd ar y testun 'Cwrdd' a cherdd glo, 'Wedi'r Penllanw'. Gellid dadlau bod yma bedwar dilyniant gwahanol ond mae'r syniad o egni'r creu (dwyfol a dynol) a'r ysfa i berthyn ac i geisio ystyr yn cydio'r cyfan ynghyd. Dewisodd *Cranc* ei fesurau'n ofalus: crynoder ymataliol englynion i gyfleu ymchwil ysbrydol cerddi'r Cwrdd; bywiogrwydd sgyrsiol y cywydd, hoff gyfrwng y bardd cyhoeddus, ar gyfer cerddi'r Ymryson; ffurf hamddenol rhupunt estynedig i gostrelu llif y meddwl yng ngherddi'r Traeth; a cherddediad gosgeiddig parau o ddoddeidiau hir i gyfleu harddwch perthynas deuluol yng ngherddi'r Ardd. Yn y cwrdd cyntaf, math o seiat brofiad, fe ymddengys, petrus yw'r bardd yng nghanol distawrwydd a dieithrwch y lle, heb allu dianc rhag tician gormesol y cloc. Yna'n raddol mae ei feddwl yn 'datod', ac wrth wrando tystiolaeth un o'i gyd-eneidiau synhwyra'r don ysbrydol gyntaf. Mae'r llanw'n magu grym, 'nes imi gael fy symud i godi/ o'r gadair ddibulpud/ yn ddagrau a geiriau i gyd/ a'u harllwys yn ddiferllyd'. 'Yn anterth ein perthyn,' meddir, mae'r 'Duw byw ym mhob ewyn', y Duw sy'n 'rhoi i bawb, er eu bywhau,/ Ei ragluniaeth i'r glannau'. Er mor gain yw'r dweud, i'm chwaeth i mae yma oregluro wrth orweithio'r testun gosod. Mewn unigrwydd a thawelwch hefyd y dechreua cywyddau'r Ymryson, a'r bardd yn cael ei ddeffro yn ei babell gan decstio taer ei gyfeillion. Ymlwybro draw at 'feirdd llys' y Bar Guinness wedyn, 'ac yng nghwmni da'r/ cwrw oer a'r criw ara'/ daw i'r brig fesul swigen/ y geiriau llyfn i greu llên'. Ac yna'r penllanw yng nghefn y Babell Lên, a'r geiriau bellach yn tasgu'n donnau; o rywle mae'r 'syniadau' yn llifo, gair a ddefnyddir hefyd mewn cyswllt ysbrydol yng ngherddi'r Cwrdd. Oes, mae yma ambell drawiad rhwydd – 'I odli 'nghefn yr adlen' ac ati – ond mae hynny'n gweddu i gywair chwareus a mwy llafar y cerddi hyn sy'n dal i'r dim wefr y profiad a'r perthyn.

Trai a llanw llythrennol sydd yng ngherddi'r traeth, ond mae'r trosiadau crefyddol – 'eneidiau arfog' y pyllau trai sy'n 'drwm eu beichiau' ac yn 'dweud paderau' wrth erfyn am 'gnwd yr arfaeth' pan ddaw'r llanw – yn eu cysylltu'n bendant â cherddi'r Cwrdd. Ac yng ngherdd glo'r dilyniant, sy'n adleisio 'Mewn Dau Gae' Waldo, fe welwn greaduriaid y traeth drachefn yn disgwyl wedi'r penllanw 'am Ei donnau amdanynt'. Cwlwm y cenedlaethau sydd yng ngherddi'r Ardd, ac er mwyn ei glymu wrth gylch y tymhorau cawn ddarlun twymgalon o nain a'i hwyres yn hau a medi cnydau. Tybed a oedd angen datgan bod yr artist â'i baent gwyrdd am 'ddal urddas dwy'n perthyn', a thybed nad oes yma oregluro eto ar ddiwedd 'Gardd 3'? Bu *Cranc* yn esgeulus mewn mannau (e.e. 'bydd wastad yno *rhyw* linell', 'mae hwythau', 'yn cwrdd cariadon', 'daw 'nhw', 'chwipio fyny'), ac ambell waith fe orlwythir y delweddau (e.e. 'Ymryson 3'). Ond dyma fardd celfydd, helaeth ei adnoddau, a chynganeddwr mwyaf greddfol y gystadleuaeth. Gellid ystyried ei gadeirio oni bai fod un ar ôl.

*Owallt*: Cydiodd y dilyniant hwn ynof o'r dechrau, gan fagu mwy o ddyfnder ar bob darlleniad. Fe'i cyflwynir er cof am dad y bardd ac mae'r brofedigaeth honno'n bwrw ei chysgod dros bob un o'r pedair cerdd ar ddeg, p'un a gyfeirir ati'n uniongyrchol ai peidio. Mae'r hir-a-thoddaid agoriadol yn cyflwyno delwedd ganolog y dilyniant, sef grym dinistriol tonnau'r môr sy'n erydu sicrwydd y tir dan ein traed; mae deddf ddiamser natur y tu hwnt i'n rheolaeth. Diriaethu'r golled a wna'r darlun teimladwy o'r bardd yn clirio cartref y tad, yn 'sgwrio i osgoi hiraeth', ond dychwelir wedyn yn y gerdd 'Esblygiad' at rymoedd diwrthdro'r cread. Cryn gamp yw troi dehongliad gwyddonol astrus yn farddoniaeth, ond mesur o ddawn, a menter, *Owallt* yw iddo lwyddo i wneud hynny. Bob yn ail â chwpledi sy'n pwysleisio 'grym di-hid' y tonnau sydd i'w gweld mor ddigyfnewid ond eto'n wahanol o hyd (cymharer 'Patrymau' sy'n rhagflaenu'r angladd tua diwedd y dilyniant), ceir epigramau croyw sy'n crisialu rhyfeddod egwyddor trechaf treisied esblygiad, proses y mae'r bardd ei hun yn rhan ohoni. Yna daw newid cywair arall gyda'r gerdd 'Dau' ar fesur dengar y pennill telyn, a hwnnw wedi ei gynganeddu'n anymwthgar o gywrain. Hon i mi, ynghyd â 'Penyd', yw cerdd gryfaf y dilyniant ac uchafbwynt y gystadleuaeth eleni. Cân serch yw hi ac iddi islais brawychus: â'r ddau yn anterth ifanc eu caru, mae'r tonnau ar waith fel erioed yn cario'r cerrig, ac mor erchyll o ddibarhad yw dillad y ferch sy'n 'gwmwl ewyn' yn llaw ei chariad ar y diwedd. Mae'n delyneg sy'n sefyll ar ei thraed ei hun ac mae deongliadau eraill yn bosib – dyna ran o'i hapêl – ond wrth ddarllen y llinell gyntaf yng ngoleuni diweddglo'r gerdd 'Henaint', lle mae'r ddau gymar musgrell yn 'Meddwl am y noson honno/ yn eu nwyfiant, a'i hanghofio', ymddengys mai rhieni'r bardd sydd yma a'u dyfodol eisoes yn rhuthro tuag atynt. Dyna un esiampl o'r modd y mae cerddi'r dilyniant yn cyfoethogi ei gilydd. Yn 'Dau', mae'r twyni, a'r lleuad hefyd, sydd yn y gerdd 'Chwarelwyr' yn 'symud y byd' ac yn 'Grymoedd' yn 'arwain dawns ein horiau', yn ddelweddau thematig cryf.

Archwilio'r cof a threigl amser a wneir yn 'Chwarelwyr' fel yn 'Tro', dwy o'r cerddi hynny lle mae rhythmau amrywiol y wers rydd gynganeddol yn wisg ystwyth i'r myfyrdod. Yn 'Unigrwydd', fe ddychwelir yn benodol at amgylchiadau'r golled; mae'r disgrifiad o'r hen ŵr diymadferth 'yn grwm yn ei groth' ac yn ysglyfaeth i '[f]ywyd newydd' y canser sy'n ymledu o gell i gell yn arbennig o bwerus. Cyrhaeddir penllanw emosiynol y dilyniant yn y gerdd 'Penyd', a'r ddau sy'n 'astud uwch ei gystudd' wrth erchwyn gwely angau yn adleisio'n eironig 'eistedd astud' y rhieni yn y gerdd 'Henaint'. Yn yr englynion milwr miniog hyn, mae'r awgrym unwaith eto o ddychwelyd i gyflwr babandod yn ddirdynnol, ac felly hefyd ddelwedd y tonnau sy'n erydu'r tir rhyngddynt nes gadael y tad ar 'glwt o draeth'. Rhyw ddechrau dygymod a wneir yn y tair cerdd olaf: ei weld yn wynebau'r teulu ar lan y bedd ('Ffarwelio?'), ac yn y gerdd gynnil 'Eglwys', gweld hen eglwys Llandanwg yn Ardudwy, a arferai ddiflannu dan dywod y twyni bob gaeaf, yn symbol o ffydd Gristnogol yn yr anweledig ac o'r tad ei hun, efallai, sy'n dal yn fyw yn y cof. Mae'r hir-a-thoddaid 'Twyni' yn glo teilwng i'r dilyniant. Try torri a briwsioni'r gerdd agoriadol yn ddelwedd o greu: ronyn wrth ronyn fel codi twyni gellir dechrau ailgydio mewn bywyd; ac eto, pethau brau yw'r twyni hynny. Mae'r 'ddaear newydd' yn adlais o gerdd fawr Waldo, 'Cwmwl Haf', fel y mae'r 'tŷ sydd ym mhob tywydd', tŷ galar y bardd ond hefyd dŷ'r weledigaeth Gristnogol Waldoaidd. Efallai nad yw'r gyfeiriadaeth lenyddol yn llwyr dalu am ei lle bob gafael (e.e. 'Grymoedd'), ond yn yr achos hwn mae'n dyfnhau neges y gerdd.

A oes yma wendidau? Mae ambell gerdd, fel 'Grymoedd', yn llai llwyddiannus na'i gilydd, ac nid yw cynganeddiad rhannau o'r cerddi penrhydd mor dynn ag y gallai fod. Ceir proest lafarog yn y llinell 'mireinio wrth ymrannu', cynghanedd anghyflawn yn 'Ennyd yn mynd./ A mwy', a benywaidd yw 'allor'. Ond mân frychau yw'r rhain mewn cyfanwaith caboledig. Lluniodd *Owallt* ddilyniant cyfoethog sy'n bodloni'r pen a'r galon, ac am hynny mae'n llwyr deilyngu Cadair Eisteddfod Genedlaethol Bro Morgannwg.

BEIRNIADAETH IEUAN WYN

Derbyniwyd cynhyrchion deg ymgeisydd, a'r peth cyntaf y sylwyd arno oedd fod nifer fawr ohonynt wedi cael cryn drafferth gyda gofynion y gystadleuaeth eleni. Ymhlith y deg ymgais, roedd tair awdl, un gerdd rydd, ac un dilyniant di-gynghanedd, ac felly ni ellid ystyried ond hanner y gweithiau yn ymdrechion priodol.

*Yr Eryr*: Nid oes yma na dilyniant na chynghanedd (ond sylwais ar un ddamweiniol – 'ei weddi oedd i fyw am flynyddoedd' er bod llithriad iaith ynddi – 'oedd byw' sy'n gywir). Nid 'Llanw' yw teitl y gwaith ganddo ond 'Dewin y Dyfroedd'.

*Rhôs y Wlad*: Yn wahanol i'r ymgais flaenorol, cafwyd dilyniant gan y cystadleuydd hwn ond eto anghofiwyd am y gynghanedd ar wahân i ambell ymadrodd cynganeddol a lithrodd i mewn ar hap: 'Mewn blwyddyn yn union', 'A dwy awr ar y dydd' a 'Ei henw'n win i'r enaid'.

*Pridd y cloddiau*: Awdl sydd yma, gyda phenawdau uwchben y gwahanol rannau, megis 'Sefydlu gyda'r hil ddynol yn erbyn pob rhyfel' ac 'Ymwneud â'r deall dynol gan gryfhau'. Llanw ysbryd Crist yw ei thema ond haniaethol yw'r mynegiant, gyda'r geiriogrwydd yn gaddug sy'n peri bod y delweddau a'r trosiadau'n aneglur ac felly'n aneffeithiol. Nid yw'n dechrau'n addawol – 'Â hwn a'i ynni o fewn pob haenen/ Daw fel cyfalaw gan fyw yn llawen', a chawn sawl enghraifft o ymadroddi afrwydd, megis 'Â'i hedd ac fel troedio'n hy', 'Hwn na wad ei oll â'n hy', 'Â doe'n heth yn bod yn hyll', a 'Heb drais ac fel byw a dry'. Ni ellir dweud bod graen ar ei gynganeddu, ac mae'n dibynnu gormod o lawer ar y llusg a'r draws fantach. Ar dro, mae'r gyfatebiaeth gytseiniol yn ddiffygiol: 'Ar goedd a thiroedd â'r eangderau' a 'Fyw â ffydd heb eiriau ffôl'. Dyma'r cystadleuydd ar ei lyfnaf: 'Â hwn ar draethau'n ddi-gudd/ Â'i awen yn dragywydd,/ Byd diryfel a welwch,/ Nid y drin a'r llaid yn drwch.'

*Min y Môr*: Awdl mewn tair rhan sydd yma. Darlun o gymdeithas chwarelyddol ac amaethyddol bro'r Eifl, ei gwaith a'i diwylliant, sydd yn y rhan gyntaf. Mae'r ail ran yn disgrifio sut yr ymfudodd rhai teuluoedd i Batagonia oherwydd gormes tirfeddianwyr – 'Trais y teyrn oedd tros y tir'. Yn y rhan olaf, mae'r awdur yn canu mawl i'w fro ac i Benrhyn Llŷn; 'Oes ragorach liw machlud/ hen dir balm, ymhen draw byd/ sy'n Enlli – mewn byd swnllyd?' At ei gilydd, digon cyffredin a di-fflach yw'r mynegiant ond mae'n llwyddo i gyfleu cynhesrwydd brogarwch.

*Derfel*: Awdl yn hytrach na dilyniant a gafwyd gan yr ymgeisydd hwn hefyd, ac nid oes fawr o 'lanw' ynddi. Mae yma gynganeddwr digon glân a thaclus, ac mae'n agor mewn arddull bregethwrol, undonog wrth ddarlunio 'isfyd' dinas Abertawe rhwng gwyll a gwawr. Yna mae'r arddull yn troi'n storïol wrth ddisgrifio llofruddiaeth merch ifanc ond mae'r naratif yn rhy uniongyrchol, ac yn rhy gyffredin yn rhy aml, e.e. 'Heb luddiant clywch ei bloeddio/ O wisgi'r meddwol ddisgo', 'Ar hast aiff tua'r castell/ I gomin yn ddigymell ...' Sylwais ar ambell lithriad iaith: 'tu ôl rhuban; 'Yn loddest, yna'n laddiad', 'Dry yn ruo', 'fu'n rodd' (nid yw 'll' a 'rh' yn treiglo ar ôl 'yn'), ac nid yw'r llinell a ganlyn yn acennu'n foddhaol: 'Wrth drafod ddoe yn ddefodol'.

*Saunders*: Naw cerdd sydd yn y dilyniant hwn, wyth mewn mesurau caeth ac un mewn *vers libre* cynganeddol. Gwahanol weddau ar ferw ac ymchwydd egni bywyd yw llanw'r dilyniant. Nid yw ei linell agoriadol yn addawol

– 'Mewn gwres gwneir y dinesydd' ('Bae Caerdydd') ac mae 'o ferw iau' yn ei ail linell yn ddelwedd aneglur. Ar dro, mae rhai ymadroddion yn afrwydd neu'n anghywir, megis 'cyniwair wna pob gair ar go", a 'rhegi yw'n Gymraeg a gwên', 'cydia rhain' ('cydia'r rhain' sy'n gywir), a llithrodd gyda'r odli mewn dau bennill: 'bag'/ '(g)wag' (trwm ac ysgafn); cyfarwydd/ distawrwydd/ hynodrwydd/ derwydd (lleddf a thalgron). Hefyd, Geraint Lloyd Owen, yn awdl Cilmeri, biau 'roedd Iwerydd ...' Fodd bynnag, mae yma lyfnder yn aml ac ar adegau mae'n ein cyffroi, e.e. 'Mae ei rhythmau hithau yn fy mwytho/ yn goflaid glyd sy'n gafael hyd glwydo .../ Mae'r lloer yn olau a ninnau yn uno/ drwy ei haroglau wrth inni dreiglo'. Hefyd, cefais ryw ffresni yn ei gynganeddu ar dro, e.e. 'poeri'r iaith wna'r rapwyr hyn / ond poeriadau pêr ydyn".

*Ceartas:* Cafwyd chwe cherdd mewn amrywiaeth o fesurau caeth yn y dilyniant hwn, ac at ei gilydd maent yn grefftus eu gwead. Y dyhead am ddyfodiad llanw cyfiawnder cymdeithasol a geir, ac agorir trwy gymharu ffordd o fyw gweithwyr cyffredin lleol â bywyd cyfoethogion ('Y Marina'), cyn troi at y proffwyd Amos ('Y bugail') i geryddu'r rhai sy'n budrelwa ar draul y gwan: 'I bob gweithiwr a fwriwyd – o'i einion,/ I bob un ddirmygwyd,/ I wyneb oer y chwant bwyd,/ Fy anadl a anfonwyd'. Yn y cywydd 'Gwlad yr Olewydd', mynegir hiraeth a dyhead Palesteiniad am gael adfeddiannu tiroedd ei genedl: 'Caeau harddwch nas cerddir/ Gennyf yn awr, ond sawraf/ O hyd holl ffrwythau yr haf", 'Hen gof am ellyg Yafa/ â'r 'falau aur, oer fel iâ'. Yn 'Carcharor', mae'n cyfeirio at y codi tani yn y gwledydd Arabaidd, a rhan technoleg fodern yn y gwrthryfel: 'A hadau anweledig – y gwanwyn/ Eginant yn styfnig;/ Hadau seiber rhwng cerrig/ Oer y maes yn chwarae mig'. Mae ei gerdd olaf, sef cywydd 'Gwenllïan ni', yn darlunio mam ifanc gyffredin yn un o gymoedd y de sy'n haeddu mawl beirdd Cymru oherwydd ei hymdrech arwrol yng nghanol tlodi'r dirwasgiad presennol. I gloi'r cywydd a'r dilyniant, mae'n troi eto at Amos, proffwyd y tlodion. Diffyg cysondeb safon yw gwendid y dilyniant hwn.

*Cranc:* Mae'r safon yn codi gyda gwaith y cystadleuydd hwn oherwydd ffresni ei ieithwedd a'i arddull. Disgwyl yw'r thema ac fe'i datblygir o fewn pedwar cyd-destun, sef aros i ymglywed â phresenoldeb Duw yn y cwrdd, aros am yr awen cyn ymryson y beirdd, aros am ymchwydd y llanw a'i rym bywiol ar y traeth, ac aros am ddyfodiad y llysiau a'r ffrwythau yn yr ardd. Er mwyn dangos datblygiad ym mhob un o'r cyd-destunau hyn, gosodir y cerddi yn y drefn a ganlyn: 'Cwrdd 1', 'Ymryson 1', 'Traeth 1', 'Gardd 1, 'Cwrdd 2', Ymryson 2', 'Traeth 2', 'Gardd 2', 'Cwrdd 3', 'Ymryson 3', 'Traeth 3', 'Gardd 3', 'Cwrdd 4', gyda'r gerdd 'Wedi'r penllanw' yn glo. Mae'r cerddi i'r ardd yn llwyddo i gyfleu hyfrydwch perthynas y nain a'i hwyres, a'r cerddi i'r traeth yn dal egni'r môr, ond nid wyf yn teimlo bod y cerddi i'r ymryson a'r cwrdd mor effeithiol. Mae arddull y cerddi i'r ymryson yn sionc a chwareus ond heb fynd â'r darllenydd i wastad arall, ac arddull y gerdd olaf i'r cwrdd braidd yn annigonol i fynegi profiad ysbrydol personol megis tröedigaeth. Sylwais ar ambell lithriad iaith: 'yn unig swydd' ('yn unswydd' sy'n gywir), 'Daw 'nhw', 'chwipio fyny'. Mae yma wreiddioldeb meddwl a chynganeddu crefftus, gyda sawl cyffyrddiad i'n cyffroi, megis 'storïau Awst sydd â'r neges dristaf'; 'mae'n rhannu mwynau'r enaid'. Daw cyfle i'r ymgeisydd galluog hwn roi inni gynnyrch amgenach oherwydd mae ganddo gynneddf greadigol gref.

*Rhwng y ddwyborth:* Dyma ddilyniant o ddeg cerdd mewn mesurau caeth gan ymgeisydd dawnus. Mae'n cyfleu pa mor fregus yw cyflwr y Gymraeg a'i diwylliant yn Llŷn, a hynny trwy lygaid taid sy'n dyheu am weld ein parhad ac yn llawn gofid ynghylch y dyfodol. Mae'r pryder hwn yn islais parhaus drwy gydol y dilyniant ac mae'r ymgeisydd ar ei orau pan fo'n cyfleu hynny'n gynnil. Mae presenoldeb y môr yn y cefndir a'r blaendir, yn llythrennol ac yn ffigurol, a gallwn ymdeimlo â hanes y penrhyn arbennig hwn, gyda'i gysylltiad â'r môr, drwy gydol y dilyniant. Yn ei gerdd agoriadol, mae'n cyfleu gwreiddiad y gymdeithas yn y penrhyn, a pherthynas y bobl â'r amgylchedd naturiol a diwylliannol: 'Os rhaid oedd trwsio'r rhwydi,/ I wŷr Llŷn rhigymai'r lli'. Mae'r ail gerdd, 'Cenhedlaeth arall', yn effeithiol, gyda'r gofid yn agos i'r wyneb yn y darlun bywiog o'r ŵyr, ac mae'r llinell glo, 'Y mae Iago'n fy mygu', yn ochenaid o linell sy'n mynd â'ch gwynt. Nid yw'r gerdd 'Dod 'mlaen', sef cyfres o chwe englyn, mor effeithiol â'r tair cerdd gyntaf oherwydd collir peth o'r cynildeb. Digwydd hynny ryw gymaint yn y tair cerdd ddilynol hefyd ac wedyn yn 'Llygedyn', ac er bod yr eironi'n gwbl briodol yn y cyd-destun, ac yn rhan o ymateb didwyll y bardd, mae'r arddull yn tueddu i fod yn rhy uniongyrchol, a chollir yr awgrymusedd, e.e. 'Ganwaith fe glywyd gennym/ Y lol hurt mai hiliol ŷm' (''Run hen frwydrau'). Mae nifer o frychau'n tynnu oddi wrth y gwaith: mae angen berf yng nghystrawen dau gwpled agoriadol y gerdd gyntaf; 'Rhaffau'r gwreiddiau yma i gyd'' (mae eisiau ateb yr 'r' sydd yn 'gwreiddiau'); 'syrio/ Sahara' (proest llafarog: 'i' gytsain sydd yn 'syrio', felly mae'r llafariaid 'o' ac 'a' yn proestio); 'Rhain' ('y rhain' sy'n gywir); 'Er daw' ('er y daw' sy'n gywir); 'Canllaw y Drefn wna'r cynllun' (nid yw'n gydnaws â gweddill y pennill, ac mae'r mynegiant yn chwithig); 'Nid eu heffeithiau'n ''gychod a phetha''' (nid yw'r gair 'effeithiau' yn addas yma); 'tacio hwyliau ... i droi'r rhod' (cymysgu ffigurau); ambell gymal a chyfatebiaeth sy'n dreuliedig: 'ar derfyn dydd', 'estron ... ystryw', 'gawod ... gaeaf', 'mil ... melyn'.

Er bod y dilyniant yn colli peth grymuster yn rhai o'r cerddi, mae'r ail o'r ddau wawdodyn byr decsillafog yn glo pwrpasol: 'Yn fyr i hwylio trwy fur o heli,/ Eto â'r oesau rhwymwn y tresi,/ Am na wŷr yr hyn ŷm ni, ond morio/ Y tonnau eto nes tynnu ati'. Mae'n drueni na fyddai'r ymgeisydd hwn wedi treulio mwy o amser yn tacluso a chaboli, a llyfnhau'r mynegiant i osgoi ymadroddi herciog, oherwydd mae'n meddu ar ddychymyg a chrebwyll barddonol. Pan fo ar ei orau, mae'r canu'n dynn gyda'r mynegiant yn llyfn, fel yn yr englynion milwr i'r ŵyr: 'Hefo'i aur o Dalfarrach/ Yn hir ei ben daw'r ŵyr bach/ Â thywyn o betheuach'; yn y cywydd sy'n dilyn: 'Wedi'i dal mae Llŷn dy daid/ Mewn hanes, man i'w enaid/ Gael perthyn ar derfyn dydd; Llŷn lluniau'r llanw llonydd/ Hyd wyneb pert cerdyn post/ Yw traethau'r bae lle buost'; yn y rhan sy'n disgrifio'r fro ar ôl i'r ymwelwyr haf ymadael: 'Daw oriau rhwyfo mewn byd arafach,/ Hawlio o'i bwyll amser teulu bellach; A Llŷn yn llonydd, mae'r lle'n llawnach,/ o gefnu'r hafoc, yn gyfoethocach ...'; yn y gwrthgyferbynnu sydd yn 'Porth lle' na': 'Rhyw yngan geiriau angof/ Wnawn yn hŷn, a'r hen enwau/ Oedd mor wych, yn ddim i'r iau', ac yn 'Nid yr un hen le': 'Ond ni theimlir yr hiraeth/ Yn y tai rhes gyda'r traeth./ Cyn bod acenion o bell,/ A'r co' fel plethau'r cawell/ Roedd traeth o genedlaethau ...'). Mae gan y bardd hwn yr adnoddau angenrheidiol, a phe bai'n llwyddo i gynnal ei safon uchaf ei hun drwy gydol cyfansoddiad hir, gallai gyrraedd y brig.

*Owallt:* Dyma'r unig fardd y bûm i'n ystyried a ellid ei gadeirio. Cyflwynir y dilyniant o bedair cerdd ar ddeg er cof am dad yr awdur, a meddyliau ynghylch bywyd a marwolaeth yw'r gwaith, gyda'r pwyslais ar rym oesol egni bywyd er gwaethaf cerddediad amser. Y grym hwn yw'r llanw ffigurol, ac mae'n dygyfor drwy'r dilyniant. Mae'r llanw go iawn yma hefyd, yn haen ddiriaethol o ddelweddau sy'n deffro'n synhwyrau. Mae'r bardd yn canu'n bersonol ond mae'r mynegiant o dan reolaeth ac nid yw'n ymollwng i ordeimladrwydd. Llwydda yn hyn o beth oherwydd bod ganddo ef neu hi feddwl disgybledig a dadansoddol, a daw hynny i'r amlwg yn yr ymdriniaeth ag agweddau megis esblygiad, y genynnau a DNA, y microbau a chancr. Rhan o'r un gynneddf a gogwydd meddwl yw ei sylwgarwch a'i fanyldeb, ac amlygir hynny yn y ffordd y mae'n adeiladu ei ddelweddau a'i drosiadau. Mae ôl myfyrio a chynllunio pwrpasol ar yr adeiladwaith. Yn y gerdd 'Esblygiad', defnyddir dyfais effeithiol, sef cyflwyno dau draethiad gwrthgyferbyniol bob yn ail, y naill yn disgrifio'r llanw oesol, a'r llall yn disgrifio bywyd yn esblygu o'r môr, proses yr ymrannu canghennog hyd at heddiw, gyda'r un egni ynom ninnau, – y naill broses yn newid yn ei hunfan a'r llall yn newid yn esblygiadol, a'r ddwy'n digwydd yn gyfamserol. Mae'r cymal 'y gist gau' yn 'Ffarwelio?' a'r cyfeiriad at Landanwg yn y gerdd ddilynol, 'Eglwys', yn dwyn i gof englyn Gruffydd Phylip i'w dad, Siôn Phylip, a gladdwyd yno. Mae hyn yn gwbl briodol gan ei fod yn gosod y gladdedigaeth mewn cyd-destun hanesyddol, ond nid felly'r defnydd o farddoniaeth Waldo Williams yn y gerdd olaf, gan fod yma fenthyca gweledigaeth a throsiad bardd arall ('Ac yn y tŷ sydd allan ym mhob tywydd' yn 'Cwmwl Haf'). Mae ambell frycheuyn yma a thraw, megis 'Gem a rhuddem a rhos' ('Tro') – llinell ddiangen sy'n ddryslyd ei delwedd (gem *yw* rhuddem); a dau lithriad iaith, sef cenedl enwau – 'lleuad ... hwnnw'

('Dau') ac 'allor wedi'i golli' ('Eglwys'). Ni chredaf fod eisiau'r dyfyniadau sydd uwchben tair o'r cerddi. Hefyd, mae'r delweddau o'r drôr, y geriach, y gragen a'r lluniau o fewn trosiad llanw a thrai yn 'Clirio'r tŷ' yn rhy gyfarwydd i mi.

Serch hynny, mae'r gwaith yn gyforiog o gyffyrddiadau effeithiol – er enghraifft, 'sgwrio i osgoi hiraeth' ('Clirio tŷ'); 'Welson nhw mo'r llanw'n llenwi .../ mwy na'r môr yn cario'r cerrig' a 'ei dillad claerwyn/ yn ei law yn gwmwl ewyn' ('Dau'); 'yn grwm yn ei groth/ dan iau y bywyd newydd' ('Unigrwydd'); 'o bellhau o'u doeau diwyd,/ rhith o hedd yw'r eistedd astud' a 'Meddwl am y noson honno/ yn eu nwyfiant, a'i hanghofio' ('Henaint'); 'daw lleuad oerllyd/ a'i harlliw'n symud y byd, am byth', sef y lleuad ddi-hid yn tynnu'r llanw ac yn symbol o amser yn gyrru'n ei flaen yn ddidrugaredd, a 'brwyn bras' ('Chwarelwr'), sef gormes amser, a'r gwyllt yn adfeddiannu'r ddôl wedi dyddiau'r tyddyn; 'Ei ddolur a'i gur i gyd/ ato'n anfon o'i gynfyd/ enw Mam i'w enau mud' ac 'Mae ei amrant fel memrwn' ('Penyd'); 'y clwyf yn y clai' ('Ffarwelio'), sy'n cyfeirio at y bedd agored yn y lle cyntaf ond hefyd at yr afiechyd ac at ein meidroldeb, sef bod nod marwoldeb arnom o'n hanfod, yn ein clai.

Y bardd hwn sydd â'r dilyniant mwyaf cyson o ran ansawdd crefft, ac ef neu hi sydd â'r ganran uchaf o gerddi llwyddiannus, sy'n sefyll ar eu pennau eu hunain fel creadigaethau crwn. Yn ogystal, mae delweddau a throsiadau llywodraethol y thema yn rhedeg drwyddynt yn llinynnau datblygiadol mewn modd effeithiol. Dyma ddilyniant mwyaf gorffenedig y gystadleuaeth ac, ar ôl ystyried yn ddifrifol, rwyf o'r farn ei fod yn deilwng o'r Gadair.

# Y Dilyniant o gerddi mewn cynghanedd gyflawn

## LLANW

*Er cof am fy nhad*

### Môr

Yn ras y tonnau ar draws y twyni,
Yn sŵn y gragen, mae hen hen ynni,
Mewn creigiau yfflon ac ym mriwsioni
Ara'r foryd, yn y môr a'i ferwi.
Ôl ei gŷn ar glogwyni'n greithiau clir,
Ac ar y pentir mae'r tir yn torri.

### Clirio tŷ

Daw awr gwared ar geriach,
clirio byd un bywyd bach.

Crynhoi broc môr y droriau,
olion ei oes, i lanhau ...

Ffon gollen, hoff hen gyllell
a genweiriau'r pyllau pell ...

Hen gragen felen fawlyd –
iddo'n fôr, a heddiw'n fud ...

Mân bethau a lluniau llwyd
yr oriau a wiwerwyd.

Yn awr y trai, llyfnu'r traeth;
sgwrio i osgoi hiraeth.

\*      \*      \*

Digyfarch y daw gofid
i'n poeni, llechgi yw llid.

Un llun yn dal llawenydd
Gwaniad o haul ac un dydd
Dihalog o gofio gwyn
O'r haf olaf hirfelyn.

Un llun sydyn y sadio.
Llanw'r cur yn llenwi'r co'.


## Esblygiad

'Pŵer dethol naturiol ... yw amrywiaeth sy'n cael
ei chreu ar hap ... a'i siapio tros gyfnodau maith
gan rym dewisol sy'n cymryd mantais ac yn
cadw.' Helena Cronin, *The Ant and the Peacock*

O'r bae daeth llanw'r bywyd
yn awr bell gynnar y byd.

*Ar y daith o'r cefnfor du,*
*mireinio wrth ymrannu.*

Un llif yn dilyn y llall,
yn herio penrhyn arall.

*Fel hollti goleuni gwyn*
*a hydref mewn pelydryn.*

Ton wancus yn grymuso
a thynnu i'w thraeth yn ei thro.

*Deuai byw neu ddod i ben*
*o ystumio un stamen.*

Gyrru'n nes a thynnu'n ôl –
yn un, ac yn wahanol.

*Rhannu cell, a'r ynni cudd*
*yn y canol yw cynnydd.*

Un y don a'i grym di-hid –
Yr un yw, er y newid.

*Rhywfodd y mae'r dechreufyd*
*Ynof fi yn fyw o hyd.*

## Dau

Atgof am y noson honno
dan y lleuad, honno'n lliwio
hedd y twyni ac roedd tonnau'n
tyner, dyner ddweud eu henwau.

Welson nhw mo'r llanw'n llenwi
bwa'r bae i yrru'r bwi,
mwy na naddu'i rym anniddig,
mwy na'r môr yn cario'r cerrig.

Awel oer a gorwel arian
ac o'r moresg ar y marian
sŵn y nos yn eu hanwesu;
rhannu ias a'r wawr yn nesu.

Distyll amser yn goferu'n
hŷn na hanes ac yn nhynnu'r
tonnau taer, ei dillad claerwyn
yn ei law yn gwmwl ewyn.

## Tro

'... daw'r lle hwn rhwng pethau caled (tir) a diddymu
a llifo di-baid (y môr) yn drosiad ... am y cof, rhai
meddyliau wastad ar flaen ein meddwl, rhai mewn
atgofion, rhai mewn cilfachau, rhai yn ein hisymwybod
...' David Alston am waith Brendan Stuart Burns

Tro ar y traeth un cyfnos.
Aros hir
ger agen rhwng twr o greigiau
a phwll lle bu'r môr yn ffoi'n
ardd gudd o wyrdd ac aur;
rhimyn o glai,
rhaeadrau o wymon gloyw.
Gem a rhuddem a rhos.

Yna chwthwm chwithig
a'r llun yn atgo'r llanw
â chrych ar ei wedd.
Gwydr gwefr
am eiliad yn cymylu.

Rhedeg,
a tharió wedyn
ger y rhyd lle pigai'r adar
eu bwyd yn y tywod byw.
Yno, roedd hanes –
darn fel haearn o laid
yn dal ein doe.
Hen ôl sawl troed yn oedi
a llanw o oes bell yn ôl
wedi'u cydio a'u cadw.
Yn awr roedd llanw arall
yn ailagor y stori ...

Yr ennyd wedi'i rhynnu
yn y traeth lle'r oedd ein tro.
Un ennyd i'r oriau aros.


## Grymoedd

Hen ŵr y lloer ydi'r llanc
Sy'n arwain dawns ein horiau;
Ni wêl neb ei linyn o
Yn tynnu ar y tonnau.

Siglo crud y byd a'r bae
A dwyn y gro i'r twyni;
Yn ei drai'n ddiniwed reit,
I mewn, yn treiglo meini.

Awn ninnau i'n tranc yn ein tro –
Yn esgyrn ein cynhysgaeth,
Rhoi eu lle i hwn a'r llall –
Dau helics ein bodolaeth.

Ni wyddom ddim am a ddaw
Na rhybudd y microbau,
A chwerw gamp yw chwarae gêm
Hunanol y genynnau.

## Unigrwydd

Gwenodd
heb weld y gwenwyn
yn cnoi dan y cnawd.

Ei hen wen;
a ninnau'n
amau'r symud
o gell i gell yn ei gorff.

Gwenu o hyd a gwanhau;
y rheibio diarwybod a'i dwf du
yn lledu a lladd,
o gell i gell gudd,
o gell i gell gas.

Un wên olaf
a ninnau'n ei wylio yn oriau'r meddiannu araf,
yn grwm, yn grwm yn ei groth
dan iau y bywyd newydd.

Yna'i weld
yn ei wae,
yn ei boen
a neb yno.

## Henaint

Tua'n henaint awn ein hunain
ym min hwyr a dim i'n harwain;
dod i mewn gan ymbalfalu
tros y clos a'r nos yn nesu.

Y ddau'n llesg a'r dydd yn llusgo
yn eu côl, a'r byd yn cilio;
o bellhau o'r doeau diwyd,
rhith o hedd yw'r eistedd astud.

Geiriau byr ac oriau barus
a dau unig fel dwy ynys.
Meddwl am y noson honno
yn eu nwyfiant, a'i hanghofio.

## Chwarelwyr

Troi'n ôl i'r hen bentre' wnaf
ar daith ola'r dydd
a haul hwyr yn dal i euro
tomenni'r llechi llaes.
Mae'n hwyr.
Mae min nos yn llithro hyd y llethrau
i agor ffiniau'r gorffennol ...
Am eiliad o wamalu
daw cawod o draed ar dramp
a'r hoelion yn gwreichioni.

Ennyd yn mynd.
A mwy,
dim ond un hen dyddyn dall
ar lethr lom
a'i furiau'n ddagrau ar ddôl
y brwyn bras.
Tros weunydd y mynydd moel
daw'r lleuad oerllyd
a'i harlliw'n symud y byd,
am byth.

Yn awr o dan fy nhraed innau,
esgyrn ar wasgar
a chragen o asennau yn y gwyll
fel hen gwch.


## Penyd

Awr ei boen ar obennydd,
ninnau'n dau ar erchwyn dydd
yn astud uwch ei gystudd.

Gwrando ar lef o'r dref draw,
ar seiren frys yr hen fraw
a dolef lond ei halaw.

Yn ddirybudd eu rheibio
try'r tonnau i'r tir tano
gan agor rhwyg yn y gro.

Y gwahanu. Ac ennyd
yn y bae'n fwy na bywyd,
a dŵr bach yn bellter byd.

Gweld cryd ei dagu di-dor
yn ei rwygo ar agor,
yn ei ysgwyd, fel esgor.

Mae ei amrant fel memrwn
a ias hir ei sgrech ddi-sŵn
a'i gwae unig o Annwn.

✳ Ei ddolur a'i gur i gyd
ato'n anfon o'i gynfyd
enw Mam i'w enau mud.

Ni'n aros yn ein hiraeth,
yntau draw ar glwt o draeth
yn hualau'i farwolaeth.


## Patrymau

Fflach o wyn ar y penrhyn pell
a rhith yr haul
yn deilchion yn y tonnau.

Y môr ymhell otanom
a'r dydd yn tynnu
llun y llanw;
ei ddal yn ddof, yn stond ddi-stŵr
a'i resi fel cwysi cain.

O'r bryn hwn, ni welwn ni'r awel
yn chwipio'r ewyn,
na llam y byddinoedd llwyd
a'u rhuthr ar y traethau.

## Ffarwelio?

Y gist gau
a chriw bach ar bwys
y clwyf yn y clai.
Ynddi, ei wedd yn ddi-wae –
ymyrraeth ymgymerwyr
wedi ymlafnio i guddio'i gur,
i roi hedd yn lle'r ofn
a chysur o barchuso.

Ni'n crynhoi,
yn tynnu'n un, yn tynhau
yn nefod y beddrod bach
a rheolau ffarwelio.

Yna rhoi llaw, un i'r llall –
yn y cyfarch a'r cofio,
roedd hiraeth cenedlaethau.
Ynddyn nhw ei ddwyn o'n ôl.

Adnabod wynebau
o dro'i drwyn, o'i wên a'i wallt,
a'n criw unig cryno'n
adlais o'i lais a'i lef,
yn garreg ateb i'w wyneb o.

## Eglwys

'Cariad ... yn unig sy'n sibrwd wrtha' i gan
herio'r tywyllwch: bydd popeth yn iawn.'
*O ddarlleniad yn yr angladd.*

Llandanwg. Llain o dwyni
ac allor wedi'i golli
yn lluwch y morwynt a'r lli'.

Y stormydd wedi'i guddio
yn eu sgil, nes mynd tros go',
a mwy ni welet mo'no.

Ond Duw cariad yw, a dwg
eilwaith y llan i'r golwg
o dwyni yn Llandanwg.

## Twyni

Araf ei lanw yw môr aflonydd
y bae – aeonau'n ymsymud beunydd
yn ei ru. Mae'r tŷ sydd ym mhob tywydd
yn dywyll heno ond daw llawenydd.
Un gronyn ar ronyn rhydd – yn cronni
a'r twyni'n rhoi i ni ddaear newydd.

**Owallt**

## Dilyniant o gerddi digynghanedd heb fod dros 250 llinell: Ynys

BEIRNIADAETH CEN WILLIAMS

Oherwydd bod llawer o faterion crefft yr awdl a'r gynghanedd wedi eu diffinio a'u disgrifio mor fanwl a bod y fath beth â chadw at y rheolau yn angenrheidiol, mae'n ymddangos bod meini prawf pendant yn gwneud tasg beirniaid y Gadair yn haws. Nid na fyddan nhwtha chwaith yn chwilio am greadigrwydd, gwefr ac arbenigedd ym mhob gwaith. Ond efallai bod camdybiaeth nad oes gan feirniaid cystadleuaeth y Goron unrhyw feini prawf o gwbl ac mai mater o fympwy yn unig yw ei beirniadu. Caiff y gamdybiaeth ei chryfhau ymhellach gan y ffaith bod mwyafrif y beirdd bob blwyddyn yn dewis ysgrifennu yn y wers rydd a chred rhai nad oes unrhyw reolau na meini prawf ar gyfer hynny.

Mae'r geiriad 'Dilyniant o gerddi digynghanedd ...' yn cynnig dau faen prawf.

- 'Dilyniant' i ddechrau. Wrth chwilio am ddiffiniad, darllenais yr hyn a ddywedodd Eirian Davies yn ei feirniadaeth yn Eisteddfod Genedlaethol Rhydaman yn 1970, sef: '... rhaid cofio nad oes dim yn rhwystro dilyniant rhag cynnwys cerddi sy ar destunau gwahanol iawn i'w gilydd. Ar yr amod, wrth gwrs, fod y dilyniant yn adlewyrchu'r un agwedd neu osgo ar ran y bardd tuag at ei amrywiol destunau. Yna mae'r thema, nid yn y testunau yn gymaint, ond yn yr ymateb iddynt. Mae'r dilyniant, wedyn, nid ym mhen y bardd bellach ond yn ei galon.'
- Mae rheolau'r gystadleuaeth hefyd, yn gam neu'n gynnwys, yn mynnu mai 'cerddi digynghanedd' yw'r gofyn ond mae'r amodau arbennig yn ychwanegu, bod caniatâd i gynnwys '... ambell linell ddamweiniol neu anfwriadol gynganeddol' yn y gwaith. Gellid dadlau bod amod o'r fath yn rhwystr i nifer o feirdd gan y byddai cynnwys cyffyrddiadau cynganeddol mewn cerddi rhydd yn ychwanegu at seiniau'r geiriau ac yn gallu cyfoethogi'r ystyr.
- Mae'r testun 'Ynys' ynddo'i hun yn ganolog i'r hyn y bydd beirniad yn chwilio amdano a bydd ymdriniaeth bardd â'i destun yn faen prawf arall er efallai'n llai gwrthrychol. A yw'r bardd yn gweld y testun mewn ffordd newydd neu wahanol? A yw'n gyson yn ei ymdriniaeth?

Gan fod y mwyafrif llethol eleni eto wedi dewis y wers rydd yn hytrach na mydr ac odl, mae nifer o feini prawf cwbl wrthrychol eraill y gall beirniad eu hystyried.

- Yr amlycaf o'r rhain yw'r ffordd y mae'r bardd yn rhannu'r cerddi'n llinellau. Wedi'r cyfan y llinell yw'r ddyfais sylfaenol i wahaniaethu rhwng barddoniaeth a rhyddiaith, felly gellir disgwyl cryn feddwl i'r ffordd y mae'r llinellau'n cael eu rhannu o fewn y gwahanol gerddi. Mae'r llinell, yn ôl un beirniad, yn tynnu geiriau o lif naturiol iaith ac yn ein gorfodi i ganolbwyntio arnyn nhw i wahanol bwrpasau, e.e. rhythm, sain, syniadaeth, cynnwys trosiadol. Os yw'r llinell yn torri ar ddiwedd cymal neu frawddeg, mae'n ategu'r synnwyr gramadegol. Ond os yw'n rhannu ar ganol cymal, mae'n cyflwyno'r syniad bod rhywbeth yn anorffenedig ac yn ein gwthio i ddarllen ymlaen i gyflawni'r ystyr. Geill hefyd ddylanwadu ar gynghanedd (neu'r harmoni) y mae'r llinellau'n eu creu.

• Yn ogystal, rhaid sylwi ar ddulliau'r beirdd o gysylltu seiniau sydd yn gwneud i'r cerddi 'ganu' ac ynghlwm wrth hynny y defnydd a wneir o'r gwahanol rythmau (neu fydrau yn achos y 'cerddi' rhydd) i gyd-fynd â'r awyrgylch.

Trafodir y cynnyrch yn y drefn y daeth i law o Swyddfa'r Eisteddfod.


DOSBARTH 3

Ar waelod isaf dosbarth 3, mae tri dilyniant *Dros y Mynydd, Felingroes* ac *Ynni Haul.* Diffyg meistrolaeth ar y Gymraeg, diffyg ymwybyddiaeth o'r hyn sy'n gwneud barddoniaeth, anallu i wahaniaethu rhwng rhyddiaith a barddoniaeth a diffyg unrhyw fath o ysbrydoliaeth sy'n eu nodweddu. Y duedd yw crwydro'n ddiamcan o gerdd i gerdd. Os ydyn nhw o ddifrif ynglŷn â barddoni, byddai'n talu iddyn nhw ddilyn cwrs ar werthfawrogi barddoniaeth neu ysgrifennu creadigol. Mae hynny'n berthnasol i nifer o'r beirdd eraill yn yr un dosbarth sy'n dangos mwy o addewid ond sy'n llwyddo gydag ambell gerdd.

*Afallon y Fro*: Dilyniant o gerddi ar fydr gyda rhai llinellau'n odli a gafwyd ganddo, wedi eu seilio ar y syniad o Gymreictod. Hanes bywyd y bardd yw'r cynnwys, mewn pum cerdd, ac o'r rhain mae'r gerdd 'Ar yr aelwyd' yn apelio. Pan fo'n ceisio odli mewn pennill neu gerdd, tuedda'r ymdrech i lesteirio'r ystyr ac mae'r ffaith fod y pum cerdd ar yr un mydr yn arwain at undonedd. Ganddo ef y cawn y llinell dreuliedig, anfarddonol: '... pob un â choesau at eu tinau'.

*Robinson*: Tair cerdd sydd yn y dilyniant ac mae'r tair yn trafod yr unigolyn fel ynys. Byddai arfer mwy o gynildeb yn gwella'r mynegiant gan fod yma duedd i osod ansoddair gyda mwyafrif yr enwau: 'Heb fachlud gorwel pell ein cwm cul', 'hedd bywiog', storm dawel'. Gorgyflythrennu yw'r duedd arall – e.e. 'ond bregus broses, brau y briw', ac mae'r gorbwyslais ar sain ar draul ystyr yn aml.

*Ifan*: Casgliad o gerddi am ynysoedd neu amrywiol ddehongliadau o'r testun 'ynys' sydd ganddo. Mae'r bardd ar ei orau pan fo'n canu'n ddiriaethol, syml fel yn y cerddi, 'Lliwiau mewn llyn', 'Ffenest agored' ac 'I'r Ynys'. Tuedda i gymhlethu'r canu yn y cerddi cyntaf wrth bentyrru cyfeiriadaeth a defnyddio geiriau mwy haniaethol fel 'Holwyddoreg hyderus yw hon', 'yn bwdwr bietistaidd barchus', 'na syrthni simpsonaidd yr ildio'.

*Merch Abraham*: Cerdd gyntaf addawol iawn yn trafod y ffordd y mae sgrifennu barddoniaeth ac 'ymgolli ym mreichiau mydr ac odl' yn ynys iddi. Wedi hynny, cawn gerdd grefyddol sy'n apelio ar i Dduw 'agor ein clustiau' a 'dyrchafu ein llygaid'. O'r drydedd gerdd ymlaen, casgliad o gerddi wedi eu hysbrydoli gan daith i Ynys Ciwba sydd yma a rhywsut does dim undod i'r cyfan.

*Deigryn dryw bach*: Dilyniant crwn sy'n dechrau ac yn gorffen trwy ddefnyddio ysbienddrych Ellis Wynne i edrych draw at Ynys Sgiffdan ger Harlech ac ar y berthynas rhwng y bardd a'r Ynys. Er bod yma rai llinellau hynod o ryddieithol, mae'r bardd yn gallu adrodd stori'n ddiymhongar a gonest ac mae rhannau ohoni'n cyrraedd safon y rhai sydd yn yr ail ddosbarth.

*Y Gadwyn Goll*: Un gerdd hir sydd yma yn hytrach na dilyniant o gerddi. Ynys unig iawn sydd ganddo, sef ynys ei anabledd o'r afiechyd motor niwron, a'r teimladau gonest sy'n ein denu at hon yn hytrach na'r grefft. Mae ganddo rai delweddau trawiadol i ddisgrifio'i gyflwr ac mae yma onestrwydd ingol.

*Crymlyn*: Dilyniant serch, a'r ynys yn amrywio o fod yn 'dirwedd du cannwyll dy lygaid' i fod yn 'ynys newydd' gwely'r cam cyntaf yng ngharwriaeth y ddau ac i fod yn ynys eu perthynas a fydd yn cael ei gwarchod gan chwerthin eu plentyn. Rhywsut, mae yma ormod o enghreifftiau o lusgo'r syniad o ynys a môr i'r cerddi gan eu cymysgu â delweddau eraill anghymwys. Yn y gerdd 'Gwely', mae'r gwely'n ymerodraeth, yn drefedigaeth, yn *dacha*, fel planed, fel gwely'r cefnfor, ac yn llong i'w hwylio at yr ynys. Bardd sydd wedi arfer â rhythmau a sigl y wers rydd ond gorymdrech y tro hwn efallai.

*Cri'r Wylan*: Un gerdd hir sydd yma ac mae diffyg gallu i ymgydnabod â theithi'r iaith ynghyd ag ansicrwydd cystrawen yn ei gwneud hi'n anodd deall popeth, ond mae yma well dweud fel pan fo'n sôn am yr iaith yn cael ei threisio gan iaith arall, 'Wrth i sawdl stampio'i hwyneb / Ac wrth i'r plentyn euraid ddal ei law / Pan gwrddai geiriau'r hen farwnadau / â'r cwmwl llwch o wadn esgid'. Delweddu effeithiol ar brydiau ond anodd dirnad pob ergyd a phob dehongliad o'r testun.

*Cwm Bach*: 'Ynys Ddarfodedig yw bywyd,/ A'n hencil ni fydd mwy' yw'r ddwy linell olaf a dyma'r thema trwy'r gerdd, sef mai ynys yw bywyd pob un ohonom. Yn y gerdd gyntaf, cawn eni'r ynys ac yn y cerddi sy'n dilyn, ynys ei drysor, sef cyfrinach a chyfoeth ei brofiadau. Ynys unigrwydd ydyw erbyn y diwedd a chawn feirniadaeth ar grefyddwyr a chymdeithas heddiw yn 'Hunanoldeb' a 'Henoed'. Bardd profiadol yw *Cwm Bach* a ŵyr sut i saernïo cerddi unigol. Gŵyr hefyd werth seiniau wrth blethu geiriau a syniadau â'i gilydd ac mae wedi hen arfer â rhythmau'r wers rydd. Pe bai wedi gallu saernïo'r cerddi'n ddilyniant llyfn, byddai'n uwch yn y dosbarth.

*Lôn y Pandy*: Cyflwyniad byr a dwy gerdd hir sydd ganddo. Tybed a yw dwy gerdd yn ddilyniant? Beirniadaeth lem sy'n gryfach ac yn chwerwach oherwydd tawelwch awyrgylch y dweud sydd yn y gerdd gyntaf. Beirniadaeth y rhai a greodd eu hynys o bebyll y tu allan i Eglwys Sant Pawl a gawn yma trwy ganu cynnil sy'n brathu at yr asgwrn, 'Yma/ Mae cnul y clychau'n drwm/ Dan dinc ceiniogau,/ A ninnau'n mynnu herio/ Holl wanc a banc ein byd'. Ymffrost y Gadeirlan a'r gwŷr eglwysig a gawn yn yr ail gerdd ac nid yw hanner mor effeithiol â thôn ac awyrgylch y gyntaf. Eto, mae'n dangos crefft gwir fardd sy'n gallu dychanu'n ymffrostgar.

*Rhodgar*: Un o'r enw Maelon, y bedwaredd genhedlaeth i'w fagu ym Mhant-yr-Eithin, yw'r ynys yn y dilyniant storïol yma. Mae'r bardd ar ei orau'n darlunio'r unigeddau a bywyd amaethyddol y mynydd. Apelia 'Yr Unig Anedig' lle llenwir ei fyd yn unigedd ei blentyndod gan storïau a chwedlau, a'r gerdd 'Myfyriwr' sy'n sôn amdano'n troedio gyntaf i'r ysgol yn y pentref. Wrth 'groesi'r swnt' at ei Ddwynwen yntau, ildiodd i lanw'i reddfau a'i deimladau. Caiff ei adael ei hun ond daw ei fab yno i fwrw'i wreiddiau cyn i henaint ei lethu. Stori hoffus wedi'i hadrodd yn lân, yn llyfn ac yn effeithiol gan un arall sydd wedi hen arfer â'r wers rydd.

*Crusoe*: Arddull sgyrsiol yn adrodd stori sydd ganddo ac weithiau digwydd hynny trwy gwestiwn ac ateb. Ynys debyg i un 'Pwyll, neu Hector neu Jason' sydd ganddo, sef ynys un a 'rwyfodd o ynys bell i chwilio am wraig' ond ynys unigrwydd y claf mewn ysbyty hefyd. Cefndir y stori yw'r salwch, gyda'r adroddwr weithiau'n meddwl ei fod mewn ysbyty, dro arall mewn gwesty ar ynys. Uniongyrchedd y dweud naturiol a'r sioncrwydd sydd yn ei osod yn yr ail ddosbarth ac mae yma rai cyffyrddiadau trawiadol iawn.

*Hedd*: Ymdrech unigolyn yn erbyn y ddiod feddwol a'i garwriaeth â hi sydd yn ei ddilyniant ac mae hynny'n ei ynysu oddi wrth bopeth arall. Mae teitl pob cerdd yn cynnwys y gair 'ynys' a gallai hynny ymddangos weithiau fel petai'n ceisio argyhoeddi'r darllenydd ei fod yn destunol. Ceir yma ganu cynnil gan un sy'n hen gyfarwydd â'r wers rydd er y gallai amrywio'r duedd i ddiweddu pob llinell ar ddiwedd cymal neu frawddeg.

*Bob y Bilder*: Teitl y dilyniant yn ôl y bardd yw 'Tyddyn y Coed' ac nid 'Ynys'. Nid yw'n eglur pam y gwnaeth y bardd hyn. Gellid dadlau ei fod yn destunol gan mai ei ynys ef a'i bartner yw'r Tyddyn y Coed y maen nhw'n ei gynllunio, ei adeiladu a'i ddatblygu i fod yn hunangynhaliol. Y gerdd wannaf yw'r gyntaf gan ei bod mor rhyddieithol ond mae'r dilyniant yn gwella'n sylweddol wrth fynd rhagddo. Apelia 'Prynu Crys' fel cerdd unigol ond anodd yw gweld sut y mae'n ffitio i'r cyfanwaith ac mae'r cerddi olaf yn llawer mwy apelgar.

*Gwern*: Ailgread o ddiwedd ail gainc y Mabinogi sydd yma ond mai pen milwr a laddwyd yn Helmand ydyw yn hytrach na phen Bendigeidfran. Un o'r saith yw'r adroddwr yn 'Cario/ rhwng fy nghrys a'm cnawd/ ei ben/ a'i geg yn rhwyg/ ac ewyn gwaedlyd ar ei fin'. Mae Adar Rhiannon yma ond yn methu ei hudo i gwsg. Dilyniant diwastraff ydyw sy'n adrodd y stori'n uniongyrchol gyda chyfeiriadau at yr ail gainc i ddangos nad oes dim wedi newid; yr un yw'r gwewyr heddiw ag ydoedd yn y rhyfel yn yr Iwerddon rhwng y cymeriadau chwedlonol. Ceir y teimlad mai profiad ail-law yw profiad y bardd.

*Bron Haul*: Y byd fel y gwelir ef trwy lygaid 'Google Earth' yw'r ynys yn y ddwy gerdd gyntaf ond cilia yn yr oes cyn-Google i fyd Tomas O'Crohan ar ynys y Blasket yng ngorllewin yr Iwerddon, 'pysgotwr, crofftwr craff, waliwr libart/ ac ymdriniwr geiriau fel cerrig clawdd terfyn'. Cerdd gadarn yw hon ond try'r dilyniant yn gasgliad wedi hynny gyda'r soned 'Hiraethog', cerdd i 'Sat Nav', dwy gerdd i adar yn mudo, soned i Nelson Mandela a cherddi amrywiol eraill wedyn. Ei gryfder yw ei allu i drin geiriau a saernïo cerddi unigol gan gynnwys tair soned ond nid yw eto wedi llwyddo i saernïo dilyniant tynn nac i greu cerddi sy'n gwefreiddio.

*Y Seren Fore*: Mae llawer o debygrwydd rhwng y bryddest hon a phryddest John Roderick Rees, 'Glannau'. Sôn am golli cof a chrebwyll y mae hi, gyda'r stori wedi'i hadrodd mewn ffordd hoffus a chrefftus mewn tafodiaith. Trwy sgwrs loyw o naturiol y datgelir y cyfan ac mae hi'n cyffwrdd ein teimladau mewn ffordd drawiadol o uniongyrchol: 'Ar dro,/ mae'r gegin yn galw,/ a hithe'n camu/ mewn i'n chwarae ni,/ llwy/ a choffi/ a chwpan,/ y taclau i gyd yn gyflawn/ ond y drefen ar drai'. Byddai sawl teulu'n gallu uniaethu â hi a chredaf y byddai trwch selogion yr Eisteddfod yn mwynhau darllen y bryddest delynegol a theimladwy hon.

*Prospero*: Ynys yr hunan sydd ganddo, gyda'r hunan y tro hwn mewn caethiwed llwyr 'Tu ôl i'r barau gwynion' mewn seilam neu garchar.

Y feirniadaeth fawr yw nad ydym ni'r sylwedyddion yn gwneud dim ond syllu a chefnu, ac awgryma hefyd ein bod ni oll yn garcharorion i'n hamgylchiadau. Mae yma fardd profiadol sy'n gryn feistr ar y wers rydd ac mae'r gerdd 'Coridorau' yn drawiadol yn y ffordd y mae'n defnyddio'r rhythmau cryfion ac ailadrodd geiriau a llinellau i roi'r argraff o fartsio o'r caethiwed hwn 'I ryddhad y dagrau'. Collodd gyfle i greu tyndra newydd a chreu disgwyl, trwy ddiweddu ei linellau yn ôl yr unedau ystyr. Dylai ystyried amrywio er mwyn creu effeithiau gwahanol.

*Hafan Oer*: Ynys unigrwydd yr unigolyn sydd ganddo yntau hefyd, gyda'r tonnau o'i amgylch yn sisial pob math o swynion a heriau gan 'r[h]wbio' broc budur/ a golchi'r llanast/ i gorneli'r hafna'. Y sibrydion yma sy'n codi pob math o amheuon ynddo ac yn ei arwain at gwmnïaeth amheus ac at oerni'r unigrwydd a surni'r siwgr y mae'n ei gael ganddyn nhw. Mae peth amwysedd yn pwy yn union yw'r 'nhw' – cyffuriau, oedolion eraill neu hyd yn oed ei rieni. Ceir awgrym o hunanladdiad ar y diwedd ac mae'r trosiadau'n gallu bod yn gymysglyd ar brydiau. Un gerdd hir wedi'i rhannu'n dair rhan ydyw ond mae'n waith sy'n cynhyrfu ac yn anesmwytho'r darllenydd. Os bardd ifanc ydyw, mae i'w ganmol yn fawr.

*Moresg*: Pensaer o fardd cynnil, glân ei grefft, ac mae nifer o'i gerddi'n apelio'n fawr fel cerddi unigol; yn eu plith 'Matras Awyr', 'Maldives', 'Y Noson Olaf' a 'Gwales 2012'. Pe bai wedi llwyddo i greu dilyniant yn hytrach na chasgliad, byddai yn y dosbarth cyntaf. Ei linyn cyswllt yw dyfyniad ar y dechrau o waith George Mackay Brown sy'n sôn am ganu i'r ynysoedd gan glodfori'r tincer a'r sant ac mae'n gwneud hynny gan glodfori ynysoedd hefyd, 'Ynys a pharadwys,/ yr un ydynt/ ar rimyn het ysgafn rhamant;/ man lle mae'r tir a'r môr/ yn canmol ei gilydd;/ y naill yn nrych/ y llall'. Bardd caboledig.

DOSBARTH 1

Rhannwyd y dosbarth hwn yn Ddosbarth 1, gyda'r tri sydd ar y brig y byddwn yn fodlon eu coroni mewn is-ddosbarth arbennig – Dosbarth y Goron.

*Xanthe*: Stori fer ar ffurf cyfres o lythyrau o Ynys Eftichios yng ngwlad Groeg gan ferch o'r enw Meleri sydd gan *Xanthe* ar y naill lefel ac, ar y llall, hi ei hun yw'r ynys, 'Rw'i wedi danto ar fod yn ynysig,/ rw'i am fod yn rhan o'r tir mowr'. Fel y gwedda i lythyrau at gydnabod, mae'r cyfan mewn tafodiaith ac mewn amrywiaeth o linellau tri, pedwar neu chwe thrawiad. Mae'r rhai olaf yn edrych fel rhyddiaith ond maen nhw wedi eu gweithio'n ofalus o safbwynt y rhythmau. Mae elfennau o eironi dramatig yma hefyd wrth i ni sylweddoli bod ganddi ddwy berthynas, y naill gyda

Dafydd sy'n dod yn agos yng nghystadleuaeth y Gadair bob blwyddyn a'r llall â Rhodri, partner neu ŵr Jên y mae'n sgrifennu rhai o'r llythyrau ati. Caiff berthynas unnos gydag ynyswr o bysgotwr a gyfarfu yn yr harbwr, 'Gwelson ni'r cyfddydd yn taenu dros yr ynysfor / a Chaer Arianrhod yn pefrio'n ddirfawr uwchben'. Daw'r awdur ag awyrgylch hollol wahanol i'r gystadleuaeth ond mae yma fwy o arddull yr awdur storïau byrion nag arddull a chrefft y bardd. Byddai llawer yn mwynhau darllen y dilyniant.

*Mwlsyn*: Meic Stevens yw ynys *Mwlsyn*; ynys yn ei gyfnod cynnar oherwydd ei fod mor wahanol, 'Oet fab y tryste / yn crynhoi gwymon afrad / ar draeth gwyn anobaith ... / Iraist dy ben â phenrhyddid'. Llwyddodd y bardd i blethu hanes ei fagwraeth, ei hoffter o'r môr a hanes ei yrfa gyda geiriau a theitlau ei ganeuon yn ogystal â rhai cantorion 'blues' a chantorion poblogaidd eraill. Gwnaeth hynny'n llwyddiannus ond, yn anorfod, tuedda'r dilyniant i fynd yn gatalog o ganeuon a'u cyfeiriadaeth. Llwyddodd i ddal ysbryd y canwr a'r hyn a oedd yn ei ynysu ac sy'n dal i wneud hynny ond gosododd ffrwyn arall ar ei ddawn trwy'i gyfarch yn yr ail berson unigol ym mhob cerdd. Anodd yw canu'n wrthrychol amdano trwy wneud hynny ond rhoddodd y dilyniant bleser mawr.

Anodd yw peidio â chymryd *Llef un yn Llefain* a *Y Dref Wen* gyda'i gilydd gan fod eu harddulliau, eu hieithwedd a'u crefft mor debyg. Eu dehongliad o'r testun sy'n eu gwahaniaethu. Mae yma fardd go iawn yn y ddau achos, sy'n gwybod sut i greu cerddi ar fydr (heb yr odl gan amlaf), ac sy'n gallu creu symudiadau rhythmig. Llinellau grymus sydd ganddyn nhw'n amlach na pheidio ac maen nhw'n cyflythrennu llawer i greu cyswllt rhwng geiriau. Ar dro, gallai hynny dynnu sylw oddi ar yr ystyr gan wneud i'r grefft ymddangos yn bwysicach na'r synnwyr. Efallai eu bod wedi arfer ysgrifennu ar gynghanedd lle mae maddeuant i'w gael weithiau am ddefnyddio geiriau anghyffredin neu hynafol, lle mae rhinwedd bendant i gryfder y cyswllt cytseiniol a lle mae'r gallu i ailgyflwyno syniad mewn gwisg ddelweddol wahanol (fel y salmydd) yn gwbl dderbyniol, e.e. o ddilyniant *Llef un yn Llefain*:

> Ar y ffenest deil y diferion glaw
> i gynffonni ar garlam ... hwyaid gloyw'n nofio
> yn eu glendid ... llinynnau llaes
> yn gwallgofi yn y gwynt ...
> cyrawal gloyw'n ymgasglu ger y geulan ...

*Llef un yn Llefain*: Cerddi dychmygol wedi'u seilio ar salwch meddwl mam Caradog Prichard sydd yma ac ynys ei hunigrwydd hi yw'r ynys. Mae'r bardd yn plethu cyfeiriadaeth i'r cerddi'n gywrain iawn, o waith Caradog Prichard, o'r Beibl ac o fytholeg a llenyddiaeth Groeg a Norwy. Mae modd derbyn y ddwy ffynhonnell gyntaf a hyd yn oed y drydedd pan fo'r bardd yn sgrifennu'n wrthrychol am y profiadau ond pan fo'n sgrifennu yn llais y fam yn y person cyntaf, anodd meddwl amdani'n cyfeirio at delynau Orffews, tir Elysian, Helios, Tantalus, Sisyphus ac Odin. Onid yw hyn yn groes rywsut i'r darlun ohoni a gawn yn llenyddiaeth Caradog Prichard? Er hynny, maen nhw'n gerddi gorffenedig, clasurol a bydd apêl eang iddyn nhw. Mae'r canu telynegol sydd yn 'Eira'n Disgyn' a 'Machlud' yn fwy cydnaws â'r fam ac yn dangos y bardd ar ei orau:

> Pendwmpian, dihoeni
> o ddydd i ddydd anwydog, cyn tawelu.
> Dolef o dawelwch;
> darogan drycin;
>     edefyn gwawn ar dorri'n rhydd
>     i'r awel ...

*Y Maen Du*: Awyrgylch dawel, fyfyriol sydd i'r cerddi yn y dilyniant yma am ymweliad dau ag Ynys Enlli. Crynhoi profiadau a myfyrdodau y mae'r bardd a synhwyrwn ei fod yn ymwybodol iawn ei fod wedi dianc i hen fyd y seintiau gan fod islais crefyddol yn britho i'r wyneb bob hyn a hyn:

> Daethant i wthio eu cred arnat tithau,
> hen ynys,
> fel arnom ninnau,

meddai am saint yr abaty sy'n dadfeilio,

>     ... fel y mae adfeilion hen emynau
>     ac adnodau hanner-anghofiedig
>     yn pydru yn ein hymennydd ninnau.

Mae'r islais yn amlycach fyth yn 'Y Capel' a 'Dychwelyd' a sylweddolwn mai dyn yw achos y dadfeilio; trachwant y môr-ladron, y rhai a fu'n gyfrifol am y 'gwarchae yn Lenningrad', y 'pentwr cyrff yn Abu Grahib' a 'phlant Utoya'. Er gwaetha'r teitl 'Nid ynys mo neb', arall yw'r argraff y mae'r gerdd yn ei chyfleu gan awgrymu mai cwbl annibynnol yw pawb yn eu meddyliau. Bardd cynnil, glân ei grefft yr oedd darllen ei waith yn bleser.

*Helios*: O'r dilyniannau sy'n trafod ynys henaint ac ynys Alzheimer, mae gwaith *Helios* yn tra rhagori. Dadlennir effaith y cyflwr heb unrhyw sentimentaleiddiwch ac mae'r bardd wedi rheoli'i deimladau. Dadlennir effeithiau'r cyflwr gam wrth gam wrth i'r fam holi am ei thad a'i mam hithau, trwy'r baglu meddyliol, y diffyg gallu i gyfathrebu, y dianc yn ôl i 'bentref' y gorffennol, a'r geiriau'n llithro o'i gafael. Rhydd y gerdd olaf un gobaith i'r gragen o fam sydd ar ôl:

'does gen ti ond un gobaith, Mam,
– dy fod ti wedi cydio
yn y gragen wrth dy draed,
a chlywed ynddi
leisiau Taid a Nain
yn dweud yn glir
eu bod nhw'n dod
o'r diwedd

dod i dy nôl di
i fynd adra'.

Canu profiad mewn ffordd hynod sensitif y mae'r bardd. Eto, tuedda'r arddull i fynd yn rhyddieithol weithiau. Gellid dadlau bod hynny'n fwriadol fel y mae'r fam yn colli gafael ar iaith. Yr hyn sy'n amharu ar y cyfanwaith yw bod rhai enghreifftiau o ddatgelu gormod, e.e. '... geneth fach bedwar ugain oed' yn y gerdd gyntaf ac mai Alzheimer yw'r clefyd yn y gerdd 'Pwy?' Er hynny, mae'r cerddi 'Hollt', 'Creigiau', 'Pontio' a 'Cragen' yn apelio'n fawr oherwydd y canu glân, cynnil.

*Y Dref Wen*: Canu a wneir i'r 'dderwen hynafol' neu'r 'ynys werdd' a safai yn Guernica ar ôl y difrod a wnaethpwyd i'r dref gan yr Almaenwyr a'r Eidalwyr ac mae'n perthnasu hynny'n grefftus â'r hyn a ddigwyddodd yn hanes Heledd a Branwen. Mae cerdd arall wedi ei seilio'n llwyr ar baentiad enwog Picasso. O ran crefft, mae popeth a ddywedyd am *'Llef un yn Llefain'* yr un mor wir am y dilyniant hwn ond bod yr awyrgylch yn drymach ac na cheir yma unrhyw ganu telynegol. Hyd yn oed yn y gerdd 'Ymson Mam Uwch Corff' ei Mab', canu trwm mewn iaith ffug glasurol a gawn:

Rhowch mwy ar fynwes rosynnau'r wawr i'w hanwylo;
rhowch lawryf ar ddoluriau, y wisg werdd am gorff i'r gweryd.

Mor brydweddol ei dangnef, mor gyfan, mor llwyd y gorffennwyd
ei hoedl, mwy yn gorwedd mewn hyn o lwch a thawelwch.

Roedd corff y dilyniant hwn yng nghystadleuaeth y Goron y llynedd o dan deitl arall ac mae hynny'n mynd â mymryn o'r sglein oddi arno. Er bod rhai mân newidiadau wedi'u gwneud, mae llawer iawn o'r hyn a ddywedir ym meirniadaeth Nesta Wyn Jones yr un mor berthnasol eto eleni.

Mae tri chystadleuydd ar ôl a'r tri, yn fy marn i, yn deilwng o'r Goron. Yn ôl teilyngdod y mae'r trafod y tro hwn.

*Aran*: Gall aelwyd a chartref fod yn ynys yn ôl cerdd gyntaf *Aran* fel y gall yr un neu'r ddau bartner sydd yn byw yno. Sefyllfa perthynas o'r fath sydd yn y dilyniant hwn lle mae'r tyndra sydd yn y berthynas yn cael ei adlewyrchu yn yr adeilad ac yn y byd natur o'u cwmpas:

> a chlatsh y glaw sy'n glec
> yn y gwagle sy'n ddu rhwng y ddau.

Cerdd gadarn, grefftus i agor y dilyniant a'r unig obaith yn yr ail gerdd yw'r crychydd sy'n:

> wargrwm o amyneddgar
> yn ddelw hen sy'n llonyddu'r llid.

Mae yma feistr ar y wers rydd ac ar wneud i'r farddoniaeth 'ganu' ond nid yw'r soned yn gwneud cyfiawnder â'r bardd fel y mae'r gerdd 'Y Cae Llafur' sy'n ei dilyn. Dyma un o gerddi unigol gorau'r gystadleuaeth gydag elfennau byd natur yn awgrymu cyflwr eu perthynas yn gynnil iawn. Ceir awgrym o gymod ar ôl 'terfysg diwedd p'nawn/ a'r cwmwl plu yn gryndod o bryder', gyda'r drudwennod a oroesodd ymosodiad y brain yn '... setlo'n garcus, yn ôl ar y cae cras,/ ac i ganol y tes sy'n firi o'u cwmpas'. Apelia'r filanél 'Lleisiau' a'r gerdd olaf 'Archipelago' yn fawr hefyd ac mae *Aran* ar ei orau yn y cyffyrddiadau delweddol cynnil, awgrymog sydd ym mwyafrif y cerddi. Ar brydiau, mae'n brwydro yn erbyn y gynghanedd oherwydd y rheolau ond mae'r cyffyrddiadau cynganeddol yn ychwanegu llawer at y dweud.

*Unigolyn*: Ynys o Gymreictod oedd tŷ *Unigolyn* yn eu stryd nhw yn ystod ei blentyndod ac olrhain ei berthynas â'r Gymraeg weddill ei oes a wna yn y dilyniant. Dechrau'r garwriaeth hon a gawn yn y gerdd 'Driftwood':

> ac mewn gwin cynnes a nerfau
> a'r haul di'n gwneud ni'n hyrt [*sic*],
> daethom yn agos nes ein bod yn un
> fel darn o froc môr
> wedi ei lyfu'n llyfn.

Ond pan sibryda hi'r gair 'cariad', mae'n codi dychryn arno ac mae'n pellhau:

> ... dau yn eistedd mewn car,
> yn syllu ar y môr
> mor oer â dau gi tseina.

Dyma'r bardd mwyaf gwreiddiol ei drosiadau a'i ddelweddau ac mae ar ei fwyaf dyfeisgar yn y cerddi 'Cydwybod' a 'Fy iaith i'. Awn trwy gyfnodau didaro lle y bu iddo dreisio'r iaith, cyfnod lle y teimla fod yr iaith fel iaith gymunedol yn marw, a chyfnod lle'r oedd ei blant 'yn llawn llediaith a lledrith' yn diosg yr iaith 'fel siôl'. Gwelodd ei blant yn 'creu mabinogi newydd' yn eu hiaith wahanol ac yntau'n gweld colli ei iaith ei hun a sylweddolodd, 'fod sgrech y geni a'r colli/ yn un'. Daw gobaith newydd yn 'Llangrannog yn y Glaw' ac yn 'Eco' ac er mai 'stŵr Saesneg' a gaiff y babis yn y caffi, daw'r iaith yn ôl eto 'yn llawn cwmpeini/ i droi bratiaith/ yn farddoniaeth/ a hiraeth'. Ond gobaith ar ran unigolion ydyw yn hytrach nag o safbwynt cymuned. Mae yma grefftwr dyfeisgar o fardd sydd wedi cynllunio cerddi unigol o amgylch trosiadau a delweddau trawiadol ond sydd hefyd wedi creu dilyniant crwn, clir ei neges.

*Y Frân*: Ynys Gwales yw dechrau'r dilyniant lle bu pen Bendigeidfran a'r saith gŵr a ddihangodd o'r Iwerddon am bedwar ugain mlynedd. Yn wahanol i'r ail gainc lle'r oedd Branwen wedi ei chladdu yn Aber Alaw, yr oedd hi yno yng Ngwales gyda nhw, am gyfnod o leiaf. Defnyddio'r chwedl yn gefnlen a wna'r bardd i gyflwyno dilyniant sydd ag arwyddocâd cyfoes ac sy'n ymdrin â sawl agwedd ar fywyd Cymru a'r tu hwnt gan gyflwyno nifer o wirioneddau oesol. Mae'r dilyniant yn un heriol ond mae rhai arwyddbyst a fydd yn rhoi peth goleuni ar yr ystyr.

Yn gyntaf, y tri drws. 'Paradwys heb bobl: y drws cyntaf', meddai'r bardd yn y bedwaredd gerdd; 'Daeth y dynion i gysuro Brân./ yr ail Ddrws siarad' (y nawfed gerdd); '– Nid drws ar ynys, ond porth y meddwl' yw'r trydydd drws (y ddeuddegfed gerdd).

Yn ail, 'goleuni' a'i berthynas â'r môr. Mae'n un o hanfodion y dilyniant yn ôl y tair llinell sydd ar y dechrau ac yn ei gloi. Mae'r ail gerdd, 'Gwledda', wedi'i seilio ar loddest o oleuni sy'n cael ei sugno o'r fron ar enedigaeth a'r sêr sy'n 'hadau pomgranadau'r nefoedd'. Cymer le'r môr fel grym, y môr sy'n '... sôn/ am ddim/ Ond amser a syched,/ syched amser'. Erbyn yr wythfed gerdd (ddi-deitl), wrth edrych ar hanes y ddynoliaeth yn lluniau cyntefig ar wal ogof, dim ond golau artiffisial y lamp sydd yno i gynorthwyo Brân i ddeall datblygiad y ddynoliaeth a diddeall bellach yw'r môr. Amser yw'r môr. Mae gweithred Heilyn fab Gwyn yn agor y trydydd drws yn y ddeuddegfed gerdd, 'Tuag Aber Henfelen', yn nodi bod 'Golau newydd fel sioe ar lwyfan/ Llundain – bedd byw Bendigeidfran'! Diflannodd y goleuni a oedd yn cynnal y cwmni yng Ngwales, a gallai hynny olygu popeth a oedd ynghlwm yn ein rhamant a'n diwylliant ni fel Cymry ac, yn ei le, golau artiffisial arall a gawn, o Lundain y tro hwn. Awgrymir ein bod yn cael ein dylanwadu gan y goleuni yma a dengys y gerdd olaf 'Ysbyddawd Urddol Ben', mai disylfaen iawn yw popeth a ddaw oddi yno.

Yn drydydd, perthynas yr ynys a'r môr. Eto yn y pennill cyflwyniad tair llinell, 'Pennill bach o dir' yw'r ynys a'r '... môr/ yn gerrynt o'i amgylch'. Awgrymir yma fod y môr yn cynnal y tir trwy'r 'cerrynt' cynhaliol fel y mae amser yn cynnal ein bodolaeth. Ond cyn diwedd yr ail gerdd, mae amser fel 'tiwn gron' ac erbyn y bumed gerdd 'Tir yn dôn, a'r môr yn gytgan./ Tiwn gron gwylio amser,' yw'r syrffed sy'n dod i'w rhan yn y Wales ddigwmni. Mae'r tonnau wedi blino erbyn y ddegfed gerdd oherwydd bod y 'dagrau olew' yn achosi iddyn nhw 'Ffrwtian fel cawl ar odre'r tywod' ac o'r gymysgedd fodern (yn ogystal â chynfydol) hwn y daw'r sarff i hisian yng nghlust Bendigeidfran a'i herio yn union fel y sarff yng Ngardd Eden. Erbyn y gerdd 'Hiraeth am y Dyfodol' wedyn, mae'r ynys wedi deall:

> ... nad yw lefel y môr
> Yn bodoli go iawn – na chwaith yr hunan –
> Dim ond llanw'n llusgo'i glogyn
> A'i osod dros y cerrig mân
> Cyn eu dadorchuddio fel tric – tada! –
> Trydan planedau'n goleuo pob gronyn!

Rhith yw amser, rhith yw'r hunan, rhith yw popeth.

Yn bedwerydd, gallech ddilyn arwyddocâd y pen neu'r penglog trwy'r cerddi hefyd gan ddarganfod bod Branwen yn gofalu 'Drosto, fel pe bai'i benglog/ Yn set deledu a honno'n darlledu/ Pob sianel ddynol a gynhyrchwyd erioed'. Awgrymir bod y gwirioneddau a'r syniadau sydd yma'n rhai oesol. Ond ynys yw pob pen hefyd, 'A fo ben/ Bid ynys', aralleiriad eironig iawn o eiriau'r ail gainc, ond un sy'n gwbl unol â gweddill y dilyniant hwn. Mae'r pen yn gallu dychmygu (Cerdd 4) ond erbyn y gerdd 'Y Pen' sy'n darlunio gwahanol agweddau ar bennau, 'Cragen yw'r benglog a fi/ Yw crwban digymar yr ynys hon'. Erbyn y ddegfed gerdd mae peth amwyster yn perthyn i'r gair gan mai cyfeirio at bennaeth a phenaethiaid pob oes a phob gwlad y mae pan ddywed ' Fi yw gobaith y cyfan'.

Rhaid rhoi sylw i bob gair a chymal yn y dilyniant, maen nhw'n llawn ystyr ac arwyddocâd ac mae ei ddehongliad o'r testun yn gwbl wahanol i bob un o'r beirdd eraill. Dyna ddwy agwedd sydd yn rhoi *Y Frân* ar y blaen yn y gystadleuaeth ond mae llawer mwy:

- yr amrywiaeth arddull ac awyrgylch sydd yma – o'r eironig i'r dychanol i'r chwerw ddoniol;
- defnydd o'r gerdd wers rydd arferol, math o haicw, cerddi dramatig, cerddi sylwadol, e.e. 'Y Pen' a'r gerdd fyfyriol sydd fel cyfarwyddiadau llwyfan mewn drama, e.e. 'Tuag Aber Henfelen';
- y ffaith ei fod yn ddilyniant eithriadol dynn gyda'r croesgyfeirio trwyddo a datblygiadau, e.e. gyda'r tri drws;

- y ffaith ei fod yn feistr ar ei ddefnydd o'r llinell, weithiau'n ategu'r ystyr mewn dull gramadegol a thro arall yn creu tyndra a disgwyl gyda'r ffordd y mae'n rhannu llinellau;
- mae'n creu cerddi sy'n cynnwys cyffyrddiadau seiniol ysgafn trwy gytseinedd, cyseinedd, ailadrodd ac odlau o bob math ac
- mae'n amrywio'r rhythmau sydd ynddynt i gyfleu naturioldeb sgwrs o fewn cerdd, pendantrwydd rhai gosodiadau ac awyrgylch fyfyriol, dawel.

Meistr ar grefft, yn wir, ac un sydd wedi codi safon dilyniant y Goron eleni i'r uchelfannau.

Coroner *Y Frân* a diolch iddo neu iddi am ddilyniant cynhyrfus, anturus a mentrus.


## BEIRNIADAETH CYRIL JONES

Cyn dechrau tafoli'r 32 a ymgeisiodd am y Goron, hoffwn nodi rhai sylwadau penodol ynghylch y gystadleuaeth a rhai materion y bu'n rhaid ymdrin â hwy wrth eu dosbarthu a dewis cerdd fuddugol.

Roedd hwn yn destun a esgorodd ar rychwant eang o ddehongliadau ac mae'n tanlinellu'r pwysigrwydd o osod testun penagored i'r beirdd. Yn bersonol, teimlaf y byddai'n llawer mwy buddiol gadael i weledigaeth y beirdd ddehongli ffurf y gwaith a rhoi penrhyddid iddynt lunio casgliad, dilyniant neu gerdd hir neu bryddest heb fod dros 250 o linellau. Methodd nifer o feirdd gadw y tu mewn i derfynau ein dehongliad ni'r beirniaid o'r dilyniant eleni. Yn y pen draw, darganfod y bardd mwyaf galluog a ddylai fod flaenaf ym meddyliau beirniaid yn hytrach nag ymdrin â materion technegol fel hyn.

Hoffwn nodi hefyd fod y cyd-drafod rhyngom fel beirniaid wedi bod yn agored a gonest ac er nad oeddem yn cytuno ar bob mater, roedd ein parodrwydd i wrando ar safbwyntiau'n gilydd wedi sicrhau bod y profiad o feirniadu wedi bod yn un buddiol ac addysgiadol ar brydiau. Serch hynny, rwy'n meddwl y dylai pwyllgorau'r dyfodol sicrhau bod gwell cydbwysedd o safbwynt rhyw ac oedran ymhlith aelodau'r panel a benodir. Mae'r tri ohonom eleni yn perthyn i'r genhedlaeth hŷn! Wedi'r cyfan, mae aelodau'r panel beirniaid, yn ogystal â'r testun, yn medru denu rhai beirdd yn ogystal â pheri i gystadleuwyr eraill gadw draw.

Un mater cwbl greiddiol i gystadleuaeth y Goron sy'n berthnasol eleni, ac ymdrinnir ag ef yn gyson, yw'r ffin annelwig honno rhwng barddoniaeth a rhyddiaith. Terry Eagleton yw'r beirniad llenyddol a ddaeth agosaf at gynnig y dehongliad gorau o'r gwahaniaeth, yn fy marn i, er ei fod yn swnio'n ddigon di-fflach. Wele frasgyfieithiad ohono: 'Mae cerdd yn osodiad ffuglennol, dyfeisgar a'r awdur yn hytrach na'r argraffydd neu'r prosesydd geiriau sy'n penderfynu ble y dylai'r llinellau orffen'. Does dim sôn ynddo am odl, mydr, rhythm, delweddu, ieithwedd na symbolaeth am fod llawer o gerddi da nad ydynt yn defnyddio'r elfennau hyn a llawer o weithiau rhyddiaith ar y llaw arall sy'n eu hamlygu – ar wahân i fydr, efallai, elfen sy'n unigryw i farddoniaeth, beth bynnag. Mae'r dehongliad hwn yn berthnasol i nifer o'r cerddi gorau y cyfeirir atynt maes o law, ac o safbwynt cerddi'r gorffennol, efallai mai'r enghraifft orau yw 'Y Llen', pryddest anfuddugol dafodieithol Dyfnallt Morgan ym Mhrifwyl y Rhyl ym 1953. Yn honno, ceir cyfuniad o hen dafodiaith y Wenhwyseg a bratiaith sathredig er mwyn portreadu'n ddeifiol o ddychanol ddifodiant iaith a diwylliant yng nghymoedd y De ar y pryd. Dim ond ar ddiwedd y gerdd y ceir yr un gyffelybiaeth drawiadol i grisialu'r cyfan a'r llefarydd ynddi'n sôn am gyrtens 'yr 'Ippodrome yn cau ... yn ddistaw bach ... / Ar ddiwadd y perfformans ...' Aeth y bardd ati'n gwbl fwriadol ac effeithiol i gyfansoddi cerdd nad yw'n 'canu', gan lwyddo i barodïo pryddestwyr ei gyfnod.

Yn unol â'n cytundeb fel panel beirniaid, dosberthir y cerddi'n dri phrif ddosbarth, cyn nodi'r cerddi sy'n gwbl deilwng o'r Goron. Gosodais bob ymgais o fewn y gwahanol ddosbarthiadau yn y drefn y darllenais hwy. Ar y darlleniad cyntaf, neilltuais y cerddi a wnaeth argraff arnaf yn syth. Daeth rhai i blith y goreuon oherwydd fy hoffter o'r thema neu'r ffaith fod ynddynt ddarnau y medrwn ymateb iddynt yn uniongyrchol. Fodd bynnag, dyma fy marn ar ôl ail a thrydydd darlleniad.

Y TRYDYDD DOSBARTH

*Afallon y Fro*: Cofiaf i mi feirniadu gwaith y bardd hwn yng nghystadleuaeth y Goron naw mlynedd yn ôl. Ynys draddodiadol Cymreictod yng Nghwm Rhondda yw ei thema. Ceir tuedd i roi'r ansoddair o flaen yr enw ac at ei gilydd mae cywair y penillion odledig hyn braidd yn hen ffasiwn.

*Robinson*: Cerddi gwasgarog am ynys plentyndod, a gorchwyl llafurus oedd eu darllen.

*Rhodgar*: Thema dreuliedig a chyfarwydd iawn i'r gystadleuaeth hon. Hen ŵr yn edrych yn ôl ar ei fywyd ynysig a gwledig. Gwaetha'r modd, mae'r arddull braidd yn dreuliedig hefyd.

*Ifan*: Mae'r ynys yn siarad yn y gerdd agoriadol ac yn cynrychioli pob arwahanrwydd. Nid yw'r dilyniant yn amlwg ynddynt ond mae'r cerddi athronyddol, cyfeiriadol hyn ar drothwy'r ail ddosbarth.

*Merch Abraham*: Ar ôl dechrau eithaf boddhaol, dilyniant gwasgarog braidd yw hwn. Dylai gynilo'i fynegiant a dethol ei ansoddeiriau'n fwy gofalus.

*Dros y Mynydd*: Ar ôl ysgrifennu rhai cerddi i Ynys Lawd, aeth bardd y dilyniant hwn ar chwâl yn y 'niwl' y cyfeirir ato, mae arnaf ofn.

*Felingroes*: Cerddi llawn rhethreg a gwallus o safbwynt eu hiaith.

*Deigryn dryw bach*: Teimlaf fod angen cynilo llawer ar y cerddi hyn sy'n portreadu bywyd arfordirol, Cymraeg ei iaith yn Ardudwy.

*Ynni Haul*: 'Ynys o Gymreictod, fi/ mewn byd anllythrennog.' Dyna'i gerdd agoriadol. Rwy'n amau mai dysgwr sydd wrthi yma. Gorymdrechu i farddoni yw ei wendid pennaf. Dalied ati i fynegi'i weledigaeth mewn iaith sy'n fwy anffurfiol a naturiol ei mynegiant.

*Y Gadwyn Goll*: Pryddest ryddieithol a gwallus.

*Cri'r Wylan*: Pryddest ddiafael arall.


YR AIL DDOSBARTH

*Cwm Bach*: Bardd yn ei henaint yn edrych yn ôl ar hynt a helynt ynys ei einioes. Ceir tuedd i fod yn amleiriog ac mae'r cywair yn gyffredinol yn farddonllyd. Ceir peth addewid yn ei waith ond bydd yn rhaid iddo gynilo'i fynegiant.

*Lôn y Pandy*: Ynys y protestwyr, ger Cadeirlan Sant Pawl, yw thema'r dilyniant hwn sy'n cynnwys cerdd fer o gyflwyniad ynghyd â dwy gerdd hirach, y naill o safbwynt y protestwyr: 'Ni yw'r broc/ Ar draeth concrid y ddinas,/ Ni a olchwyd gan lif cydwybod ...', a'r llall o safbwynt y Gadeirlan: 'Fi/ yw Enlli eich Cristnogaeth Brydeinig'. Rhaid cyfaddef nad yw ei dalent rethregol, bregethwrol yn apelio at fy chwaeth i.

*Crusoe*: Cerddi gogleisiol a gwahanol. Bûm yn ystyried eu gosod yn y dosbarth cyntaf ar gyfrif eu gwreiddioldeb. Mae hwn yn fardd addawol ond ni theimlaf ei fod wedi llunio cerddi gwastad o safbwynt eu safon y tro hwn. Mae'r gerdd 'Pum Rheol ar Gyfer Gwneud Canŵ' yn un o gerddi unigol gorau'r gystadleuaeth. Ystyriwch y darn a ganlyn: '*Dalier sylw*: Bob hyn a hyn,/ wrth wahanu'r rhisgl a'r pren,/ dichon y byddwch yn clywed/ gwich fach neu duchan isel./ Na ofidiwch. Ymateb ffisegol/ yn unig yw hwn. Nid yw coeden yn teimlo poen'.

*Hedd*: Alcoholiaeth yw ynys y dilyniant byr hwn. Mae'r bardd yn delweddu'n rymus ac mae'r darn a ganlyn yn arddangos ei ddawn yn ogystal â'i duedd i fod yn amleiriog: 'Daeth i ti ysbaid o ysblennydd,/ y gorwel, yn wawr o wên/ a gwe eu cysgodion/ yn dinc ar fin y don,/ yn dawnsio awel ysgafn'. Bydd yn rhaid iddo ymroi i gynilo'i fynegiant ond ceir addewid pendant yn y cerddi hyn.

*Gwern*: Bardd a ddringodd i waelod y dosbarth hwn ar ôl trydydd darlleniad yw *Gwern* ac mae'n ddigon talentog i ddringo'n uwch maes o law. Hoffaf ei ddawn i greu penillion byrion, gafaelgar yn y wers rydd. Arddull englynion milwr a geir yn y rhain sy'n gweddu i thema waedlyd rhyfela drwy'r oesoedd. Hoffaf hefyd y modd y mae'n gwau cyfeiriadau at emynau, hen benillion, chwedlau'r Mabinogi yn ogystal â rhyfeloedd yr oesoedd yn gynnil i'w ddilyniant. Ystyrier y pennill a ganlyn: 'a'r llygaid yn llaethog a'r gwefusau'n grin/ a'i dafod llipa rhwng ei ddannedd llac/ fel macrell teirnos' neu hwn: 'Ie, cysgu mewn coed/ a chlywed hiraeth adar/ gwyn eu byd'. Ond bydd yn rhaid iddo saernïo'i ddilyniant yn dynnach a chanu'n fwy gwastad cyn codi i dir uwch.

*Bron Haul*: Bardd grymus ei ddelweddau, amrywiol ei fesurau, cyfoes ei themâu. Mae'n ymweld â nifer o ynysoedd ar draws y byd, ond dyna'i wendid hefyd gan mai casgliad yw hwn yn hytrach na dilyniant. Yn y gerdd 'Oes Cyn "Google"', eir â ni yn y 'curragh croen buwch/ y tair milltir o swnt i 'An Blascoed Mòr' at yr 'Ynyswyr na wyddent well,/ymlafnio byw oedd natur bod,/ tŷ a siambr fwll, croesau clir a llun Mair,'.

*Y Maen Du*: Teimlaf fod hwn yn fwy o gasgliad na dilyniant. Sonnir am y modd y mae pobl wedi manteisio ar hedd yr ynys – ac at Ynys Enlli y cyfeirir yn bennaf. Crefyddwyr, môr-ladron, mewnfudwyr – maen nhw i gyd yn euog. Gall y bardd ganu'n ddisgrifiadol a gafaelgar ar brydiau – er enghraifft, 'ac yng Nghae Dan y Weirglodd/ mi welaf dafod yr ych/ yn llachar las, fel pe bai darn o'r nefoedd/ wedi cwympo i'r ddaear'. Ac mae'r gerdd glo, 'Dychwelyd', yn gynnil ac awgrymog iawn: 'Bydd y badwr cycyllog wrth y llyw/ yn amneidio'n ddall arnom/ i fynd fesul un ar y bwrdd'.

*Y Seren Fore*: Pryddest, nid dilyniant, yn delio â thema colli cof – 'Unwaith,/ bu yng nghôl y tir mawr/ lle'r oedd ffynhonnau'n diwel/ diferion clir i wydr y cof'. Fel yng ngwaith *Helios*, clywir adleisiau o bryddest John Roderick Rees, 'Y Glannau', ynddi. Mae'n annelwig p'un ai cartref henoed ynteu ysbyty meddwl yw lleoliad y cerddi, pe bai wahaniaeth am hynny. Yn y gerdd 'Dianc', mae'n gowboi sy'n 'Gyrru trwy anialwch ei feddwl,' ond yn y diwedd 'mae'n chwipio'r gadair â'i law waedlyd/ Nes daw tawelwch mewn anwes/ I arafu stalwyn ei feddwl/ A'i arwain i gorâl arall'. Mae hwn ar drothwy'r dosbarth cyntaf.

*Hafan Oer*: Nid wyf yn sicr a ddylai'r ymgeisydd hwn fod wedi dringo i'r ail ddosbarth. Mae'n adleisio thema'r ddau ymgeisydd blaenorol ond mae'n llawer mwy annelwig. Ceir dawn i greu awyrgylch yn y bryddest fer, ddiatalnod hon, er ei fod yn mynd dros ben llestri wrth wneud hynny trwy ailadrodd geiriau sy'n dechrau â'r llythyren 's'.

*Prospero*: Dilyniant anwastad yw hwn. Lleolwyd y cyfan mewn carchar neu ysbyty meddwl –'Ffenestri/ Fel llygaid sinistr hanner-agored/ Tu ôl i'r bariau gwynion ... A'r drws fel ceg filain, lonydd'. Gall ganu'n afaelgar a chynnil ar brydiau ond gresyn ei fod yn cael ei gario ar donnau o rethregu gan amlaf. Awgrymaf ei fod yn hepgor y priflythrennau ar ddechrau pob llinell ac yn gwrando ar lif naturiol y dweud wrth rannu ac atalnodi'i linellau.

*Moresg*: Mae'n dyfynnu George Mackay Brown, *'For the islands I sing ...'*. Gwaetha'r modd, mae'n credu bod hynny'n rhoi hawl iddo deithio i bob ynys dan haul. Casgliad yw hwn ond mae'r bardd yn meddu ar ddawn i fynegi'n gynnil, megis yn y gerdd 'Paradwys Ynys Bŷr': 'Ond mewn man gwyn/ man draw, mae mynaich/ yn troi gŵyl a gwaith/ yn bersawrau gloyw;/ paru'r lafant a'r eithin/ yn gostrelau bychain'.

*Crymlyn*: Dringodd y dilyniant hwn ar ôl ailddarlleniad a bûm yn pendroni a ddylwn ei roi yn y dosbarth cyntaf. Cerddi serch yw'r rhain a cheir ynddynt ymgais fwriadus i greu dilyniant, gan fod y bardd wedi rhoi rhannau'r corff yn deitlau i'w gerddi. Mae'n agor â cherdd i'r 'Llygad' – 'Edrychaf o uchder/ fel o awyren/ ar dirwedd du cannwyll dy lygad'. Ceir cyffyrddiadau cynganeddol yma a thraw, megis yn y gerdd 'Pentref: 'Mae'r don ar yr ymylon/ yn dal i'n malu'. Gwaetha'r modd, methodd gynnal y thema'n llwyddiannus drwy gydol y dilyniant. Ond rwy'n sicr ei fod yn meddu ar yr adnoddau barddol i godi'n uwch yng nghystadleuaeth y Goron – os nad yw wedi gwneud hynny eisoes.


Y DOSBARTH CYNTAF

Gellid ystyried dau neu dri o'r dosbarth hwn ar gyfer y Goron mewn cystadleuaeth wannach ond nid wyf yn sicr a fyddai'n bosib i ni fod yn gytûn fel tri beirniad ynghylch hynny. Felly, gwell fyddai nodi bod y rhain o fewn cyrraedd y Goron.

*Mwlsyn*: Olrhain gyrfa ryfeddol Meic Stevens, y canwr o Solfach, a wneir yn y dilyniant hwn. Mae'n amlwg fod y bardd yn gyfarwydd iawn â chaneuon a chefndir y canwr a llwyddodd i wau'r cyfan yn gelfydd i dapestri ei ddilyniant. Hawdd fyddai dyfynnu'n helaeth ohono. Fel un o edmygwyr Meic, apeliodd y dilyniant hwn yn fawr ataf ac aeth yn agos at y brig ar y darlleniad cyntaf. Fodd bynnag, ar ôl ei ail a'i drydydd ddarllen, collodd beth o'i apêl a'r rheswm am hynny oedd methiant y bardd i gyfleu dehongliad mwy amlhaenog o'r testun. Efallai y byddai'r dilyniant wedi bod ar ei ennill pe bai'r bardd wedi llunio rhagor ohono yn nhafodiaith Sir Benfro neu wedi gwneud defnydd o iaith liwgar y canwr ei hun. Mae'r cywair braidd yn ffurfiol o ystyried ei fod yn portreadu creadur mor wrthryfelgar o anghonfensiynol. Serch hynny, mae *Mwlsyn* yn lluniwr delweddau trawiadol ac yn meddu ar yr adnoddau ieithyddol a barddol angenrheidiol i greu cerddi sy'n cyfuno cynnwys a chywair.

*Bob y Bilder*: Er bod yr ymgeisydd hwn wedi rhoi 'Tyddyn y Coed' yn deitl i'w ddilyniant, rwy'n argyhoeddedig fod ei waith yn gwbl destunol, gan ei fod yn olrhain hanes pâr sy'n mynd ati i greu ynys o fywyd amgen yn y goedwig. Mae'r arddull yn lled ryddieithol drwyddi draw a chredaf ei bod yn gweddu i stori'r ddeuddyn sy'n llunio'u man 'gwyrdd' man draw. Mae'r gerdd 'Prynu Crys' yn un o oreuon y gystadleuaeth wrth ymdrin â'r cwestiwn athronyddol, 'Sawl crys felly oedd ei angen ar ddyn?' Ceir beirniadaeth ddeifiol hefyd yn y gerdd 'Golwg Feirniadol' ar ein hawydd cyfoes i deithio 'i gyrraedd ... rhywle/ lle nad oes rhaid bod ... fel petai dim o bwys/ ond tôn chwarae y tecst nesaf'.

Yn y pen draw, ac yn gwbl ddisgwyliedig, nid yw'r berthynas unochrog yn parhau ac yn y gerdd 'Er Cof', mae'n sôn am ei 'gynlluniau newydd' ac wrth iddi ei gofleidio 'yn dynn dynn/ ... dros ei ysgwydd, yn ei meddwl,/ roedd hi wrthi'n pacio'i bagiau'. Mae'r gerdd olaf, 'Dod at ei goed', yn un rymus dros ben er ei bod yn lled amwys ei hawgrymiadau. Efallai'i fod yn ildio'r dydd ar ôl colli'i gymar ac yn canfod bod y ddaear yn medru bod yn gwbl ddidostur ac yntau'n 'cilio i'w wâl/ dan lygad sgilgar y fwyalchen/ dan wreiddiau dan dywarch/ llusgo carreg i lanw'r twll/ atafaela'r ddaear bob dim'. Apeliodd thema ac arddull uniongyrchol y cerddi hyn ataf yn y dechrau ond rhaid cyfaddef iddynt golli, yn hytrach na dyfnhau, eu hapêl wrth i mi eu hailddarllen. Serch hynny, credaf fod y Goron o fewn cyrraedd y bardd hwn pe bai'n llwyddo i gynnal safon ei gerddi gorau trwy gydol ei ddilyniant.

Dau ddilyniant tebyg o ran eu harddull yw eiddo *Llef Un yn Llefain* ac un *Y Dref Wen* (dilyniant arall a gyrhaeddodd y dosbarth hwn). Tybed ai'r un bardd a'u cyfansoddodd? Arddangosir dawn ddiamheuol i ddisgrifio, delweddu a gwau cyfeiriadaeth i wead y cerddi yn y ddau ddilyniant.

*Llef Un yn Llefain*: Cerdd yn seiliedig ar salwch meddwl mam Caradog Prichard ac mae'r naw cerdd yn f'atgoffa o arddull Feiblaidd y salmau ac yn llawn cyfeiriadau at chwedloniaeth y Mabinogi, gwlad Groeg a'r Aifft. Wele enghraifft o'r gerdd 'Dirywiad': 'O na ddeuai'r haf o rynnau'r cogau/ cyn dod y bysedd cyfrin o dir Elysian i lusgo'r llenni/ fel amrannau am lygaid y merwino wrth ardd y Sffincs'. Dolennir delweddau cyffelyb drwy gydol y gwaith ac mae'n rhaid cyfaddef i'r arddull ynghyd â rhythmau undonog y llinellau estynedig drethu'r darllenydd hwn erbyn y drydedd neu'r bedwaredd gerdd.

*Helios*: Dilyniant arall – a'r dilyniant gorau – sy'n ymdrin â thema henaint a cholli cof: 'Dim ond geneth fach/ bedwar ugain oed/ isio mynd adra'. Mae'r arddull gynnil a thafodieithol yn sicrhau bod priodas berffaith rhwng cywair a chynnwys yn y cerddi hyn. Mae'r drydedd gerdd, 'Creigiau', yn afaelgar dros ben a'r disgrifiad o ynys yr adar adeg nythu yn drosiad gwych o'r dryswch a feddiannodd yr hen wraig: 'Drysfa fyw o gryndod,/ yn frith o adar gwallgof/ uwch y don'. Hoffaf y penillion dan y teitl 'Pwy' ar lun darn adrodd i blant ond mae'r diweddglo'n siomedig am ei fod yn rhy amlwg. Yn y gerdd 'Pentref', mae'r bardd yn dymuno cael Peiriant Amser a byw ym mhentref gorffennol ei mam: 'Yn dy bentref di/ mae Taid yn dal yn botsiwr brwd/ yn sleifio adre'n hwyr/ a chlamp o 'sgodyn/ ynghudd dan ei got/ ac mae Nain yn gwneud/ andros o swper'. Mae'n arwyddocaol mai 'Geiriau' yw teitl y gerdd olaf ac mae'n sôn am bwysigrwydd geiriau megis 'perlau'r Beibl, diemwntau cân ... ym mlwch gemau ei chalon/ a'u rhannu â phawb/ yn ddiarbed'. Ond tynged y bardd yw syllu 'ar glogwyni gwyn/ ei geirfa;/ berfau, ansoddeiriau, ymadroddion cain/ yn ffrwydro/ ac yn cwympo'n dalpiau crai/ i'r dwfn'. Mae *Helios* yn fardd cynnil ei drawiad ac yn wreiddiol ei ymadroddi ond ar ôl y darlleniad cyntaf doedd y dilyniant hwn, megis dilyniant *Mwlsyn,* ddim wedi dyfnhau o ran ei apêl.

*Y Dref Wen*: Hanes bomio tref farchnad Guernica ym 1937 yw thema'r dilyniant hwn a dyma frawddeg glo nodyn eglurhaol y bardd: 'Hon yw'r "ynys" werdd yn y diffeithwch a ddeil i ysbrydoli amryw o hyd yn y frwydr am ryddid o ddwylo'r gormeswr' – nodyn, efallai, sy'n tystio i'r gerdd gael ei chymhwyso i gydymffurfio â gofynion y gystadleuaeth hon. Serch hynny, ceir canu disgrifiadol gwirioneddol afaelgar yn y dilyniant hwn a hawdd fyddai dyfynnu'n helaeth ohono. Dyma rai cwpledi o'r gerdd agoriadol, 'Yr Ynys Werdd': 'Diffoddwyd y fanhadlen a'r gwanwyn lond/ ei changhennau; ffiwsiodd ei blodau/ fel canhwyllau ffug ar goeden. Yna'r tawelwch/ yn disgyn fel barrug oer ar y bore'. Drwy gydol y cerddi dilynol, uniaethir y distryw yn Guernica â Chatraeth, hanes Heledd y canu cynnar a drudwy Branwen y Mabinogi yn ogystal â Phromethews, paentiad enwog Picasso, erchyllterau Passchendaele 'a'r miwsig Wagneraidd'. Teimlaf fod hwn yn fwy o gasgliad nag o ddilyniant ar brydiau ond mae'r cerddi at ei gilydd yn fwy cynnil na gwaith *Llef Un yn Llefain*. Mae hwn yn fardd sy'n meddu ar yr adnoddau angenrheidiol i gipio'r Goron ond bydd yn rhaid iddo ymroi i fod yn fwy cynnil.

Byddwn yn fodlon coroni pob dilyniant a drafodir yn y dosbarth hwn ac unwaith eto gosodwyd y sylwadau isod yn ôl y drefn yr ymddangosodd y cerddi yn y pecyn yn hytrach nag yn ôl trefn eu teilyngdod.

*Xanthe*: Cerddi ar ffurf llythyron, cerdyn post a dyddiadur yn olrhain hanes merch o'r de-ddwyrain (o leiaf, mae'r dafodiaith yn awgrymu hynny) sy'n dianc i un o ynysoedd gwlad Groeg yn ystod wythnos y Brifwyl ym mis Awst er mwyn cael 'whe fach i hel meddylie'. Buan y deallwn ei bod yn dianc hefyd 'rhag y colsyn sy'n llosgi cydwybod' a hithau wedi 'delffo' am ddau ddyn, 'y cyfryngi a'r bardd, y cleciwr a'r dyn camera'. Pam 'llosgi cydwybod'? Daw hynny'n amlwg yng nghwrs y dilyniant hefyd ond gwell peidio â datgelu gormod, gan fy mod yn gobeithio y cyhoeddir y stori fer hon o ddilyniant yn fuan. Hoffaf y modd y datgelir cyfrinachau a nodweddion y cymeriadau'n raddol gan ein rhwydo fel darllenwyr i we'r stori. Ar brydiau, mae'r ffin rhwng rhyddiaith a barddoniaeth yn un denau ond mae'r cywair rhyddieithol hwn a'r amrywio sy'n digwydd oddi mewn iddo yn gwbl addas ac yn feistrolgar ar adegau. Er enghraifft, yn y gerdd 'Defyn', ceir y llinellau a ganlyn: 'Neithwr ro'dd Orion yn llacio / 'i wregys uwch 'y mhen, a'r Trypser / yn ffoi rhag 'i fytheied'. Heb ddatgelu gormod ynghylch y stori, mae'r modd y mae'r llinellau hyn yn gydnaws ag awyrgylch diweddglo'r gerdd flaenorol yn wych ac mae'u cynnwys yn gynnil awgrymog hefyd yng nghyd-destun datblygiad y stori. Maent yn gwbl destunol ac yn dynn eu gwead hefyd, gan gyflawni gofynion y dilyniant yn gelfydd. Mae'r elfennau cynnil o dwyll, cyfrwystra a chwant cnawdol sy'n llechu o dan lif cywair cyfeillgar y gwaith yn gosod stamp hygrededd ar y cerddi. Dyna pam yr apeliodd y rhain ataf ar ôl y darlleniad cyntaf ac maen nhw'n profi nad oes angen mesurau na delweddau trawiadol bob tro. Ceir nifer o gyfeiriadau cynnil ynddynt at iaith, llenyddiaeth a hanes gwlad Groeg a chynhwysodd y bardd restr o nodiadau eglurhaol ar ddiwedd y dilyniant. Deallaf nad oedd dilyniant *Xanthe* wedi apelio'n syth at fy nghydfeirniaid ac nad ydynt wedi'i osod yn nosbarth y goreuon ond apeliodd ffresni'r dilyniant hwn ataf o'r dechrau.

*Y Frân:* Yn dilyn dyfyniad o ail gainc y Mabinogi ynghylch pen dilwgr Bendigeidfran yng Ngwales am bedwar ugain mlynedd, mae *Y Frân* yn agor ei ddilyniant heriol trwy gyfrwng cerdd fer dair llinell: 'Pennill bach o dir, y môr / yn gerrynt o'i amgylch. Golau. Pen. / Gwales. Amser amgen'. Mae allwedd y gerdd yn yr ynys o bennill hwn, yn fy nhyb i, yn enwedig yn y ddeuair olaf oherwydd yn ystod y cyfnod uchod mae amser yng Ngwales yn sefyll yn stond. Ein gwahodd i ddychmygu posibiliadau'r cyfnod didreigl hwn mewn modd dychmygus a wneir yn yr ail gerdd. Trwy gnoi cil ar yr 'amser amgen', mae'n cyfeirio at '[g]olau'r bore'n / Heneiddio fel medd a

# TLWS Y CERDDOR 2011

**Nodyn gan y Golygydd**

Ni chynhwyswyd llun na bywgraffiad enillydd Tlws y Cerddor yng nghyfrol *Cyfansoddiadau a Beirniadaethau* Eisteddfod Genedlaethol Wrecsam a'r Fro y llynedd. Gydag ymddiheuriadau llaes i Meirion Wynn Jones am unrhyw siom y gallai hynny fod wedi ei achosi iddo ef a'i deulu'n arbennig, ceisiaf wneud iawn am y llithriad drwy gynnwys y llun a'r bywgraffiad yn y gyfrol hon eleni.

# MEIRION WYNN JONES
# ENILLYDD TLWS Y CERDDOR

## EISTEDDFOD GENEDLAETHOL CYMRU, WRECSAM A'R FRO, 2011

Mae Meirion yn hanu o Rhewl, Llangollen, a derbyniodd ei addysg yn Ysgol Dinas Brân ac Ysgol Cadeirlan Wells cyn ennill ysgoloriaeth i'r Academi Gerdd Frenhinol yn Llundain. Pan oedd yn fyfyriwr, daliodd ysgoloriaethau organ yng Nghadeirlan Caerwynt ac Abaty Westminster. Bu'n enillydd gyda Choleg Brenhinol yr Organyddion, a daeth i'r brig yng nghystadleuaeth Organydd Ifanc y Flwyddyn Nwy Prydain ym 1990. Ar ôl dal swyddi Organydd Cadeirlan Metropolitan Lerpwl a'r Oratory yn Birmingham, dychwelodd Meirion i Gymru yn 2003. Yn dilyn cyfnod yn Organydd Cynorthwyol Eglwys Gadeiriol Aberhonddu, mae Meirion erbyn hyn wedi ymgartrefu yng Nghaerfyrddin.

Mae'n gweithio fel cyfeilydd piano ac organ, athro cerddoriaeth, canwr, arweinydd corawl a chyfansoddwr. Mae'n gyfeilydd swyddogol yn Eisteddfod Ryngwladol Llangollen ers 2006, ac yn 2009 ymunodd â thîm cyfeilyddion yr Eisteddfod Genedlaethol am y tro cyntaf. Mae'r Brifwyl wedi bod yn feithrinfa dda iddo fel cyfansoddwr, ac mae wedi dod i'r brig ar nifer o'r cystadlaethau cyfansoddi.

Ym mis Mehefin 2012, ei ddarn corawl, *Cantiglau Tyddewi*, oedd un o weithiau comisiwn Gŵyl Eglwys Gadeiriol Tyddewi.

# Enillwyr Prif Wobrau
# Eisteddfod Genedlaethol Cymru
# Bro Morgannwg, 2012

Cyflwynir Cadair Eisteddfod Genedlaethol 2012 gan Gareth a Ruth Williams, Treoes, Bro Morgannwg. Fe'i cynlluniwyd ac fe'i gwnaed gan Andrew Lane o Newcastle, Sir Fynwy.

# DYLAN IORWERTH
# ENILLYDD Y GADAIR

Roedd Dylan Iorwerth yn blentyn bach o Ddolgellau, yn fachgen ifanc o Waunfawr a, bellach, yn frodor o Geredigion. Mae wedi byw ers chwarter canrif yn Llanwnnen, ger Llanbedr Pont Steffan. Mae'r tri lle, yn eu ffyrdd gwahanol, wedi cael dylanwad mawr.

O ran gyrfa, dim ond un peth y mae wedi'i wneud erioed – newyddiadura, gan ddechrau yn 1978 gyda phapur wythnosol y *Wrexham Leader*. Wedi hynny, helpodd i sefydlu'r papur Sul, *Sulyn*, a bod yn Ohebydd Seneddol ar ran gwasanaethau Cymraeg y BBC ac S4C.

Roedd yn un o'r tri a sefydlodd gylchgrawn *Golwg* ym 1988 ac mae bellach yn Olygydd Gyfarwyddwr ar gwmnïau sy'n cynnwys *Golwg*, *Wcw a'i Ffrindiau*, *Lingo Newydd* a'r gwasanaeth newyddion ar-lein, Golwg360. Mae hefyd yn cyfrannu colofnau i gyhoeddiadau mor amrywiol â *Golwg*, papur bro *Clonc*, y *Western Mail* a chylchgrawn yr Undodiaid, *Yr Ymofynnydd*.

Ei gwmni yn Llanwnnen ydi ei wraig, Elaine Davies, eu merch, Luned Mair, milgi o'r enw Sam a chasgliad o gymdogion gwerth chweil.

O ran diddordebau, mae'n hoff o wrando ar gerddoriaeth jazz, yn coginio bwyd (a'i fwyta) a, phan fydd amser, yn darllen. Mae'n sgrifennu ambell sgript ar gyfer Ffermwyr Ifanc a phlant ac yn ymdrechu'n lew i gadw'r hiwmor rhag bod yn rhy goch.

Mae'r cerddi wedi eu hysgogi gan farwolaeth ei dad ynghynt eleni – Thomas Edward Jones, neu Twm Glasbwll. Maen nhw er cof amdano ac, yn sgîl hynny, yn deyrnged hefyd i'w fam, Gweneirys, sy'n byw yng Nghaernarfon.

Enillodd y Goron Genedlaethol yn 2000 a'r Fedal Ryddiaith yn 2005 ac mae'r diolch am hynny i nifer o bobl a fu'n ysbrydoli ac annog – yr amlyca' yn eu plith oedd athrawes bore oes, Katie Jones, a dau ffrind annwyl, T. H. Williams, Garreg Fawr (Yncl Tom), y Prifardd Emrys Edwards a'r dramodydd John Gwilym Jones.

Cyflwynir Coron Eisteddfod Genedlaethol 2012 gan Gyngor Bwrdeisdref Sirol Bro Morgannwg. Fe'i cynlluniwyd ac fe'i gwnaed gan Anne Morgan o Benarth.

# GWYNETH LEWIS
## ENILLYDD Y GORON

Yng Nghaerdydd y ganed Gwyneth Lewis ac fe'i haddysgwyd yn Ysgol Gyfun Rhydfelen. Enillodd y Fedal Lenyddiaeth yn Eisteddfod yr Urdd yn y Barri (1977) a Llanelwedd (1978). Astudiodd Saesneg yng Nghaergrawnt a threuliodd dair blynedd yn yr Unol Daleithiau fel Cymrodor Harkness. Wedi ennill doethuriaeth yn Rhydychen am ei gwaith ar Iolo Morganwg, dychwelodd i Gymru a gweithio fel cynhyrchydd teledu. Gadawodd y BBC i ysgrifennu'n amser llawn yn 2002. Mae'n aelod o'r Academi, yn Gymrawd y Gymdeithas Lenyddiaeth Frenhinol ac yn Gymrawd Anrhydeddus Prifysgolion Caerdydd, Lerpwl a Bangor. Hi oedd Bardd  Cenedlaethol Cymru 2005-06. Treuliodd 2008-09 ym Mhrifysgol Harvard a 2009-10 ym Mhrifysgol Stanford, California. Anrhydeddwyd hi â'r Wisg Wen yn Eisteddfod Abertawe 2006.

Cyhoeddodd wyth cyfrol o farddoniaeth yn Gymraeg a Saesneg, yn cychwyn gyda *Sonedau Redsa* (1990), cerdd hir i'w merch fedydd yn ynysoedd y Philippine. Cyrhaeddodd *Cyfrif Un ac Un yn Dri* (1996) restr fer Gwobr Llyfr y Flwyddyn ac enillodd *Y Llofrudd Iaith* (1999) y brif wobr. Perfformiwyd y cerddi fel drama gan fyfyrwyr Adran Astudiaethau Theatr, Ffilm a Theledu Coleg Prifysgol Cymru, Aberystwyth. Cyhoeddwyd *Tair Mewn Un: Cerddi Detholedig* yn 2005.

Cyfansoddodd Gwyneth y geiriau sydd ar du blaen Canolfan Mileniwm Cymru ym Mae Caerdydd. Yn 2010 enillodd wobr Cholmondely y Gymdeithas Awduron, yn cydnabod corff o waith nodedig. Ysgrifennodd ddwy ddrama radio i BBC Radio 4 a pherfformiwyd ei drama lwyfan gyntaf, *Clytemnestra*, gan Sherman Cymru yn 2012. Perfformir *Y Storm*, cyfieithiad Gwyneth o'r *Tempest* (Shakespeare) gan Theatr Genedlaethol Cymru yn Eisteddfod Bro Morgannwg fel rhan o Ŵyl Shakespeare y Byd a Gŵyl Llundain 2012.

# ROBAT GRUFFUDD
# ENILLYDD GWOBR DANIEL OWEN

Cafodd Robat ei fagu yn Abertawe ar aelwyd fywiog yr Athro J. Gwyn Griffiths a Kate Bosse Griffiths. Addysgwyd ef yn Ysgol Gymraeg Lôn Las, Ysgol Ramadeg yr Esgob Gore, a Phrifysgol Cymru, Bangor. Yno, enillodd ond gwrthododd radd mewn Athroniaeth a Seicoleg, ond camp fwyaf ei gyfnod coleg oedd sefydlu'r cylchgrawn *Lol* gyda'i gyfaill, Penri Jones.

Arweiniodd hynny, ym 1967, at sefydlu gwasg Y Lolfa yn Nhalybont, Ceredigion. Bu'n ffodus i fod yn y lle iawn ar yr amser iawn. Roedd gan y wasg newydd gynulleidfa barod ymhlith ieuenctid protestgar y cyfnod. Meibion Robat, sef Garmon a Lefi, sy'n rhedeg y cwmni – a thipyn mwy – erbyn hyn. Mae ei fab hynaf, Einion, yn sacsoffnydd ac yn uwchraglennwr yn y Llyfrgell Genedlaethol.

Bu Robat yn ymwneud â gwahanol weithgareddau lled wleidyddol, gyda llwyddiant amrywiol. Bu am gyfnod ar fwrdd *Y Byd*, y papur dyddiol Cymraeg, nes i Blaid Cymru gefnu ar ei haddewid o gefnogaeth. Mae ar hyn o bryd yn weithgar gyda Dyfodol, y grŵp pwyso ieithyddol newydd (www. dyfodol.net) ac mae Robat yn cyfrannu'r £5,000 a enillodd o Wobr Goffa Daniel Owen i Dyfodol.

Dyma'r ail dro i Robat ennill y wobr, a hon yw ei bedwaredd nofel. Mae hefyd wedi cyhoeddi cyfrol o farddoniaeth, *A Gymri di Gymru?* Mae'n briod ag Enid ac mae ganddynt ddau o wyrion, Llŷr ac Esyllt. Brawd iddo yw Heini Gruffudd, yr awdur toreithiog a'r arbenigwr iaith, sydd newydd gyhoeddi *Yr Erlid*, cyfrol am gefndir Iddewig y teulu.

# BEDWYR REES
## ENILLYDD Y FEDAL DDRAMA

Magwyd Bedwyr Rees ym mhentref arfordirol Moelfre, Ynys Môn, yn fab i Valmai a'r diweddar Adrian Rees ac yn un o bedwar o hogiau. Fe'i haddysgwyd yn Ysgol Gymuned Moelfre ac Ysgol Syr Thomas Jones, Amlwch, cyn mynd i Brifysgol Cymru Aberystwyth a'i fryd ar astudio Daearyddiaeth a Chymraeg. Fe ddigwyddodd rhywbeth rhyfedd iddo yno oherwydd o dipyn i beth, wrth gael ei swyno gan ddarlithwyr megis Hazel Walford Davies, fe benderfynodd ddilyn cwrs gradd mewn Astudiaethau Theatr. Ei fwriad wedi graddio oedd astudio ar gyfer doethuriaeth ond daeth tro arall annisgwyl pan dderbyniodd swydd fel cyflwynydd rhaglenni plant

gydag S4C. Profodd yr ysfa i ysgrifennu yn ormod, fodd bynnag, ac wedi tair blynedd trodd yn 'sgwennwr llawrydd llawn amser. Bu'n aelod o dîm sgriptio *Rownd a Rownd* am rai blynyddoedd ac mae'n awdur nifer o nofelau a dramâu i bobl ifainc. Mae bellach yn aelod o staff y cwmni teledu Rondo.

Dywed fod ganddo ddyled anfesuradwy i'w fam am ei fagu yn y pethau gorau. Roedd bri o hyd ar yr aelwyd ar lenyddiaeth o bob math ac roedd gweld ei fam yn perfformio darnau o'r Gododdin yn y gegin (gyda symudiadau a phopeth) yn dipyn o agoriad llygaid! Mae'n diolch iddi hefyd am adael iddo aros ar ei draed yn llawer rhy hwyr i wylio dramâu teledu yn ogystal â'i ddioddef yn 'cynorthwyo' gyda sgriptiau a chaneuon actol di-ri ar gyfer disgyblion Ysgol Gyfun Llangefni dros y blynyddoedd.

Mae Bedwyr bellach wedi ymgartrefu yn Llangefni gyda'i wraig, Eleri, a'u plant, Cadi a Siwan. Ei brif ddiddordebau yw hanes, rhedeg a thrin cychod. Pan nad yw'n treulio'i amser hamdden gyda'r tair merch yn ei fywyd, mae o i'w ddarganfod yn stwnshian gyda'r tri chwch yn ei fywyd – Urien, Barti Ddu a Dienw.

# GARETH OLUBUNMI HUGHES
# ENILLYDD TLWS Y CERDDOR

Ganwyd Gareth Olubunmi Hughes yng Nghaerdydd ym 1979 yn fab i Sara Martel Hughes ac ŵyr i Sally Hughes a'r diweddar Dr John Martel Hughes, a fu'n gadeirydd Eisteddfod Casnewydd ym 1988 a 2004. Addysgwyd ef yn Ysgol Bro Eirwg ac Ysgol Gyfun Gymraeg Glantaf, Caerdydd, lle bu'n astudio Cerddoriaeth dan Alun Guy a Delyth Medi Jones. Dechreuodd gael gwersi piano pan oedd yn naw mlwydd oed gyda Timothy Lyons ac aeth ymlaen i barhau i ddysgu'r piano gyda Dafydd Meurig Thomas, Haydn Morgans, Dr Keith Michael Griffiths a'r Athro Carole Oakes yng Ngholeg Brenhinol Cerdd a Drama Cymru.

Ym 1997, aeth i King's College, Llundain, i astudio ar gyfer gradd B. Mus. mewn Cyfansoddi Cyfoes dan Syr Harrison Birtwistle, Robert Keely a Silvina Milstein, gan ennill gradd anrhydedd dosbarth cyntaf yn 2000. Ar ôl cwblhau gradd ôl-raddedig, datblygodd Gareth ddiddordeb byw mewn cerddoriaeth electro-acwstig ac yn 2003 cwblhaodd radd M. Phil. mewn Cerddoriaeth Electro-Acwstig dan yr Athro Jonty Harrison a Dr Erik Oña.

Ar hyn o bryd, mae Gareth yn astudio ar gyfer Doethuriaeth mewn Cyfansoddi gyda Dr Arlene Sierra ym Mhrifysgol Caerdydd ac ar fin dechrau'i flwyddyn olaf. Ym mis Chwefror 2012, perfformiwyd symudiad o'i waith symffonig, 'Visions of Existence', gan Gerddorfa Genedlaethol Gymreig y BBC mewn gweithdy ar gyfer cyfansoddwyr ifainc yn Neuadd Hoddinott.

Mae Gareth eisoes wedi gael llwyddiant yn yr Eisteddfod Genedlaethol: yng Nghasnewydd yn 2004, dyfarnodd y beirniad, Terry James, y wobr iddo am gyfansoddi symudiad cerddorfaol, ac yng nghystadleuaeth yr unawd piano daeth yn drydydd yn 2004 ac yn ail yn 2010.

phob munud/ O bedwar ugain mlynedd/ Yn faethlon fel pryd'. Mae medd, fel gwin, yn gwella wrth ei gadw ac mae'r gerdd yn awgrymu bod amser ar ynys Gwales yr un peth. Yn y drydedd gerdd, mae arddull y ddeialog rhwng Brân a Branwen yn ysgafn a chyfoes ei chywair. Ceir mwyseirio doniol pan fo'r brawd yn mynd 'i bendwmpian'. Gwyliodd y chwaer 'Drosto, fel pe bai'i benglog/ Yn set deledu a honno'n darlledu/ Pob sianel ddynol a gynhyrchwyd erioed'. Ond erbyn diwedd y gerdd, ein hatgoffa o wae'r colledion a'r 'bedd petryal' a wneir. Yn y gerdd nesaf, mae'r 'pen' yn dychmygus ddadeni cyfnod gwahanol o foethusrwydd 'aelwyd a thân, muriau marmor/ Tryloyw, pwll nofio tragwyddol yn estyn i'r gorwel' ond fe'n hatgoffir hefyd mai 'paradwys heb bobl' yw hon. Mae 'tiwn gron amser' ar ynys Gwales yn dechrau troi'n gyfnod undonog a chyflëir hynny trwy gyfrwng yr ailadrodd parhaus drwy'r gerdd nesaf ac mae'n arwyddocaol mai 'math o nefoedd' yn unig a ddisgrifir bellach.

Mae'r Pen wedi sylweddoli erbyn y chweched gerdd mai cennad 'o wlad y cnawd ... sy'n cychwyn mewn sêr, marw mewn baw' yw yntau wedi'r cyfan ac mae undonedd y gerdd flaenorol yn troi'n syrffed. Teimla nad yw bellach ond 'crwban digymar yr ynys hon'. Mae'n farus yn y gerdd nesaf (a 'Barus' yw ei theitl) ac am feddiannu'r môr a chyfoeth y ddaear. Cofiwn mai cawr a fu'n cerdded ar draws y môr a throi'i gorff yn bont dros afon Llinon oedd Bendigeidfran a chredaf fod ei drachwant cawraidd am feddiannu'r ddaear yn delweddu trachwant diwydianwyr yr oesau mewn modd graffig. Serch hynny, mae'n llwyddo i wneud hynny trwy gyfrwng trosiadau annisgwyl a lled-ddoniol: 'tamaid i aros pryd oedd calchfaen/ O'i gymharu â hen dywodfaen/ Y meysydd glo, du sy'n daffi caled,/ Collais ddant yn haen Treorci, cyfogi'r cyfan'.

Mae'r gerdd ddi-deitl nesaf yn sôn am 'sinema hela' lle mae 'Meirch yn cilio ... Rhag bleiddiaid, bleiddiaid yn ffoi rhag gwaywffyn/ Dynion a'r helwyr yn ffoi rhag rhywbeth ffyrnicach'. Ond nid yw'n gallu rhag-weld y delweddau a fydd yn portreadu pen draw'r hela a'r gwrthdaro cynyddol erchyll hwn – fwy nag y gallwn ninnau rag-weld y gwrthdaro na'r erchyllterau nesaf yn ein byd anwadal cyfoes. Mae 'Cwmni' yn deitl eironig a thwyllodrus i'r nawfed gerdd gan mai ymrannu ac ymateb yn bigog i'w 'cysuron' a wna Brân yn y deialogau cynnil hyn. Dim ond un o'r seithwyr (sef y saith gŵr a oroesodd y rhyfela yn Iwerddon yr ail gainc), sef Ymog, oedd 'yn ddigon o ddyn i ddweud dim byd'. Darlun arall o'r ymrannu rhwng pobl, crefyddau a chenhedloedd byd.

Y ddaear a gafodd ei llygru yn sgîl yr ymgecru a'r diwydiannu yw thema dechrau'r ddegfed gerdd – 'Wylodd yr arwr ddagrau olew/ Nes bod y tonnau'n blino'n lân'. Mae sarff yn llithro 'o'r dyfroedd seimllyd' a hisian pob math o lysenwau difenwol am Bendigeidfran. Mae'n ei gyhuddo o arwain ei 'liaws at ddistryw'. Ond mae'r ateb a rydd yntau mor ddeifiol o wir pan ystyriwn y grym sydd ym meddiant arweinwyr gwleidyddol ein byd, er gwaethaf ein hymdrechion ni a'r cyfryngau i ddatgelu eu gwendidau a'u ffolinebau: 'Mae'n wir', medd y pen, 'ond ar yr un pryd/ Fi yw gobaith y cyfan'. Mae'r gerdd ddychmygus 'Hiraeth am y Dyfodol' yn ein paratoi at agor y drws yn y gerdd 'Tuag Aber Henfelen' a'r llaw'n 'petruso cyn gafael mewn bwlyn' ac, wedi'r cwbl, 'Paradwys ffŵl yw ynys yr hunan'. Credaf fod arwyddocâd arbennig i eiriau llinell glo'r gerdd hon, 'Llundain – bedd byw Bendigeidfran'. Ailadroddir y gainc hon yn barhaus – a hynny mewn byd sy'n troi'n fwyfwy dinesig ei natur bellach.

Mae'r gerdd olaf, sef y drydedd gerdd ar ddeg (ac mae'n siŵr bod arwyddocâd i'r rhif hwnnw yng nghyd-destun y themâu a nodwyd) yn disgrifio'n awgrymog ddatblygiad y ddinas honno, 'Clywch drydar tanddaearol/ Y geiriau sy'n ei feddwl' mewn cyfres o benillion ar lun englynion milwr digynghanedd sy'n cynnwys proestio ynghyd ag odlau acennog/ diacen. Awgrymir y blits adeg yr Ail Ryfel Byd a 'storm/ yn dân o amgylch plentyn,/ Dinas yn llosg at ei esgyrn'. Mae'r pennill cyntaf yn adleisio'r pennill agoriadol ond bellach y llinell gyntaf yw 'Bendigeidfran, dinas iaith'. Efallai fod y llinell hon yn cyfeirio at dynged gyfoes y Gymraeg hefyd.

Fel y nodais eisoes, mae hwn yn ddilyniant sy'n herio dychymyg y darllenydd i'r eithaf ar brydiau ac mae'n rhaid nodi mai fy nehongliad i ohono a geir uchod. Mae'n debyg y bydd yn ildio rhagor o bosibiliadau ym meddyliau darllenwyr eraill. Llwyddodd y bardd i gyfoesi hen gainc o'r Mabinogi ac mae'r themâu ynddi yn rhai oesol, sef trachwant, rhyfela, llygredigaeth ac ymgais beirdd – ac unrhyw un sy'n ymwneud â llunio darn o gelfyddyd – i oresgyn yr elfennau dinistriol hyn. Rhyw ymgais i dragwyddoli amser a chreu ynys Gwales yw pob darn o gelfyddyd ond yn y pen draw rhaid agor y drws tuag at Aber Henfelen y byd go iawn. Mae'r modd y mae'r bardd hwn yn amrywio'i gerddi drwy gydol y dilyniant trwy ddefnyddio deialogau a cherddi naratif, gan lwyddo ar yr un pryd i gadw'r cywair sgyrsiol, lled-ddoniol a dychanol, yn wirioneddol feistrolgar.

*Aran*: Disgrifir perthynas rhwng dau a fu'n ddau gariad yn dadfeilio yn y gerdd agoriadol, 'Clatsh', ac mae'r bardd yn ei chloi trwy gyfeirio at '(d)dwy ynys dan unto,/ a'r trai yn hollti'r tir'. Mae hynny'n crynhoi thema'r holl ddilyniant, mewn gwirionedd. Mae'r tŷ ei hun, cartref y ddau, 'a chlatsh y glaw sy'n glec/ yn y gwagle sy'n ddu', fel pe bai'n personoli'r holl dyndra sy'n bodoli rhyngddynt. Wedyn, mae'r bardd yn mynd â'r darllenydd am dro ac wrth ei dywys, mae'r byd naturiol, fel y tŷ yn y gerdd agoriadol, yn troi'n ddrych sy'n adlewyrchu cyflwr helbulus y bardd ac yntau'n mynd 'Heibio crechwen y wawr/ â chledr y gwynt/ yn bader ar fy ngwegil'. Yn y drydedd gerdd, 'Cyfarfod', sonnir am ddyddiau cynnar carwriaeth y ddau a'r disgrifiadau o fyd natur yn gydymdeimladol ac unol â'u dyheadau, gan wrthgyferbynnu'n llwyr â'r gerdd flaenorol: 'Yn yr hwyr, teimlwn yr eiliadau/ yn asio'r werddon hon a'u llwybrau/ yn bwythwaith tynn, yn oes o glymau'.

Yn y soned 'Hafan', mae'r wythawd yn cyfleu uchafbwynt y berthynas a hwythau bellach yn 'dri, a'n diwrnodau'n llenwi'r tir'. Diweddglo'r soned hon, sy'n disgrifio, yn annelwig braidd, ddechrau dadfeilio'r berthynas, yw man gwan y dilyniant cyfan, yn fy marn i. Eir â ni rhagom am dro ar siwrne'r berthynas ac y mae'r gerdd, 'Y Cae Llafur', yn un o gerddi gorau'r dilynant a'r gystadleuaeth gyfan sy'n cyfuno'r wers rydd a phenillion odledig. Mae'r trosiadau o'r brain yn 'codi'n lluwch o graffiti blêr/ dros y cae llafur' ar ôl bod 'yn gôr o atalnodau blin, yn bregeth ar hyd y brigau' yn drawiadol dros ben. Erbyn y gerdd olaf, 'Archipelago', mae'n ei ddisgrifio'i hun 'ar garlwm o graig' – sy'n drosiad gwych eto er mwyn ein paratoi at y newid a ddarlunnir yn y gerdd. Ynddi, mae'n nosi ac mewn pennill sy'n ein hatgoffa o waith Waldo, daw'r 'archipelago' o ynysoedd chwâl i uno 'yn gyfandir yn yr hwyrnos.'

Mae *Aran* yn hoff o ddefnyddio cyffyrddiadau cynganeddol a mesurau barddol mwy traddodiadol fel y soned a'r filanél a bu'r technegau hyn yn fantais ac yn fagl iddo ar brydiau. Llwyddodd i greu dilyniant tynn ei wead trwy uniaethu'r gwahanu yn ogystal â'r modd y deuir i delerau â hynny â'r gwahanol olygfeydd yn y byd naturiol o'i gwmpas.

*Unigolyn*: Dyma'r bardd cynilaf ei ddawn yn yr holl gystadleuaeth er ei fod yn ansicr ei Gymraeg ar adegau. Ystyrier y dyfyniad a ganlyn, er enghraifft, ac addasrwydd y gair 'wylo' – 'smoco/ dan drwynau cymdogion/ a miwsig eu "Coronation Street"/ yn wylo/ lawr y stryd'. Colli ac ynysu iaith yw prif thema'r cerddi hyn yn ôl a ddeallaf ond mae thema oesol perthynas mab a merch yn cydredeg â hi. Mae cordeddu'r ddwy thema'n grymuso'r cyfan. Mae'r gerdd 'Cymuned' yn anesmwytho dyn gan ei bod mor agos at yr asgwrn. 'Mae hi wrthi'n marw' yw'r llinell agoriadol sy'n cyfarch y gymuned a'i hiaith. A'r gair 'wrthi' sy'n ein hoelio, wrth gwrs, gan ei fod yn cyfleu'r ymdrech i'w hachub tra'n gwybod ei bod yn colli'r dydd. Neu'r pennill, ymddangosiadol syml ei iaith, a ganlyn o'r un gerdd: 'Mae pethau yn rhy fawr iddi./ Dresel a gwely a chloc, brwsh a chrib a llunie/ a jwg a basin a iâr yn wag o wye. Papure/ losin o glecs. Papure bro. Croeseirie'. Dyma'r dodrefn mawr a bach, syml a chartrefol, sy'n mynd ar goll dan ein trwynau o ddydd i ddydd. Dyma'r pethau na all hawliau na pholisïau eu diogelu yn y pen draw.

Nid oedd ei blant yn cynnig fawr o gysur i *Unigolyn* – 'deuent nôl o'r ysgol/ yn llawn llediaith a lledrith'; ei adael a mynd dros erchwyn y nyth oedd eu hanes ac yntau'n sylweddoli 'fod sgrech y geni a'r colli/ yn un'. Mae'r gerdd 'Llangrannog yn y glaw' yn sôn am gyfnod pan oedd hi'n 'hawdd dod yn Gymry/ am y pnawn ... Hawdd barddoni/ a'r gwydrau gwag ar y bwrdd'. Mae'n sôn am yfed 'nes gweld cantre'r gwaelod ... ac addo, addo/ dod nôl i fyw/ fan hyn'. Mae'r dilyniant hwn yn wahanol i lawer o farddoniaeth am frwydr parhad yr iaith am fod y bardd yn hunanddychanol a hunanfeirniadol ac yn mynnu wynebu realiti'r sefyllfa. Gwaetha'r modd, nid yw'r gerdd 'Eco' sy'n dilyn yn agos mor rymus ac fel y nodais uchod, ceir ambell gam ieithyddol gwag yma a thraw.

Mae 'Sgribls', cerdd glo'r dilyniant, yn disgrifio'r bardd 'yn dod i'r un caffi ... o hanner brawddegau a'm papur a phensil' a cheir rhai delweddau trawiadol i gyfleu'r diflastod a'r undonedd 'a'r un ewin o leuad/ yn crafu'r dre lonydd/ a llwch emynau'n codi/ o hen gapeli'. Mae yntau, fel *Aran*, fel pe bai'n canfod gobaith ar ddiwedd ei ddilyniant pan fo'n cyfarch ei gariad, sef yr iaith, fel trên yn 'dod yn ôl o'i dwnnel/ yn llawn cwmpeini/ i droi bratiaith/ yn farddoniaeth/ a hiraeth'. Ond, mewn gwirionedd, sylweddolwn mai gobaith gwag y bardd ynysig yn unig yw hwn ac yntau'n ymhyfrydu yn ei ddawn 'i droi bratiaith/ yn farddoniaeth/ a hiraeth'. A hynny, wrth gwrs, sy'n rhoi arwyddocâd i'w ffugenw. Dilyniant i'n sobreiddio yw hwn.

Ar sail y sylwadau uchod, dylai fod yn weddol amlwg mai *Y Frân* yw'r bardd a luniodd y dilyniant mwyaf heriol – cerddi sy'n ildio rhagor o gyfoeth gyda phob darlleniad. Er bod y chwedl y seilir y dilyniant arni yn hen, gallai cyfarwyddwr teledu dyfeisgar greu ffilm gyfoes a gafaelgar o'r gwaith hwn. Braf oedd canfod ein bod yn gytûn ynghylch teilyngdod y gwaith. Coroner *Y Frân*.


BEIRNIADAETH PENRI ROBERTS

Derbyniwyd 32 o ddilyniannau i'r gystadleuaeth hon eleni. O ran safon, mae'r cerddi'n amrywio'n fawr ac fe fyddai'n llawer gwell i'r gwannaf yn eu mysg geisio torri'u dannedd mewn Eisteddfodau bach ac yna mewn Eisteddfodau Taleithiol, cyn mentro i gystadleuaeth y Goron yn yr Eisteddfod Genedlaethol. Mae cael beirniadaeth adeiladol yn y *lower leagues* yn gallu helpu bardd i wella'i grefft, ac i finiogi'r dweud, cyn mentro i'r *Premier League*! Er hynny, credaf fod pob un ohonynt yn haeddu cael ychydig eiriau o feirniadaeth. Roedd fy nghydfeirniaid a minnau'n weddol gytûn wrth osod yr ymgeiswyr mewn tri dosbarth.

Wrth gloriannu'r goreuon yn y gystadleuaeth, cawsom drafodaethau difyr dros ben ac ar y cyfan, roedd y tri ohonom yn gwerthfawrogi'r un dilyniannau. Wedi dweud hynny, mae'n rhaid cyfaddef mai chwaeth bersonol sy'n dueddol o chwarae'r rhan bwysicaf wrth ddewis y gerdd fuddugol.

Dyma air am bob un ohonynt yn y drefn y daethant o Swyddfa'r Eisteddfod, ar wahân i'r goreuon yn y gystadleuaeth, sy'n cael eu gosod mewn dosbarth arbennig.

DOSBARTH 3

*Afallon y Fro*: Mae'r gerdd gyntaf, 'Yn y tir', yn alegori o Gymru fel gardd, cerdd sy'n ein hatgoffa o waith Saunders Lewis, 'Gwinllan a roddwyd …' a dyma thema'r dilyniant, tir Cymru a chof cenedl. Mae pob cerdd yn dueddol o ddilyn yr un patrwm, sef pum llinell ym mhob pennill, ac mae rhythmau'r penillion, hefyd, yn dueddol o fod yr un fath ym mhob cerdd. Braidd yn undonog yw'r cerddi ar adegau, er bod addewid yn y gwaith.

*Robinson*: Rhod bywyd y bardd a gawn, a'i wendid pennaf yw ei fod yn pentyrru llinellau a throsiadau un ar ben y llall: 'Cragen o dŷ a fu'n gartref, perllan groeso, / blysu'r eirin poen y cylla. / Cneua dan lesni'r cyll …'

Ar adegau, mae'n anodd deall a dilyn hynt yr ymgeisydd hwn ac mae'n mynd ar ddisberod yn aml.

*Dros y Mynydd*: Ymdrinir â'r thema oesol, sef y Greadigaeth. Gwaetha'r modd, nid yw eto wedi dod yn agos at feistroli'r grefft o farddoni: 'Nawr heddiw mae rhai yn dweud / a sgwennu yn eu llyfrau, / nad oedd angen i greawdwr / y byd, cyn cael ei ddechrau, / gan fod y cyfan o ddim'.

*Felingroes*: Unwaith eto, trafod y Greadigaeth a wneir ac effaith dyn ar 'ynys' y byd: '… a thrwst cerddediad dyn yn drais ar dir / i lygru ffrydiau glân afonydd ynys bur'. Mae wedi dewis ysgrifennu ar ffurf penillion o bedair llinell drwyddi draw ac mae ei gerddi braidd yn glogyrnaidd ac yn llawn gwallau ieithyddol.

*Deigryn dryw bach*: Ynys Sgiffdan yw'r thema: 'Yn fy maboed, / Gwelwn hi bob dydd o'r bron. / Wedi ei hangori hyd ddiwedd byd / Yn nyfroedd y Ddwyryd ger Aber iâ'. Rhyddieithol iawn yw'r cerddi ar y cyfan heb fawr o fflach na gweledigaeth.

*Hafan Oer*: Mae mwy nag un llais yn y bryddest hon, er nad wyf yn deall arwyddocâd y lleisiau gwahanol. Mae llawer o ailadrodd yr un geiriau yma hefyd megis: 'swsio', 'swatio', 'siwgr'.

*Ynni Haul:* Mae'r gwaith hwn yn llawn camgymeriadau ieithyddol ac nid oes ynddo fawr o'r hyn a ystyrir yn farddoniaeth. Yr iaith Gymraeg yw ei 'ynys' a byddai'n dda iddo ddangos mwy o barch tuag ati drwy fireinio ei ddefnydd ohoni.

*Y Gadwyn Goll:* Pryddest sydd gan *Y Gadwyn Goll* ac mae hon eto'n frith o gamgymeriadau ieithyddol, yn pentyrru un llinell ryddieithol ar ben y llall.

*Cri'r Wylan:* Pryddest eto, yn llawn llinellau digyswllt, trwsgl.

*Moresg:* Casgliad sydd gan *Moresg* ac nid dilyniant, yn cynnwys cerddi'n seiliedig ar yr Ynys Bŷr, y Maldives ac Antigua, lle llofruddiwyd Ben a Catherine Mullany yn 2007. Ni welaf fawr ddim gwreiddioldeb yn y cerddi amrywiol hyn.


DOSBARTH 2

*Cwm Bach:* Mae *Cwm Bach* yn meddu ar y ddawn i greu llinellau caboledig ar adegau, megis yn y gerdd 'I sanctaidd ynys ienctid':

> Ffodd y degawdau ers pan ddisgynnodd
> y cudyll angau un bore'r hela
> yng nghesail y mynydd.

Dro arall, gall fod yn hynod o ryddieithol a digwydd hynny'n rhy aml: 'O! mi yrra i e-bost i ti … pan fydd dy angen'. Er bod addewid yn ei waith, mae gofyn iddo finiogi mwy ar ei ddweud a bod yn llai annelwig.

*Rhodgar:* Tyddyn mewn ardal fynyddig yw ei 'ynys' ef ac mae'r cerddi cyntaf yn y dilyniant yn sôn am y frwydr barhaol o geisio ffermio yn yr unigeddau. Mae yma gerdd yn trafod byd plentyn yn y tyddyn ac yna'r profiad o symud o fyd diogel y mynydd i'r byd ehangach fel plentyn ysgol/ myfyriwr, lle mae o'n ei weld ei hun yn wahanol i'r plant eraill.

> Unigolyn
> O'r mynydd
> Yn destun dirmyg.
>
> Dieithryn
> Mewn dillad gwahanol
> Yn denu sylw.

Er bod *Rhodgar* yn llwyddo i greu ambell gerdd ddigon gafaelgar, credaf ei fod wedi symud o fyd ei brofiadau uniongyrchol i fyd nad oes ganddo brofiad personol ohono.

*Crusoe*: Mae *Crusoe* yn mynd â ni ar daith o ward ysbyty i ynys bellennig a gwyliau gyda'i gymar. Mae'r cerddi'n ysgafn a diddorol ar y cyfan ac mae yma lais unigryw yn canu drwy'r cerddi megis yn y gerdd 'Ymwelwyr':

> Ond diwedd Tachwedd fyddai hynny,
> a hwythau'n ôl yn llaethder eu tai,
> yn peswch eu hiraeth am y traethau
> cynnes, yn byseddu'r *brochure* newydd.

Hoffais y gerdd 'Pum Rheol ar Gyfer Gwneud Canŵ' yn fawr iawn, cerdd wreiddiol ac iddi fwy nag un ystyr. Yn wir, mae dyfnder dwys yn y dilyniant hwn ond nid yw safon pob cerdd yn wastad.

*Hedd*: Dilyniant o gerddi yn ymdrin â phroblemau alcohol sydd gan y bardd hwn, a sut y mae hynny'n 'ynysu' person. Yn ei gerdd 'Ynys Unig', disgrifia'r cyflwr yn ddirdynnol:

> … estynnaist eto dy figyrnau moel
> i gydio yng ngwddf dy gyfaill.
> Ynddo,
> > er y gofid,
> > 'roedd gwefr yn ei gysur o.

Rhyw ychydig dros gant o linellau sydd yn y dilyniant hwn ond cawn yma ddawn sicr i greu cerddi gafaelgar.

*Bob y Bilder*: Rhoddodd ef deitl gwahanol i'w ddilyniant, sef 'Tyddyn y Coed'. Er hynny, mae ei ddilyniant yn destunol yng nghyd-destun yr hyn a osodwyd ar gyfer y gystadleuaeth – sef 'Ynys'. Mae'r gerdd gyntaf yn trafod y syniad fod yn rhaid adnewyddu'r tyddyn cyn y daw cymar y bardd, ynghyd â'r 'bychan', i fyw yn y lle. Mae ambell gerdd wirioneddol dda yn y dilyniant hwn a hoffais yn arbennig y gerdd 'Prynu crys': 'Sawl crys felly oedd ei angen ar ddyn? / *Un ar ei gefn ac un ar gefen y gwynt*'. Mae yma fardd gwreiddiol a chanddo'r ddawn i oglais a chwestiynu. Mae'r cerddi'n amrywio trwy inni weld y berthynas trwy lygaid Bob ac Eirlys, o gerdd i gerdd, ac yn y gerdd 'Cof', gwelwn fod eu perthynas yn dadfeilio ac felly'r tyddyn hefyd: 'Pwysa garreg yn erbyn y drws, agor ffenestri led y pen, / troi cefn ar ei lafur diflino a diflannu o'r heulwen'.

*Gwern*: Ysgrifenna o safbwynt milwr ym mrwydrau'r oesoedd, o Gefn Pilkem i Helmand. Mae'n disgrifio erchyllterau rhyfel mewn cyfres o gerddi byrion ac er bod ambell gerdd yn cydio, nid yw'n llwyr argyhoeddi drwyddi draw. A oes ganddo brofiad uniongyrchol o ryfela? Mae hynny'n dueddol o godi cwestiwn ynglŷn â diffuantrwydd y dilyniant hwn.

Rwy'n edrych dros y bryniau pell
yn nhwll tin y byd
yn yr uffern arall hon yn Helmand.

*Ifan*: Ceisio disgrifio beth yw ynys yw man cychwyn y bardd:

Ydwyf llain o dir
yn llechu yng nghysgod y cefnfor
lle bûm yn cadw fy mhellter
fel pob cymydog da.

Casgliad, yn hytrach na dilyniant sydd ganddo, yn symud o Enlli i Norwy a'r alanas waedlyd a fu ar ynys yno y llynedd: 'Ond y diwrnod daeth y diafol i baradwys / ceulodd y dŵr yn goch'. Mae addewid mewn rhai cerddi yn y casgliad hwn ond nid oes dilyniant o ran testun na gweledigaeth ac anwastad yw'r safon ar y cyfan.

*Bron Haul*: Mae'n agor ei ddilyniant drwy weld y byd fel ynys o Google Earth, cyn mynd â ni i un o ynysoedd Iwerddon, sef An Blascoed Môr – ac ymlaen i Ynys Robben lle y caethiwwyd Nelson Mandela am flynyddoedd lawer. Mae'r cerddi i'w gweld yn tarddu o'r byd digidol, o'r *Sat Nav* i'r cyfrifiadur a chamerâu lloeren – a thrwy hynny'n dod â'r byd yn nes atom i gyd. Mae amrywiaeth dda yn y cerddi hyn. Dyma i chi flas o'r thema yn y gerdd 'Trwyngorn Affrica':

Gall llaw a bys ar lygoden
leoli a chwyddo'r llun
o lygad camera lloeren
a'i dynnu'n union at barth o'r byd.

*Y Seren Fore*: Pryddest sydd gan y bardd hwn, yn fy marn i, lle disgrifir cartref yn dadfeilio.

Mae erwau'r cartref mwy
yn ynys unig,
celloedd y cof mewn carchar
a'r allwedd ar goll.

Mae lleisiau'r gorffennol yn galw trwy linellau'r bryddest ac mae yma ddeialog yn britho'r cyfan. Llais nain sy'n galw ac mae'n amlwg ei bod hi bellach yn byw yn niwl y dyddiau a fu.

*Merch Abraham*: Mae'n dechrau'n ddigon addawol yn ei cherdd gyntaf. Ei thema gychwynnol yw creadigaeth Duw ac â ymlaen i resynu at y ffordd y mae dyn wedi gwneud llanast o'r byd. Yna, mae'n newid cyfeiriad ac yn ôl ei geiriau hi ei hun: 'Mae'r canlynol yn gasgliad o gerddi a ysbrydolwyd gan daith i Ynys Ciwba Nadolig 2010'. Er, efallai, y gellid gweld y cerddi sy'n dilyn yng nghyd-destun y ddwy gerdd agoriadol, nid yw hynny'n gwbl amlwg i mi. Ar ei gorau, mae *Merch Abraham* yn gallu creu lluniau a llinellau da iawn fel yn ei cherdd 'El Hombre Nuevo':

> Oedd 'na rywbeth yn yr aer y noson honno,
> fab y chwyldro,
> a'th beraist [*sic*] i dresbasu ar berfeddion fy mod
> a rhwygo siôl gynnes fy myw.

*Prospero*: Braidd yn annelwig ar adegau yw'r ymdrech hon. Credaf mai cartref yr henoed yw ei 'ynys' ac mae'n trafod y cyflwr echrydus hwnnw lle mae'r cof yn dirywio. Mae'n fardd da ar ei orau, fel y dengys y dyfyniad hwn o'r gerdd 'Dianc':

> Yn y gwacter hwn,
> Tawelwch y disgwyl:
> Curiad cadair
> A sŵn y pren yn symud
> Fel ceffyl trwsgl
> A'r cowboi arni'n gyrru
> Gyrru trwy anialwch ei feddwl ...

Dylai roi sylw i'w atalnodi, gan ei bod braidd yn anodd dilyn hynt ei linellau ar adegau. Mae yma ddilyniant pendant a nifer o gerddi sy'n ei godi i dir uchel.

*Crymlyn*: Perthynas dau gariad yw 'ynys' *Crymlyn*. Mae teitlau'r cerddi'n ddilyniant o rannau'r corff: Y Llygaid, yr Wyneb, ac ati, gan ddilyn, yn anorfod, at y Gwely!

> Dyma ein hymerodraeth,
> ein trefedigaeth hirsgwar.
> Tynnwn ni ohono ddeunydd crai
> er mwyn i ni gael llosgi
> fel canhwyllau.

Roedd cerddi cyntaf y dilyniant yn safonol ond ni lwyddwyd i gynnal y safon drwyddi draw. Mae'n gallu disgyn i dir isel ar adegau, fel y gwelir yn y gerdd 'Tŷ':

> Golchi'r llestri oeddwn i,
> neu newydd lenwi'r tegell,
> rhyw orchwyl
> heb yr un arwyddocâd
> heblaw mai'r llestri hyn ...

*Xanthe*: Dilyniant o gerddi ar ffurf llythyrau, dyddiadur a cherdyn post sydd gan *Xanthe*. Mae'n dilyn hynt merch ar ei gwyliau ar ynys Eftichos yng Ngwlad Groeg ac, yn sicr, mae yma ddilyniant go iawn. Mae'r cerddi'n ddifyr dros ben gyda chyfeiriadau at yr hen chwedlau mewn cyd-destun cyfoes, yn britho ac yn cryfhau'r cyfan. Mae rhyw afiaith arbennig yn rhedeg drwy'r cerddi, er nad yw'n hawdd gweld mai cerddi ydynt ar yr olwg gyntaf. Rhaid hefyd dderbyn a cheisio deall y dafodiaith sy'n rhan annatod o'r gwaith ac sydd rywsut yn ei gwneud yn hollol naturiol o ran y dweud.

> Twym iawn yma, fel cegin
> 'Gu ar ddiwrnod ffwrna.
> Awyr yn ystrydebol o las
> a'r môr, ie, fel gwin tywyll.

Mae'r cerddi'n trafod perthynas Leri gyda Jên (ei ffrind gorau), Daf (ei chariad) a Rhodri (cariad Jên). Mae ei dyddiadur yn datgelu ei bod hi wedi syrthio mewn cariad â Rhodri:

> Meddwl am Rhodri'n ddi-baid – a Daf.
> Mêl a menyn, y cyfryngi a'r bardd,
> y cleciwr a'r dyn camera, a dyma fi
> yn delffo am y ddou fel croten ysgol.

Mae 'na ryw awgrym o'r dechrau y gall y gwyliau hyn fod yn drobwynt ym mywyd Leri a dyna sy'n digwydd wrth iddi ddod i ryw fath o benderfyniad ynglŷn â'i dyfodol.

*Mwlsyn*: Mae'r gerdd gyntaf yn llawn addewid:

> Daethost i'n plith fel aderyn drycin ...
> Oet fab y trwste,
> yn crynhoi gwymon afrad
> ar draeth gwyn anobaith.

Cerddi'n seiliedig ar fywyd y canwr unigryw hwnnw, Meic Stevens, sydd yma ac mae rhai o'i ganeuon yn atseinio drwy'r dilyniant hwn megis yn 'Traeth Addewid': 'Gwag oedd / dy wely â thristwch / yn ei bluf'. Cerddi moliant a geir yn y dilyniant, i ŵr ifanc a gefnodd ar fywyd ceidwadol a chrefyddol ei gymuned ac a drodd yn rebel, fel y gwelir yn y gerdd 'Traeth Brezhoneg:

> Sgipiast ar hyd y Rue San Michelle
> yn droednoeth, a'th wallt yn y gwynt
> tra byrlymai'r gwaed trwy dy wythienne.
> Doedd dim modd dy gorlannu.

Mae rhywbeth ffres yn y cerddi hyn, sy'n dilyn hynt y canwr o draeth i draeth. Er hynny, gall fod yn rhy ddisgrifiadol a rhyddieithol ar adegau.

*Lôn y Pandy*: Dim ond dwy gerdd sydd yn nilyniant *Lôn y Pandy* – ond mae'n rhaid dweud bod y ddwy gerdd yn ein codi i dir uchel. Credaf fod y bardd yn ysgrifennu o brofiad uniongyrchol ac mae hynny, yn fy marn i, yn rhywbeth i'w groesawu. Ynys y Protestwyr o amgylch Cadeirlan Sant Pawl yn Llundain sydd ganddo yn y gerdd gyntaf, a hynny'n ymdrin â'r brotest yn erbyn cyfalafiaeth y bancwyr – digwyddodd y brotest hon yn ystod y flwyddyn a aeth heibio:

> Mae cnul y clychau'n drwm
> Dan dinc ceiniogau,
> A ninnau'n mynnu herio
> Holl wanc a banc ein byd.

Mae'r gerdd hon yn un heriol iawn wrth i'r bardd weld y brotest yng nghyd-destun ei ffydd Gristnogol ei hun:

> 'A fyddai'r Iesu yma?'
> Ond ni
> Yw'r briwiau
> Ar groen caled cyfalafiaeth,
> Y plorod
> Sy'n mynnu aros
> Dan golur drud
> Y wyneb derbyniol, braf.

Mae'r ail gerdd yn trafod yr un sefyllfa ond o gyfeiriad y Gadeirlan ei hun. Y bardd yw llais y Gadeirlan y tro hwn ac mae'n dechrau fel hyn:

> Fi
> Yw Enlli eich Cristnogaeth Brydeinig,
> Y seintwar sefydlog
> Lle mae hanes yn diferu
> Hyd y muriau.

Yn sicr, mae *Lôn y Pandy* yn llwyddo i greu naws her arbennig yn ei gerddi. Mae'n fardd addawol iawn ac mae'n hawdd darogan y bydd o neu hi yn dod i'r brig rywbryd yn y dyfodol. Cyflwynodd gerddi diwastraff sy'n argyhoeddi o'r darlleniad cyntaf.

*Llef un yn Llefain*: Dilyniant o gerddi dychmygol, yn seiliedig 'ar salwch meddwl mam Caradog Prichard', sydd yma. Mae'r cerddi'n frith o gyfeiriadau at waith Caradog Prichard a hefyd at y Mabinogi a'r chwedlau

Groegaidd. Trwy'r cerddi hyn, mae fflachiadau a delweddau amrywiol, yn neidio o un i'r llall ac mae hynny'n llwyddo i gyfleu cymhlethdod ac ing y salwch meddwl, fel sydd yn y gerdd 'Glawio':

Aeth heddiw'n angof gyda doe ac echdoe,
daw darnau o'i phlentyndod yn ôl weithiau
i'w llygaid, fel broc môr,
llyfiad ton ac nid oes yno drachefn
ond tywod yn disgwyl dychwelyd yr ias wen o'r tonnau,
a'r dwylo ffosilig yn byseddu breichiau'r gadair.

Mae'r cerddi'n llawn egni ac fe ddisgrifir yn ddirdynnol sut y mae'r cyflwr echrydus hwn yn cael effaith greulon ar yr unigolyn a'r teulu: 'Nid oes a ddaw i'm hannedd heno / undyn a ŵyr fy hiraeth am haul y bore ...'

*Y Maen Du:* Mae'r cytadleuydd hwn yn fardd da, fel y gwelir ar ddechrau ei gerdd 'Yr Abaty', lle y mae'n disgrifio'r mynaich yn meddiannu'r ynys:

Cyryglasant i mewn i'th ddiniweidrwydd,
ugain mil ohonynt,
dan eu baich o greiriau
a'u chwedlau am burdan a chosb.

Yna, mae'n ein tywys i weld bygythiadau eraill i hedd yr ynys, megis môr-ladron a mewnfudwyr. Yn gyffredinol, mae'n llwyddo i greu cerddi difyr, llawn mynegiant. Gall hefyd fod braidd yn rhyddieithol ar adegau, fel y gwelir yn y dyfyniad hwn o'r gerdd 'Dieithriaid':

A heb aros am ateb
y mae'n taenu map dilychwin ar y tywod,
yn ymgynghori â chwmpawd
ac ysbienddrych.

*Helios:* Dilyniant o gerddi'n seiliedig ar y cyflwr ofnadwy hwnnw, Alzheimer, sydd yma. Yr afiechyd hwn sy'n ynysu hen wraig ac mae ei llais yn galw drwy'r cerddi agoriadol, a hynny'n ddirdynnol ar adegau:

'Ddôn nhw i fy nôl i fory?'

Dim ond geneth fach
bedwar ugain oed
isio mynd adra.

Mae'n rhaid i mi gyfaddef fy mod i'n hoff iawn o arddull y bardd hwn. Mae'n gynnil ac yn ddealladwy ar y darlleniad cyntaf. Cawn gerddi arbennig o dda, er bod tueddiad i fod yn rhyddieithol ar adegau. Teimlaf hefyd fod y cerddi yn rhan gyntaf y dilyniant yn gryfach na'r rhai yn yr ail ran. 'Wn i ddim pam ond mae llais yr hen wraig hefyd yn diflannu yn y cerddi olaf ac mae hynny'n gwanhau'r dilyniant.

*Y Dref Wen:* Dilyniant o gerddi'n seiliedig ar alanas Guernica sydd gan y bardd hwn. Yn ei nodiadau cychwynnol, mae'n olrhain sut y bu i dref farchnad Guernica gael ei bomio'n ddidrugaredd ym mis Ebrill 1937 gan awyrennau'r Almaenwyr a'r Eidalwyr. Mae'n trafod delweddau echrydus yn y cerddi ac mae'n fardd sy'n deall y grefft megis yn y gerdd 'Rhwng Blodau'r Drain':

> Sgrechian marw lle bu nosau'r gitâr
> yn serenadu'r sêr a'r traed yn ffyrnigo
> mewn fflamenco cyn dyfod y gwyfyn dur o'r haul.

Mae'n mynd ymlaen i gymharu'r gyflafan â chyflafan y Dref Wen yn y gerdd 'Cof un genedl' a 'Drudwy', megis:

> Ni allodd ar derfyn y daith ddisgyn
> ar ysgwydd a gollwng o'i gofal y genadwri
> am y gyflafan a droes bentref bach yn Bengwern.

Gwendid pennaf y bardd yw ei fod yn dueddol o bentyrru delweddau; dylai anelu at fod yn fwy cynnil ar adegau:

> Chwilfriwio cyrff, clindarddach esgyrn,
> a'r meini'n disgyn: angau'n dulasu'r dwylo
> a'r ffrydiau gwaed yn fferru mor angheuol:
> … mor farwol fud.

Mae'r tri dilyniant sy'n aros, gan *Unigolyn, Y Frân* ac *Aran,* yn ein codi i dir uwch o lawer ac fe fyddwn i'n ystyried y tri dilyniant yn deilwng o Goron Eisteddfod Bro Morgannwg. Bu fy nghydfeirniaid a minnau'n trafod gwaith y tri bardd am rai oriau, gan weld rhinweddau arbennig yng ngwaith pob un.

*Unigolyn:* Y cartref yw ei 'ynys' a hwnnw'n gartref Cymraeg mewn môr o Seisnigrwydd. Yn y fan honno y mae'r cerddi'n dechrau:

> Ein tŷ ni yn gweiddi'i Gymreictod
> drwy'r ffenestri
> fel nodau piano
> a neb yn dilyn
> y diwn.

Dyma ddilyniant o gerddi difyr dros ben, hawdd eu darllen a'u deall. Mae delweddu gwych yn y gerdd gyntaf hon a rhyfeddais at wreiddioldeb y dweud: '... a miwsig "Coronation Street" / yn wylo/ i lawr y stryd'. Mae nodau cerddoriaeth 'Coronation Street' yn 'wylo' wrth i chi eu hymian. Gwych, onidê? Mae'r cerddi'n gryno ac yn llawn mynegiant llyfn. Dyfynnaf o'r gerdd 'Llangrannog yn y glaw':

> Yfais nes i ti ddod ataf
> er i mi dy nabod erioed...
> | Yfais
> Nes gweld cantre'r gwaelod.

Mae'r cerddi'n trafod perthynas y bardd â'i gariad, a'i berthynas â'r iaith Gymraeg, a hynny mewn ffordd gynnil iawn. Mae'r cyfan fel pe bai'n gweu i greu dilyniant sy'n olrhain y berthynas gariadus rhwng y bardd a'i gariad, ei gariad at yr iaith, ynghyd â'r ansicrwydd am ddyfodol y naill a'r llall. Mae'r gerdd 'Cymuned', sy'n disgrifio hen wraig yn dod i ddiwedd ei hoes, yn drosiad o farwolaeth yr Iaith Gymraeg ac mae'n hynod o gynnil: 'Dreser a gwely a chloc, brwsh a chrib a llunie/ a jwg a basin a iâr yn wag o ŵye...' Mae'n amlwg i'r bardd gyfarfod ei gariad yn Llangrannog a dyna yw thema'r tair cerdd ddilynol. Yn y gerdd 'Sgribls', mae'n myfyrio uwchben ei fywyd:

> Bûm yn ddi-dywydd
> dideimlad ...
> Ond gyda ti [sic]
> daw pob trên yn ôl o'i dwnnel
> yn llawn cwmpeini
> i droi bratiaith
> yn farddoniaeth
> a hiraeth.

Mae nifer o wallau sillafu yn y gwaith ac efallai nad yw safon pob cerdd yn codi i'r tir uchaf un, ond mae yma fardd da iawn wrth ei waith.

*Y Frân*: Daeth yn amlwg o'r dechrau fod dilyniant *Y Frân* yn un gwahanol iawn. Roedd hi'n amlwg hefyd fod yma fardd gwreiddiol wrthi'n ein goglais a'n herio. Mae'r dilyniant yn seiliedig ar chwedlau'r Mabinogi a stori Branwen a Bendigeidfran. Llwyddodd i greu dilyniant o gerddi sydd, er yn seiliedig ar y chwedl, yn treiddio i'n byd ni heddiw. Does dim dwywaith nad oedd yn ofynnol i feirniaid y gystadleuaeth hon ddarllen ac ailddarllen y dilyniant sawl gwaith cyn dod i werthfawrogi'r cerddi. 'Wn i ddim a fyddai pob darllenydd yn fodlon mynd i'r drafferth i wneud hynny – ond, yn sicr, mae'n werth y drafferth! Mae deialog yn britho'r cerddi ac mae'n ofynnol darllen y cerddi'n uchel er mwyn gwerthfawrogi'r rhythmau a'r dweud. Mae'n fachog:

> 'Mae rhywbeth,' medd Brân, 'y dylwn i gofio.'
> Aeth wythnos heibio. 'Rhywbeth pwysig'.

> 'Y collest ti'r rhyfel?' meddai Branwen.
> 'Nage'
>         'I ti adael dy gorff
>         Yn yr Iwerddon?'
>                 'Nid hynny chwaith.'

Yn sicr, mae yma feddwl craff a chreadigol ac mae ei ddehongliad o'r testun yn wahanol i ddehongliad pob ymgeisydd arall yn y gystadleuaeth. Mae elfen o bos yn y dilyniant ac fel pob pos, rhaid treulio amser yn ei ddatrys. Mae hwn yn fardd da iawn ac fe'i gwelir ar ei orau, yn fy marn i, yn y gerdd 'Hiraeth am y Dyfodol', un o gerddi gorau'r holl gystadleuaeth:

> Meudwy'n dychmygu plant pobl eraill,
> Craig yn cytuno dirywio'n draeth,
> Tywod yn caru coelcerth y gwydr
> Neu fflam yn canmol y chwyth sydd i'w diffodd ...

*Aran*: O'r darlleniad cyntaf, gosodais y gwaith hwn nid yn unig yn nosbarth cyntaf y gystadleuaeth ond fel dilyniant a oedd yn gwir deilyngu'r Goron eleni. Ei gartref yw 'ynys' ei ddilyniant ac fe geir yr argraff fod perthynas gŵr a gwraig yn dadfeilio yn y gerdd gyntaf un, 'Clatsh':

> Yn y tŷ hwn
> mae dwy ynys dan unto,
> a'r trai yn hollti'r tir.

Yna, mae fel pe bai'n mynd â ni'n ôl mewn amser, i olrhain man cychwyn perthynas y ddau a'r cerrig milltir eraill sy'n dilyn hynny. Mae'r cerddi'n gyforiog o ddelweddau ac ymadroddion gwych:

> Codi, a mynd am mas.
> Heibio crechwen y wawr,
> â chledr y gwynt
> yn bader ar fy ngwegil,
> yn fy hel, yn fy halio
> at y lôn ac at y lan,
> lle mae'r brwyn yn dal i grynu.

Y gerdd 'Y Cae Llafur' yw'r gerdd orau yn y gystadleuaeth, yn fy marn i. Dyma ddyfyniad i godi blas:

> A'r brain sydd, ar lwyni brau,
> yn aros uwch ein pennau,
> yn gôr o atalnodau blin,
> yn bregeth ar hyd y brigau.

Mae *Aran* yn fardd arbennig iawn, yn un sydd wedi creu dilyniant cytbwys, crwn a diwastraff. Defnyddiodd yn gelfydd ddelweddau cofiadwy a llwyddodd i gynnal safon uchel ei holl gerddi. Mae ei ddilyniant yn grefftus wrth ein harwain ar hyd lonydd ei feddylfryd hyd at y diwedd trawiadol hwn:

> Edrychaf nôl hyd erwau'r diwetydd
> y gwlith yn codi, a'r tŷ'n llonydd.

Dyfarnaf i, felly, mai dilyniant *Aran* sy'n codi i'r brig. Fel y dywedais eisoes ar ddechrau'r feirniadaeth: wrth gloriannu'r goreuon yn y gystadleuaeth a thrafod y dilyniannau gorau am rai oriau gyda'm cydfeirniaid, daeth yn amlwg mai chwaeth bersonol sy'n ein gwahanu yn y pen draw.

Gan mai *Y Frân* yw dewis fy nau gydfeirniad a'm bod innau'n ei osod yn ail ac yn un y byddwn yn fodlon ei goroni, rwyf yn cytuno mai ef neu hi sydd yn teilyngu'r Goron eleni.

# Y Dilyniant o gerddi digynghanedd

## YNYS

Ac yna y parodd Bendigeidfran dorri ei ben ... 'Ac yng Ngwales ym Mhenfro y byddwch bedwar ugain mlynedd. A hyd onid agoroch y drws parth ag Aber Henfelen, y tu ar Gernyw, y gellwch fod yno a'r pen yn ddi-lwgr gennych. Ac o'r pan agoroch y drws hwnnw, ni ellwch fod yno.'

*Pedair Cainc y Mabinogi: Chwedlau Cymraeg Canol.* Diweddariad T. H. Parry-Williams (Caerdydd, 1937), tud 54-55.

### 1

Pennill bach o dir, y môr
Yn gerrynt o'i amgylch. Golau. Pen.
Gwales. Amser amgen.

### 2

**Gwledda**

Dychmygwch pe medrech chi gnoi cil
Ar gwmwl, pe bai gwylio'r môr
Yn weithred amheuthun. Pe bai golau'r bore'n
Heneiddlo fel medd a phob munud
O bedwar ugain mlynedd
Yn faethlon fel pryd. Pe bai ffaith eich newyn
Yn ddigon i gario bron y golau
At eich gwefusau a chithau fel baban
Neu dduw anghenus, bod sêr
Yn hadau pomgranadau'r nefoedd –
Gloddest di-ben-draw.

(Anghofiwch y môr
        yn sôn
           am ddim
Ond amser a syched,
        syched amser.)

**3**

'Mae rhywbeth,' medd Brân, 'y dylwn 'i gofio.'
Aeth wythnos heibio. 'Rhywbeth pwysig.'

'Y collest ti'r rhyfel?' meddai Branwen.
'Nage.'
    'I ti adael dy gorff
Yn yr Iwerddon?'
        'Nid hynny chwaith.'

Mis.
    Mis arall.

Aeth i bendwmpian. Gwyliodd ei chwaer
Drosto, fel pe bai'i benglog
Yn set deledu a honno'n darlledu
Pob sianel ddynol a gynhyrchwyd erioed.

Roedd hi yno'n aros, ar ei chwrcwd,
Pan agorodd ei lygaid wedi chwe mis
O duchan a griddfan.
'Beth welest di, frawd?'

'Gwaed a ffolineb … Aber Alaw
Yn Nhâl Ebolion. "Da o ddwy ynys …
O'm hachos i …" Ochenaid, angladd.
Yna'r bedd petryal. Beth wyt ti? Ysbryd?
Duwies? Egwyddor?'

'Fachgen,' medd Branwen,
'A yw'r meirw'n ufudd? Dy feddwl di
Yw'r pair dadeni. A fo ben,
Bid ynys.' Yna diflannodd.


**4**

Dychmygodd y pen
Bod gwesty moethus
Â lloriau gwydr
Dros donnau'r bae.
Gwelid gwymon
Yn troi a throsi fel breuddwydion.
Roedd aelwyd a thân, muriau marmor
Tryloyw, pwll nofio tragwyddol yn estyn i'r gorwel.
Croeso, moethusrwydd, dim arwydd o neb …
Paradwys heb bobl: y drws cyntaf.

64

**5**

Mae'r diwrnod yn canu heb anadlu:
Tiwn gron, tiwn gron amser.
Gwawr a llanw, awel, glaw.

Hoga'r dydd fin y golau
Ar ddŵr a chraig,
                    porfa,
                    a phlu.
Tiwn gron, tiwn
                    gron amser.

Thema ac amrywiadau'r prynhawn:
Cwmwl yn gywair lleddf a glaw
Yn drallod. Tiwn gron tywydd amser.

Adeg ddi-syrffed, math o nefoedd.
Tir yn dôn a'r môr yn gytgan.
Tiwn gron gwylio amser.


**6**

**Y Pen**

'Rydw i'n gennad o wlad y cnawd.

Hugan yn gwanu clwyf y dŵr
Â'i llafn ei hunan. Mae'r môr yn trigo.

Rwy'n cychwyn mewn sêr, marw mewn baw.

Pig y frân ym myw llygad oen –
Trydan gorfoledd (am y tro).
Ydw i'n callio?
        Neu fynd o 'ngho'?

Cragen yw'r benglog a fi
Yw crwban digymar yr ynys hon.
Mae 'nhafod i'n sych fel ceg deinosor.'

**7**

**Barus**

'Rwy eisiau mwy. Beth am siwgr candi
Swigod y dŵr lle mae'r tonnau'n torri?

Mae yfed heli'n codi syched.
Cyn hir, mae 'nannedd yn rhincian ar glogwyni
Sir Benfro. Mae'r rheiny'n anodd (iawn) eu llyncu

Ond, wedyn, tamaid i aros pryd oedd calchfaen
O'i gymharu â hen dywodfaen
Y meysydd glo, du sy'n daffi caled.
Collais ddant yn haen Treorci, cyfogi'r cyfan.

Rwy'n ôl ar yr ynys yn dioddef o'r ddannoedd:
O hyn ymlaen: salad a physgod.'


**8**

'Drws yw'r geg i ogof y benglog,
Y môr fel tafod yn blasu'r graig
Ond heb ei llyncu – er bod ei phrofi
Yn treulio'r asgwrn yn y diwedd yn ddim.

Wel, am siambr! Sinema hela:
Meirch yn cilio dros ymchwydd talcen
Rhag bleiddiaid, bleiddiaid yn ffoi rhag gwaywffyn
Dynion a'r helwyr yn ffoi rhag rhywbeth ffyrnicach –
Fi'n chwilio'r cysgodion am ddelweddau,
Yn methu dal dim ond rhuo'r môr
Anneallus. Er mwyn dyn, pam na ddali di'r lamp
Na'n uwch i fi, fel y gofynnais?'


**9**

**Cwmni**

Daeth y dynion i gysuro Brân. Yr ail
Ddrws: siarad.

'... Ond dyna ni, yn y pen draw
Pobol sy'n bwysig,' medd Pryderi
Y llofrudd.

'... Bûm lamhidydd, bûm forfran ...'
Felly Daliesin. 'Fachgen,' atebodd Brân,
'Fe smygest ti ormod o wymon.'

'Mae 'nghefn i'n gwynegu,' cwynodd Griddieu
Fab Muriel. Brân: 'Rwyt ti'n lwcus
Fod gennyt ti gorff. Cer o 'ngolwg.'

Manawydan: 'Wyt ti'n meddwl –?'
Brân: 'Nagw.' 'Was, 'ti'n fyr
Dy dymer!' Gadawodd.

Glifiau Ail Taran: 'Wrth gwrs, bydd dy grefydd
Yn gysur i ti. I anffyddiwr fel fi
Dyw atgyfodiad ddim yn opsiwn.' Brân:
'Diolch yn fawr, ond rwy'n dal yn fyw.'

'Ddaeth Heilyn fab Gwyn ddim i weld y pen
Ond roedd Ynog yn ddigon o ddyn i ddweud dim byd
Ond cadw cwmni, gadael i'r môr
Gymeradwyo pob anadl, pob elliad.


**10**

Wylodd yr arwr ddagrau olew
Nes bod y tonnau'n blino'n lân
Ar geisio codi dan eu pwysau'u hunain
Ac, yn hytrach na thorri, lled ochneidio,
Ffrwtian fel cawl ar odre'r tywod.

O'r dyfroedd seimllyd ymgreiniodd sarff
Ar draws y creigiau a gosod ei safn
Wrth glust Bendigeidfran a hisian:

'Rwyt ti'n ffŵl. Rwyt ti'n ffrîc. Rwyt ti'n ffwtbol.
'Chofith neb fyth i ti hyd yn oed fyw.
Arweiniaist dy liaws i ddistryw.

'Rwyt ti'n ddim. Rwyt ti'n waeth – rhyw gartŵn
O berson. Rwyt ti'n falŵn o
Falchder. Rwyt ti'n ffuglen.'

'Mae'n wir', medd y pen, 'ond ar yr un pryd
Fi yw gobaith y cyfan. Mae rhywbeth yn newid.'

**11**

**Hiraeth am y Dyfodol**

Meudwy'n dychmygu plant pobl eraill,
Craig yn cytuno i ddirywio'n draeth,
Tywod yn caru coelcerth y gwydr
Neu fflam yn canmol y chwyth sydd i'w diffodd,
Trachwant afal am berllan ei diwedd,
Cig yn addo derbyn gwaith dannedd,
Teyrnged yr haearn i siâp yr allwedd
Neu ynys yn deall nad yw lefel y môr
Yn bodoli go iawn – na chwaith yr hunan –
Dim ond llanw'n llusgo'i glogyn
A'i osod dros y cerrig mân
Cyn eu dadorchuddio fel tric – tada! –
Trydan planedau'n goleuo pob gronyn!


**12**

**Tuag Aber Henfelen**

– Nid drws ar ynys, ond porth y meddwl
    (Traffig yn mwmian fel cenedl gwenyn).
– Llaw'n petruso cyn gafael mewn bwlyn
    (Twr a chrawcian brain). – Paradwys
Ffŵl yw ynys yr hunan (dynion
    Yn gweiddi). – Clicied yn troi
Mor hawdd â rhagluniaeth (wyt ti'n siŵr?
    Na fyddi'n difaru?). – Rhy hwyr:
Golau newydd fel sioe ar lwyfan
    Llundain – bedd byw Bendigeidfran!


**13**

**Ysbyddawd Urddol Ben**

Sylfaen pob dinas yw breuddwyd cawr,
Clywch drydar tanddaearol
Y geiriau sy'n ei feddwl

Ac yngan torf dan bendil corff
Ar grocbren ac ail fradwr
Yn hongian eto yn y dŵr.

Ymlaen ganrifoedd – ffair ar iâ
Y Tafwys, brithyll wedi rhewi'n gorn
Ac elyrch ar gyfeiliorn.

Rhyfel nawr a storm
Yn dân o amgylch plentyn,
Dinas yn llosg at ei hesgyrn.

Pont. Yn croesi – stafell ddrud Rolls Royce
Ac oddi tani, fel o oes i oes
Urdd y digartref yn cynnal llys

Bendigeidfran, dinas iaith.
Pennill bach o dir. Golau. Pen.
Llundain. Amser amgen.

**Y Frân**

# Englyn: Ras

BEIRNIADAETH DAFYDD ISLWYN

Derbyniwyd 44 o englynion i'r gystadleuaeth a hynny ar fore'r Sul yn dilyn ras y Grand National! Yn naturiol, felly, roedd termau'r ras enwog yn addas i ddosbarthu'r englynion.

Y peth cyntaf a'm trawodd wrth eu darllen oedd mor ddiofal y bu mwyafrif llethol yr awduron gyda'u gwaith. Yr ail beth oedd y duedd a arferir gan ambell englynwr yn ddiweddar, sef ysgrifennu esboniad am gynnwys ei englyn dan y teitl. Derbyniwyd pum englyn yn cario brawddeg felly!

Syrthiodd 32 wrth geisio neidio Becher's Brook ar yr ymgais gyntaf. Cafwyd llinellau cyntaf anghywir yn englyn *Arfogwr* ac yn un *Gwynt y Gogledd*. Un di-fflach a rhyddieithol oedd cynnig *Hen ŵr 1* ac yn ei ail englyn cafwyd yr un gair acennog ddwywaith yn brifodl. Cododd englyn hen ffasiwn *Heb ei ail* ofn arnaf. Pam na chywirodd *Mab Jack* y gair cyrch? Englyn di-fflach a weithiodd *Rhys* ac un rhyddieithol a gafwyd gan *Mewn Fudwr*. Camacennodd *G. M. D.* ei drydedd linell. Chwithig iawn yw'r ymadrodd 'Rwy'n berwi i symud' yn ail linell *Daniel*. Guto Nyth Brân oedd thema englyn di-fflach *Gwibiwr*. Nid adolygodd *Glas* ei englyn gwan. Mae llinell gyntaf *Carn yr Ebol* yn cario dau ansoddair: 'Tyf y gwyllt gyntefig ias'. Mae llinell olaf englyn *Ben Set* yn anghywir, un 'n' wreiddgoll a ganiateir. Yr un bai sydd yn englyn *Cadog*. Englyn llafurus iawn a gafwyd gan *Victor Ludorwm*. Defnyddiodd *Euron* hen, hen air, 'echrys', i ddechrau ei englyn. Nid yw englyn cyffredin iawn *Glyn* am ras bywyd yn argyhoeddi. Englyn rhyddieithol gyda thrydedd linell wan a gafwyd gan *Y Darren Goch*. Drafft cyntaf englyn a gafwyd gan *Rhisiart*. Y gynghanedd a arweiniodd *Amo Amas Amat* i ddefnyddio'r ansoddair 'blwng'. Cafwyd llinell gyntaf foddhaol gan *O'r Fyfyrgell* ond camddehonglodd y testun. Mae trydedd linell annealladwy gan *Y Gadwyn Goll*. Englyn annhestunol a gafwyd gan *Ar y Lein*, a 'Ras' ac nid 'Gras' oedd y testun. Englyn ffwrdd-â-hi a weithiodd *galw heibio* ac un cyffredin a diwefr a gafwyd gan *tair-coes*. Englynwr brysiog ydyw *Cymro* ac un sy'n hoffi geiriau. Hoffais 'tua'r helm dymhorol' gan *Huw* ond englyn ar chwâl a weithiodd ef. Yn fy myw, ni allaf deimlo gwefr y ras yn englyn *Borth*. Llinell gyntaf herciog mewn englyn di-fflach a gafwyd gan *Olympaidd*. Cyganeddu geiriau'n unig a wnaeth *Trôma*. Englyn dau ddarn a gafwyd gan *Rhedwr*, un o'r pump sy'n dibynnu ar frawddeg fel allwedd i'w englyn ond mae ei linell olaf yn anghywir.

> Gwadnau chwim, gwydnwch un – i'm cymell
> Bob cam at y terfyn:
> Heddiw galar dry'n sbardun,
> A'r her yw angau ei hun.

Gan fod yr englynwyr a osodwyd yn y trydydd dosbarth yn awyddus i weithio englyn a chystadlu yn yr Eisteddfod Genedlaethol, cynghoraf hwy i ddarllen a darllen gwaith ein prif englynwyr i wella'u crefft, ac adeiladu ar hynny wedyn trwy fynychu dosbarthiadau cynganeddu. At hynny, cynnal ambell sgwrs ag englynwr cydnabyddedig.

Syrthiodd wyth englynwr 'drwy ofer esgeulustod' yr eildro dros naid Becher's. Dyma esgyll *Ifor* mewn englyn ffwrdd-â-hi: 'Un o ddegau buddugol/ Y Grand Stand o gysur stôl'.

Cafwyd disgrifiad byw o ras ceffylau gan *Dic Penderyn* ym mhaladr ei englyn: 'Ceffylau'n gyhyrau i gyd, – a'u stŵr/ Megis storm ar symud'. Syrthiodd oherwydd ei esgyll gwan. Baglodd *Gwyn* yn y ras oherwydd ei drydedd linell drwsgl: Defnyddiodd hen air: 'Daw y Dorf yn rym didau'. Mae lle i englynion ysgafn yng nghystadleuaeth yr englyn ac fel mewn nifer o gystadlaethau yn y gorffennol fe gawsom un eleni. *Dim Rhagori* yw ei awdur:

> I beth y rhedwch i ben – y mynydd
> Er mwyn rhyw elusen?
> I mi fe fyddai'n Amen
> Oni bae am Gobowen!

'Oni bai' sy'n gywir, wrth gwrs.

Cyflwyno hen neges mewn englyn uniongyrchol a wnaeth *Guto*. Dyma'i englyn:

> Nid ennill er y doniau – ry bleser
> Er blysio coronau,
> Ond ceisio rhoi dy orau
> Â braint y dyfalbarhau.

Roedd englyn *Nicw Nacw* yn ffefryn i'r dosbarth cyntaf – mae'n dweud ei neges yn raenusach na *Guto*:

> Er rhedeg ar adegau – i ennill
> Ar f'union, gwn innau
> Nad aelwyd o fedalau
> Yn rhes yw dyfalbarhau.

Gair cyrch ei englyn a faglodd *Er ei fwyn*, un o'r pum pechadur brawddegol.

> Ei weld a'm gwna'n ddi-ildio – a finnau'n
> Fynych ar ddiffygio;
> Er taro'r wal lawer tro,
> Daw ei wên i'm sbarduno.

'Fy marathon elusennol a'r ymarfer ar ei chyfer', eglurodd y bardd mewn is-deitl cyn bwrw iddi i englyna. Onid 'a minnau' sydd yn gywir? Gellir holi pwy yw'r sawl sydd yn sbarduno'r rhedwr.

Gan *Coes glec* y cafwyd paladr gorau'r gystadleuaeth, paladr crefftus sy'n mynegi profiad dirdynnol yn afaelgar. Dyma'i englyn:

> Ras
> (Pan anwyd fi, nid oedd y meddygon yn
> sicr a fyddwn yn gallu cerdded ai peidio)
>
> Rhedai oriau pryderus – yn draed chwim
> Drwy'r dychymyg bregus
> Ar garlam, yn bram a brys
> Yn rhedeg mor gariadus.

Fe ddifethwyd yr englyn hwn gan y pedwar sill 'yn bram a brys' yn y drydedd linell. Onid honno ydi Becher's Brook pob englynwr?

Pedwar englyn a ddaeth heibio'r tro i'r tir agored at linell derfyn y dosbarth cyntaf.

Dyma englyn *Pensiynwr*:

> Ym more oes mawr fy mri – o'i hennill
> Unwaith, ond eleni
> Mi wn na redaf mo'ni,
> Y cof gaiff ei rhedeg hi.

Mor wir ydi'r profiad yn yr englyn gafaelgar hwn. Gwaetha'r modd, mae cysgod englyn adnabyddus 'Y Llwybr Troed', buddugol ym Mangor 1943, drosto.

Gam o'i flaen yn y ras y mae englyn *Bryngwynno*.

> Nid yw calan wedi cilio – o gof
> Na hen gamp Llanwyno [*sic*];
> Gwibiwr oedd fel ewig bro
> A'i fedd fu'r llawryf iddo.

Mae'r englyn hwn yn dwyn i gof Guto Nyth Brân (1700-1737) a gwympodd yn farw ar derfyn ras hanner marathon ym Medwas, Cwm Rhymni. Claddwyd ef yn Llanwynno, Ynys y Bwl. Bob Nos Calan, cynhelir ras o sgwâr Aberpennar i gofio Guto. Dyma englyn yn llifo'n esmwyth gan englynwr profiadol.

Mae englyn *Parri Bach* gam o flaen un *Bryngwynno*:

Ym Mai yr awelon mwyn – dirybudd
ydyw'r wib drwy gynllwyn;
rhyw hen raid yng ngharnau'r ŵyn,
hen gynneddf yn y gwanwyn.

Englyn esmwyth lle nad yw'r gynghanedd yn tynnu sylw ati ei hun. Yng ngwres ei weithio, anghofiodd yr awdur roi coma ar ôl 'mwyn'. Darlun crefftus o gae yn llawn o ŵyn yn prancio, darlun gwahanol o ras.

Ras gonfensiynol a geir yn englyn *Ar remisiwn* ond ras wahanol oherwydd un redwraig fach benderfynol, fel yr esbonia'r frawddeg sy'n egluro'r englyn.

Ras
(Cof am sirioldeb plentyn ddydd mabolgampau'r
ysgol ar ei dychweliad dros dro o'r ysbyty)

Yn llon croesaf y llinell – yn olaf,
Mae'r heulwen yn cymell;
Rwyf dda, rwyf heddiw ddeuwell,
Yr wyf cymaint, gymaint gwell.

Englyn ysgytwol sy'n mynegi buddugoliaeth un ferch fach wrth iddi, yn ei gwaeledd, gwblhau ras. Mae rhywun gyda hi'r holl ffordd trwy'r ras ac yn cydlawenhau â hi wrth iddi groesi'r llinell derfyn. Onid ydi hi'n gwenu o glust i glust wrth fynegi ei theimladau yn y drydedd linell. Hwn oedd yn fuddugol yn y diwedd. Mae'n englyn sylweddol, llawn bywyd, sy'n mynegi profiad gwirioneddol o bwys.

*Ar remisiwn* sy'n ennill y ras.

# Yr Englyn

## RAS

(Cof am sirioldeb plentyn ddydd mabolgampau'r
ysgol ar ei dychweliad dros dro o'r ysbyty)

Yn llon croesaf y llinell – yn olaf,
Mae'r heulwen yn cymell;
Rwyf dda, rwyf heddiw ddeuwell,
Yr wyf cymaint, gymaint gwell.

**Ar remisiwn**

# Englyn ysgafn: Prawf Gyrru

BEIRNIADAETH TWM MORYS

Daeth 35 o gynigion i law, a dim ond dau sydd yn methu prawf y gynghanedd. Mae ail linell *Gwmryn* sillaf yn rhy hir ac ni welaf yn syth sut i'w hachub. Acennu giami sydd yn englyn *Prydwen*:

> Trwy ddirgel ffyrdd mae llwyddo; – rhoi un winc
> Arno wnes a'i hudo;
> Er taro'r wal, methu'r tro,
> Eisoes 'rown wedi pasio!

Llusg o Gyswllt sydd i fod yn y llinell gyntaf. Mae'n wir fod 'Trwy', o gydio'r 'dd-' yn 'ddirgel' ynddo, yn creu'r un sain ag sydd o dan yr acen yn 'llwyddo'. Ond dywedwch y llinell yn uchel ac mi glywch yn syth nad ar ôl 'Trwy' y mae'r orffwysfa. Yr hen thema *risqué* hon, gyda llaw, ydi thema fwyaf poblogaidd y gystadleuaeth!

## DOSBARTH 3

Ar gyfri rhyw ddweud chwithig, rwy'n gosod *Glen, Gwern, Gyrrwr Tractor, Optimist, Rhiwallon* a *Rheinallt* yn y dosbarth hwn: '... er mor fwyn 'nghymwynas ...', er enghraifft; 'er egwan bocs y Focsol ...', neu 'eiliad heb ei meistroli ...' sydd i fod i olygu rhywbeth tebyg i 'colli rheolaeth am eiliad'. A byddai'n syniad da i *Cyngor Da* ddefnyddio brêc atalnodi o bryd i'w gilydd! Mae englynion *D (1)*, *D (2)*, ac *Aeron* yn well o ran eu mynegiant ond heb fod yn gofiadwy iawn, rywsut.

## DOSBARTH 2

Mae mwy o fflach a ffraethineb yn englynion y dosbarth hwn. Ar y gwaelod, rwy'n gosod cynnig *Dylan* am ei fod yn enghraifft dda o'r 'collnodi' eithafol sy'n amharu ar waith llawer o'n cynganeddwyr ifanc gorau:

> Oherwydd bo'r car 'di suddo i'r ffos
> A'r ffeil 'di ergydio
> Yr arholwr, gŵr o'i go
> A welais wrth ffarwelio.

Gwell o lawer yn fy marn i fyddai 'Oherwydd i'r car suddo yn y ffos / Ac i'r ffeil ergydio ...' Ond llawn cyn waethed wedyn ydi'r diffyg collnodi yn y drydedd linell!

Canu fel *Prydwen* am y Ferch Ddichellgar a wnaeth *Blodeuwedd* ac *El Pasio Con-do*, y naill 'chydig yn rhy fras, a'r llall yn dibynnu gormod ar enwau sy'n cynganeddu ac yn odli'n hwylus! Mae gwreiddioldeb englyn *Byth adre*, ar y llaw arall, yn ei godi'n uwch na'i linell gyntaf druenus!

Englynion digon derbyniol wedyn gan *Ei gŵr*, *Mansel*, *Berig Bywyd* a *Dal i gredu*, ond mae arnyn nhw i gyd angen diweddglo cryfach o lawer, a byddai englyn *Di-drwydded* ar ei ennill o newid lle'r paladr a'r esgyll!

Y llinell 'A rhodd mam 'n ei dwylo ...' ydi man gwan englyn *Nerfus*. Byddai 'Rhodd Mam yn ei dwylo ...' yn dderbyniol, ac er mai bod yn goeglyd y mae *Hen Rafin*, oni fyddai 'Ai rhyfedd na all rafin ...' yn gryfach yn y drydedd linell?

Amheuthun ydi gwiriondeb englyn *Gwydion*, ac er bod y gystrawen yn hen, hoffais gynildeb englyn *Bedw*:

> Lloyd oedd brofwr amhleidiol; – ond Hubert
> A wybu'n wahanol,
> A gwyddai fod siawns gweddol
> O roi 'D' ar ei du ôl.

'D' yn hytrach nag 'L' ydi'r ergyd, wrth gwrs.

Rwy'n hoffi'r sain rhwng y cyrch a'r ail linell yn englyn *Arholwr 'D'*: 'ar bafin/ Fel rafin yn refio ...' Ond ychydig yn rhyfedd yng nghanol rhyw ddisgrifiadau digon di-lol ydi 'hen lew ar ffo', oni bai fod yma chwarae ar enw, wrth gwrs.

Englyn cofiadwy sydd gan *Slo Facia*! Ond byddai'n well, rywsut, ar y testun 'englyn yn cynnwys mwy nag un enw car'! Ac er bod englyn un frawddeg *B.T.* yn rhwydd iawn, a bod ynddo wrthgyferbyniad difyr rhwng y digwydd trychinebus a'r dweud di-feind, siomedig ydi bod ynddo ddwy lusg.

Mae pedwar cynnig y byddwn i'n fodlon iddyn nhw fynd i'r dosbarth cyntaf oni bai fod yn rhaid hollti blew mewn cystadleuaeth mor bwysig.

Hoffais lais yr arholwr wedi colli ei limpyn, a blas y dafodiaith yn englyn *Trôma*:

> 'Ar un olwyn rownd corneli – ar ras,
> Weles 'riôd shwt ddwli,
> Chi'n ffŵl ac rych chi'n ffaelu!
> Hwn yw y Prawf, nid Grand Prix!'

Ond onid 'Y Prawf yw hwn, nid Grand Prix!' y byddai'n ei ddweud yma?

Trawodd *Walls* ar syniad gwreiddiol iawn:

> Swatiodd i'w eiriau swta – a chwysu
> O'i chesail i'w sodla';
> Wedi'r test cŵl yw Nesta
> Ar fan wen yr hufen iâ.

Mae'n biti am anghysondeb y ffurf 'sodla'' yn lle 'sodlau'. Hefyd, tybed na fyddai 'at ei sodlau' yn gywirach?

Mae ffugenw *Dyfi* yn arweiniad inni ddeall ergyd ei englyn:

> Yn flin, medd gŵr y ffurflenni, – 'i'r dde
> Yn Nhre'r Ddôl' i'w phrofi,
> I'r aswy y troes Rosie
> Mae 'na o hyd, am a wn i.

Rhaid mai o gyfeiriad Aberystwyth roedd y car yn dod i Dre'r Ddôl, ac afon Dyfi ar y chwith. Mae 'gŵr y ffurflenni' yn awgrymu nad oedd yr arholwr yn dal rhyw lawer o sylw i'r hyn roedd Rosie druan yn ei wneud! Y llinell glo sy'n tramgwyddo yn hwn. Gwell o lawer fyddai 'Mae yno o hyd, am wn i.'

Yr un hanes gwlyb sydd yn englyn *Ceffyl uncoes*:

> Wedi'r galar cynharach, mae Helen
> Am holi y wyach;
> 'Ond pam lai? Un bai, un bach?'
> Meddai, o ganol Mawddach.

'Deryn dŵr ydi'r 'wyach', neu 'Wil y Wawch' gan rai. Efallai ei fod yn enw dilornus ar ddyn yn iaith Meirionnydd, neu efallai mai annerch 'deryn sy'n nofio heibio ar y dŵr y mae Helen! Waeth ichi p'run, llinell glo *Ceffyl uncoes* ydi'r ergyd glo orau yn y gystadleuaeth. Ond nid 'galar' ydi'r gair iawn.


DOSBARTH 1

Mae tri chynnig yn aros! Dyma'r englynion a barodd imi wenu bob tro y darllenais y 35 ac mae pob gair yn y rhain yn talu'n llawn am ei le.

Englyn *Ei Dad* yn gyntaf:

> Ei ôl ar dref Pwllheli, – do, rywfodd,
> A adawodd Dewi,
> A rhoi'n ôl ei chorneli
> Ddarn ar ddarn a'm torrodd i.

Wel, dyma olwg wreiddiol arall ar y testun! Mae'r ffugenw'n allweddol, wrth gwrs, i ddeall y sefyllfa, ond rhan o'r gêm ydi hynny. Nid geiriau llanw sydd yn y cyrch, chwaith, ond rhywbeth tebyg i ochenaid dyn yn adrodd hanes trwm, a hyfryd o beth ydi sain rhwng y cyrch a'r ail linell!

*Blydi L* wedyn:

> Ar wahân i greu hanes (hitio côn,
> fflatio cath rhyw Saesnes
> a myned dros blismones)
> aeth yn iawn, ond methu a wnes.

Englyn cry iawn ei wneuthuriad a'i grefft ond y gwrthgyferbynnu hwnnw rhwng y digwydd a'r adrodd sy'n ei wneud mor llwyddiannus.

A dyma gynnig *Mini*:

> O'i sêt fe'i canfyddais o – yn edrych
> Dros ei wydrau eto;
> A diawl, mi ddangosais, do,
> Weddill fy nghoesau iddo.

Dyma ichi chwip o englyn ysgafn. Syml iawn ydi'r grefft: dwy Draws Fantach, Traws Gyferbyn, a chyfatebiaeth cyn hyned â het rhwng y cyrch a'r ail linell, ond mae *Mini* yn gwybod yn iawn y byddai rhyw gynganeddu gorchestol yn difetha'r darlun cartwnaidd. Mae'r adeiladwaith yn grwn, a'r dweud yn rhwydd. Gan gofio nad yw Beirniaid yr Eisteddfod Genedlaethol, na Golygydd y *Cyfansoddiadau*, o reidrwydd yn cyd-weld nac yn cydymdeimlo â dim y mae'r cystadleuwyr yn ei ddweud, gwobrwyer *Mini*!

# Yr Englyn ysgafn

## PRAWF GYRRU

> O'i sêt fe'i canfyddais o – yn edrych
> Dros ei wydrau eto;
> A diawl, mi ddangosais, do,
> Weddill fy nghoesau iddo.

**Mini**

# Cywydd heb fod dros 18 llinell: Iolo Morganwg

BEIRNIADAETH GWYNN AP GWILYM

Ymgeisiodd wyth – pedwar ohonynt, yn ôl pob golwg, heb hyd yn oed deipiadur. Er bod pob un yn gyfarwydd â rheolau'r gynghanedd, câi rhai fwy o drafferth na'i gilydd i fynegi eu meddyliau'n glir ynddi ac achosodd diofalwch fân frychau mewn sawl cerdd. Nid oedd fawr o le i gwyno am safon y gramadeg a'r sillafu, er bod rhai cystadleuwyr yn ansicr pryd i gynnwys acen grom – yr oedd sawl ffurf wallus, e.e. hâd, nôd, gŵydd (yn lle gwŷdd).

Y mae'r cywyddau ormod ar yr un gwastad i'w rhannu'n ddosbarthiadau. Dyma, felly, ychydig sylwadau am bob un, yn y drefn y derbyniwyd hwy.

*Ar dân*: Weithiau dibynna cywirdeb y cynganeddu ar lurgunio'r ymadroddi ('hafau'n gynt', yn lle 'ein hafau gynt') neu gamsillafu ('y Maen Clog' yn lle 'y Maen Llog'). Y mae ar ddechrau'r ail bennill rai geiriau llanw tramgwyddus. Yr hyn y mae'r bardd am ei ddweud yw 'Dewch ar awen hud a lledrith i weld gorsedd' ond i gwblhau'r gynghanedd bu'n rhaid iddo gynnwys y gair 'dechreuad' ar ôl 'Dewch ar awen', ac yna, i gwblhau'r gynghanedd a'r odl, y geiriau 'gwlith ein gwlad' ar ôl 'hud a lledrith'. Nid oeddwn yn siŵr ychwaith beth oedd ystyr dweud am yr Orsedd, 'gŵr a dawn ei gread yw'. Ai oherwydd mai creadigaeth gŵr dawnus yw Gorsedd y Beirdd? Os felly, y mae angen coma ar ôl y gair 'gŵr'.

*Bryn Briallu (1)*: Y cyntaf o ddau ymgeisydd â'r un ffugenw. Y syniad canolog yw bod yr hadau o Fryn y Briallu wedi blodeuo ledled Cymru. Ond hadau beth? Yn y pennill cyntaf, hadau'r Orsedd, ac mae hynny'n ddigon teg, ond yn yr ail 'hadau'r heniaith', a go brin y gellir dweud mai ar Fryn y Briallu yn Llundain y tarddodd y rheini. Dyma'r hadau sy'n 'dyfiant drwy pob [*sic*] defod'. Y mae peth ymadroddi lletchwith – er enghraifft, gosod ar ôl y llinell 'hen hadau ar ehediad' y llinell 'ehedant o'r un hedyn', a diystyr, i'm tyb i, yw'r ymadrodd 'yng ngorseddau'n bod' yn y pennill olaf.

*Clwyd*: Y mae yma rai llinellau ardderchog ond, yn aml, llinellau carbwl iawn sy'n eu dilyn. Ystyrier, er enghraifft, y llinell 'Saer y garreg, saer geiriau'. Dyna ddal Iolo Morganwg yn daclus mewn pum gair. Ond llinell wan iawn yw'r nesaf, 'Ymroist, dy fro, i'w mawrhau', sef ymgais wallus i ddweud 'Ymroist i fawrhau dy fro'. Ystyrier eto y llinell ddengar 'Cenaist, gnaf, *á la* Dafydd', sy'n awgrymu rhywfaint o ddireidi Iolo, a ddilynir gan y llinell anghywir, 'Twyllo'n llon ddoethion sawl dydd'. Mae'r un anwastadrwydd yn nau gwpled olaf y gerdd – y cyntaf o'r ddau ('A Syr, 'lenni d'enw sydd / Yn destun cun i'r cywydd') yn wan a gwallus, a'r ail ('Rhoist, Iolo, hen gadno'r gân, / Rym Argoed i Fro Morgan') yn un o gwpledau cryfaf y gystadleuaeth.

*Cerrig Mawr*: 'Rôg hynod bro Morgannwg', ebe'r bardd, heb gydnabod bod *g* a *h* yn caledu'n *c*. Gellid goddef hynny, am wn i, ond nid y llinell anghywir 'Nerth y gair yng ngwyrth y cŷn', y gellid mor hawdd ei chywiro yn 'Nerth y gair yng ngwyrth ei gŷn'. Y mae'r cywydd fel pe bai'n ymrannu'n ddwy. Delwedd ganolog y rhan gyntaf yw'r ddelwedd o saer maen yn adeiladu mur i warchod y Gymraeg ond yn gwneud hynny 'â thrywel myth'. Dyna ddelwedd briodol a pherthnasol. Y drwg yw fod y bardd, wrth geisio cynganeddu'r geiriau 'yr hen iaith' wedi cwympo am 'a meithrin had', a hynny wedi ei orfodi i newid cyfeiriad, fel mai sôn yn ddigon merfaidd am 'ardd flodau barddas' y mae ail ran ei gywydd. Mae'n drueni na fyddai wedi cadw'i ffocws ar y 'Troi llaid yn llygaid ein llên'.

*Briallu*: Dyma gywydd esmwyth a didramgwydd, os braidd yn ddiddrwgdidda. Ar y naill law, y mae yma rai cyffyrddiadau gafaelgar, megis y sôn am 'orgraff od' peithynen Iolo ac amdano'n cofnodi 'hen awdlau' pell, yn tynnu pasiant 'o niwl ein gorffennol' ac yn creu Cymreictod 'o wacter'. Ar y llaw arall, y mae yma beth ymadroddi amhriodol, fel pan ddywedir am Iolo fod 'yn ei law [f]emrynau lu' a phan ofynnir amdano a ydoedd yn 'Un hirben 'ta lob carbwl'. Anfoddhaol hefyd, yn fy marn i, yw'r llinell 'Pwy yw'r cawr yng ngharpiau'r co'?' Ystrydeb flinedig bellach yw delweddu'r cof (neu'n waeth fyth, er mwyn odl, y *co'*) ac, yn yr achos hwn, nid yw'r ddelwedd ei hun yn talu am ei lle. Unig ddiben y geiriau 'yng ngharpiau'r co'' yw cynganeddu â'r geiriau 'Pwy yw'r cawr'.

*Ned*: Agorir â'r llinell awgrymog 'Main yw'r fflam yn Nhefflemin', sy'n cyfeirio yn y lle cyntaf at fflam y gannwyll y llafuriai Iolo yn ei golau ond yn ein harwain i feddwl mor wan oedd (ac ydyw) fflam y Gymraeg yn y pentref hwnnw. Eir ymlaen i ddisgrifio Iolo, wrth fawrhau diwylliant ei fro, mor gaeth i'w chwant (am y cyffur lodnwm) ac mor ddall i hawliau pob bro arall, nes ei fod 'yn byw cysgodion ei bwyll', hynny yw, yn byw gweledigaethau ffug un dryslyd ei ymennydd. Yn yr ail bennill, cyfunir yn ddigon llwyddiannus ddwy wedd ar ei gymeriad, sef y masiwn a'i gŷn a'r hynafiaethydd a oedd yn cofnodi 'hen ddysg canrifoedd a aeth / a'i naddu i'n llenyddiaeth'. Dyma, meddir, 'athrylith o ffugiwr', a chydnabyddir mai fel 'hyrwyddwr rhith' (Gorsedd y Beirdd) y cofir ef yn bennaf. 'Lle bo camp bydd rhemp,' meddai'r hen air, a dyna hanes Iolo hefyd. Cywydd cymen gan gynganeddwr gofalus.

*Y Gadwyn Goll*: Fe newidiodd *Y Gadwyn Goll* enw Iolo drwy roi dwy *n* yn ei 'Forganwg'. Y mae yma ambell wall gramadeg ('Anwar bu rhannau'r enaid' yn lle 'Anwar fu rhannau'r enaid'). Er y gwneir ymdrech i ddelweddu, annelwig a goreiriog yw'r ymadroddi. Pan sonnir, er enghraifft, am haul dychymyg Iolo yn sychu afon y gwirionedd, llwyr ddinistrir y darlun gan y geiriau llanw niferus – yr haul 'yn gythraul y gwyll' a'i esgyll 'hy chwimwth' yn tywys Iolo i sychdir 'heb wir i'w wedd'. Cwbl dywyll i mi yw llawer o gynnwys yr ail bennill. Ni wn, er enghraifft, at beth y cyfeiria'r cwpled 'Anwar bu rhannau'r enaid / Gwerthu'r rheiny y bu'n rhaid'. Ac anghenion y gynghanedd a arweiniodd i'r honiad i lusern ei gyffur arwain Iolo 'yn gain' i'w gur.

*Bryn Briallu (2)*: Yr ail o'r ddau ymgeisydd gyda'r un ffugenw. Beth, tybed, hola'r bardd, a welai Iolo pe deuai'n ôl 'i ŵyl ei wlad'. Cwestiwn diddorol a chyfle da i ddychanu ond, ysywaeth, anfoddhaol yw'r ateb. Yr hyn a welai, meddir, fyddai 'Rhai o ruddin derwyddol/ yn paratoi i droi'r drol' (pam 'troi'r drol?) 'er mwyn ail-greu a gweu gŵydd/ i saernïo sêr newydd'. Mae'r bai lleddf a thalgron yn yr ail gwpled: 'gwŷdd', nid 'gŵydd', sy'n odli â 'newydd'. Fodd bynnag, nid yw'r gair 'gwŷdd' yn gwneud unrhyw synnwyr yn y cyd-destun. Nid yw'r 'gŵydd' gwreiddiol fawr gwell ychwaith, oherwydd ni all neb 'weu gŵydd' na defnyddio gŵydd i 'saernïo'. Na 'saernïo sêr'. Dywedir mai dianc yn ôl i'w ddoe a wnâi Iolo, a gofynnir a yw'n hawdd 'i ni, Wyneddigion ddiogi,/ yn wast o feini plastig,/ 'mond cynnal i ddal hen ddig ...' Y cwestiwn amlwg yw cynnal beth i ddal hen ddig at beth? Pwy wedyn yw'r 'Gwyneddigion' sy'n diogi – ai pobl Gwynedd ai'r gymdeithas Lundeinig? A beth yw ystyr eu delweddu fel 'wast o feini plastig'?

Yn fy marn i, dim ond un cystadleuydd a gyrhaeddodd safon deilwng o'r Brifwyl. Gwobrwyer *Ned*.

# Y Cywydd

## IOLO MORGANWG

Main yw'r fflam yn Nhrefflemin
lle mae bardd blaenllym ei bin
heno wrth olau cannwyll
yn byw cysgodion ei bwyll,
yn chwil gan angerdd ei chwant
ac yn ddall gan ddiwylliant
ei fro ei hun; myn fawrhau
ei holl lên, ei pherllannau,
ei gwenith a'i thai gwynion;
mawrhau'r Gymraeg ym mêr hon.

Pwy yw'r masiwn hwn heno,
un a'i gŷn yn rhoi ar go'
hen ddysg canrifoedd a aeth
a'i naddu i'n llenyddiaeth?

Hwn yw Iolo'r athrylith
o ffugiwr, hyrwyddwr rhith.
Pwy a wad ei gampau hyn?
Pwy a wad ei remp wedyn?

**Ned**

# Telyneg: Y Wawr

BEIRNIADAETH MENNA ELFYN

Daeth ugain telyneg i law a rhaid cydnabod nad oes yr un gerdd heb ei rhinwedd. Ac eto, cafwyd tebygrwydd amlwg rhwng rhai cerddi a'i gilydd gan iddynt ddilyn yr un math o fformiwla. Yr hyn a wnaed oedd ceisio troi'r testun y tu chwith allan gan ddibynnu ar ergyd fel clo, sef yr hyn a alwod W. J. Gruffydd unwaith yn 'strôc'. Chwilio am newydd-deb a beiddgarwch drwyddi draw yr oeddwn ynghyd â'r hanfodion na ellir eu dysgu – y glust a'r galon yn cydglywed â'i gilydd gan ddychlamu.

Dyma air byr am bob un o'r cystadleuwyr, heb eu gosod mewn unrhyw drefn arbennig:

*Nant y Pandy*: Gwawr meddwl dryslyd sydd yma, cerdd a ysgrifennwyd mewn cwpledi.

*Awel*: Cerdd gynnil am Homs (Syria) 2012 ond er mor ddidwyll yw'r geiriau does dim newydd-deb yma.

*Y Milwr*: Cerdd arall ar yr un testun ag un *Awel*, am wrthuni rhyfel, ond ystrydebol yw'r canu gyda geirau sy'n rhy gyfarwydd – e.e. Ond ni ddaw hedd yfory/ Daw llid a thrais ynghynt'.

*Er Cof*: Mae cloffni yng ngwead y gerdd hon sydd ar ffurf mydr ac odl a chyda llinellau rhyddieithol fel 'Bod hen gyfnod wedi cilio/ Minnau mewn cenhedlaeth newydd'.

*Sipsi*: Cafwyd llun o sipsi yn ogystal â'r gerdd, sydd ag agoriad clogyrnaidd boenus: 'Dafnau o baent deffroadol y dydd/ a thân aelwyd awyr agored'. Er cyflwyno delwedd gref, di-fflach yw'r gerdd.

*Llanbabo*: Collais y stori ynghlwm wrth y gerdd hon sy'n sôn am siom – ond mae'n rhaid amau cerdd sy'n honni mai 'Unwaith yn unig y mae gwawr yn torri'.

*Hafan*: Cerdd mewn llawysgrifen daclus ond yr odlau'n rhy dreuliedig o lawer: llwm/ cwm, wig/ frig, hin/ win, ffridd/ pridd. Yr odlau, gwaetha'r modd, sy'n llywio'r cynnwys.

*Rhoslwyd*: Yr un awdur, 'dybiwn i, yn ôl y llawysgrifen, beth bynnag. Y tro hwn, cerdd am y gwanwyn (cerdd am y gaeaf oedd gan *Hafan*) a'r un bai eto: llwm/cwm; werdd/cherdd, tlws/drws, oes/groes.

*Sioned*: Cerdd arall am y gwanwyn gan yr un ymgeisydd. Nid wyf am nodi'r odlau rhagweladwy y tro hwn.

*Sam*: Er mor ddiffuant yw'r delyneg hon am farwolaeth Gary Speed, nid oes celfyddyd ynddi – e.e. 'Heb un amgyffred pam y bu/ I degwch gwawr droi'n gyfnos du'.

*Bob*: Cerdd anwastad er bod cyffyrddiad effeithiol yn ddiweddglo iddi am rywun dan ddylanwad cyffuriau. Hoffais, yn arbennig, amwysedd 'Nodwyddau'r haul ar ruddiau gwelwon/ mewn lloches gudd ar lan yr afon'.

*Ffordd y byd*: Hoffais fod y delyneg wedi'i rhannu'n ddau bennill, y naill yn sôn am natur a'r ail yn sôn am ryfel ac 'ing ar faes y gad'. Ond dyna'i gwendid hefyd, sef mai rhigymau a gafwyd yn hytrach na thelyneg.

*Blaenycwm*: Gwnaed ymgais i fod yn gynnil mewn cerdd lle mae'r bardd yn dyheu am weld pethau o'r newydd gyda dyfodiad y genhedlaeth nesaf. Ond, gwaetha'r modd, nid yw'r diweddglo'n tycio.

Down at waith sydd yn fwy crefftus a chyffrous lle mae'r bardd yn defnyddio dychymyg a chrebwyll wrth ganu:

*Melindwr*: Ceir delweddau hyfryd yn y gân hon ac ymdeimlad o synnwyr o le. Mae pob gair wedi ei bwyso'n ofalus i greu darlun cyfoethog. Efallai mai yn y trydydd pennill yr oedd ei gwendid pennaf ac roedd y diweddglo'n farddonllyd braidd.

*Dolwar*: Fel yr awgryma'r ffugenw, cân ysbrydol ei naws yw hi – e.e. 'Mor dyner yw eiliw y plygain/ Yn cyffwrdd pen ysgwydd y bryn'. Yn sicr, dyma ganu mwyaf swynol y gystadleuaeth – bron na theimlwn y gallai hon fod yn emyn neu'n garol blygain lwyddiannus.

*Hanoch*: Dechrau llawn addewid gyda 'Mae ceiniog newydd o haul/ yn siafft hirwyn ar y gorwel'. Llwydda i gynnal y ddelwedd o'r byd fel llyfr gan orffen lle mae'n 'darllen rhwng llinellau/ Sicrwydd y nos'.

*drifil'r ych*: Ceir disgrifiadau cryno o 'r Cread a'r rheini'n rhai treiddgar. Hoffais yn arbennig 'yr haul rhwng dau feddwl'. Telyneg gymeradwy am addewid y Cread.

*Y Gwehydd*: Mae hon yn gerdd sydd yn llawn o linellau godidog – e.e. 'ac wedi i'r haul hen olchi ei draed/ fe ddaw gwehyddwr y nos yn ôl'. Mae hon yn gerdd gofiadwy gyda'i dull sgyrsiol – trueni am y llithriad wrth deipio (neu sillafu, efallai).

*Rhys*: Dyma un o delynegion cynilaf y gystadleuaeth heb ddim ond 13 o linellau ynddi. Ac eto, fe ddarllenais hon o leiaf ddwsin o weithiau gan uniaethu'n llwyr â'r cynnwys. Yn yr amwysedd anodd y down o hyd i brofiad dirdynnol am salwch. Arhosodd newydd-deb 'brath y golau/ Methu diolch/ Cyn gweld cefn y nyrs,/ Amau'r arbenigwr' yn fy meddwl am amser hir. Daeth hon yn nes at y brig gyda phob darlleniad.

*Down St*: Dychwelais droeon at y gerdd hon gyda'i hagoriad annisgwyl. Efallai fod yr atalnodi'n rhyfedd (byddwn wedi hoffi rhoi hanner colon ar ddiwedd yr ail linell) ond yn wahanol i'r cerddi eraill yn y gystadleuaeth, treiddio i dywyllwch a wna'r gerdd hon gan greu awyrgylch hollol annisgwyl. Llwyddodd i'm swyno innau gan saernïo cerdd sy'n cyfleu delwedd a neges mewn ffordd hynod wreiddiol. Cyffelybir y wawr i 'fflach o wyn,/ a rhu trên cynta'r diwrnod', sy'n dangos mor effro yw'r bardd i weld eironi a thosturi bywyd beunyddiol fforddolion.

*Rhys* a *Down St* yw'r ddau ymgeisydd a'm bodlonodd fwyaf yn y gystadleuaeth hon. Efallai fod *Rhys* yn agosach at y syniad traddodiadol o'r delyneg â'i chynildeb (gorgynnil, efallai, yn yr achos hwn) ond y mae *Down St* wedi creu darlun cyflawn a chofiadwy sy'n dechrau'n ddiemosiwn ond erbyn cyrraedd pen y daith, fe ymdeimlwn innau i'r byw â'i hysbryd hiraethlon ynghylch cibddallineb y cyflwr dynol. Gwobrwyer *Down St*.

# Y Delyneg

## Y WAWR

Mi all y tywyllwch chwarae triciau,
Yn enwedig 'lawr fan hyn, lle mae'r tywyll yn dawel;
twyllodrus hefyd, gan daflu castiau acwstig
wrth i chi gerdded i fyny ac i lawr y grisiau,

fel pe baech chi wedi eich dal chi'ch hun
yn eich dilyn drwy'r twneli. Ni threiddia golau dydd
fyth i'r llefydd hyn, yr ysbryd-orsafoedd,
yn frics, yn gaeadau i gyd, wedi'u dileu

oddi ar bob map. 'Welwch chi mo'u henwau
o fewn enfys trefnus y trenau, dim ond ar
y teils marŵn a gwyn a'u corneli coll: 'To the trains',
y saethau sy'n amneidio'u celwydd ers saith deg mlynedd a mwy,

ond am ysbaid pan ddisgynnwyd iddynt am sbel
drachefn rywbryd yn ystod y rhyfel. Mae rhai
sy'n sôn y bu Churchill yma unwaith, i gael bath
mewn stafell lwyd lle mae'n berfeddion nos

o hyd. Yr unig ffordd o wybod bod y wawr
ar dorri y tu allan ydi fflach o wyn, a rhu
trên cynta'r diwrnod, a'i gerbydau hanner-effro,
ninnau'r teithwyr yn trin y gorsafoedd hyn fel dyddiau:

rydan ni'n pasio trwyddynt heb wybod eu bod yno.

**Down St**

# Soned: Gwynfor Evans

BEIRNIADAETH NESTA WYN JONES

Mae'n siŵr gen i fod y cystadleuwyr hyn eleni wedi elwa ar sylwadau trylwyr Nia Powell a Cathryn A. Charnell-White ar y soned yn y ddwy Eisteddfod Genedlaethol ddiwethaf. Felly, nid oes angen i mi ymhelaethu ar ofynion y mesur.

Wedi derbyn a darllen nifer o sonedau Shakespeare unwaith eto – a dwbwl-ryfeddu at gynifer ohonynt a gyflwynwyd i'r gystadlaeuaeth – trois at sonedau T. H. Parry-Williams, yr athronydd a'r gwyddonydd praff: 'Ond sylweddolais, pan ddiflannodd hi/ Nad oeddwn dduw – mai'r garreg oeddwn i ...' Anodd iawn, iawn gwella ar adeiladwaith a brawddegu ystwyth y bardd hwn yn y Gymraeg, wrth fynegi syniadau digon cymhleth yn glir fel crisial. Peri i ddadl lifo, datblygu syniad yn hamddenol, braf, nes cyrraedd cwpled clo cywrain – dyna gamp y llwyddodd i'w chyflawni dro ar ôl tro, ac R. Williams Parry, ei gefnder, yr un modd. Llwyddodd eraill i gyrraedd yr uchelfannau. Efallai mai clo soned Iorwerth Cyfeiliog Peate yn dilyn ei fyfyrdod ynghylch Amser yw un o'r rhai mwyaf cofiadwy. Ar ôl peri i'r forwyn fach frysio, yn ei ddychymyg ... 'Nid oes a'm hetyb ond tipiadau'r cloc,/ Ai oddi cartref pawb? Dic doc, dic doc'.

'Fydd neb yn cyrraedd y safon yna, meddwn wrthyf fy hun, gan fynd ati i ailddarllen soned T. Llew Jones i Waldo, un Rhydwen Williams i Dylan Thomas, un Gerallt Lloyd Owen i Gwilym O. Roberts ac un ddirdynnol D. Jacob Davies i'w fab ('Malurion') – i gyd ar gael yn y gyfrol a olygwyd gan Alan Llwyd, *Blodeugerdd Sonedau*.

Mentrodd deg ysgrifennu soned am Gwynfor Evans – llai nag arfer o gystadleuwyr. A gallaf ddeall pam – nid ar chwarae bach y mae cofnodi hanes bywyd y gŵr annwyl hwn na thafoli ei gyfraniad i'n hanes fel cenedl. Sut mae cywasgu'r cyfan i bedair llinell ar ddeg? Ymestynnodd cofiant teilwng iddo gan Rhys Evans yn 2005 yn gyfrol swmpus o 477 o ddudalennau. Gosodwyd cryn her wrth ofyn i'r beirdd godi uwchlaw'r ffeithiau, a chynnig crynodeb o'i fywyd a'i neges.

Yn yr Ail Ddosbarth, rhoddais *Barry McKenzie, Pluen Ddu, Nil Desperandum, Y Fedwen Arian* ac *Aros Byth*. Yn y Dosbarth Cyntaf, mae *Helygen, Madian, Llys y Gwynt, Sam* a *Garn Goch*. Mae ganddynt i gyd rinweddau ond mae gwell graen o dipyn ar y grefft gan sonedwyr y Dosbarth Cyntaf

*Barry McKenzie:* Soned nad yw'n rhedeg yn esmwyth – mae'r llinellau'n glonciog a'r mynegiant yn niwlog. Ceir llewyrch o obaith o du'r genhedlaeth ifanc yn yr hanner olaf ac mae cymharu Cymreictod Gwynfor Evans ag 'offer lloeren' sydd yn eu llywio ar eu taith ffwdanus yn gymhariaeth sy'n talu am ei lle. Dweud, yn hytrach nag awgrymu sydd yn y cwpled clo, rhyw grynodeb tebyg i foeswersi'r gorffennol: 'Gorddibynnol ydym ar eiconau / a'r esgus rhwydd, gorffwys ar rwyfau'. Gallai hon fod yn soned eithaf trawiadol – mae'r 'porthladd' yn y llinell gyntaf yn clymu wrth y 'gorffwys ar rwyfau' yn y llinell olaf.

*Pluen Ddu:* Soned feddylgar sy'n llifo'n rhwydd ac yn grymuso'n drawiadol tua'i diwedd. Mae gan y bardd gynllunwaith eithaf da i'w ddadl ond cawn fy hun yn oedi gormod ar ddiwedd llinellau. Yn y llinell 'Yn femrwn am y frwydr dros ein hiaith ...', onid *ar* femrwn, efallai? Trueni fod y cwpled clo'n odli dau ansoddair gwan, sef 'drud' a 'mud': 'Mae hen gynhysgaeth dy wroldeb drud / Yn treiddio heno i'n Cymreictod mud'. Do, cafodd ei wroldeb ei etifeddu, ond oes, mae 'na ryw fudandod mawr yng Nghymru heddiw o'i gymharu â bwrlwm llafar cyffredinol y chwe degau a'r saith degau. Mudandod oherwydd y golled ar ei ôl? Mae yma ddefnydd soned ardderchog gan un a welodd brif rinweddau ymgyrch Gwynfor ond dydi'r rhan ddechreuol ddim yn gafael yn y darllenydd fel y dylai ac yn sicr, wrth gywiro'r iaith ('yn wyneb' sy'n gywir, etc.), rhaid ailysgrifennu llinellau 3 a 4.

*Nil Desperandum:* Sylwodd hwn fod Gwynfor Evans wedi camu allan o'r Gymru ddi-Gymraeg a chroesi'r ffin ddiwylliannol honno o'r Barri i Langadog er mwyn arwain ei genedl. Mae yn yr ail hanner bwyslais ar foesoldeb Gwynfor ac y mae i'r soned, felly, newydd-deb a ffresni syniadol. Gwaetha'r modd, nid yw'r mynegiant cystal. Defnyddiwyd 'parth' er mwyn odli â 'gwarth', a henwlad yn 'cael braint' er mwyn odli â 'difaol haint' gorthrymwr. Ac yna down at 'gadw cod moesoldeb byd yn lân' a'r llinell olaf yn y cwpled clo nad wyf yn hoff ohoni: 'Byth nid â'n angof dy fwriadau di, / Mae'n ddarlun ddaeth drwy graith i'n heniaith ni'. Rhaid chwysu tipyn eto a chwilio am yr union eiriau i lunio teyrnged deilwng iddo.

*Y Fedwen Arian:* Syniad pur dda, sef mai 'carreg filltir cenedl ar ei thaith' yw'r garreg goffa i Gwynfor. Mae'r disgrifiad ohono fel tywysog neu bennaeth nad oedd ganddo fyddin na llys wrth ymgyrchu 'dros ryddid gwlad' yn bur drawiadol. Ond och a gwae, meddyliais, wrth astudio ei arddull. Weithiau, mae'r odl yn faich – 'mad / gwlad', 'fel bo rhaid / Blaid ...' Ceir hefyd nifer o linellau cloff os nad cloff iawn – er enghraifft, llinellau 1, 3, 7, 8 ac 14. Trueni na fu mwy o gaboli ar y cwpled clo: 'Ond nid cofgolofn hon na beddrod chwaith, / Dyma garreg filltir cenedl ar ei thaith'. Hawdd iawn fuasai cywiro'r soned i fod yn un bur dderbyniol.

*Aros Byth*: Er ei bod yn soned hollol gywir a phersain, braidd yn niwlog a phedestraidd yw'r wythawd cyntaf, a cheir hefyd duedd i gymysgu delweddau. Yr odl a roddodd inni 'drysni erwau brad' a 'chwysi ein rhyddid o'n hualau hir'. Os Gwynfor Evans yw'r wennol, nid yw dweud bod y cof am ei gyfraniad yn tanio 'coelcerthi dof' yn ein cof yn llawer o deyrnged! 'Di-droi'n-ol'? Ie. Mewn un gair, dyna grynhoi ymdrech Gwynfor Evans – ond mae'r ymadrodd yn ymddangos *cyn* y cwpled olaf ac felly'n gwanhau'r diweddglo. Rywsut neu'i gilydd, collwyd cyfle i lunio soned rymus.

*Helygen*: Soned rwydd, draddodiadol ac eithaf boddhaol, ar y cyfan:

> Yn oriel arwyr Cymru, mawr eu bri,
> Mae glewion fel Llywelyn a Glyndŵr
> A safai'n stansh o blaid ei rhyddid hi,
> Gan herio'r Sais ar faes y gad: dau ŵr
> Sy'n haeddu cael eu canmol a'u cofféu ...

Mae dechrau'r frawddeg nesaf yn wan: 'Ond llawn mor annwyl im a'r rhain i gyd/ Yw'r garreg nadd, ddirodres ...' Ni hoffais 'yn ddiau' i odli hefo 'coffhau [*sic*]', na chwaith yr ansoddair 'penigamp' i ddisgrifio 'cerfwaith'. Neis-neis yw'r ansoddair 'cu' i ddisgrifio Cymru. Ond cafwyd yma ddarlun glew o arweiniad Gwynfor a'i le fel 'un o dangnefeddwyr dynolryw'.

*Madian*: Soned ddramatig ac iddi fydr sionc – pum curiad rheolaidd. Mae Gwynfor Evans yn syllu i lawr o fryngaer y Garn Goch 'ar hanes ei bobl', sydd wedi ei gofnodi yn y tirlun, ac ar ôl storm o fellt a tharanau, ceir deigryn yn ei lygad: mae cenedl newydd wedi ei geni. Yn sicr, cafodd y bardd weledigaeth (er ei bod braidd yn sentimental) ac y mae yma unoliaeth thema gyda datblygiad yn y chwechawd olaf, ond teimlaf mai braidd yn stroclyd yw'r cwpled clo: 'Goleuwyd y dyffryn gan felten a'i tharan groch/ A ganwyd cenedl newydd ar graig y Garn Goch'. Nid yw'r mydr mor rhwydd yn y ddwy linell cyn y cwpled olaf. Onid oes gwell gair na 'thaenlen', tybed?

*Llys y Gwynt*: Dechreua trwy ddyfynnu gwaith Gwenallt, am ddifetha seiliau concrid Philistia fawr. Gwahanol iawn i hynny fu dylanwad Gwynfor ar Gymru a chryfha'r mynegiant wrth i'r bardd ddisgrifio'i ddylanwad tawel, gwâr yn y chwechawd olaf. Hoffais y cyfeiriad at 'gledd cynddaredd Glyndŵr' – gwrthgyferbyniad i ddull tawel Gwynfor o berswadio. Mae yma, er hynny, lawer gormod o ansoddeiriau: 'uchelgeisiol ŵr','blagur gwâr', 'neges gref', 'erwau cyndyn llwm'. Pe byddid wedi hepgor rhai ohonynt, byddai'r 'gynnil, dangnefeddus wên' yn y cwpled clo yn fwy trawiadol. Rhoddodd soned *Llys y Gwynt* ddigon i gnoi cil arno. Trueni na fyddai mwy o linellau'n goferu i'w gilydd, a thybed na ddylai llinellau 11 a

12 ddod o flaen llinell 9 a 10? Byddai 'braenaru'r tir' yn dod o flaen 'y glaw ar y blagur', wedyn. Tybed, hefyd, nad 'llewyrchai gobaith' a ddylai fod yn y llinell olaf?

*Sam*: 'Daethost, fel mab darogan, ar ein bwrdd, / I lywio'n gwlad o ferddwr difaterwch …' Soned daclus, hyderus ac iddi glo cadarn. Nid yw'n hollol ddi-fefl – ni hoffais 'gwrthun it' na 'llyfnfor' (gair cyfansawdd anodd ei ynganu). Mae'r geiriau mwys 'aros mae' yn y cwpled olaf yn glyfar ac effeithiol. Dyma fardd sy'n gwybod yn union i ble mae'n mynd, a'r trosiad am y llong yn gynaliadwy (ond braidd yn ddisgwyliedig). 'Cenedl wan ei rhuddin'? Rhuddin sy'n rhoi cryfder i bren. Os yw'n bresennol, a all y rhuddin hwnnw fod yn wan?

*Garn Goch*: Soned sy'n llifo'n rhwydd, yr wythawd cyntaf i gyd yn un frawddeg a'r chwechawd yn frawddeg sy'n arafu'n naturiol wrth gyrraedd y cwpled olaf. Cafodd y bardd hwn olwg newydd ehangach a dyfnach ar bethau, trwy sbienddrych Amser, a hoffais y soned yn fawr, ar wahân i'r un gair 'gwytnach' (yn 'gwytnach maen') ar ei diwedd. Byddai'n rhaid newid yr 'oherwydd hynny' er mwyn cael maen caletach, mwy safadwy! (O graffu, mae sill yn ormod yn yr ail hanner ond fel yn emynau Ann Griffiths, gallwn geseilio 'yn nwfn'.) Mae'n soned fyfyrgar, grefftus, deilwng o'r gwrthrych, a'i hapêl yn parhau, ddarlleniad ar ôl darlleniad. Nid ar chwarae bach y lluniwyd hi.

Diolch i'r beirdd i gyd am gystadlu. Mi wnes i fwynhau darllen eu cynnyrch ond mae'n rhaid cyfaddef i mi roi ochenaid o ryddhad y munud y darllenais soned aeddfed *Garn Goch* am y tro cyntaf. Hon yw'r soned orau eleni.

# Y Soned

## GWYNFOR EVANS

Sibrwd mae tywodfaen dyffryn Tywi
ei fod yn amhersonol, ac na fydd
llwch y dyn a daenwyd dros ei feini
yn gwneud dim oll ond cael ei gludo'n rhydd
gan afon amser, llifo hyd nes bod
y môr anghofus nad yw byth yn siŵr
a ydyw'n drai sy'n mynd, ai llanw'n dod,
yn cuddio'r olion mân o dan y dŵr.

Uno unwaith eto wna'r gronynnau
A chael eu gwasgu gyda llwch y byd,
Yn nwfn y tir a ffurfir, plannwn seiliau
a'u diogelu rhag y tonnau i gyd,
A'r wlad a luniwn yno, haen wrth haen,
A fydd oherwydd hynny'n wytnach maen.

**Garn Goch**

90

## Tribannau Morgannwg: Y Tymhorau (pedwar triban, un i bob tymor)

BEIRNIADAETH TEGWYN JONES

Er bod beirdd o bob rhan o Gymru dros y blynyddoedd wedi canu ar fesur y triban, eto chwedl y diweddar Myrddin Lloyd mewn beirniadaeth yn Eisteddfod Genedlaethol Pen-y-bont ar Ogwr, 1948, 'ym Morgannwg a'r ardaloedd o'i chwmpas y bu, ac y pery poblogrwydd pennaf y triban, a blas ei thafodiaith, a swyn ei henwau lleoedd, ei bywyd a'i harferion, yn hyfrydwch trwyddynt'. Gweddus, felly, oedd cael cystadleuaeth dribannau yn Eisteddfod Bro Morgannwg eleni, a da yw cael cyhoeddi i ni gael cystadleuaeth deilwng. Daeth 20 o gyfansoddiadau i law, a syrthiant yn weddol hwylus i ddau ddosbarth, sef y 14 a ddewisodd ganu'n llythrennol am y pedwar tymor ym myd natur, a'r chwech arall a gyfunodd hynny â thymhorau cyfatebol ym mywyd dyn. Dyma air byr am y rhai a geir yn y cyntaf o'r ddau ddosbarth.

*Teleri*: Pedwar pennill di-fai o ran y mesur ond di-fflach o ran y cynnwys. Gallai fod wedi taro ar well ansoddair na 'didrugaredd' i ddisgrifio angerdd cân yr adar yn yr haf, a pham, tybed, y casgl y wiwer lwyd ei chnau 'mewn bonllef' yn yr hydref?

*Eira Wen*: Cyfres dderbyniol ond yn ddiffygiol mewn gwreiddioldeb. 'Amryliw yw'r coedlannau / Yr yd [*sic*] yn euro'r caeau'.

*Zorro*: Ambell herc yn y mesur yma ac acw. Byddai 'ydyw' yn well nag 'yw' yn y llinell 'Prin yw'r dail sy'n gyndyn', ac er bod llinell olaf ei driban i'r haf yn rhy hir, y mae yma o leiaf ymgais at fynegiant ychydig yn wahanol: 'A'r haf yn strytian ar ei daith / Yn ei siaced fraith brydferthaf'.

*Carwyn*: Iawn, ond un gamp i anelu ati bob amser wrth lunio triban yw ceisio gosod yr odl fewnol yn y llinell olaf yn sgwâr o dan y brif acen yn y llinell honno. Ni lwyddodd *Carwyn* i wneud hynny yn un o'i benillion. Yn wir, prin y clywir yr odl yn y cwpled 'Wrth werthfawrogi'r campwaith aur / Gan Artist gorau'r oesau'.

*Siwsi*: Syml, swynol ond, unwaith eto, does dim newydd o ran cynnwys na mynegiant:

> Cael amser 'nawr, a hamdden
> i ddiogi yn yr heulwen.
> Mwynhau tywydd hinon haf,
> Mor braf yw bywyd llawen!

91

Mae ychydig mwy o newydd-deb yng nghyfresi *Talog, Sam, Gwerinwr, Pennant* a *Cwr y Coed*, ond talai i ambell un ohonynt oedi ychydig cyn gollwng gwaith fel hyn o'u llaw.

*Talog*: Ei bennill gorau yw'r un i'r hydref, er bod y drydedd linell yn rhy fyr, ond hawdd ei diwygio:

> Gall fod yn gecrus adyn,
> Yn cwympo mâs â phobun,
> Gyrr brydferthwch haf ar chwal [*sic*],
> Hen fandal gwyllt y flwyddyn.

*Sam*: 'Mae cangau'r coed yn noeth yn awr', meddai am yr hydref, 'A'r llawr sy'n garped efydd'. Byddai 'yn garped efydd' wedi cydio'n well o bosib wrth y llinell flaenorol. Ei bennill gorau yw'r un i'r gaeaf:

> Yn hwyr un noson loergan
> Siôn Barrug ddaeth i stelcian,
> A throi y goeden yn fy ngardd
> Yn hardd dan fantell arian.

*Gwerinwr*: Wrth ddarlunio'r gwanwyn y llwyddodd ef orau:

> Coed cyll yn llawn cynffonnau –
> Pêr drydar rhwng canghennau,
> Ŵyn bach ar ddôl yn mynd ar ras
> A thitw glas llawn campau.

*Pennant*: Mae diffyg gofal yn tynnu ychydig oddi ar ei gyfres ef, ond mae'n plesio fel arall:

> 'Ti'n cofio'r dyddiau crasboeth
> A'u tebyg wedyn dranoeth [*sic*]
> Nyni ei [*sic*] dau a neb ond ni
> Drwy'r heli'n camu'n droednoeth.

Amheus hefyd yw'r odl 'ni/heli'n'.

*Cwr y Coed*: Ei driban i'r gwanwyn sy'n rhagori yn ei gyfres ddiddan a difrycheuyn:

> Mae'r ynn a'r deri'n impio
> A'r cacwn coch yn deffro,
> Y deryn du gaiff awr neu ddwy
> Yn fwy cyn mynd i glwydo.

*Bryn Meirion*: Er mai perthyn i'r dosbarth hwn y mae *Bryn Meirion*, fe ymdeimlir â rhyw nodyn gwahanol yn ei dribannau cymen ef. Dyma'i bennill am yr haf:

> Mae gwenyn yn y bloda',
> Ymwelwyr ar y traetha',
> Ond wedi'r llanw, nid oes trai
> Ar rai sy'n aros yma.

*Cae Gro Mân*: Dewisodd ef gynganeddu pob llinell, a chael ei arwain i drybini pan roddodd air unsill ar ddiwedd llinell gyntaf ei driban i'r haf, er mwyn cael cynghanedd sain: 'Mae'r cnwd yn siffrwd a'i su / Yn fawl i Dduw'n gofalu'. Gall clec gynganeddol heb ôl straen arni wneud gwyrthiau i linell olaf triban, ond gorgywreinio mesur syml, gwerinol, yn fy marn i, yw ei gynganeddu'n gyflawn fel y gwnaed yma.

Y ddau dribannwr a ddaeth i frig y dosbarth cyntaf hwn yw *Nantlle* a *Pia Bach*.

*Nantlle*: Trawodd ar ddyfais hyfryd i gydio'i bedwar triban wrth ei gilydd drwy orffen y drydedd linell bob tro â'r enw lle swynol 'Drws-y-Coed'. 'Y gwynt fel llafn yn Nrws-y-Coed / Ni welwyd 'rioed fath aea.'; 'A gwres yr haf yn Nrws-y-Coed / Yn drwm ei droed ar lechwedd'. Dyma'i driban campus i'r gwanwyn:

> Mae awel ym Mala Deulyn
> Yn cosi boch pob blodyn
> Cyn hel ei thraed am Ddrws-y-Coed
> I gadw'r oed â'r gwanwyn.

Tribannwr medrus, sicr iawn ei drawiad.

*Pia Bach*: Felly hefyd y bardd hwn gyda'i dribannau sy'n llawn o gyffyrddiadau a delweddau cyfoethog. Gwych o gwpled yw 'Mae'r haf yn didoraethu / A'r ffrwcs yn dal i dyfu'; a grymus yw ei driban i'r hydref:

> I lawr drwy goed Cwmere
> Yn waed i gyd daw'r hydre
> Fel bwtsiwr ar ôl sgubo llawr
> Y lladd-dy mawr ben bore

a chlywir tinc y triban traddodiadol yn glir yn ei bennill i'r gaeaf:

> Mae tamprwydd yn y welydd
> Aeth rhewynt drwy y llofftydd
> Mi af i hela brigau'r allt
> Cyn talu'n hallt am danwydd!

Erys chwe chyfres sy'n perthyn i'r dosbarth arall y cyfeiriwyd ato uchod lle sonnir am y tymhorau ym mywyd dyn yn ogystal â thymhorau natur.

*Colli Eto*: Y pennawd uwchben cyfres y tribannwr graenus hwn sy'n arddel ffugenw proffwydol yw 'Tribannau tymhorau serch', a chofnodir ganddo ei ymdrech i ddenu serch ei gariad, ei lwyddiant ar ôl hir ymdrech, a'r dadrithiad terfynol:

> Daeth oerfel barrug heno
> Ym mhrofiad y dadrithio,
> A gwefr y cynwrf [*sic*] deimlais gynt
> Dan ias y gwynt yn crino.

Diolch iddo am ei ymgais at newydd-deb.

Ni cheir cymaint o hynny o newydd-deb yng nghyfresi *Dyfed*, *Pentre Siafins*, *Maes Melyn* a *Pen-y-Waen* ond y mae crefft dribannol y pedwar fel ei gilydd yn ddi-fai.

*Dyfed*: Mae'n ddigalon, er bod ganddo berffaith hawl i fod felly. Mae'r cymylau'n dechrau crynhoi yn ei bennill i'r haf, daw 'geiriau oer meddygol' i'w frawychu yn yr hydref, ac yna'r gaeaf:

> Er ymladd hyd yr eithaf
> Drwy rym y frwydr araf
> Fe wyddom oll mae'r [*sic*] gelyn hy
> Sy'n mynnu ei air olaf.

A fyddai '*y g*air olaf' yn well, efallai?

*Pentre Siafins*: Dyma'i driban am yr hydref, ynghyd â'i frychau:

> Wyt artist pert, ac yna
> Yn lofrudd [*sic*] slei a'th [*sic*] dwca
> Yn gwaedu'n gyson lwyn a pherth,
> A'i [*sic*] fi yw'r aberth nesa?

*Maes Melyn*: Cafwyd ganddo bedwar triban glân ac esmwyth, fel y tystia hwn i'r hydref:

> Aeddfedrwydd bywyd bodlon,
> Yng nghwmni cymar rhadlon,
> Y wefr o weld ein llinach ni
> Yn ddau neu dri o wyrion.

*Pen y Waen*: 'Hogyn hapus braf' yw'r bardd hwn yn ei wanwyn, 'heb arnaf ddim i'm blino'. Yn ei haf, mae'n 'dad i blentyn bach, / a hwnnw'n iach fel cneuen', ac yn ei hydref yn 'daid i wyres wen' ac yn 'byw ar ben ei ddigon'. Diolchgar ydyw yng ngaeaf ei ddyddiau:

> Er bod y dydd yn treio
> a brath y gwynt yn pigo,
> mae'r henwr hwn yn wyn ei fyd
> drwy'r golud a roed iddo.

Ond y gorau o blith y dosbarth hwn yn ddiau yw *Wil Tyddyn*. Aeth ei gyfres drawiadol ef, a'r modd y cysylltir y dechrau a'r diwedd mor gelfydd, i'r brig ar y darlleniad cyntaf, ac yno yr arhosodd. Y mae *Pia Bach* a *Nantlle* ill dau yn gwbl deilwng o'r wobr a gynigir, a phe na buasent hwy na *Wil Tyddyn* yn y gystadleuaeth, ni chredaf y byddai achos i'w hatal. Ond mewn cystadleuaeth dda iawn, *Wil Tyddyn* sy'n mynd â hi.

# Y Tribannau Morgannwg

## Y TYMHORAU

Mae'n wanwyn ac mae'r egin
yn gloywi fesul ewin,
minnau'n cyflawni'r orchest fawr
o groesi llawr y gegin.

Mae'n haf, a minnau'n nofio
yn Llyn y Fawnen heno,
cyn rhedeg adref dros y rhos,
y fi a'r nos yn rasio.

Mae'r hydref yn y rhedyn
a'r gwynt yn feinach fymryn
wrth groesi'r clos o'r sgubor rawn
a honno'n llawn i'r distyn.

Mae'r gaeaf yn y fegin
a'i gloeon ar y ddeulin,
a chyn bo hir bydd ymdrech fawr
i groesi llawr y gegin.

**Wil Tyddyn**

## Cerdd Ddychan: Clymblaid

BEIRNIADAETH VAUGHAN RODERICK

Daeth pedair ymgais i law ac er mai siomedig oedd y safon ar y cyfan, roedd 'na deilyngdod.

*Siôn*: Cerdd yn dychanu ffurfio clymblaid San Steffan. Mae golwg cerdd wedi ei hysgrifennu ar frys ar hon heb fawr o hiwmor na sglein yn perthyn iddi.

*Sam*: Cerdd yn dychanu Rhodri Morgan wrth iddo geisio ffurfio clymblaid yn 2007. Roedd hon yn ddifyr i'w darllen er ei bod yn colli ei ffordd ar adegau. Fe fyddai'n gryfach o atal ambell bennill di-nod. Hon oedd yr ail orau ac yn agos at fod yn deilwng o'r wobr.

*Pleidleisiwr*: Cerdd yn colbio clymblaid San Steffan yw hon – clymblaid sy'n wrthun i'r bardd. Er bod ambell gwpled yn gafael, does fawr o hiwmor na dychan go iawn yn y gerdd.

*Cam i rywun*: Cerdd yn dychanu David Cameron trwy ddychmygu gwahoddiad ganddo i Blaid Cymru ymuno â'i glymblaid. Mae'r syniad yn un clyfar a rhannau ohoni'n ddoniol iawn. Er bod ambell wall, teipio'n fwy na dim (ac mae'n siŵr y bydd y rheini wedi eu cywiro cyn cyhoeddi'r gerdd), hon yn sicr yw'r orau o'r cerddi.

Rhoddaf y wobr i *Cam i rywun*.

# Y Gerdd Ddychan

## CLYMBLAID

Helo, fi sydd yma, arweinydd y blaid
Sydd isio'ch cefnogaeth, gan fod hynny yn rhaid,
Er mwyn llywodraethu ein hannwyl wlad
Yn llwyr ddemocrataidd, ac yn deg, neno'r tad.

Maddeuwch imi siarad o'r tŷ ar fy ffôn, –
Mae fy mobeil 'di'i hacio ers tro, 'nôl y sôn;
Ac mi f'aswn yn hoffi cadw'r sgwrs yn gyfrinach,
Rhag clustia' golygydd 'papur bro 'na, y sinach.

Gofynnaf a fyddai eich criw digon bethma –
Y Blaid Weriniaethol, a'ch tri o aeloda'
Yn ystyried bod yn rhan o glymblaid y ganrif,
Gyda ni, dau yn fyr o fod yn fwyafrif?

Mi wn fod 'na 'chydig o wahaniaeth barn
Â chi'n weriniaethwyr, ac yn Gymry i'r carn,
A ninnau, eithafwyr yr adain dde –
Ond be 'di'r ots, os achubwn ni Brydain, yntê?

Os y dowch chi, gyfeillion, i lawr o'r sêt gefn
I'n hochr i'r ffrynt 'na, mi newidiwn y drefn.
Fe gewch flâs ar y pŵer, fe gewch deimlo y nerth
O fod yn rhywun o'r diwedd, am hynny mae'n werth.

Mi allaf i drefnu ychydig o *perks*
Fel *vouchers* i *Tesco*, a chael lifft yn fy *Mercs;*
Neu wahoddiad trwy ddrysau fu'n gaeedig mor hir
I chi, radicaliaid, ddiniwed, yn wir.

Ac os y bydd pethau yn gweithio yn dda,
Gallwn drefnu trosglwyddo allweddau'n tai ha'
Yn Syria, neu Libya, neu Afghanistan,
Neu wythnos i'ch teulu ar draethau Irán.

Mi fyddwn, yn sicr, yn treulio ein hamser
Rhwng plesio ein gilydd a rhannu ein pleser;
Ond wedyn, rhaid gofyn, sut fedrwn ni gôpio
Hefo'r holl *gin & tonics* a'r partis weiff-swopio.

Nid 'mod i yn ceisio eich llwgrwobrwyo,
Na'ch annog fel Pleidwyr i fwy o ragrithio;
Ond dyna fu hanes rhai o'ch cyd-Gymry hefyd,
Aeth i swyddi cyfforddus wedi bachu yr abwyd.

Maddewch i mi am barhau y drafodaeth
Ond rhaid, 'dach chi'n gweld, fel ym mhob genedigaeth
Wneud yn siŵr fod y babi yn iach wrth ei esgor,
Ac i boenau y *labour* i gyd gael eu hepgor.

Rhaid taro y neges, a hynny at waed –
Mae angen ailgodi'r hen wlad ar ei thraed;
Ond yn gynta', rhaid sortio problemau y *City*
Cyn gwerthu fy nghyfran o *shares*, mwya'r piti.

Rwy'n addo, os y cawn ni ryw fath o gytundeb,
Y byddwn yn edrych ar faterion cyllideb
Fydd yn addas ar gyfer creu gwlad gyfalafol,
Ac i dalu am gadw ein teulu brenhinol.

Mi fydd angen biliyna' o bunnoedd, a mwy,
I ddrilio'r Iwerydd i chwilio am nwy;
Ac i dalu dyledion, a rhoi dyn yn y gofod,
A chwilio am chwaneg o grant i'r Eisteddfod.

Ond rhag ichi feddwl fy mod i yn ffŵl,
Cewch anghofio'r syniada' am ennill hôm rŵl.
Ond mi alla' i helpu – ond peidiwch â gweiddi,
I gael mwy o'ch cyd-bleidwyr i Dŷ yr Arglwyddi.

A chawn drafod y pyncia' hanfodol 'na wedyn,
Fel ailagor y toilets yn Llanbedinodyn;
Ac efallai, os bydd amser, a winc y llefarydd,
Rhown blismon rhan-amser i batrolio Meirionnydd.

Ac os bydd 'na ychydig o bunnoedd ar ôl,
Mi geisiwn ni ostwng y niferoedd ar 'dôl,
Trwy anfon pob Cymro sydd allan o waith
Am gyrsiau i Lundain i ddysgu ein hiaith.

Mi fydd hynny yn gymorth i ni erbyn hynny
A hwythau, fel Cymry o'u blaen, wedi'u prynu;
Felly, dyna fy nghynnig, os gwnewch ei gysidro,
A thecstiwch eich ateb, rhag bod rhywun yn gwrando.

**Cam i rywun**

# Baled: Ffair

BEIRNIADAETH GERAINT LØVGREEN

Mesur yn perthyn i ffeiriau'r ddeunawfed ganrif a'r bedwaredd ganrif ar bymtheg oedd y faled Gymraeg yn wreiddiol – cân werin, yn y bôn, a honno'n dweud stori neu'n adrodd newyddion y dydd. Yn ddiweddarach, datblygodd y faled lenyddol yn hanner cyntaf yr ugeinfed ganrif dan law beirdd fel I. D. Hooson. Wedyn, yn ail hanner y ganrif honno, bu baledwyr fel Elfed Lewys yn cadw'r hen grefft lafar i fynd, a gellid dweud mai baledi modern oedd rhai o ganeuon Meic Stevens, fel 'Daeth Neb yn Ôl' a 'Cân Walter'. Un peth sy'n gyffredin drwy'r oesoedd: mae angen stori dda.

Siomedig oedd cael dim ond dwy ymgais i'w beirniadu. Fel mesur llenyddol, mae'r faled wedi cwympo allan o'r ffasiwn – does dim tasg baled ar Dalwrn Radio Cymru ac mae'n anodd meddwl am unrhyw faled a ysgrifennwyd yn yr ugain mlynedd diwethaf, oni bai ar gyfer cystadleuaeth Eisteddfodol. A go anaml y gosodir cystadleuaeth cyfansoddi baled yn y Brifwyl hefyd, er i dri ar ddeg o faledwyr roi cynnig arni'r tro diwethaf (wyth mlynedd yn ôl, yng Nghasnewydd). Ond dylid cofio mai am faled ddigri (heb osod testun) y gofynnwyd bryd hynny ond ni chyhoeddwyd y gwaith buddugol 'am resymau cyfreithiol' yn y *Cyfansoddiadau a Beirniadaethau*.

Ta waeth, os ydi'r Eisteddfod Genedlaethol yn benderfynol o ofyn am faled, yna siawns y dylid gwneud rhyw ymdrech i ddenu'r beirdd drwy osod testun apelgar a chyfoes. Gwaetha'r modd, mae testun fel 'Ffair' yn tueddu i arwain rhywun i gyfeiriad atgofion am yr hen ffeiriau ers talwm, a dyna hanes y ddau sydd wedi rhoi cynnig arni.

*Cornicyll y Weun*: Mi alla i ddychmygu rhyw hen faledwr yn canu hon ac mae'n rhoi darlun byw inni o ffeiriau'r oes o'r blaen, a hynny heb fod mor bell yn ôl, efallai – mae'n sôn am 'wŷr Bradistân' (enw y bu'n rhaid i mi ei Wglo i ganfod mai term am ardal Bradford oedd o) a 'dojems'. Mae hefyd yn llawn ymadroddion gwledig difyr y gorllewin – 'gwario eich ernau wrth glandro drwy'r lle', a 'nes daw hi'n ffair Glame yn yr hen lety'r glem'. Er gwaetha'r blerwch yn ambell le ('amser i dychwel', 'un o gyflogwyd'), a rhyw fân gamsillafiadau ('gwaeddi', 'cauwch'), mae hon yn faled fywiog sy'n canu ac yn cadw ei rhythm ar y cyfan.

*Sam*: Mae baled *Sam* hithau'n rhedeg yn ddigon llyfn, yr iaith yn lân a'r rhythm yn gywir. Ymson hen ŵr sydd yma yn disgrifio hanes y ffeiriau gynt i'w ŵyr. Ond rhwng cyfarch yr ŵyr ar y dechrau, ac eto ar y diwedd, traethawd ar ffurf deuddeg pennill chwe llinell a gawn ni, a rhyddieithol ydi'r dweud: 'Arferid cael ffair mewn aml i bentref,/ Fe'i cynhelid fel rheol yn ystod yr hydref,/ Ar ôl gorffen gorchwylion a llafur cynhaeaf,/ A chyn dyfod stormydd ac oerfel y gaeaf;' ac ymlaen. Mae'n addysgiadol iawn, serch hynny. Pe bai hon yn gystadleuaeth 'Erthygl Ffeithiol addas ar gyfer y Gwyddoniadur: Ffeiriau Hanner Cyntaf yr Ugeinfed Ganrif (caniateir mydr ac odl)', *Sam* fyddai'n mynd â hi.

Fel y mae hi, er nad ydi baled *Cornicyll y Weun* yn ddifrycheulyd (ond mae'n siŵr y bydd y Golygydd wedi cywiro'r mân lithriadau yn y *Cyfansoddiadau a Beirniadaethau*), mae hi'n ganadwy ac yn llwyddo'n well i ddal naws yr hen faledwyr ffair. *Cornicyll y Weun* biau'r wobr felly.

# Y Faled

## FFAIR

Clywch! fechgyn a merched o ffermydd y brynie,
    Mae ffair Calan Gaea ddydd Llun yn y dre;
Cewch gyfle i gyflogi, os dyna yw'ch bwriad,
    A gwario eich ernau wrth glandro drwy'r lle.

Rhowch heibio y godro a'r carthu am ddiwrnod,
    Y gaffer, ŵr doeth, fugeilia os rhaid,
A'r feistres drafferthus gaiff olchi y llestri
    Os nad ydyw hithe am ddianc o'r llaid!

Chwi fechgyn a merched wybepgoch o'r brynie,
    Rhai eger yw'r ffarmwrs am forwyn neu was!
Wel, gwyliwch â'ch ened rhag cael eich cyflogi
    I gysgu'n llofft stabal a byta tu mas.

I lawr yn y Smithfield mae llu o stondine
    A gwŷr Bradistân a'u stwff o Taiwan
Yn haeru yn ddu ac yn wyn wrthych-chi
    Fod y gwlân wedi tyfu yn Hafod y Llan.

Harry Cross o Groesoswallt, hen ffefryn y gwragedd,
    Yn dyrnu y llestri yn uchel ei lais
'Bydd 'rhain ar eich byrddau 'mhen mil o flynydde
    Heb grac ar eu cyfyl', mynte'r proffwyd o Sais.

'Gymerwch chi roc?' medde'r dyn o Bwllheli,
   Yn fwffler i gyd a'r plât dan eich ceg,
A'i wraig fach yn gweiddi, 'Dewch, profwch ein cyfleth!'
   Ar frys i'w waredu cyn daw stop-tap-deg.

Chwi hogie diniwed o oerfel y brynie,
   Dilynwch y miwsig fan draw at y cut
I ganfod glas ferched o'r Sowth mewn gogoniant
   Ond caewch un llygad rhag syrthio mewn ffit!

A chwithau wŷr cryfion â chaled gyhyre,
   Atebwch yr alwad o fwth mwya'r ffair
I herio eginyn o Winston o'r gwithe
   Am bumpunt os daliwch-chi ddwy rownd neu dair.

Mae merched Llanbadarn yn sbort ar y dojems
Dim ond i chi dalu o'ch poced bob tro!
Ond gwyliwch rhag llithro i mewn i'r cysgodion
Gyda merched Penparce, 'rhai perta'n y fro!

Dewch draw gyda'ch gilydd i weled rhyfeddod
Y ferch fawr o Ferthyr yn whare â thân,
Tân ar ei hana'l a thân ar ei bola
Ni welsoch erioed shwd wyrthie o'r blân.

Distawodd y miwsig a sŵn y peirianne
Mae'n amser i ddychwel i heddwch y wlad,
Yn ôl yng ngoleuni'r hen leuad ffyddlon
Yn flinedig dan faich o fargeinion rhad.

Darfu yr hwyl, y gweiddi a'r gwario.
Hei lwc i bob un, a boed lawen eich trem
Wrth slafio mewn cegin, mewn beudy ac ydlan
Nes daw hi'n ffair Glame yn hen lety'r glem.

Pwy ydyw'r baledwr fel hyn yn eich annerch
Sy'n dychwel bob gaeaf i'r ffeiriau yn ôl?
Wel un a gyflogwyd gan slashen o'r ffeirie
Rhag pydru'n y tir yn hwsmon bach ffôl.

**Cornicyll y Weun**

**Salm**: Y Tangnefeddwyr

BEIRNIADAETH JOHN GWILYM JONES

Ystyr wreiddiol y gair 'salm' yw cân. Yn ein traddodiad ni yng Nghymru y mae gan y 'gân' honno gysylltiadau crefyddol. Ond ceisiais ddod at bob ymgais yn gwbl agored fy meddwl.

*Lleyg*: Rhannwyd y gwaith yn benillion pedair llinell di-odl, heb gysondeb mydr. Agorir â'r pennill hwn:

> Molwn ddethol deulu'r tangnefeddwyr,
> Hil Gandhi a heriodd ymerodraeth
> Gyda dim ond ffiolaid o halen yn arf,
> A'i ympryd hyd farw yn bygwth i'r byw.

Yn wahanol i'r *vers libre*, y mae ffurf sy'n lled anelu at fod yn fydryddol yn anfoddhaol iawn i'r glust. Enwir tri o dangnefeddwyr amlwg yn y tri phennill cyntaf, gyda'r tri phennill olaf yn canmol arwriaeth yr heddychwr. Tua'r diweddglo, mae'r ymadroddi braidd yn annaturiol, gyda'r ansoddair o flaen yr enw mewn nifer o ymadroddion: 'dyfal nod', 'twmpathog daith', 'uchel fraint', 'gwynfydedig blant'. Ond y mae'r mynegiant yn eglur drwy'r gerdd, a'r pumed pennill wedi ei fynegi'n gryf.

*Metro*: Y mae yn y gerdd fer hon ryw uniongyrchedd amheuthun. Mae ambell ymadrodd megis 'dathlu digofaint' ac 'yng ngrym eu diniweidrwydd' yn drawiadol o addas. Ond yna ceir dwy frawddeg sy'n cynnwys cyfres o isgymalau perthynol ac yn gorffen gydag ymadroddi braidd yn gymhleth. Mae'r diweddglo'n clymu gyda'r agoriad, er nad yw'r syniad am 'gynnig llaw i gydio yn y gobaith' yn fy argyhoeddi. Buasai 'cynnig llaw i elyn' yn fwy effeithiol mewn cerdd i dangnefeddwyr, gyda'r ddau'n cyd-gerdded wedyn at 'y gobaith gwyn'.

*Tegwen*: Soned yw'r salm hon, a'r cyfan yn gywir o ran mesur. Mae'r agoriad yn chwithig: 'Gerbron Di Arglwydd'. Disgwylid 'Ger dy fron di, Arglwydd …' Ceir rhai mannau rhyddieithol eu mynegiant megis 'Mae'n fraint fawr iawn … Gan weithio am dangnefedd yn ein gwlad …' Ond er hyn, y mae sylwedd y syniadau a fynegir drwy'r gerdd yn gwbl gywir a grymus.

*Llais y Durtur*: Gresyn am y nifer o wallau teipio a'r ambell anghywirdeb sy'n britho'r gwaith. Mae'r ymresymu'n gadarn, a rhai ymadroddion, megis 'y rhai a saif o flaen ffroenau'r gynnau', yn arbennig o effeithiol.

*Sam*: Cyflwynir y cyfan dan dri phennawd sy'n cyfeirio'n sylw at gymuned a gwlad a byd. Fe allai cynnwys y ddwy adran gyntaf gael ei anelu'n fwy penodol a pherthnasol i gyd-fynd â'r penawdau, ond y mae'r drydedd adran yn uned gyflawn ac eglur o ran ei gosodiadau. Yn ysbryd y gerdd hon, byddai'n well hepgor yr anogaeth i ddirmygu pobol fel a geir yn niwedd yr adran gyntaf. Mynegir y cyfanwaith yn gryf ac effeithiol. Ond fe'i lluniwyd fel cyfres o bwyntiau, ac o ganlyniad y mae'n darllen yn fwy fel pregeth ar dri phen neu, weithiau, weddi, gyda'r arddull ar brydiau'n draethodol. Eto prif rinwedd y salm hon yw cyfoeth ei syniadau.

*Afallon*: Cerdd ar fesur ac odl mewn pum pennill, er nad yw'r mydr yn gyson o bennill i bennill. Mae'r mynegiant yn glir drwy'r gerdd gyfan ac yn gondemniad ar ryfel a'i ddioddefaint. Er bod cyfeiriad atynt yn nechrau a diwedd y gerdd, nid yw'r tangnefeddwyr yn cael lle canolog. Y mae yma hefyd ddiffyg gofal mewn cystrawen a sillafu mewn un neu ddau o fannau.

*Cymod*: Y mae graen arbennig ar y gwaith hwn. Mae'r mynegiant yn rymus, gydag ambell linell yn drawiadol. Dichon fod rhai ymadroddion yn glogyrnaidd, megis 'cydymffurfio ag ewyllys' neu 'a chydweithrediad yn amlycach na chystadleuaeth'. Mae yma feirniadu a dychanu, fel a geir yn salmau'r Beibl. Ond y mae gan y salmydd hwn ddawn rethregol sy'n peri bod sawl pennill yn canu. Cloir y cyfan â brawddeg effeithiol sy'n cyrraedd uchafbwynt.

*Prys*: Hoffais awyrgylch y salm hon. Y mae ei harddull yn 'salmaidd', a'r syniadau wedi eu mynegi'n llawn delweddau. Gellid bod yn fwy cynnil gyda'r delweddu mewn un pennill: 'Mae teml fewnol eu cof/ yn orsedd ynni ...' Ceir dau le arall lle y gellid gwella'r mynegiant: 'ar lwybr garw Bwlch y Groes'. Mae'n ymddangos fel enw lle ond o ran ei gyd-destun buaswn wedi disgwyl 'bwlch y Groes'. Mewn man arall, ceir 'ac mor ardderchog yw dylanwad/ y rhai sydd wedi ei ganfod': byddai modd rhagori ar y gair 'dylanwad' yn y cyd-destun hwn. Ond prif rinwedd y salm hon yw nad yw'n ymdroi gyda manylion gweithgarwch heddychwyr ond yn canfod, yn dreiddgar a barddonol, deithi eu meddwl a chymhellion eu hymarweddiad.

Nid yw hon yn gystadleuaeth gref. Ond y mae salm *Cymod* yn rhagori o ychydig ar gyfrif ei harddull. Credaf hefyd y gallai hon gael ei defnyddio fel darlleniad cyhoeddus. Gwobrwyer *Cymod*.

# Y Salm

## Y TANGNEFEDDWYR

Cariad wyt ti, O Dduw, ac mewn cariad y creaist ni,
ond daeth trachwant a hunanoldeb i galonnau dy blant;
gormeswn gyd-ddyn, ei erlid, ei gam-drin a'i ladd.
Grym yw ein gwendid.

Gorfodir y diniwed i gydymffurfio ag ewyllys y teyrn;
aeth arfogi'n amod parhad cenedl,
a ffiniau'n feysydd gwaed;
ceisir heddwch trwy fygwth,
diystyrir tegwch a gwrthodir cymod.

Dilynwn ninnau arferion ein hoes
trwy wrando ar dafodau dichellgar,
ac atebwn lais addfwynder a goddefgarwch yn ddi-hid;
pentyrrwn arfau dieflig
heb ystyried y canlyniadau.

Bodlonwn ar fyd o bleserau gwag
lle nad yw crefydd yn ddim mwy na defod;
ond heb ddarllen y geiriau, ni allwn adnabod y Gair.

Efengyl cariad yw efengyl dy Fab;
heb gariad ni cheir cyfiawnder,
heb gyfiawnder ni cheir heddwch,
heb heddwch ni fwynheir tangnefedd.

Amlyga dy hun inni o'r newydd, Arglwydd;
cyfeiria ein traed yn ôl i'th lwybrau di,
llwybrau amynedd, trugaredd, edifeirwch a pharch,
lle mae maddeuant yn drech na gorfodaeth
a chydweithrediad yn amlycach na chystadleuaeth.

Boed i'n gwên fod yn dyner,
ein cydiad llaw yn ddiffuant
a'n cyfarchiad yn ostyngedig
i bawb a ddaw i'n cyfarfod.

Gwyn eu byd y tangnefeddwyr;
fel lefain mewn blawd,
creant ewyllys gariadlon mewn cymdeithas;
llefarant yn eirwir,
ymagweddant yn gyfrifol;
gweddïant dros y rhai sy'n eu herlid,
a sychedant am gyfiawnder.

Arfoga'r tangnefeddwyr â thegwch a brawdgarwch,
cadwant aelodau'r teulu mewn cytgord
trwy ymarfer ffyddlondeb, doethineb ac amynedd;
mae eu bywyd a'u crefydd yn un,
a dydd dial wedi ei luchio i ddifancoll.

Rhoddaist i ni glustiau i wrando ar gri'r caethion,
a llais i'w godi mewn protest yn erbyn anghyfiawnder,
derbyniasom lygaid i weld dy drefn fendithiol,
traed i sefyll yn gadarn dros chwarae teg,
a chydwybod i'n hanesmwytho pan rodiwn o'th ŵydd.

Rhoddaist i ni dy Rodd bennaf,
sef Tywysog Tangnefedd yn Frawd;
efelychwn ef, diolchwn iddo a gweithiwn er ei fwyn,
i greu undod rhwng dyn a'i gyd-ddyn,
rhwng dyn a'r cread
a rhwng dyn a Duw.

**Cymod**

# Hir-a-Thoddaid: Sain Tathan

BEIRNIADAETH LLION JONES

Er i'r Prifardd Twm Morys fentro'i ddisgrifio unwaith fel 'Mansel Davies y mesurau', ni welwyd rhyw lawer ar fesur yr hir-a-thoddaid ar briffordd yr Eisteddfod Genedlaethol yn y cyfnod diweddar. Ac eithrio cystadleuaeth i lunio cywydd *neu* hir-a-thoddaid yn Eisteddfod Sir y Fflint yn 2007, aeth dwy flynedd ar bymtheg heibio er pan gafwyd cystadleuaeth benodol ar gyfer y mesur. Nid bod hynny'n dynodi ymgyrch fwriadol i esgymuno'r hir-a-thoddaid o gystadlaethau'r brifwyl; yn hytrach, mae'n adlewyrchu sylweddoliad nad cerbyd i grwydro heolydd yr awen ar ei ben ei hun mohono – mae'n fesur sy'n llawer mwy cartrefol mewn confoi.

Yng ngoleuni hynny a chyda thestun mor benodol â 'Sain Tathan', cystal i mi gyfaddef nad oeddwn i'n disgwyl cael fy mh'ledu gan gynigion ar y gystadleuaeth hon. Yn y cyfeirlyfr diwylliannol bylchog sydd gen i yn fy mhen, mae'r enw Sain Tathan yn annatod glwm â chapel Bethesda'r Fro a'r maes awyr milwrol (neu'r 'awyrblandy', chwedl Iorwerth Peate gynt). Nid yn annisgwyl efallai, dyna'r union gyfeiriadau y dewisodd y pum ymgeisydd eu dilyn yn y gystadleuaeth hon, gyda'r ymgeiswyr mwyaf llwyddiannus yn cloddio'r tir ffrwythlon rhwng y ddau le.

*Pwy welaf …*: Mae'r hir-a-thoddaid hwn yn cloi gyda'r llinell rymus, 'Y gŵr o Edom biau'r goriadau', gan adleisio emyn adnabyddus John Williams, Sain Tathan: 'Pwy welaf o Edom yn dod'. Er gwaethaf ambell fflach o wreiddioldeb, mae'r pennill ar ei hyd, fodd bynnag, yn dangos nad yw *Pwy welaf* yn gwbl gyfforddus wrth olwyn y tancer eto. Mae'r drydedd linell sillaf yn brin, mae ffurf luosog 'rhych' yn anghywir ganddo, a byddai angen clust hyblyg iawn i dderbyn bod y Saesneg *aye* yn odli gyda'r '-au' yn 'emynau'.

*Arfer*: Chwe llinell unigol yn hytrach nag un pennill cydlynus a gafwyd gan *Arfer*, mewn gwirionedd, a'r llinellau hynny'n taranu yn erbyn y maes awyr milwrol mewn dull rhethregol braidd. Caethiwodd ei hun trwy ddewis '-oedd' yn brifodl a gorfod bodloni yn sgîl hynny ar gloi pob llinell gydag enw lluosog. Mae'r ffaith iddo orfod defnyddio tair cynghanedd lusg yn tanlinellu'r argraff fod y bardd wedi cael peth trafferth yn cadw'r lori ar y lôn y tro hwn.

*Sgerbwd*: Mae'r ymgeisydd hwn yn amlwg yn gynganeddwr rhwydd a rhugl, ond fel bardd, mae'n orddibynnol ar effaith rethregol y gynghanedd. Yn rhy fynych, fel y gwelir yn ei gwpled agoriadol, mae'n gadael i'r ystyr ymorol drosto'i hun: 'I dir yr hogiau mae'n rhaid darogan / aroglau ergyd ar dir galargan'. Dro arall, mae'n bodloni ar ymadroddi digon cyffredin:

'a sŵn byddinoedd ymhell yn bloeddian'. Mae'n cryfhau at y toddaid, fodd bynnag, gan gloi gyda'r llinell rymus, 'sgerbydau angau sydd yma'n hongian'. Gyrrwr y llwybr tarw yw hwn.

*Tornado*: Y penderfyniad i beidio â sefydlu academi filwrol yn Sain Tathan yw cefndir y pennill hwn ac mae'r bardd yn agor ei hir-a-thoddaid trwy holi 'A ddaw'r golomen gynhyrfus heno/ Yn ôl i glydwch a thawel glwydo'. Mae'r golomen honno'n dwyn i gof y golomen yn emyn adnabyddus Thomas Williams Bethesda'r Fro, ac mae'r bardd yn cloi'r pennill trwy adleisio'r emyn hwnnw mewn toddaid grymus: 'A fu'r haul uwch Bethesda'r fro – un waith/ Heb wawrio'n obaith o ben Bryn Nebo'. Mae *Tornado* yn gynganeddwr cadarn ond gwendid y pennill yw adeiladwaith y gystrawen wrth i ni symud o'r cwestiwn agoriadol at frawddeg negyddol yng nghorff y pennill cyn cloi gyda chwestiwn drachefn. Fel y dywedodd Twm Morys, y gamp wrth lunio hir-a-thoddaid yw 'cadw tin y lori rhag siglo 'nôl a 'mlaen!'

*Cân Ddiddarfod*: Gyda theitl casgliad o emynau John Williams yn ffugenw ar ei ymgais, aeth *Cân Ddiddarfod* ati i gyfosod cyfnod a gweledigaeth yr emynydd gyda Sain Tathan heddiw a'i gynodiadau militaraidd. Er nad yw hanfod ei weledigaeth yn fentrus na gwreiddiol iawn, mae ei afael ar ei grefft a'i barodrwydd i feddwl a mydryddu ar draws llinellau yn ei osod ychydig ar y blaen i *Tornado* yn y gystadleuaeth hon. Mae llyfnder y gystrawen, hyfrydwch y darlun a pherseinedd y gynghanedd yn rhan agoriadol y pennill yn cyferbynnu'n effeithiol gyda chystrawen doredig ac egrwch y llun a'r sain yn ail hanner y pennill. Ar yr un pryd, mae'r gyfeiriadaeth a'r delweddu yn creu elfen o unoliaeth. Am iddo lwyddo i gludo'i lwyth yn ddiogel i ben y daith, *Cân Ddiddarfod* biau'r wobr.

# Yr Hir-a-Thodiad

## SAIN TATHAN

Roedd yma unwaith angerdd emynau
a phêr awelon fel sisial tonnau
yn grych ar wenith. Sgrech awyrennau
sy' yma heddiw, ac nid oes maddau
i fod; mae difrod i'w hau fesul bom,
a neb o Edom yn ein bywydau.

**Cân Ddiddarfod**

# RHYDDIAITH

**Gwobr Goffa Daniel Owen:** Nofel heb ei chyhoeddi gyda llinyn storïol cryf a heb fod yn llai na 50,000 o eiriau

---

BEIRNIADAETH JOHN ROWLANDS

Pan ddywedaf mai chwe nofel a ddaeth i law eleni, dylai hynny fod yn destun llawenydd. Wedi'r cwbl, caiff y gystadleuaeth hon ei chynnal bob blwyddyn, a gofynnir am 'nofel ... gyda llinyn storïol cryf a heb fod yn llai na 50,000 o eiriau'. Nid ar chwarae bach y mae llunio nofel sylweddol o ran hyd, ac mae cael cynifer â chwe ymgais yn codi'r galon. Digon gwir nad oedd y safon yn gyson dda o bell ffordd ond gallaf ddweud i mi feirniadu cystadlaethau salach yn y gorffennol, ac roedd deunydd addawol iawn mewn tair o'r nofelau, ac nid cwbl anobeithiol oedd y tair nofel arall chwaith. Rhoddaf sylwadau cryno ar y chwe ymgais isod, gan eu gosod yn fras yn nhrefn teilyngdod. Dywedaf 'yn fras' am nad oes llinyn mesur cwbl wrthrychol ar gael, a mater o chwaeth bersonol yw eu gosod yn y drefn arbennig hon. Mi ddywedaf eto mai mater o ddiogi neu o ddiffyg penderfyniad yw ymdrin â'r cyfansoddiadau 'yn y drefn y daethant o swyddfa'r Eisteddfod'. Mae ymgeiswyr yn hoffi cael rhyw syniad o ble y maent yn sefyll mewn cystadleuaeth fel hon.

*Bythech*: 'Jyst Jemima'. Rhyw fath o reiat sydd yma, am ymdrech Jemima i gael ei hethol yn gynghorydd sir. Fe ddywedir wrthym mai 'Llawlyfr ymgyrchu' yw'r nofel, ar 'Sut i ddofi menyw wyllt ... i fod yn wleidydd effeithlon'. Fel y gellir dychmygu, ysgafn a dychanol yw'r dôn, ac er bod y Gymraeg yn rhacs jibidêrs, mae'r nofel yn darllen yn rhwydd a difyr ddigon, ac yn wir mae'n gallu bod yn eithaf doniol ar adegau. Merch dwp yw Jemima druan, heb lawer o glem wleidyddol, a'r argraff a roddir yn gyffredinol yw fod sawl gwleidydd yn dipyn o bwdryn yn y bôn ond yn gweld cyfle i bluo'i nyth a chael tipyn o sylw. Darlunio gwleidyddiaeth fel cryn ffars a wneir, a diau bod hynny'n cyd-fynd â syniad y rhan fwyaf o bobl am wleidyddion cyfoes. Eto, amrwd yw'r dychan ac nid oes digon o soffistigeiddrwydd yn y dweud inni gymryd y feirniadaeth o ddifri. Rhyw *Clochmerle* o gymdogaeth a ddarlunnir ond mae'r hwyliogrwydd yn pylu braidd yn yr hanner olaf. Gyda mwy o finiogrwydd ar y dychan, gallesid bod wedi creu nofel hwyliog.

*Yr Un Deg*: 'Hosan Hwran Fach Ifanc'. Fe hoffwn ddweud mai hon fyddai'r nofel y *dylsai* Kate Roberts fod wedi'i sgwennu, oherwydd dyma nofel lesbaidd ddiymddiheuriad, ond ofnaf nad oes arlliw o gynildeb Kate Roberts ar ei chyfyl. I'r gwrthwyneb, mae'r disgrifiadau'n amrwd agored, a hynny'n ymylu ar bornograffiaeth ar adegau. Ni wn am unrhyw waith tebyg yn y Gymraeg – hyd yn oed am rywioldeb heterorywiol, heb sôn am rywioldeb lesbaidd. Chwa o awyr iach, efallai, ac mae llawer o frwsio llwch dan garped yn perthyn i'r gair 'cynildeb' hefyd o ran hynny. Yn rhyfedd iawn, gosodwyd y nofel yn hanner cyntaf y bedwaredd ganrif ar bymtheg, pan nad oedd pynciau o'r fath yn cael eu cydnabod o gwbl. Nid y rhywioldeb yn unig sy'n ddi-dderbyn-wyneb, oherwydd ceir crogi cyhoeddus i yrru iasau i lawr cefn rhywun hefyd, ac mae yma olygfeydd digon ysglyfaethus ac ych-â-fi. Nid am hynny yr wyf yn condemnio'r nofel chwaith ond am ei diffyg strwythur. Efallai fod posibiliadau fil yn y nofel hon ond ni sylweddolwyd hwy, ac er bod pethau i'w canmol am yr arddull a'r mynegiant, mae'r cyfan yn rhy anwadal i daro deuddeg.

*Arthur C. Danto*: 'Dianc i Baradwys'. Rhyw lun o nofel dditectif sydd yma ond mae'n llawer rhy gymhleth i daro deuddeg, a'r stori'n rhuthro'n fympwyol o un peth i'r llall yn lle dilyn trywydd pendant. Os rhywbeth, mae gormod yn digwydd yn y nofel, a hynny'n ymddangosiadol ddamweiniol. Mae'r awdur yn ddigon deallus ac yn meddu ar ddawn amrwd i sgrifennu ond oherwydd ei ddiffyg disgyblaeth, mae'r nofel fel llong ar fôr tymhestlog a'r capten a'r criw yn feddw. Rhuthra'r stori o Gymru i Loegr a hyd yn oed i Biarritz ond mae'n anodd rhoi bys ar ei hunion bwnc rywsut. Teimlaf y gallai'r awdur, trwy ymddisgyblu'n llym, greu gwaith darllenadwy na fyddai'n troi'n un cawdel dryslyd yn y pen.

*Piaf*: 'Ar Gyfeiliorn'. Symudwn i dir uwch yn awr, gyda nofel uchelgeisiol sy'n symud yn ôl ac ymlaen o Baris i Lydaw adeg y gwrthsafiad yn erbyn y Natsïaid yn ystod yr Ail Ryfel Byd. Mae awyrgylch y *résistance* yn cael ei gyfleu'n gryf, a'r gwrthgyferbyniad rhwng y cefndir Llydewig gwerinol a gwledig a'r cefndir dinesig ym Mharis yn taro rhywun fel rhywbeth byw a synhwyrus dros ben. Yn naturiol, nid stori gyfforddus sydd yma chwaith, oherwydd mae erchylltra'r cyfnod yn cael ei gyfleu'n ddiflewyn-ar-dafod. I mi, y gwendid pennaf oedd diffyg cyfeiriad. Er bod nifer o episodau manwl yn cyfrannu at y jig-so cyflawn, teimlwn fod gormod o fân gymeriadau i'r darllenydd allu mynd i'r afael â nhw. Eto, mae'r rhan olaf yn wirioneddol afaelgar, yn ansentimental, yn deimladwy ac erchyll ar yr un pryd. Dyma awdur, gyda mwy o ddisgyblaeth, a allai gipio'r wobr hon rywbryd.

*Iago*: 'Gabriela'. Gabriela o Frasil yw'r prif gymeriad yn y nofel rymus hon. Mae'n mynd ar bererindod i Santiago di Compostella, gan ddilyn y llwybr a gymerasai ei mam flynyddoedd ynghynt. Calon y myfyrdod, mewn ffordd, yw'r berthynas gymhleth rhwng Gabriela a'i mam, a cheir nifer o ôl-fflachiadau o'i phlentyndod sy'n ymgais i egluro'n rhannol ei chymhlethdod presennol, ac yn arbennig ei heuogrwydd a'i dryswch seicolegol. Ceir digwyddiadau erchyll ac ymddangosiadol ddiesboniad yn ystod y bererindod. Ceisir clymu popeth ynghyd a'u hasio wrth bersonoliaeth ryfedd Gabriela. Nofel bicarésg yw hon o reidrwydd ond teimlais fod y digwyddiadau'n mynd yn un rhibidirês carlamus tua'r diwedd, bron fel petai'r awdur yn camu o realaeth go iawn i ryw realaeth hudol nad oedd yn gweithio'n hollol. Mae'r diwedd yn rhy eithafol o erchyll i blesio hygrededd y beirniad hwn.

*Rhys*: 'Afallon'. Mae traed yr awdur hwn yn fwy solet ar y ddaear nag eiddo neb o awduron eraill y gystadleuaeth. Eto, mae yntau'r un mor fentrus yn gwibio o Gymru i Ferlin ac i Ynys Mykonos yn ystod ei nofel hynod o ddarllenadwy. Gŵr canol oed yw'r prif gymeriad, sydd wedi symud i Abertawe ar ôl gyrfa gyffrous yn yr Almaen a llefydd cyfandirol eraill, ac wedi agor tŷ bwyta yn y Mwmbwls. Afallon y teitl yw enw ei gwch hwylio yntau. Mae'n ddyn soffistigedig iawn, yn 'ddyn y byd', ys dywedir, ac yn ferchetwr dyfal – er nad yw'r llinyn rhywiol mor gryf ag y disgwyliesid efallai, ond fe deimlwn i'n bersonol mai rhywbeth eironig braidd yw hynny, am mai gŵr canol oed sy'n ymgiprys ag ieuenctid na ddaw'n ôl ydyw Rhys. Does dim byd echblyg wleidyddol ynglŷn ag ef ac, eto, calon y stori yw ei fod yn dod yn ddistaw ymwybodol o'r modd y mae grymoedd milwrol y Brawd Mawr yn llarpio enaid gwledydd bach fel Cymru. Mae elfennau heddychol, gwrth-Americanaidd yn blaguro yn Rhys, y cymeriad olaf i rywun feddwl amdano felly. Mae Cymraeg y nofel yn raenus ar y cyfan, a chalon arwyddocaol yn curo y tu ôl i'r stori fyrlymus. Does gen i ddim amheuaeth nad yw'r nofel yn llwyr haeddu Gwobr Goffa Daniel Owen eleni.


BEIRNIADAETH GARETH F. WILLIAMS

Roedd chwe chystadleuydd am y wobr eleni a chafwyd chwe nofel swmpus a phur wahanol i'w gilydd. Cafwyd cryn amrywiaeth o ran safon hefyd, ond hoffwn longyfarch yr awduron am roi cynnig arni. Un peth yw eistedd i lawr ar ôl penderfynu ysgrifennu nofel, peth go wahanol yw dyfalbarhau nes i'r nofel gael ei chwblhau, gyda thros hanner can mil o eiriau ar bapur neu ar sgrîn.

Yn gyffredinol, buasai'r awduron oll yn elwa o ddarllen llawer iawn mwy o Gymraeg, gan fod safon yr iaith ar brydiau'n ddychrynllyd o wael. Nid yw'n fwriad gennyf refru hyd syrffed am hyn ond teimlaf fod angen crybwyll y broblem, o leiaf. Cefais yr argraff fod mwy nag un o'r awduron wedi cyfieithu o ddrafft Saesneg blaenorol, gan fod sawl trosiad o briodddulliau Saesneg yn britho nifer o'r nofelau. Roedd gormod o ôl brys hefyd ar nifer o'r ymdrechion: nid yw un drafft yn ddigon, byth.

*Bythech*: 'Jest Jemima'. Nofel ddychanol. Gwleidyddiaeth leol yw targed y dychan, gyda stori am wraig ifanc, sengl yn ymgeisio ar gyfer sedd ar y cyngor lleol. Gwaetha'r modd, gordd a ddefnyddir yma yn hytrach na'r nodwydd finiog, slei, angenrheidiol. Mae'r cymeriadau'n ffinio ar fod yn ystrydebol, a'r argraff drwyddi draw yw fod yr awdur ar frys i orffen un olygfa er mwyn cael neidio ymlaen i'r nesaf.

*Arthur C. Danto*: 'Dianc i Baradwys'. Nofel dditectif. Pan welais y ffugenw, tybiais mai cefndir celfyddydol a fyddai i'r nofel, ond na. Dechreuodd yn addawol, gyda heddwas newydd ymddeol yn dychwelyd i Gymru. Fel nifer o'r ditectifs canol-oed mewn nofelau cyfoes o'r fath, mae gan hwn hefyd broblemau yn ei fywyd personol. Hoffais y syniad ohono'n bwrw iddi i gychwyn math o glwb ar gyfer y llanciau lleol di-waith, a buasai canolbwyntio ar hynny wedi rhoi i ni nofel ddifyr a gwahanol ond, gwaetha'r modd, bu'r awdur yn rhy uchelgeisiol gan daflu llawer gormod i mewn i'w botas, heb i'r un ohonyn nhw ddod i derfyn twt a boddhaol.

*Yr Un Deg*: 'Hosan Hwran Fach Ifanc'. Gosodir y nofel hon yn y cyfnod o'r 1820au ymlaen, ac ynddi ceir stori merch ifanc, bengoch o'r enw Malan. Mae Malan yn lesbiad, a chawn wybod hynny'n syth bin, cyn dechrau darllen y nofel ei hun, yng nghyflwyniad yr awdur – a hynny mewn iaith amrwd a chignoeth. Ceir y brastod hwn ar bron bob tudalen nes bod y darllen yn troi'n syrffedus yn fuan iawn. Nid oes unrhyw dynerwch yn perthyn i'r myrdd o olygfeydd 'caru'. Yn hytrach, mae'r cyfan yn rhy frwnt – yn ystyr gogleddol a deheuol y gair. Hen dro, a dweud y gwir; mwynheais y golygfeydd ar y llong yn ystod y fordaith i Dasmania, a mentraf ddweud bod angen nofelau arnom sydd yn ymdrin â'r themâu a geir yma.

*Piaf*: 'Ar Gyfeiliorn'. Mae defnydd chwip o nofel yma ac mae'r awdur yn amlwg wedi darllen yn eang am y gwrthsafiad yn Llydaw a Ffrainc yn erbyn y Natsïaid. Mae yma sawl golygfa sydd yn llawn tyndra, ond dylai *Piaf* fod wedi treulio llawer mwy o amser gyda'r ysgrifennu – yn enwedig o ran cymeriadu a deialog. Anodd iawn, weithiau, oedd gallu dweud pwy oedd yn siarad â phwy, ac unwaith eto mae ôl brys ar yr ysgrifennu'n gyffredinol, yn enwedig tua diwedd y nofel. Hoffwn pe bai'r awdur yn dychwelyd at y nofel, gan ail a thrydydd-ddrafftio, gan fod y stori ei hun yn wych ac yn haeddu cael gweld golau dydd yn y dyfodol.

*Iago*: 'Gabriela'. Hoffais y nofel hon yn fawr iawn. Merch ifanc o Frasil yw Gabriela, yn teithio ar hyd y *Camino de Santiago*, sef y bererindod enwog – ac enfawr – i ddinas Santiago di Compostella. Gwnaeth ei mam bererindod debyg flynyddoedd ynghynt, ond mae llawer iawn mwy i Gabriela'r ferch nag a ymddengys i ddechrau. Mae hon yn nofel hynod addawol a does dim amheuaeth ynglŷn â gallu'r awdur i ysgrifennu. Mae'r disgrifiadau o'r dirwedd yn codi blys mawr ar y darllenydd i ymweld â'r ardal, yn fwy felly na'r awydd a godir mewn llyfr teithio ffeithiol am y *Camino* (*Spanish Steps* gan Tim Moore) a ddarllenais tua blwyddyn cyn darllen 'Gabriela'. Roeddwn yn edrych ymlaen bob tro at gael dychwelyd at y deipysgrif – sôn am 'linyn storïol cryf'! Ond, o *Iago! Iago!* – aeth pethau braidd yn flêr tuag at y diwedd yn enwedig, on'd do? Gormod o frys eto, mae arnaf ofn; nid yw cymeriad y blismones yn rhannau olaf y nofel yn taro deuddeg o gwbl, gwendid a ymddengys gymaint yn fwy gan fod y cymeriadu cyn hynny wedi gweithio'n dda. Hefyd, mae ambell ddigwyddiad yn cael ei drin mewn dull rhy chwit-chwat i argyhoeddi'r darllenydd. Buasai ychydig mwy o bwyll, gofal ac amser dros yr holl waith wedi gwneud byd o wahaniaeth, a gobeithiaf yn fawr y cawn weld fersiwn arall o 'Gabriela' – a rhagor o waith *Iago* – ar silffoedd ein siopau llyfrau a'n llyfrgelloedd yn y dyfodol.

*Rhys*: 'Afallon'. Dyma awdur sy'n amlwg yn aeddfetach na'r un o'r cystadleuwyr eraill. Rhys yw enw'r prif gymeriad hefyd, dyn canol oed sydd wedi dychwelyd i'r Mwmbwls i gadw bwyty ar ôl treulio blynyddoedd yn gweithio ym Merlin (ac ar ynys Mykonos hefyd). Dyma nofel arall yr oeddwn yn ysu am gael dychwelyd ati. Llwyddodd yr awdur i greu darlun byw a bywiog o Abertawe a'r cylch; llwyddodd hefyd i greu cymeriadau crynion sydd ymhell o fod yn ystrydebol, gan gynnwys yr is-gymeriadau. Mae yma ddirgelwch credadwy sydd yn gyrru'r stori yn ei blaen, a'r dirgelwch hwnnw – ynghyd â'r tyndra rhywiol amlwg rhwng y cymeriadau a'r darlun craff o'r gymdeithas Gymraeg gyfoes – sydd yn codi'r nofel i frig y gystadleuaeth.

Rhoddaf y wobr, felly, i *Rhys*.


BEIRNIADAETH SIONED WILLIAMS

Mae'n oes aur ar y nofel Gymraeg, medden nhw. Fel adolygydd rwy'n cael fy nhalu i ddarllen pob math o gyfrolau – nifer fawr ohonynt – ac fe fyddwn yn cytuno bod safon yn ogystal â nifer y nofelau Cymraeg a gyhoeddwyd yn ddiweddar yn sicr yn cefnogi'r gosodiad hwn. Mae rhai o enillwyr y gystadleuaeth hon yn y gorffennol, fel Fflur Dafydd a Tony Bianchi, wedi llwyddo i daro ar y cyfuniad perffaith o greu gwaith diddorol, heriol, mentrus, sydd hefyd yn grefftus ac yn ddarllenadwy ac fe fyddwn yn cyfri'r ddau awdur hyn ymhlith arweinwyr y diwygiad llenyddol cyffrous hwn. A yw'r deunydd a ddaeth i law eleni felly'n adlewyrchu'r cyfnod euraid honedig?

Yn fy marn i, dwy o'r chwe chyfrol sydd wedi cyrraedd safon cystadleuaeth genedlaethol. Ond dim ond un gyfrol y gellid ei chyfri'n nofel lwyddiannus sy'n barod i'w chyhoeddi yn ei ffurf bresennol gydag ychydig o waith cymoni ar y testun yn unig. Am y pedair arall, maent yn cynnwys elfennau o'r hyn sy'n cyfrannu at greu nofel lwyddiannus – gwreiddioldeb, uchelgais a dawn ddisgrifiadol – ond nid yw'r awduron eto wedi meistroli rhai o hanfodion creiddiol eu crefft.

*Bythech*: 'Jest Jemima'. Mae'r pwnc yn un digon difyr ac amserol, sef dilyn hynt ymgeisydd Plaid Cymru mewn etholiad lleol. Nofel gomig neu ddychanol yw hon i fod ond mae'r plot yn rhy lac, a'r strwythur yn rhy flêr i gynnal y nod. Mae'r cymeriadau'n ystrydebol ac felly'n anniddorol, a'r mynegiant yn aml yn drwsgl ac yn ddiofal.

*Arthur C. Danto*: 'Dianc i Baradwys'. Mae hon yn nofel well o lawer – nofel seicolegol sydd hefyd yn rhyw fath o stori dditectif. Mae'r prif gymeriad, Mansel Thomas, wedi ymddeol o'i swydd yn Scotland Yard gan ddychwelyd i Gymru. Mae'n ceisio ymdopi â thawelu sawl bwgan o'i orffennol ac, ar yr un pryd, yn ceisio canfod ei ferch sydd wedi diflannu. Ar brydiau, mae'r awdur yn llwyddo i gyfleu tyndra ac yn disgrifio digwyddiadau iasoer yn effeithiol, a cheir sylwebaeth ffraeth a deifiol o dro i dro ar y gymdeithas Gymreig gyfoes. Prif wendid y nofel yw ei chynllun anwastad, sy'n fai a uchelseinir mewn nofel o'r math hwn. 'Dyw taith Mansel i Biarritz, er enghraifft, ddim yn gweu'n llyfn i'r plot ac mae gormodedd diangen o ddeialog yn torri ar lif y naratif. Mae yma bortread digon effeithiol o feddwl sydd ar chwâl ac yn gobeithio am achubiaeth, ond nid oes yma stori afaelgar.

*Yr Un Deg*: 'Hosan Hwran Fach Ifanc'. Dyma nofel fwyaf gwreiddiol y gystadleuaeth, hwyrach. *Bildungsroman* epig ei sgôp yw'r nofel hon sydd wedi ei gosod yng Nghymru'r bedwaredd ganrif ar bymtheg ac yn adrodd hanes Malan, lesbiad amddifad sy'n dygymod â chreulondeb a rhagfarnau'i hoes yn ei bro enedigol ac yn nhrefedigaeth Van Diemen. Mae yma stori ddirgelwch gref ac fe allai hon fod wedi bod yn chwip o nofel drawiadol o anarferol. Fodd bynnag, teimlais fod y disgrifiadau cyson ac eithafol graffig o ryw a thrais yn ailadroddus ac yn rhy wag o emosiwn i ennyn cydymdeimlad a chynnal diddordeb y darllenydd. Canlyniad hyn yw creu cyfanwaith sy'n ymdebygu'n rhy aml i nofel rad, sâl wrth i stori a allasai fod yn arloesol a dadlennol gael ei cholli yng ngormodiaith y dweud.

*Piaf*: 'Ar Gyfeiliorn'. Nofel ddwys ac uchelgeisiol sy'n adrodd hanes y rhai sy'n gwrthsefyll y Natsïaid yn Ffrainc yn ystod yr Ail Ryfel Byd. Mae'r awdur yn llwyddo i greu cymeriadau cofiadwy a thrwy leoli rhan o'r stori mewn pentref yn Llydaw mae'n canfod haenen ffres o fewn *genre* poblogaidd sy'n gwahodd ystrydeb. Prif wendid *Piaf* yw ei fynegiant. Roedd y gwaith hwn yn frith o ymadroddion trwsgl a gwallus a oedd yn torri ar lif y plot ac yn amharu ar hygrededd y cymeriadau. Fe waethygodd y nofel wrth fynd yn ei blaen ac roedd y rhan olaf yn y gwersyll yn llai effeithiol yn sgîl y dibynnu ar gyd-ddigwyddiadau ac roedd y diweddglo'n siomedig o wan. Does dim amheuaeth nad oes gan yr awdur hwn y dychymyg a'r gallu i greu stori hanesyddol afaelgar. O ganolbwyntio o ddifri ar wella'i afael ar iaith a chystrawen, ac ailedrych ar ran ola'r nofel yn arbennig, gallai 'Ar Gyfeiliorn' fod yn nofel boblogaidd pe bai'r awdur yn barod i ymgymryd â'r dasg o ailwampio'i waith.

*Iago*: 'Gabriela'. Cefais fy hudo gan y nofel hon. Hanes pererindod merch ifanc o Frasil i Santiago de Compostella yn Sbaen yw craidd y stori. Mae'n datblygu'n *thriller* seicolegol sy'n sugno'r darllenydd yn effeithiol i'w chrombil tywyll. Mae Gabriela'n ymgymryd â'r union daith a wnaethai ei mam cyn iddi gael ei geni, a thrwy gyfrwng dyddiadur ei mam fe ddysgwn fod y profiad wedi cael dylanwad crefyddol enfawr arni. Drwy gyfrwng disgrifiadau synhwyrus, mae'r awdur yn llwyddo'n arbennig i greu naws y lleoliadau a'r dirwedd ar hyd llwybr y pererinion. Mae'r nofel ar ei mwyaf llwyddiannus pan ddefnyddir ei strwythur mewn modd dyfeisgar er mwyn ein tywys ar hyd taith Gabriela. Mae nifer o'r penodau'n adrodd stori cymeriad y mae'n ei gyfarfod ar ei thaith, a thrwy hynny ceir cyfle i greu is-haenau coeth a chyflawn yn y naratif. Llai effeithiol yw'r portread o lais mewnol Gabriela ei hun. Defnyddir atgofion i geisio egluro'i chyflwr seicolegol, sy'n tarddu o'i pherthynas gyda'i mam, ond nid yw'r rhain yn plethu'n effeithiol gyda phrif lif y naratif ac maent braidd yn anghynnil. Yn yr un modd, mae rhan olaf y nofel yn llithro i safon is o ran cymeriadu a chynllun ac mae'r diweddglo'n siomedig o wan. Mae arddull a dawn ddisgrifiadol arbennig gan *Iago* ynghyd â'r gallu i greu naws ac i yrru'r darllenydd i droi'r dudalen, a dyma waith mwyaf uchelgeisiol y gystadleuaeth heb os. Am ei bod yn nofel mor afaelgar ac anarferol, bu'n rhaid pendroni'n hir a oedd hi'n deilwng i gipio'r Wobr ond teimlaf fod ei gwendidau'n rhy sylfaenol. Rwy'n hyderus y gall awdur mor ddawnus ag *Iago* greu fersiwn fwy cynnil o'r nofel a fydd yn llwyr gyflawni ei photensial.

*Rhys*: 'Afallon'. Dyma awdur hyderus a greddfol sydd wedi ysgrifennu nofel ddarllenadwy a chrefftus. Dyn canol oed sydd wedi ysgaru yw'r prif gymeriad, Rhys ac, ar ôl bod yn byw a gweithio dramor, wedi dychwelyd i fro ei febyd er mwyn rhedeg tŷ bwyta Thai yn y Mwmbwls. Dirgelwch sy'n deillio o ddigwyddiad erchyll y tu allan i fflat Rhys ym Marina Abertawe sy'n gyrru'r plot ymlaen ond nid dyma galon y nofel soffistigedig hon, mewn gwirionedd. Fel un sy wedi byw yn yr ardal ers deng mlynedd, gallaf dystio i'r awdur lwyddo'n gampus i gyfleu cymeriad Abertawe, a'i bod, fel *Caersaint* Angharad Price, yn ogystal â chynnig portread llenyddol bywiog o le, hefyd yn gyfrol sy'n ymateb i'r Gymru ddatganoledig. Dyma nofel amlhaenog, aeddfed am ail ddinas gwlad eilradd, yn bortread bachog o'r Gymru ddinesig gyfoes, ôl-drefedigaethol sy'n dal i fod yn wasaidd er gwaetha'i Chynulliad. Ceir portreadau crafog o sefydliadau Cymru a'i chymuned fusnes ac er ei bod wedi ei lleoli yn Abertawe, nofel ryngwladol yw hon ymhob ystyr y term. Mae'r stori'n ymwneud â lleoliadau a digwyddiadau tramor, ac mae'r rhannau o'r nofel sydd wedi eu lleoli yn ninas Berlin hefyd yn tanlinellu naws ddinesig y gwaith tra'n cynnig persbectif rhyngwladol ar wleidyddiaeth a diwylliant Cymru.

Mae prif gymeriadau'r nofel yn rhai crwn a chredadwy, heb fod yn rhy arwrol ac mae'r awdur yn defnyddio'r naratif person cyntaf ac ieithwedd anffurfiol yn effeithiol i gyfleu cefndir a natur Rhys. Ar y darlleniad cyntaf, teimlais fod cymeriadau benywaidd 'Afallon' yn llai llwyddiannus gan eu bod wedi eu darlunio'n llwyr o safbwynt gwrywaidd. Ond yr hyn sydd wedi fy narbwyllo nad gwendid yn yr ysgrifennu mo hyn, mewn gwirionedd, yw parodrwydd yr awdur hefyd i ddychanu gwrywdod dynion y nofel, sy'n grediniol eu bod yn bwerus ac yn ddeniadol, a'r ffaith, a danlinellir drwy'r defnydd o'r naratif person cyntaf, mai'r byd trwy lygaid Rhys yw byd 'Afallon'. Mae'r disgrifiadau sy'n ymddangos yn ystrydebol ar yr olwg gyntaf felly'n fodd i ddatgelu personoliaeth a phrofiad Rhys. Ceir yn y nofel hefyd stori deuluol rymus yn sgîl y portread o berthynas Rhys gyda'i dad, sydd bellach mewn cartref nyrsio. Dyma enghraifft o arddull gynnil a diwastraff yr awdur i ddefnyddio is-blot a chymeriadau'n bwrpasol er mwyn ychwanegu at haenau ystyr ei waith.

'Afallon' yw nofel fwyaf llwyddiannus a chyflawn y gystadleuaeth, yn cynnig llawer mwy na'i stori afaelgar, gyfoes, ganolog, ac mae *Rhys* felly'n llawn haeddu Gwobr Goffa Daniel Owen eleni.

## Y Fedal Ryddiaith. Cyfrol o ryddiaith greadigol heb fod dros 40,000 o eiriau: Mudo

BEIRNIADAETH GWERFYL PIERCE JONES

Y mae sawl blwyddyn wedi mynd heibio er pan geisiodd y Panel Llenyddiaeth canolog wahaniaethu rhwng dwy brif gystadleuaeth rhyddiaith yr Eisteddfod ac efallai nad yw cystadleuwyr (na beirniaid ambell waith) wedi sylweddoli mai pwrpas y newid geiriad (cynnil, mae'n wir) oedd ysgogi gweithiau creadigol byr o safon aruchel yn achos y Fedal a nofelau mwy swmpus, eang eu hapêl, gyda llinyn storïol cryf, yn achos Gwobr Goffa Daniel Owen. Mewn gair, gofynion artistig o'u cyferbynnu â gofynion y farchnad ond y naill a'r llall yn gofyn am ardderchowgrwydd yn eu gwahanol ffyrdd.

O blith yr wyth ymgais a ddaeth i law ar gyfer y Fedal eleni, byddai dwy o leiaf yn fwy addas ar gyfer y Wobr Goffa a byddent ar eu hennill o ychwanegu atynt ac ehangu eu cwmpas. Mae'r un peth yn wir os bwriedir ceisio'u cyhoeddi ar y farchnad agored.

Nid swyddogaeth beirniad yw dyfalu pam na lwyddwyd i ddenu rhagor o gystadleuwyr, yn enwedig o blith llenorion profiadol. Mae'n bosibl fod y testun yn ymddangos yn gyfyng er bod ei bosibiliadau'n lleng a barnu oddi wrth gynnwys y cyfansoddiadau a ddaeth i law. Cafwyd gweithiau cyfoes a hanesyddol, deunydd chwedlonol a ffuglen led-wyddonol, ac roedd y dwys a'r digrif yn hawlio'u lle. Ond anwastad oedd safon y gystadleuaeth drwyddi draw a phrin oedd yr enghreifftiau o ysgrifennu cywrain, caboledig a phrinnach fyth oedd y gweithiau a oedd yn gyfanweithiau artistig gorffenedig.

Dyma droi at y cyfansoddiadau fesul un. Nid oes unrhyw arwyddocâd arbennig i'r drefn.

*Teithiwr*: 'Mecsico, y Lap Top a Fi ...'. Yr hyn a geir yma yw llyfr taith merch ifanc sy'n treulio cyfnod yn gynorthwy-ydd mewn ysgol ym Mecsico, gan achub ar y cyfle i deithio'n eang a cheisio dod i adnabod y wlad a'i thrigolion. Mae ganddi lygad bardd ac ar ei gorau gall ysgrifennu'n synhwyrus a thelynegol. Ond ceir ganddi hefyd nifer o ddarnau arwynebol ac o adrodd ffeithiau moel heb eu treulio ac mae safon y gwaith yn anwastad o'r herwydd. 'Does dim amheuaeth nad oes gan yr awdur y ddawn i wella'r testun ac i fireinio'r mynegiant cyn ymorol am gyhoeddi.

*Dwy bluen, ac un het*: '!!!!'. Dewisodd y cystadleuydd hwn gyfres o ebychnodau (o wahanol feintiau) fel teitl i'w waith ac roedd hynny'n ernes o'r hyn oedd i ddilyn. Casgliad o straeon abswrd, llawn bwrlwm, am anifeiliaid sy'n meddu ar nodweddion dynol sydd yma ac mae'r awdur yn amlwg yn ei elfen yn tynnu blewyn o drwyn y darllenydd, neu'r beirniad, neu'r ddau. Mae'r cyfan yn rhemp ac er bod ambell stori'n taro deuddeg nid yw'r casgliad yn gweithio fel cyfanwaith a dichon nad dyna fwriad awdur sydd yn ôl pob golwg yn ysgrifennu'n bennaf er ei fwyniant ei hun.

*Twm*: 'Adlodd'. Trown nesaf at hunangofiant gwir neu ddychmygol gŵr yn ei henaint sy'n gorfod gadael ei gartref yng Nghymru ac ymsefydlu yn Ardal y Llynnoedd yng ngogledd Lloegr i fod wrth ymyl ei ferch a'i theulu. Yn gyfochrog â'r elfen hunangofiannol, ceir cyfres o straeon byrion sy'n ymwneud â'r un math o themâu: gwreiddiau, Cymreictod, dieithrio rhwng teuluoedd, codi pac, colli anwyliaid a marwolaeth. Er bod yma undod thematig, nid oes digon o amrywiaeth o ran arddull, ac mae'r straeon byrion yn enwedig yn rhy debyg o ran naws i weddill yr hunangofiant. Gwelir hefyd duedd i draethu ar draul cyfleu profiadau trwy ddigwyddiadau a gweithredoedd.

*Nant y Dwyrain*: 'Mudo'. Dyma gasgliad o ddarnau byrion ar themâu amrywiol a rhaid cyfaddef mai profiad llafurus oedd ceisio gwneud synnwyr o'u cynnwys. Tybed ai cyfres o ymarferion ydynt gan rywun sy'n ceisio meistroli'r Gymraeg? Er bod y cyfan wedi'i gyflwyno'n ddestlus, mewn dau lyfryn, nid oes gan yr awdur hyd yma yr adnoddau ieithyddol i droi cruglwyth o ffeithiau yn ddarn o lenyddiaeth.

*Llechen Las*: 'I Wlad Sydd Well'. Cefais dipyn o flas ar y nofel gyfnod hon sy'n ymdrin â thlodi a chaledi mewn ardal chwarelyddol. Er bod tinc hen ffasiwn i'r cynnwys a bod y themâu'n gyfarwydd – trais, beichiogi y tu allan i briodas, cam-drin rhywiol, a'r tyndra rhwng eglwys a chapel – mae'r awdur yn gwybod sut i greu stori afaelgar ac i ddal diddordeb y darllenydd. Ac mae ganddo glust at iaith a deialog. Gan fod y nofel wedi'i llunio ar gynfas eang, mae taer angen ei datblygu fel bod modd mynd dan groen y cymeriadau a dilyn y llinynnau storïol i'w pen draw. Fe fydd gofyn cynllunio gofalus a chreu strwythur sy'n cynnal y stori. Gan mai nofel fer yn unig a ganiateid er mwyn cwrdd â gofynion y gystadleuaeth hon, rheitiach fyddai i'r awdur fod wedi canolbwyntio ar un o'r cymeriadau a rhoi gwell ffocws i'r stori.

*Ifor*: 'Mordaith Olaf y Countess Lochleir'. Pennod drist yn hanes Awstralia sydd wrth wraidd yr hanes a adroddir gan *Ifor*, sef yr arferiad o gasglu brodorion o Ynysoedd y Môr Tawel (trwy deg neu drwy dwyll) i weithio am gyflogau pitw ym mhlanhigfeydd siwgr Queensland a New South Wales. Ffuglen wedi'i seilio ar hanes go iawn sgwner lafur y 'Stanley' sydd yma ac mae'r awdur yn tynnu ar wybodaeth a gynhwysir yn lòg un a hwyliodd ar y llong honno. Mae'r pwyslais ar gyflwyno'r stori mewn modd syml ac uniongyrchol ac mae gan yr awdur y ddawn i adrodd stori garlamus sy'n llawn cyffro a thyndra er nad yw'n llwyddo i gynnal hynny hyd y diwedd. Mae'r iaith yn raenus at ei gilydd. Gyda thipyn o olygu a thynhau, y mae yma stori sy'n werth ei chofnodi.

Hedfan: 'Dagrau'r Duw'. Trwy gyd-ddigwyddiad, y mae'r gwaith hwn hefyd wedi'i leoli yn yr un pen o'r byd ond mewn cyfnod lawer cynharach. Hanes cyndeidiau'r Maorïaid yw sail y stori ddychmygol hon am lwyth cyntefig yn byw ar y tir a'r môr gan addoli duwiau natur. Wrth i'w hamgylchiadau ddirywio ac i hen elyniaeth â llwyth arall fygwth eu bywoliaeth, penderfynodd criw bychan fentro i'r môr mawr i chwilio am fywyd gwell i'r llwyth. Hanes eu hanturiaethau ar y môr ac yn eu gwlad newydd yw calon y stori a'u hymdrech arwrol i oroesi yn wyneb anawsterau mawr. I mi, symlrwydd a diniweidrwydd y gwaith yw ei gryfder. Rydym ym myd chwedloniaeth gynnar, amser maith yn ôl, ac mae'r naws delynegol yn driw i weledigaeth yr awdur. Trueni bod yr iaith mor wallus. Mae ymadroddion chwithig a chystrawennau Seisnig yn britho'r gwaith a byddai gofyn ei ailysgrifennu i bob pwrpas cyn y gellid ystyried ei gyhoeddi.

Gurfal: 'Mudo'. Dyma gyfrol fwyaf boddhaol y gystadleuaeth a'r fwyaf ysgytwol hefyd. Mae'n ymwneud ag ymdrech un teulu i oroesi yn wyneb armagedon. Darlunnir sefyllfa lle mae cynhesu byd-eang wedi cyrraedd ei benllanw, y wlad yn wenfflam ac wedi'i gorchuddio gan lwch, yr holl gyfleustodau wedi methu, bwyd yn brin, haint marwol yn ymledu, y llywodraeth wedi encilio a'r milwyr yn ceisio corlannu pawb iach ac yn bygwth dinistrio trefi cyfan er mwyn ceisio arbed rhywbeth neu rywrai. Yn y sefyllfa dorcalonnus hon, daw un teulu i'r casgliad mai'r unig obaith o oroesi yw gadael Treforys boblog am gefn gwlad Meirionnydd gan dybio y byddai fferm anghysbell y teulu, gyda'i ffynhonnau dŵr, ei thanc trydan a'i system drydanol annibynnol yn cynnig dihangfa.

Darlun tywyll a didostur a geir ac mae'r tad yn ymwrthod â phob cyfle i roi help llaw i gymdogion a chydfforddolion gan fynd ati'n ddidrugaredd i achub croen ei deulu ei hun. Ond nid oes achub i fod a daw'r diwedd anorfod mewn modd syml a dirdynnol.

Y mae llawer i'w ganmol yma: nid lleiaf saernïaeth y gwaith, y dyfyniadau pwrpasol ar ddechrau pob pennod, gallu'r awdur i greu awyrgylch o ddinistr ac anobaith, a'r modd syml, effeithiol y daw'r stori i ben. Ond nid yw'r gyfrol heb ei gwendidau. Ni chefais fy argyhoeddi gan elfennau o'r plot (e.e. rhai cyd-ddigwyddiadau gorhwylus) ac nid yw'r llinynnau storïol yn cael eu clymu bob tro. Nid oes ychwaith unrhyw ymdrech i greu cymeriadau credadwy. Ar wahân i'r tad, ni ddown i wybod y nesaf peth i ddim am aelodau'r teulu sy'n ganolbwynt i'r stori. Ac mae'r mynegiant yn bedestraidd ar y gorau. Gellid rhestru dwsinau o enghreifftiau o eiriau ac ymadroddion llanw megis 'yn rhyfeddol ddigon', 'ac fel y soniais', 'ond yn hollol ryfeddol', 'a dweud y gwir', 'wrth gwrs', 'rhywsut' – y cyfan mewn un paragraff wyth llinell. Nid eithriad mo'r paragraff hwnnw ysywaeth.

Roeddem ein tri'n gytûn mai dyma'r unig gystadleuydd oedd yn haeddu ystyriaeth ddifrifol am y Fedal. Bu trafod hir a helaeth arni gan ein bod yn unfryd bod i'r gwaith gryfderau digamsyniol. Ond er inni bendroni llawer ac ystyried pob posibilrwydd, daethom i'r casgliad anochel nad oedd gennym ddewis ond atal y Fedal eleni. Ein gobaith gwirioneddol yw y cyhoeddir gwaith *Gurfal* maes o law.


BEIRNIADAETH ALED ISLWYN

O'r wyth ymgeisydd a gynigiodd am y Fedal Ryddiaith eleni, dewisodd bron eu hanner ddefnyddio'r testun a osodwyd gan yr Eisteddfod, sef 'Mudo', yn deitl i'w gwaith. Arwydd cynnar o'r siom a oedd i ddilyn, rwy'n ofni. Mae gan bob gwaith creadigol hawl i deitl a bennwyd yn benodol ar ei gyfer, fel y mae gan bob plentyn hawl i'w enw.

Er mor amrywiol a safonol fu cynnyrch y wasg yng Nghymru dros y blynyddoedd diwethaf, prin iawn oedd y dystiolaeth fod yr awduron hyn yn darllen fawr o Gymraeg cyfoes. Cafwyd ambell syniad digon gwreiddiol, mae'n wir, ond at ei gilydd bu'n rhaid lloffa'n ofalus i ddal llygedyn o'r fflach honno yr oeddem wedi gobeithio amdani.

Darllenais y cyfrolau a ddaeth i law yn y drefn y cyraeddasant, a dyma air am bob un:

*Llechen Las*: 'I Wlad Sydd Well'. Ceir dechreuad da i'r nofel hanesyddol hon, gyda merch i chwarelwr yn cael ei hel adre at ei theulu o'r tŷ crand yn Lerpwl lle bu'n gweini, am ei bod yn feichiog. Gall yr awdur greu deialog sy'n argyhoeddi ac mae yma rai golygfeydd effeithiol ddigon. Darlunnir yn effeithiol hefyd y gwrthdaro rhwng 'capel' ac 'eglwys' o fewn cymdeithas weithiol, Gymraeg ei hiaith yn y cyfnod. Gwaetha'r modd, caiff canolbwynt y stori ei symud bob dwy neu dair pennod a dirywia'r hyn a allai fod yn saga deuluol ddigon difyr yn felodrama nad yw'n argyhoeddi o gwbl. Gobeithio'n wir y gwêl yr awdur yn dda i roi canfas ychydig yn ehangach iddo'i hun yn y dyfodol, gan ddysgu gwerth strwythur a phersbectif.

*Twm*: 'Adlodd'. Hunangofiant yw hwn – un ffuglennol, mi dybiaf. Adroddir hanes henwr a orfodir i adael Cymru am Ardal y Llynnoedd yng ngogledd

Lloegr, lle trig ei ferch a'i theulu. Yn hytrach na gadael i sefyllfaoedd a chymeriadau eu datgelu eu hunain i'r darllenydd, caiff popeth ei 'ddweud' yma. Serch hynny, cododd fy nghalon gyda'r addewid o bum stori fer o'i eiddo a'r rheini wedi eu hysgrifennu ar wahanol gyfnodau yn ystod ei oes. Syniad gwreiddiol a chyfle i daflu goleuni gwahanol ar ei brofiadau, meddyliais. Ysywaeth, mae'r storïau hyn wedi eu hysgrifennu yn yr un arddull yn union â phrif ffrwd y gyfrol. Traethir popeth. Ni chaiff fawr ddim ei gyfleu. Trechir y didwylledd hoffus sy'n nodweddu'r gwaith gan y ffaith na chyfyd yr arddull o dir cyffredinedd.

*Nant y Dwyrain*: 'Mudo'. Bron nad yw'r gyfrol hon yn ymgais i lunio gwyddoniadur am 'fudo'. O arferion mudo adar ac anifeiliaid i fudo ymysg pobl – yn unigolion, llwythau a chenhedloedd – neidiwn yn ddigyswllt trwy hanes ac ar hyd a lled y byd. Mae'r drysorfa o wybodaeth a fedd yr awdur a'i weledigaeth – ba beth bynnag y bo – y tu hwnt i bob dirnadaeth. Y drasiedi yw nad oes nemor ddim o'r cynnwys rhyfeddol hwn yn dal sylw'r darllenydd. O ran arddull, clogyrnaidd iawn yw'r mynegiant ac nid oes yma'r un llinyn storïol na syniadol i ddal pethau ynghyd.

*Ifor*: 'Mordaith Olaf y Countess Lochleir'. Cofnod ffuglennol o ddigwyddiad hanesyddol a geir yma. Eir â ni i gyfnod a rhan o'r byd sy'n ddigon anghyfarwydd (i mi, o leiaf), sef dyddiau cynnar trefedigaeth Queensland, Awstralia, pan oedd 'llongau llafur' yn hwylio'r Môr Tawel o ynys i ynys yn rhwydo gweithwyr ar gyfer y diwydiant siwgwr. Mae'r sgôp am chwip o stori antur gyffrous yn amlwg. Neu fe allai'r cynsail hanesyddol fod wedi esgor ar nofel dreiddgar am ddynion sy'n byw'n barhaus trwy frwydro yn erbyn ei gilydd, yr elfennau, y gyfundrefn wleidyddol y cânt eu hunain ynddi a'u cydwybod. Seiliwyd y gwaith ar ymchwil drwyadl a chadarn ac nid yw *Ifor* heb adnoddau iaith a dychymyg ond, ysywaeth, nid yw wedi llwyr fynd i'r afael â'r un o'r themâu addawol y cyffyrddir â nhw. Gobeithiaf y bydd yn barod i feddwl eilwaith am y ffordd orau o gyflwyno'r deunydd. Er ei gwendidau, mwynheais agweddau ar y gyfrol hon.

*Hedfan*: 'Dagrau'r Duw'. Yn annisgwyl, cafwyd dwy gyfrol a leolwyd yn nyfroedd deheuol y Môr Tawel – a dyma'r ail ohonynt. Hanes cyndeidiau'r Maorïaid a hwyliodd o'u cynefin gwreiddiol i drefedigaethu ynysoedd cyfagos yw sail y nofelig hon. Mae ôl ymchwil ar y gwaith ac mae yma awdur sensitif sy'n dangos cryn addfwynder tuag at ei bwnc. Gallwn yn sicr werthfawrogi gwreiddioldeb y syniad a chan ein bod yn ôl yn niwloedd amser, gallwn hefyd werthfawrogi symlrwydd y cymeriadu a rhediad y naratif, sy'n anelu at gyfleu naws chwedlonol, 'gyntefig' y stori. Ond mae angen arddull delynegol gref i gynnal ysgrifennu o'r fath. Yn ei ffurf bresennol, mae'r gyfrol hon yn rhy dlawd ei mynegiant a thry diffyg dyfnder y stori a'r cymeriadau yn ddiflas o fewn byr o dro.

*Dwy bluen, ac un het*: '!!!!'. Anecdotau am anifeiliaid ac iddynt nodweddion dynol a geir yn y casgliad rhyfeddol hwn. Mae tafod yr awdur yn sownd yn ei foch, i'm tyb i, er nad yw'n amlwg o drwyn pwy y carai dynnu blewyn. Does dim amheuaeth nad yw'n hoff o chwarae â geiriau a bod ganddo adnoddau ieithyddol pur sylweddol. Os daw dydd pan fydd ganddo rywbeth call i'w ddweud, mae'n ddigon posibl y bydd yn gystadleuydd peryglus.

*Gurfal*: 'Mudo'. Er ei bod ymhell o gyrraedd ei llawn botensial, dyma'n ddi-os gyfrol fwyaf 'gorffenedig' y gystadleuaeth. Ymdrech arwrol Cymro diwylliedig dienw i achub ei deulu yn wyneb cyflafan enbyd yw craidd y stori. Awn ar daith apocalyptaidd o Abertawe i Fachynlleth a'r tu hwnt a llwydda'r awdur i greu sawl golygfa gyffrous a dirdynnol ar hyd y ffordd. Nid yw'r syniad o haint a hinsawdd yn cyfuno i ladd rhan helaethaf poblogaeth y byd, a holl gyfundrefnau gwareiddiad yn ei sgîl, yn un arbennig o wreiddiol. Daeth sawl nofel, ffilm a chyfres deledu i'm meddwl yn syth. Ar wahân i'r disgrifiadau o lefydd cyfarwydd, fel Llandeilo, Talyllychau, a'r Llyfrgell Genedlaethol, fel diffeithleoedd peryglus, nid oes gan yr awdur fawr ddim byd newydd i'w ddweud ar sail y senario ychwaith. Yn hynny o beth, nid yw hwn yn waith uchelgeisiol, ond mae yma addewid bendant am nofel fer afaelgar a chanddi'r gallu i gyffwrdd â'r darllenydd. Mae *Gurfal* naill ai'n awdur lled brofiadol eisoes neu mae ganddo reddf storïol naturiol. Ond ar ôl hynny o ganmol, rhaid nodi nad yw popeth yn taro deuddeg yma o bell ffordd. Er enghraifft, digon arwynebol yw'r darlun teuluol a gawn. Nid oes yma unrhyw ymdeimlad o ymwneud aelodau'r teulu â'i gilydd cyn i'r trychinebau daro, a'r tad, mewn gwirionedd, yw'r unig gymeriad a ddaw'n agos at fod yn gymeriad crwn. Er mor addawol yw'r nofel hon, nid cwtogi, twtio neu wneud mân newidiadau yn unig sydd ei angen cyn y gellid ei chyhoeddi. Mae gofyn i'r awdur ei hailystyried mewn modd mwy sylfaenol, i ddatblygu'r cymeriadau fel y soniwyd eisoes a chysoni a rhesymoli'r plot mewn mannau hefyd.

*Teithiwr*: 'Mecsico, y Lap Top a Fi ...'. Roedd hi'n braf cael llyfr taith yn y gystadleuaeth ond does dim gwobr am ddyfalu i ble'r awn ni yng nghwmni *Teithiwr*. Bardd ifanc o Gaerdydd yw'r awdures ac â â ni i wlad y *tequila sunrise* a'r tlodi, lle treuliodd chwe mis yn blasu'r diwylliant ac yn gweithio gyda'r difreintiedig. Mwynheais y daith ond mae dirfawr angen cysoni'r mynegiant a chryfhau'r arddull cyn y gellid meddwl am gyhoeddi. Byddwn hefyd yn gofyn i'r awdur ailystyried faint o'i bywyd personol y mae hi'n wir am ei rannu gyda'r darllenydd – cwestiwn perthnasol bob amser pan fydd awdur yn troi dyddiadur personol yn gyfrol. Yma, cyfeirir yn fynych at berthynas hirdymor a chwalodd 'nôl yng Nghaerdydd – dyna, mae'n ymddangos, a sbardunodd y daith yn y lle cyntaf – ond ni chawn fyth wybod union natur na maint y dolur. Does dim disgwyl i'r darllenydd gael clywed am holl fanylion y chwalfa, wrth reswm, ond pan dry'r ensyniadau enigmataidd yn fwy o rwystredigaeth nag o anogaeth ar y daith, rhaid cyfaddawdu yn rhywle, rwy'n meddwl.

*Gurfal* a roes y boddhad mwyaf imi o blith yr wyth ond nid yw ei nofel eto'n agos at fod yn barod i'w chyhoeddi nac i gipio'r Fedal Ryddiaith. Gobeithio y caiff yr amser a'r cymorth sydd ei angen arno i finiogi ei arddull a datblygu'r stori ac y gwêl y gwaith olau dydd yn weddol fuan.

Ar ôl trafodaeth fanwl a rhoi ystyriaeth ofalus i bob posibilrwydd, cytunasom ein tri nad oedd gennym ddewis eleni ond atal y wobr.


BEIRNIADAETH FFLUR DAFYDD

Dros y blynyddoedd, mae cynnyrch arobryn y Fedal Ryddiaith wedi gwneud cyfraniad unigryw at ein llên ac wedi sicrhau bod ffurfiau llenyddol nad ydynt efallai'n cael y sylw dyledus – fel nofelau byrion a chyfrolau o straeon byrion – yn cyrraedd cynulleidfaoedd eang. Mae'r gystadleuaeth hon hefyd yn rhoi cyfle i awduron arbofi gyda ffurf ac arddull – gyda'r nofelwyr mwy traddodiadol bellach yn dargyfeirio'u cynnyrch at gystadleuaeth Gwobr Goffa Daniel Owen. Daeth nifer o awduron newydd sbon i amlygrwydd trwy'r gystadleuaeth hon hefyd ac mae iddi swyddogaeth hynod bwysig o fewn ein tirlun diwylliannol, wrth i gyfrolau fel *O Tyn y Gorchudd!* (Angharad Price) ac *Y Trydydd Peth* (Siân Melangell Dafydd) gyfrannu safbwyntiau creadigol newydd i ni ar lefydd cyfarwydd yng Nghymru.

O ystyried y pethau hynny, roedd fy nisgwyliadau fel beirniad yn uchel iawn ac roeddwn yn edrych ymlaen at ddarganfod lleisiau dyfeisgar a ffres, ac i gael fy llorio gan weledigaethau newydd. Roeddwn hefyd yn ymwybodol fy mod yn darllen y cyfrolau hyn ar ran y gynulleidfa awchus sy'n aros i'r bocsys gael eu hagor y tu allan i'r pafiliwn ar bnawn Mercher yr Eisteddfod, a bod eu disgwyliadau hwythau yr un mor uchel.

Roedd yr argaff gyntaf, felly, yn hollbwysig wrth fodio'r tudalennau. Fel y gŵyr unrhyw awdur gwerth ei halen, y mae'n rhaid saernïo arddull o'r frawddeg gyntaf un ac y mae'n rhaid denu'r darllenwyr i mewn i fyd y nofel fesul paragraff, fesul tudalen, fesul golygfa, heb orffwyso neu arafu nes eu bod yn gafael ynoch yn llwyr. A siom oedd darganfod cyn lleied o amgyffred oedd gan yr awduron hyn o wir bwysigrwydd eu hagoriadau. A siom fwy fyth oedd canfod nad oedd chwaith yr un *llais* pendant i'w glywed ar ddechrau unrhyw nofel – dim byd i ddynodi gwir arwahanrwydd, ffresni neu wreiddioldeb.

Llafurus oedd y broses o orfod darllen sawl cyfrol fwy nag unwaith i wneud synnwyr ohoni neu i ganfod ei rhinweddau. Dw i'n derbyn, wrth gwrs, fod rhywun yn darganfod rhywbeth newydd mewn ail neu drydydd darlleniad ond os yw nofel yn argyhoeddi, yna mae hi'n argyhoeddi o'r dechrau, a dim ond cyfoethogi ei hystyron a'i harddull a wna'r ailddarlleniad. Bu'n rhaid chwilio'n ddyfal am ragoriaethau ymhlith y cynnyrch a ddaeth i law ac roedd hynny'n loes calon i mi fel beirniad, ac fel darllenydd cyffredin. Er bod rhai'n honni ein bod yn byw yn 'oes aur rhyddiaith Gymraeg' ar hyn o bryd, nid adlewyrchwyd hynny, gwaetha'r modd, o fewn cynnwys y gystadleuaeth hon.

Dyma air am bob cystadleuydd:

*Ifor*: 'Mordaith Olaf y Countess Lochleir'. Ffuglen hanesyddol sydd yma, wedi'i hadrodd o safwynt capten llong wedi ymddeol. Dyma'r math o naratif a fyddai efallai'n fwy addas ar gyfer cystadleuaeth Gwobr Daniel Owen, gan fod yma linyn storïol cryf ac y mae'n nofel ac iddi ymdeimlad 'clasurol.' Er nad apeliodd y gyfrol ataf yn bersonol, yr wyf yn cydnabod y byddai ganddi apêl i ddarllenwyr sy'n mwynhau anturiaethau morwrol. Ond, yn sicr, fe fyddai'n rhaid wrth olygu trylwyr, gan fod angen ei thynhau cryn dipyn ac ychwanegu ychydig mwy o dyndra a chyffro at y prif naratif. Fe fyddai'r gyfrol yn siŵr o fod ar ei hennill o hepgor yr esboniadau ffeithiol yn y bennod olaf, gan fod hynny'n torri ar hud y nofel ryw fymryn. Mae'r arddull yn syml a'r iaith yn raenus ond does 'na ddim byd dyfeisgar na chwyldroadol yma.

*Nant y Dwyrain*: 'Mudo'. Cybolfa o naratif sydd yma, wedi'i greu o sawl naratif llai. Nid oes dolen gyswllt amlwg, hyd y gwelaf, ond mae'r straeon yn rhyw fath o 'chwedlau' hen a newydd, sy'n cael eu hadrodd, fe dybiwn, o enau prif 'Chwedleuwr'. Yn ganolog i'r darn, mae'r themâu o ddiwylliant, colli ac ennill iaith, a theithio. Mae diffyg cynildeb ac eglurder yma – ac mae'r gyfrol ar ei hyd yn gymysgedd o orysgrifennu ac ysgrifennu cwbl ddryslyd (ystyriwch baragraffau megis: 'Mudferwodd mudandod o dan yr wyneb. Collodd y mudwyr eu hiaith. Ond yn fud ddaeth mudiad i frwydro drosti. Rhoiodd marwolaeth y mudandod lais i'r mudanesau. Y maent yn canu caneuon hudol yn awr, yn fudol am oes. Ymfudiad mawr y crwydrwyr ...'). Mae'r gyfrol drwyddi draw yn ddryslyd a bron yn annarllenadwy.

*Twm*: 'Adlodd'. Hanes bywyd un cymeriad sydd yma yn y bôn – hen ŵr sy'n gorfod gadael ei gartref, gan ddadansoddi ei orffennol trwy gyfres o straeon byrion digon darllenadwy a dymunol. Gwendid mawr yr awdur hwn yw ei fod yn traethu yn hytrach na gadael i'r naratif adrodd ei stori ei hun. Er bod yr iaith yn gywir ac yn eglur, does 'na fawr o fflach na gwreiddioldeb yn perthyn i'r gyfrol, ac nid yw'n teimlo'n gwbl orffenedig fel cyfanwaith.

*Hedfan*: 'Dagrau'r Duw'. Mae cynnwys y gyfrol hon yn addawol. Rhyw fath o stori alegorïaidd sydd yma, yn dwyn adleisiau o stori Noa ond wedi ei lleoli'n benodol ym myd y Maori. Mae'r arddull yn syml ac yn uniongyrchol ond mae yma hefyd ymadroddion chwithig, Seisnig, sy'n merwino'r glust. Er ei bod yn dechrau'n dda, nid yw'n ddarllen cysurus ar y cyfan. Nid oes digon o swmp, sylwedd na dyfnder yma i gynnal diddordeb darllenydd ac mae'r stori'n troi yn ei hunfan ar sawl achlysur.

*Teithiwr*: Mecsico, y Lap Top a Fi'. Rydym yn codi i dir uwch yn y fan hon, gyda hanes merch ifanc sy'n gweithio mewn cartref plant ym Mecsico, a hynny ar ffurf dyddiadur. Mae'n amlwg fod yma awdur profiadol, telynegol, deallus, sydd â'r gallu i greu naws ac awyrgylch yn effeithiol. Ond, er gwaethaf elfen ddarllenadwy'r gyfrol hon, eto nid yw'r gwaith ar ei hyd yn argyhoeddi. Er y cafwyd ysgrifennu synhwyrus a chynnil ar adegau, mae'r arddull yn amlach na pheidio yn blaen ac yn newyddiadurol. Mae 'na dueddiad i restru ffeithiau moel am y golygfeydd a'r digwyddiadau yn hytrach na chwilio am ystyr ddyfnach, ac mae'r anghysondeb mewn arddull, ynghyd â'r mân frychau ieithyddol, yn golygu nad yw hon yn gyfrol o'r safon a allai fod. Nid yw'r awdur ychwaith yn ymddiried yn y darllenydd i ddarllen rhwng y llinellau ac mae yma ryw reidrwydd i esbonio arwyddocâd ambell drosiad neu olygfa, yn hytrach na gadael iddo sefyll drosto'i hun. Ar hyn o bryd, mae'r gyfrol fel dyddiadur sydd heb eto'i drosi'n ddarn o gelfyddyd, ond yn sicr mae 'na obaith y gallai fod yn gyfrol hynod gyhoeddadwy ac apelgar yn y dyfodol.

*Dwy bluen, ac un het*: '!!!!'. Awdur chwareus ddigon sydd wrth y llyw yn y fan hon, gyda chasgliad o straeon absŵrd a doniol am wahanol greaduriaid. Yn y cyflwyniad crwydrol, mae'n benderfynol o gyfarch y beirniaid: 'Diolchaf i'r Beirniaid hynaws eleni am eu hamynedd a'u darbodaeth, a hynny tra'n cloriannu'r gyfrol hon', ac mae'r agwedd bryfoclyd, ddireidus honno'n parhau trwy'r nofel ac yn codi gwên achlysurol. Yn wahanol i nifer o'r cyfrolau eraill, mae yma wir ddyfeisgarwch a bwrlwm, ond maen tramgwydd yr awdur hwn yw ei fod yn treulio gormod o amser yn dotio at ei glyfrwch a'i ddoniolwch ef ei hun i boeni rhyw lawer am strwythur neu ddatblygiad y naratif.

*Llechen Las*: 'I Wlad Sydd Well'. Fel y mae'r teitl yn ei awgrymu, nofel weddol hen ffasiwn sydd yma, yn dilyn hanes un teulu yn ystod y 1890au. Er hynny, mae'r arddull yn gaboledig ac mae'r ysgrifennu ar adegau'n wirioneddol rymus. Ceir nifer o themâu ac is-blotiau, gan gynnwys llosgach, cam-drin, plant siawns, ac mae potensial mawr iddi fel nofel. Gwaetha'r modd, nid yw cynfas y nofel fer wedi rhoi cyfle go iawn i'r awdur ddatblygu ei ddawn o gymeriadu a chreu naratif, ac fe fyddai'r nofel yn elwa'n fawr o gael ei hailddrafftio yn ffuglen hanesyddol swmpus, a fyddai'n rhoi sylw dyledus i leisiau ac emosiynau'r cymeriadau difyr yma.

*Gurfal*: 'Mudo'. Dyma nofel orau'r gystadleuaeth, heb os nac oni bai. O'r diwedd, clywn lais awdur hyderus sy'n deall gofynion naratif, sydd wedi creu sefyllfa arswydus o gredadwy (apocalyps yng Nghymru), ac sydd â'r grym a'r pŵer i afael ynom a'n hysgwyd at fêr ein hesgyrn gyda difrifoldeb ei neges. Mae'r nofel hon yn creu darlun real ac arswydus o ddiwedd gwareiddiad a chwalfa cymdeithas ac mae'n nofel ddwfn sy'n procio'r meddwl. Ond, gwaetha'r modd, nid yw arddull yr awdur hwn yn gwneud cyfiawnder â'r cynnwys. Mae gan yr awdur arddull adroddllyd a fyddai'n diflasu sawl un, 'dybiwn i – ac nid yw'n ymddiried yn y darllenydd i lenwi bylchau. Er ei fod yn awdur a chanddo rywbeth i'w *ddweud*, ei broblem fawr yw ei fod yn orddibynnol ar *ddweud*, ac yn diystyru'r posibilrwydd o *ddangos* y sefyllfa i ni. Nid yw'r syniad yn un cwbl newydd ychwaith, ac mae'r math yma o thema wedi ei ddarlunio'n llawer mwy celfydd gan awduron fel Cormac McCarthy yn *The Road*, nofel sydd o bosib wedi dylwanadu ar yr awdur hwn. Ond wedi dweud hynny, y mae pob awdur yn cael ei ddylanwadu gan awduron eraill a'r gamp yw troi'r dylanwad yn rhywbeth newydd a chyffrous. Gan mai yng Nghymru y lleolwyd y stori, fe allai *Gurfal* fod wedi defnyddio'r dirwedd unigryw a'r lleoliadau eiconig mewn ffordd lawer mwy dyfeisgar nag a wnaeth – ac fe gollwyd sawl cyfle i greu darluniau trawiadol. Roeddwn hefyd yn teimlo bod gwendid sylfaenol yn y cymeriadu o fewn y nofel hon – ni wyddwn fawr ddim am berthynas y prif gymeriad a'i wraig, er enghraifft, a phrin iawn oedd y ddeialog i dorri ar undonedd y naratif. Serch hynny, mae'r diweddglo cynnil, awgrymog yn wych, ac yn un sy'n parhau i adleisio – gresyn na fyddai gweddill y nofel yn dangos y fath gynildeb ac yn llwyddo i greu awyrgylch yn yr un modd.

Er ein bod yn gytûn fel beirniaid fod *Gurfal* yn awdur deallus, llengar a dwys, sydd yn haeddu gweld ei waith wedi'i gyhoeddi, ni fyddai'n llesol iddo gyhoeddi'r nofel fel y mae gan fod angen cryn dipyn o waith arni eto er mwyn gwireddu ei llawn botensial. Rwy'n dymuno pob lwc i'r awdur hwn, serch hynny, ac yn diolch iddo am roi o leiaf un gyfrol i ni yr oedd modd ei thrafod a'i hystyried o ddifrif. Ond yr wyf innau, fel fy nghydfeirniaid, yn teimlo mai'r unig ddyfarniad sy'n bosib eleni yw atal y wobr. Wrth wneud y penderfyniad anodd hwn, yr wyf yn mawr obeithio, hefyd, y bydd hynny'n arwain at rywfaint o adfywiad o fewn y gystadleuaeth hon y flwyddyn nesaf.

# Stori Fer: Twyll

BEIRNIADAETH JON GOWER

Daeth 27 stori i law. Nid oedd pob cystadleuydd yn dangos ei fod yn 'nabod ffurf y stori fer, ei chonfensiynau a'i phleserau ond, wedi dweud hynny, nid oedd unrhyw waith heb iddo fod â rhyw gymaint o bleser i'w gynnig i'r darllenydd. Yn gyffredinol, mae angen i'r iaith weithio'n galed mewn stori fer. Yn hyn o beth, mae'n ymdebygu i farddoniaeth a gellir gweld hynny yng ngwaith awduron o Kate Roberts i Alice Munro, ac yn sicr mae gwaith yr awdur o Ganada yn werth i'w ddarllen os am ddeall ehangder a dyfnder y ffurf.

Dyma air am bob ymgeisydd yn y drefn y derbyniwyd y cynnyrch. 'Twyll' oedd y teitl a ddefnyddiwyd gan y rhan fwyaf ohonynt ond nodir unrhyw deitl gwahanol a roddwyd gan ambell un.

*Taro Deuddeg*: 'Y Gwneuthurwr Clocie'. Hanes mewnfudwr i gefn gwlad Cymru, Richard Gershwin, sydd yma, cyn-ddeliwr arian o'r Ddinas yn Llundain sy'n breuddwydio am ddofi'r 'Gorllewin Gwyllt (fel John Wayne, ond mewn Mitsubishi yn hytrach nag ar gefn palomino). Nid yw'n deall arferion, cymeriad na chymeriadau'r lle ac nid yw'n boblogaidd iawn yn y pentref o'r herwydd. Ond ei agwedd tuag at yr iaith, a'r ffaith mai 'hwylustod economaidd' sydd wedi caniatáu iddo symud i Gymru, sy'n codi gwrychyn. Er bod tafodiaith brydferth ar waith yma, ystrydebol oedd y plot a'r cymeriadu ac roedd angen mwy o ddyfnder yn y dweud.

*Shanco*: 'Yr Artist'. Y math o artist sy'n yfed wyth peint o gwrw mewn noson sydd dan sylw yn y stori yma am griw o yfwyr – Staplwr, Elen Fach, Martha Dew a Harri'r Wythfed – yn trafod celf mewn tafarn gefn gwlad. Harri sy'n adrodd ei hanes yn fachgen o arlunydd yn yr ysgol, a hefyd yn fodel ar gyfer paentiadau gan ei hen athro, a'r rhain yn gwerthu'n dda ym Manhattan a Los Angeles. Mae'n debyg fod clustfeinio ar sgwrs mewn snyg yn ddifyr ond, yn y pen draw, mae'r difyrrwch yn troi'n wydr cwrw wag.

*Cwm Bychan*: 'Troi at yr Haul'. Stori dawel, lonydd am berson dienw yn dilyn patrymau cysurus, domestig o gwmpas y tŷ, ac yn nodi sut mae popeth yn ei le – 'y jwg fach arian oedd yn perthyn i mam', 'y nenfwd yn glaerwyn fel y drysau a fframiau'r ffenest', a'r tu allan: 'y lawnt yn berffaith, dim blewyn o fwsog'. Mae wedi canfod y canol llonydd yr oedd yn dyheu amdano. Pan ddaw'r diweddglo, gyda thafliad carreg i chwalu ffenest yr ystafell fyw, mae'n dod fel sioc, yn torri'r tawelwch a'r byd bach cysurus. Yn hynny o beth mae'n effeithiol, gan fod yr awdur wedi twyllo'r darllenydd fod y tŷ bach twt yn berffaith ac nad oedd dim byd i ymboeni yn ei gylch.

*Clegyr*: Stori Sioned yw hon, menyw nad yw'n gallu cael plant. Oherwydd ei gwaith fel athrawes, mae'n gweithio mewn byd sy'n llawn plant. Pan ddaw'r newyddion bod ei chyfeilles, Mared, yn feichiog, mae'n gyfle iddi ei dychmygu ei hun yn yr un sefyllfa. Doedd dim arbenigedd i'r dweud, er bod yr iaith yn glir a'r emosiwn hefyd.

*Stwnsh*: Drama ddomestig arall sydd yma: Esme'n byw ar ei phen ei hun ac yn cerdded am hanner awr bob dydd ac ymhob tywydd i fwynhau cwmni ei ffrindiau, sef y coed – 'y gelynnen finiog ei thafod, yr helygen ddagreuol bathetig a'r boplys dal warchodol'. Mae'n fenyw fusneslyd ac un diwrnod mae'n sbïo drwy ffenestr cymydog iddi ac yn craffu ar rai o'r ffotograffau sydd y tu mewn. Mae'n gweld arwyddocâd i'r rhain ac yn dymuno cyfathrebu hynny i'w merch, ond er fy mod wedi darllen y stori deirgwaith, ni allwn i fy hun ddeall yr arwyddocâd.

*Lara*: 'Rhestrau Siopa Lara Wyn'. Hanes obsesiwn sydd yma, Lara Wyn a'i charwriaeth ffantasïol gyda dyn o'r enw Gruff, y dyn mae'n ei garu'n fwy na neb arall yn y byd. Mae'n prynu crys newydd iddo bob tro y mae hi yn y dref. Fersiwn o *chick-lit* Cymraeg sydd yma felly, ac mae cyflwr emosiynol Lara druan yn cael ei ddisgrifio'n ddi-ffws. Mae'r 'sgrifennu'n glir ond heb fawr addurn, ac mae'r tro bach yng nghynffon y stori'n dyner a chredadwy. Er bod y cystadleuydd wedi deall bod stori fer yn aml yn canolbwyntio ar un gwrthrych bychan sy'n cynrychioli rhywbeth mwy, megis crys Gruff, nid oedd y ddyfais yn gweithio y tro hwn.

*Carneddi*: 'Celwydd gwyn golau'. Stori effeithiol, gyda phlot syml ac effeithiol: hen ddyn yn marw tra oedd ei ferch yn esgor ar faban. Roedd ar yr hen ŵr eisiau bachgen newydd yn y teulu ac, felly, mae adrodd y newyddion iddo am y newydd-anedig yn cynnwys ychydig bach o dwyll neu, o leiaf, gelwydd golau. Efallai fod angen ychydig bach mwy o ymdrech ar ddisgrifio pethau – y ffordd y mae pobl yn edrych, eu hoedrannau, y babi newydd, a.y.b , oherwydd mae'r stori braidd yn ddi-liw fel y mae.

*Ymwelydd*: 'Pedwar Wrth y Ford'. Mae 'na deulu, amser rhyfel (ond rhyfel dienw), yn paratoi swper ar gyfer Marek sydd newydd ddychwelyd o'r ffrynt. Mae'n stori gan sgwennwr sylwgar a sensitif ac mae'n atgoffa dyn o ffilm Ffrengig, neu storïau Tseicoff, gyda rhythmau tawel ac er mai prin, mewn gwirionedd, yw'r digwyddiadau ynddi, rhydd gipolwg clir ar fywyd teulu.

*Y Pendil Cam*: Gellir dadlau – a dw i'n siŵr y bydd 'na ddadlau ynghylch y stori hon – mai nofelig neu stori fer hir ydyw. Mae'n 59 tudalen A4 o hyd, ond mae ynddi dipyn o hud, ac felly mae'n rhaid ei hystyried yn un o weithiau cryfaf y gystadleuaeth. Mae menyw newydd, Gertrude, wedi symud i fyw ar fferm Llain Gyndyn. Hi sy'n newid cydbwysedd bywyd ar yr aelwyd yno a hi sy'n dod â thwyll yn ei sgîl. Mae 'na ddigonedd o sgrifennu effeithiol yma, a hon a gynhaliodd fy niddordeb fwyaf. Roedd arnaf eisiau gwybod mwy drwy'r amser, fel sy'n digwydd wrth i rywun ddarllen deunydd da gan awdur dawnus. Mae'n rhaid gofyn a yw'r gwaith yn rhy hir i fod yn stori fer? Efallai! Ond os am ansawdd a sgiliau digamsyniol dweud stori, mae'n rhaid i ni ei chaniatáu.

*Llwyd y Berth*: Stori fwyaf rhamantus y gystadleuaeth. Nid yw bywyd wedi bod yn garedig wrth Kate. Gadawodd ei gŵr hi ar ben-blwydd eu priodas ac yna collodd hithau ei swydd fel cynorthwy-ydd personol. Ond mae'n dal yn fenyw brydferth, ramantus, ac yn darllen nofelau rhamant hefyd. Ei ffefryn yw *Pride and Prejudice* a phan mae'n cwrdd â dyn ifanc, golygus o'r enw Sebastian rhwng y silffoedd mewn llyfrgell, mae apêl Darcyaidd y dyn yn sicrhau ei bod yn derbyn gwahoddiad i ddod i'w grŵp trafod llyfrau. Yno mae'n cwrdd â dyn arall ac mae gwir ramant yn dechrau egino. Stori hyfryd o syml, hapus, gonest.

*Efengyl*: Stori fer, fer – cwta bedwar tudalen – am fenyw ddŵad atyniadol, Janet, yn cyrraedd pentref yng Nghymru yn ystod oriau olaf ei mam. Yn debyg i'r hyn a geid mewn ffars gan Brian Rix, mae pethau'n symud yn gyflym, gyflym. Mae'r fam yn marw, Janet yn denu'r gweinidog lleol i'r gwely, gwraig y gweinidog yn ei adael, Janet hithau'n gadael, a'r Parchedig Eric John Roberts yn cael ei adael heb na ffydd, gobaith na chariad. Seren wib o stori, fflach sydyn o egni rhywiol, cyn bod bywyd y gweinidog yn mynd yn gyfan gwbl ar chwâl. Roedd hon yn stori lle'r oedd digon yn digwydd, felly, ond heb unrhyw wefr lenyddol.

*Iolo*: Puteindra yw thema'r stori hon, yn olrhain hanes Maria, merch ifanc o Albania, a gafodd ei hudo drwy dwyll i'r fasnach ryw, a'i chludo i wlad arall, i gael ei threisio a'i phuteinio. Prin yw'r sylw a gaiff y math yma o destun yn y Gymraeg, er bod menywod fel Maria wedi eu caethiwo yn ein dinasoedd ni yng Nghymru. Ond sgrifennu dogfennol sydd yma, gyda thinc o'r pregethwrol yn awdur-lais *Iolo*. Byddai triniaeth fwy dychmygus o'r testun annisgwyl hwn wedi bod o fudd, heb sôn am bwyso'n drymach ar y gydwybod os dyna oedd bwriad yr awdur.

*Mambo*: 'Trysor y Teulu'. Cawn hanes blwch pren sy'n symud o'r naill berchennog i'r llall, yn debyg i'r offeryn yn nofel Annie Proulx, *Accordion Crimes*. Gwelwn y bocs yn 2001 yn nwylo Carys sy'n awchu am gael gweld beth sydd y tu mewn iddo. Yna cawn weld y bocs yn 1763 pan mae caethwas o arddwr yn ei roi'n anrheg i'w feistr creulon. Ond mae'r bocs wedi ei felltithio ...! Gwendid y stori yw'r diweddglo, pan fo'r perchennog diweddara' ar ei ffordd i Efrog Newydd ddechrau Medi, 2001. Mae'n ffordd braidd yn ddiog o ddod â phethau i ben, er i gymaint o bethau ddod i ben ym Manhattan yr adeg honno.

*Ann Teak*: 'Rhannu Diddordeb'. Diwrnod ym mywyd Enid a gawn yma, menyw'n cynadledda am ddeuddydd mewn dinas ddieithr. Yno, mae dyn drwgdybus a blêr o'r enw Charlie yn ei dilyn a hithau'n llwyddo i'w osgoi – hynny yw, nes bod dyn trwsiadus yr olwg yn ymddangos i'w helpu a hithau'n gwbl anymwybodol bod y ddau ddyn yn bartneriaid, yn sgamwyr ill dau. Stori syml ac effeithiol.

*Aderyn brith*: Cyflwynwyd y stori hon ar ffurf ryfedd, sef darnau wedi eu llungopïo o ryw lyfr ac yna'u gludo ar dudalennau lliw. Methais weld y jôc ond efallai nad ydw i'n ddigon soffistigedig i wybod ai gwaith gwreiddiol ynteu copi o waith arall oedd yma. Oherwydd fy nryswch, collais amynedd gyda'r gêm, a chyda'r naratif anghonfensiynol. Ac mae hynny'n drueni, oherwydd roedd egni geiriol yn y dweud ac awgrym fod yma awdur da neu gonsuriwr sgilgar y tu ôl i'r triciau.

*Ai Sami?*: Dyma stori'n troi o gwmpas bachgen wyth a hanner mlwydd oed sy'n mwynhau crwydro yn y nos. Mae ei fochdew wedi marw a mwy na thebyg yn 'gorwadd ar ben cwmwl, a'i goesa'n hongian dros yr erchwyn tra'n teithio'n hamddenol-braf drwy'r nen'. Mae'r arddull yn arbrofol, ac mae 'na ffresni yn y dweud, ond nid yw'r cymeriadau yn y stori yn ennill digon o gydymdeimlad y darllenydd.

*Cyfaill Giaman o'r Enw Huwco*: Awdur chwareus sydd yma, yn dechrau'i stori gyda phwt o lythyr yn disgrifio cath, Huwco, 'un lliw lludw fel petai fo wedi trigo mewn grât ers nifar fawr o flynyddoedd'. Ac ef, y cwrcyn, yw arwr y stori. Er bod yr iaith yn fywiog, a'r gath yn gymeriad boliog, effeithiol, roedd angen naraftif cliriach yn stori'r gath.

*Sam*: Twyll rhywiol yw injan y stori hon, am Emyr – sydd ar fin priodi – wedi bod yn cael affêr gyda'r forwyn briodas. Dyma'r triongl oesol, mewn stori debyg i rai Mills & Boone, ond heb fod fawr mwy na hynny.

*Brad Pwyll*: Dyma stori fer ôl-fodern am ddyn o'r enw Brad yn sgrifennu stori fer yn ystod taith trên o Gaerdydd i Fanceinion, a chanddo lif o atgofion, neges-destunau, syniadau a myfyrdodau am iaith. Symuda'r awdur o'r naill destun i'r llall – y ffôn cludol, arferion yfed y Pwyliaid, y ffilm *Zulu*, ac yn y blaen – mewn ffordd ddifyr a digon doniol (ac mae'n rhaid dweud nad oes fawr o hiwmor yn y mwyafrif o'r straeon eraill a ddaeth i law). Felly, digon o chwarae a chlyfrwch, ac arddull garlamus, ond mae'n rhaid cofio bod angen rheolau ar bob gêm, hyd yn oed un ôl-fodern.

*Gwyn*: Bywydau'n mynd ar chwâl ar fferm sydd yma, mewn stori sy'n dechrau ar ddiwrnod angladd ffarmwr. Bu ei wraig, Mari, mewn perthynas gyfrin â'u cyfrifydd, a'i chael ei hun yn feichiog. Awgryma'r awdur fod y gyfrinach hon yn gysylltiedig â marwolaeth ei gŵr – yn ogystal â'i ofidiau ariannol a'i salwch meddwl. Stori gredadwy am gasineb ac euogrwydd, wedi'i hysgrifennu'n hamddenol a'r strwythur yn glir.

*Swyddog*: Daeth yr enw John Le Carré i'm meddwl wrth i mi ddarllen y stori hon sy'n cyfeirio at y ffenomen ddieflig o symud pobl o'r naill wlad i'r llall er mwyn eu poenydio a'u perswadio i ddatgelu gwybodaeth. Yn y stori hon, ni ellir ymddiried yn neb, a dyna ddilema'r prif gymeriad, y carcharor, wrth iddo adael ei gell am y tro olaf. Dyma stori fywiog, gyfoes nad yw'n datgelu wyneb y twyllwr mwyaf tan y frawddeg olaf un,

*Llais yr Eifl*: 'Yr Adroddiad'. Gyda braw mae Eirlys yn derbyn gwŷs i weld y prifathro yn yr ysgol ble mae'n athrawes. Dim ond gofyn iddi lunio adroddiad a wnaeth a hynny er gwaetha'r dirywiad yn ei hiechyd hi. Y gwendid mwyaf yn y stori hon oedd rhuthr y diwedd – hi, Eirlys, yn gorffen yr adroddiad, yna'n cael ei chladdu, a rhywun wedyn yn darganfod yr adroddiad hwnnw wrth glirio'i hystafell. Bu bron i mi golli fy ngwynt!

*Cyw*: 'T-FAWR trwy fywyd'. Y T-FAWR yw twyll, sy'n cystadlu gyda'r C-FAWR a'r E.C.G., a.y.b. Mae'r awdur ei hun yn disgrifio'i waith fel 'ysgrif' ac yn disgrifio'r 'ysgrif' ei hun fel un 'amrwd'. Dichon ein bod yn iawn i dderbyn barn yr awdur ei hun yn yr achos hwn!

*Funud Ola'*: Dyma ryddiaith ffres, sicr ac egnïol mewn stori sy'n digwydd yn y Canol Oesoedd, yn y cyfnod hwnnw ar ôl i Awstin ymroi i ledaenu dylanwad Eglwys Rhufain. Mae'n gyfnod pan mae gwrachod ar waith, a'r rhain yn medru newid siâp, a byw yng nghyrff pobl eraill hyd yn oed. A dyna ran o gyfrinach y stori er bod yn rhaid dweud bod y gyfrinach honno braidd yn rhy amlwg.

*Mana mana mwnci*: Yn ei nofel ddiweddaraf, mae David Grossman yn ceisio esbonio hanfod ffuglen drwy ddweud mai gofyn y cwestiwn: 'Beth sydd nesaf?' yw'r peth pwysicaf. Ond pan nad oes fawr ddim yn digwydd, megis yn y stori hon, mae'n anodd cael ateb i'r cwestiwn sylfaenol hwnnw ac, felly, nid hawdd cadw sylw'r darllenydd.

*Saul*: Dyma stori arall am dwyll. Cawn hanes ysgrifenyddes i ŵr busnes yn cwrdd ag ef mewn gwesty a deallwn eu bod yn gariadon. Ond nid cariad sydd wrth wraidd y berthynas ond arian a blacmel. Mae'r plot yn denau, gyda thro rhy amlwg yng nghynffon y stori, ac mae'r cymeriadau'n un-dimensiwn.

*Siôn*: Ailadroddus braidd yw'r stori, neu'n hytrach yr 'ysgrif', hon, sy'n olrhain cyfrinach am lwybr yn arwain at drysor o ysbail y Gwylliaid Cochion.

*Y Pendil Cam* sy'n fuddugol, er y bydd yn her i'w chynnwys yng nghyfrol y *Cyfansoddiadau a Beirniadaethau* eleni. Mae'r awdur dawnus hwn yn gwybod sut i lunio stori'n grefftus a'i hadrodd yn glir, gan greu cymeriadau nwyfus sy'n byw yn hir iawn yn y cof.

# Y Stori Fer

## TWYLL

Teulu clòs oeddan ni erioed, dyna roeddwn i wedi'i gredu, rhy glòs i fod yn hollol iach efallai, er nad fi ddywedodd hynny chwaith. Digwydd clywed hynny wnes i pan ddaeth marwolaeth Gertrude i glustiau'r ardal a'r heddlu'n dal i holi a stilio o gwmpas ac yn gofyn sawl cwestiwn treiddgar. Wnes i erioed gymryd at Gertrude, doedd ei henw hyd yn oed ddim yn gweddu i'n teulu. Enwau fel Megan, Morfudd a Llinos oedd enwau'r merched a'r genethod yn ein llinach ni erioed, enwau Cymreig braf a lluniau ambell un yn melynu'n araf yn yr albwm a gadwai mam yn y parlwr bach. Roedd 'na dudalen neu ddwy'n wag yn hwnnw yn y gobaith am fwy i ddod. Chlywais i neb erioed yn ei galw hi'n Gertrude Llain Gyndyn chwaith er mai fel Luned Llain Gyndyn roedd pawb wedi adnabod mam erioed, ac roedd enw'r hen le bron â bod yn gyfenw i Morfudd fy chwaer a minnau erioed. Bellach, mae gen i enw arall.

Mae Llain Gyndyn yn dweud llawer am y lle a hynny mewn mwy nag un ffordd. Tyddyn felly ydi o, lleiniau bach cul a chyfyng yn ymestyn fel bysedd dan sgert at lethrau llwyd y Garn, a phridd ddigon crintach hefyd, a chyfyng oedd y fywoliaeth hyd yn oed cyn i Gertrude gyrraedd. Llibinio byw oedd hanes nhad o flwyddyn i flwyddyn, ac ambell wanwyn gwlyb yn pellhau dau ben llinyn nes i Morfudd a minnau ddechrau gweithio, ond wnaeth hynny leihau dim ar yr agosatrwydd cynnes oedd rhyngom a mam chwaith. Dim ond rŵan rydw i'n dechrau sylweddoli beth oedd gennym yr adeg honno, er i mi glywed mam yn sôn sawl tro am 'werthfawrogi'r hen le' a hynny yng nghanol ei phryder a'i salwch.

Morfudd fentrodd ofyn i mi un nos Sul drymaidd ar ddechrau Mehefin, niwl tenau ar y Garn a'r awel yn gynnes, gynnes yn y clwstwr o goed rhyngom a'r ffordd fawr.

'Sut wyt ti'n gweld mam?' meddai hi a'i llygaid mawr brown yn treiddio i ganol fy wyneb.

'Be ti'n feddwl?'

Merched sy'n adnabod merched orau, dim ond eu gweld y mae dynion. Eu gweld nhw'n ifanc a blysu, a dal i edrych a dweud dim yn amlach na pheidio wedyn.

'Wyt ti'n 'i gweld hi wedi torri a heneiddio?' meddai hi wedyn a'i dwylo'n plethu'n dynn nes bod un migwrn yn wyn fel y galchen.

'Wedi blino mae hi, ysti,' a throi fy llygaid yn ôl i ganol tudalen y papur lleol.

'Mae o'n fwy na blinder, ysti. Dydi blinder ddim yn teneuo'r cyhyrau, nac yn rhoi lliw melyn ar 'i gruddia' hi.'

Roedd gas gen i liw melyn erioed. Dail yn melynu'n araf bach cyn disgyn yn swp ddechrau hydref, a hen haul melyn gwantan cyn i'r glaw ddod a threiddio i galon y styciau ŷd yn y llain bellaf, a nhad yn diawlio. Nid lliw gobaith ydi melyn. Melyn oedd gwallt Gertrude hefyd, er mai melyn potel oedd hwnnw, ond roedd pethau artiffisial yn gweddu'i'r dim iddi hi. Lliw bradychu ydi lliw melyn i mi hyd heddiw. Tybed ai gwallt melyn oedd gan Jiwdas?

Synhwyro'r pryder yn llais Morfudd wnes i wedyn a dechrau edrych. Sylwi ar y rhigolau ar wyneb mam a'r melyn golau yn y llygaid. Roedd yna sglein ar ei chroen ers talwm, y sglein sydd mewn afal iach a chrwn, a'r sglein sydd ar ddail bytholwyrdd. Yr un sglein oedd ar wyneb Morfudd yr adeg honno. Pan alwodd hi ddoe roedd o wedi dechrau diflannu, ond wnes i ddweud dim am hynny. Mae ganddi ddigon ar ei meddwl heb i mi roi mwy o faich arni, yn enwedig o gofio mai dim ond y hi sy'n dod bellach. A dweud y gwir, fydda i ddim yn edrych ymlaen at ei gweld bob tro, ond fuaswn i fyth yn meiddio dweud hynny chwaith, a dw i ofn i f'wyneb i ddangos hynny bob tro mae hi'n cyrraedd. Mae cuddio teimladau'n anodd yn enwedig yn ei hwyneb hi o bawb, a fûm i erioed yn dda am guddio pethau felly beth bynnag.

Methu cuddio nheimladau wnes i pan wnaeth Llinos droi cefn hefyd, a dw i'n ail-fyw'r diwrnod hwnnw'n amlach nag erioed. Yr unigrwydd sy'n achosi hynny, mae'n siŵr, ac fe wnes i freuddwydio'r noson o'r blaen ei bod hi wedi dod i fy ngweld hefyd. Ddaw hi ddim, wrth gwrs, a does gen i mo'r hawl i obeithio y daw hi chwaith. Prin fod gen i hawl i ddim yn y fan yma, ond mae gan bawb hawl i'w freuddwydion, debyg. Hunllef oedd y diwrnod y gwnaeth hi adael, ac er nad ydi hunllefau'n aros cyn hired â breuddwydion, meddai rhai, mae ganddynt yr arferiad o ddod yn ôl pan fydd amgylchiadau'n anodd. Noson felly oedd hi neithiwr, fel sawl noson arall. Noson o fethu anghofio ...

Pnawn bach llonydd yn y dre', y môr yn llepian yn dawel yn yr harbwr bach a'i hwiangerddi wedi tawelu'r cychod i gyd bron. Arian parod ymwelwyr wedi distewi'n llwyr a chlepian uchel ambell sawdl i'w glywed yn eglur ar y palmant. Cerdded y traeth wnaethom ni law yn llaw ac aroglau heli lond ein ffroenau ac ambell wylan benddu obeithiol yn troi a throsi ar yr awel cyn i ias y niwl ein troi am gynhesrwydd y caffi. Llinos a minnau'n llymeitian coffi yn y gornel bellaf a'r cadeiriau metal sgleiniog yn adleisio'r ymgais i fod yn trendi. Y bwrdd bach crwn gyda'i rosyn plastig mewn ffiol blastig a miwsig tawel yn llenwi'r munudau. Lluniau modern diystyr a dienw yn rhemp ar y muriau lliw hufen a Llinos yn bictiwr di-baent o fy mlaen.

'Rw't ti'n ddistaw iawn.' Gan feddwl fod awel y môr wedi gwneud mwy na rhoi'r gwrid ar ei gruddiau.

'Ydw, dw i'n gw'bod.'

'Pam?'

'Am na wn i'n iawn sut i ddeud wrthat ti.'

'Deud be?'

'Deud na fydda i ddim yn dŵad eto.'

'I'r lle yma?'

'I'r lle yma nac i unman arall chwaith.'

Y coffi'n glaear a merfaidd a hithau'n troi a throi'r cwpan yn araf rhwng ei bysedd main ac yn edrych i bob cyfeiriad ond ataf i. Doedd yna ddim dagrau yn ei llygaid chwaith dim ond mymryn o gryndod yn ei llais. Fy ofn innau'n gwlwm.

'Dwyt ti ddim am orff ...'

'Ydw. Yli, does yna neb arall rhag ofn iti feddwl. Fuo 'na neb arall 'rioed ac mi wyddost hynny'n iawn,' a'i geiriau'n bendant a chaled.

'Ond pam? Pam rŵan a ninna wedi ...'

'Am 'mod i wedi blino deud a gneud yr un petha, a fedra i ddim mwy. Ddim rŵan.'

'A finna wedi meddwl ...'

'Dw i'n gw'bod, coelia fi, dw i'n gw'bod yn iawn. A dw i'n gw'bod 'mod i wedi dy frifo di, ac ma'n gas gen i hynny. Ar fy llw. Sori.'

Codi a ngadael i yno heb ddweud dim arall fel pe na bai'r holl amser gyda'n gilydd yn golygu dim oll iddi. Ac mae'r graith yn dal i fadru.

Doeddwn i erioed wedi arfer crio. Perthyn i ferched a phlant yr oedd dagrau a wnes i erioed sylweddoli mor hallt ydyw'r blas sydd arnynt. Ond crio wnes i, igian fy siom wrth eistedd yn y car ger yr hen felin ac edrych allan i gyfeiriad y môr. Roedd diwedd Medi'n dechrau tynnu'r dydd i mewn a phileri gyda'r nos yn dal yr haul uwchben y gorwel, a theimlo ias nad oedd a wnelo ddim â'r tywydd. Meddwl am ddial wnes i'r adeg honno. Meddwl am ddweud celwyddau am Llinos a'i phardduo yng ngolwg pawb o'i chydnabod a'i theulu, ac fe fyddai hynny wedi bod yn hawdd. Ond rywsut allwn i ddim am fod atgofion am ambell lecyn yn aros ar furiau'r amgueddfa yn y cof. Mae'r darluniau hynny'n aros hyd yn oed heddiw. Hyd yn oed yn y fan yma.

Morfudd sylwodd gyntaf, yn union fel y sylwodd hi ar waeledd mam wedyn. Weithiau, mae distawrwydd yn dweud mwy na geiriau.
    'Fedri di mo'i gadw fo i ti dy hun am byth, ysti.'
    'Cadw be?' A hynny rhy siarp o lawer.
    'Beth bynnag sy'n dy boeni di, ac ma' gen i syniad be' ydi o.'
    'Sgen ti?'
    'Mi welis i Llinos yn y dre' a ddeudodd hi'r un gair wrtha i, dim ond troi'i phen a mynd ffordd arall fel tasa hi fy ofn i.'
    'Yr euog a ffy.'
    'A dyna w't titha'n 'i 'neud hefyd. Ffoi.'
    'Paid ti â meiddio. Sgen ti ddim ...'
Doeddwn i erioed wedi bwriadu codi fy llais, ond dyna wnes i'r funud honno. Taro'r bwrdd yn galed nes i'r cwpanau ddawnsio yn y soseri a'r te oer yn smotiau budr ar y lliain gwyn. Syllu wnaeth Morfudd, edrych i fyw fy llygaid a dweud dim am ychydig amser.
    'Sgen ti ddim syniad oeddat ti am 'i ddeud, yntê? Coelia fi, ma' gen i well syniad na chdi, ac mi wn i be' ma'i guddio fo'n 'i 'neud i ti.'
Cerdded o gwmpas y bwrdd wnaeth hi wedyn, cau'r drws rhag ofn i neb arall glywed a dod i sefyll mor agos ataf â nghysgod.
    'Pam wyt ti'n meddwl y dois i'n ôl i fama?'
    'Blino ar Lerpwl?'
    'Wnes i 'rioed flino ar Lerpwl, coelia fi, mi faswn i wedi aros yno am byth. Fo flinodd arna' i, dyna ddigwyddodd iti ga'l gw'bod.'
    'Y fo? Pwy o'dd o felly?'
    'Dydi hynny ddim yn bwysig rŵan.'

Wnaeth hi erioed agor ei chalon cyn hynny, ond yn sydyn fe welais y siom a'r dicter yn ei llygaid. Hiraeth oedd y rheswm roddodd hi i bawb pan ddaeth hi'n ôl adref o Lerpwl. Methu setlo'n iawn er iddi fod yno am bron i dair blynedd, a wnes i na neb arall am a wn i gwestiynu'r ffaith chwaith. Ond fe ddechreuais i fagu casineb at y ddinas er bod cymaint o'r ardal wedi mynd yno. Godro'r Gymru wledig oedd Lerpwl wedi'i wneud. Yr ifanc yn gadael, yn aros, a dim ond yn dychwelyd pan oedd amgylchiadau'n galw, ac angladd, bedydd a phriodas yn eu tynnu'n ôl am ennyd fer. Wnes i erioed feddwl am hiraeth yn gwneud hynny.

Roedd Morfudd wrth ei bodd yno a wyddwn i ddim nes iddi weld a sylweddoli fy nhristwch innau ac i hynny agor hen greithiau. Wyddai neb arall chwaith, meddai hi, er i mam amau ambell dro a cheisio cael gwybod mewn sawl ffordd.

'Weithiau fe fyddai'n meddwl ei bod hi wedi deall yn iawn, ac i'r gwybod hwnnw ddechrau ei salwch, cofia.'

Bwrlwm y ddinas oedd wedi apelio, ei hiwmor naturiol, ei phobl a'r mynd a'r dod yn cyflymu'r oriau. Y chwerthin pan oedd swydd yn ddiflastod llwyr, yr oriau'n hir a hen ffatrïoedd coch a budr yn llawn cyfeillgarwch a gobeithion hefyd, a neb yn gweld bai am ambell gamgymeriad. Yno yr aeth hi i dafarn am y tro cyntaf, llwch lli ar y llawr a'r distiau'n llawn hanes ac aroglau cwrw. Byrddau bach crwn a'r seiadau'n llawn llawenydd neu ddagrau, a'r matiau bach caled gyda'u hysbysebion lliwgar yn hybu'r yfed. Rhyfedd fel mae geiriau fel *Drink Courage* a *Passing Cloud* yn adlewyrchu cyfnod, er mai dim ond cwrw a sigarét oedd y ddau.

'Wnes di 'rioed smocio?'

'Do, am mai dyna roedd pawb yn 'i 'neud. Smocio ac yfed.'

'Mi fasa mam wedi ...'

'Wedi fy lladd i, a nhad tasa fo'n gw'bod.'

Doeddwn i erioed wedi meddwl am Morfudd yn cydio mewn peint a dal sigarét, ei sgert yn fentrus gwta ac ambell reg yn eilio chwerthiniad. Hi baentiodd y darlun newydd yma ohoni'i hun yn ei hymgais i leddfu fy hiraeth innau, ac roedd yna dinc o gerydd yn y cyfaddef.

'O leiaf dydi hi ddim yn cario dy blentyn di.'

Ddywedais i'r un gair am na allwn i ddim, ond roedd y golled lond ei llygaid. Y Forfudd dawel gymwynasgar yma wedi colli plentyn, wedi cuddio'r cyfan oddi wrth bawb am yr holl amser a boddi'r hiraeth a'r dicter yn y tlysni ac yn y llecynnau bach oedd rhwng y Garn a Llain Gyfyng. Yn y fan yma alla hi guddio dim oddi wrth neb bellach, a wnân nhw ddim anghofio chwaith.

Gwaelu'n araf wnaeth mam cyn ildio, hen beswch caled yn ei siglo at ddagrau, a'i dwylo mawr yn rhedeg yn frysiog hyd ymylon y gynfas wen. Mynnu codi weithiau am mai dyna wnâi erioed, a syllu allan ar y grug yn glasu'r Garn, a'r briallu'n garped dan y coed.

'Gas gen i hen adar du a gwyn 'na,' a churo gwydr y ffenestr yn gyflym.

'Cofio'r hen goel gwrach 'na ydach chi, te,' a Morfudd yn agor y mymryn lleiaf ar y ffenestr nes i'r pïod godi'n haid bach swnllyd.

'One for sorrow, two for joy,' meddai hi dan ei gwynt a minnau'n cofio 'Seven for a secret never been told.' Roedd yr hanes am Lerpwl lond ei hwyneb wrth iddi gau'r ffenestr yn glep.

'Ydi o'n sylweddoli mor wael ydi hi?'

Fi ofynnodd y tro yma wrth i nhad gau'r drws yn ddistaw a throi am allan. Roedd Morfudd wrthi'n torri'r brechdanau ar gyfer swper, dafell ar ôl tafell mor denau â phlanced wyrcws, gan obeithio y byddai mam yn eu mwynhau er y gwyddai'n well. Fe fu'n rhaid imi gymell ateb.

'Wyt ti wedi sôn wrtho fo?'

'Do, siŵr Dduw.'

'A beth oedd yr ymateb?'

'Codi sgwyddau fel mae o'n 'i 'neud pan fydd petha'n groes i'r graen.'
Dim mwy na hynny, a'i geiriau'n giaidd a chaled. Doeddwn i ddim wedi
sylweddoli'r pellter oedd rhwng nhad a hithau hyd hynny, er imi sylwi ar
ambell gilwg sydyn pan fyddai sgwrs yn denau. Erbyn meddwl, chafodd
hi fawr iawn o groeso pan ddaeth hi adref o Lerpwl chwaith, dim ond gan
mam a minnau, er imi feddwl mai hogan ei thad oedd pob merch i fod
erioed. Efallai mai coel gwrach oedd hynny hefyd.

Ddaeth yna ddim cerdyn na gair o gydymdeimlad gan Llinos hyd yn oed
wedi'r angladd, er imi gael cip arni wrth i'r angladd nesáu at y fynwent.
Roedd yr awel lond ei gwallt y diwrnod hwnnw hefyd, yn union fel y
byddai wrth iddi redeg i lawr at y traeth neu'r afon. Dim ond cip, ond roedd
yn ddigon i gronni'r atgofion ac i ddiawlio'r pïod yr un pryd.

'Rhaid i chi symud ymlaen rŵan,' meddai cymydog wrth geisio dangos
ei gydymdeimlad a'i ddwylo'n oer fel dŵr ffynnon.

'Be wyddoch chi am hynny?' meddai Morfudd a'i llygaid brown yn
fflachio'n danbaid yn ei dicter, a'i adael yntau'n gegrwth yn y fan a'r lle.
Geiriau gwirion ydi 'symud ymlaen', geiriau oer a dideimlad fel ceisio
rhwbio staen oddi ar ddillad. Geiriau sy'n dweud nad yw ddoe'n golygu
dim ac nad ydi atgofion a hiraeth yn ddim ond niwl sy'n cilio'n fuan. Ond
mae niwl yn gadael ias sy'n gallu treiddio i sawl cornel.

'Dydi o'n deall blydi dim, nac ydi.' Geiriau Morfudd wrth inni nesáu am
adref a'i rheg sydyn yn syndod, ond yn adlais o'r smocio a'r yfed yn Lerpwl
efallai. Y 'symud ymlaen' oedd wedi ei brifo am mai dyna oedd wedi dod
â hi'n ôl i Llain Gyndyn, ac roedd hi'n haeddu gwell na hynny, yn ei barn
hi. Symud yn ôl oedd y symud ymlaen wedi'i olygu iddi hi. Dyna pam y
penderfynodd brynu fflat yn y dre' a gadael nhad a minnau yn yr hen le, ac
roedd hynny'n syndod i bawb yn enwedig iddo fo.

'Rhaid i chi ddechra dygymod,' meddai hi, a hynny fwy wrtho fo na fi,
ac mi fuaswn i wedi dygymod yn fy ffordd fy hun, dw i'n gwybod hynny.

Barcdy oedd yno ers talwm, hen honglad o adeilad a'r dirywiad yn stori
fer hir ar dudalennau'r brics coch uwchben yr afon. Aroglau crwyn a surni
yn llenwi'r ffroenau yn enwedig pan fyddai'r haul yn sglein ar y stryd, a'r
ffenestri'n bechadurus o fudr, a'r afon yn triaglu'n araf i gyfeiriad y môr.
Dynion mewn dillad trwchus gwyrdd yn mentro allan i'r haul yn eu tro i
danio cetyn neu sigarét am funud neu ddau cyn troi'n ôl i'r cynefin afiach.
Ond roedd datblygiad wedi newid popeth, wedi dymchwel y muriau a'r
adeilad modern newydd yn addo moethusrwydd ar bedwar llawr. Ond
roedd pris i'w dalu, ac nid yn unig mewn arian.

'Wnei di fy helpu fi symud? 'Na' i ddim gofyn iddo fo na neb arall.'
Prin fod Morfudd wedi gofyn am help i mi 'rioed o'r blaen, dim ond gwneud popeth ar ei liwt ei hun heb drafferthu neb. Felly yr aeth hi i Lerpwl hefyd, pacio a gadael ffenestri ei hystafell yn llydan agored nes i awel y gwanwyn glirio pob arogl a'r mymryn llwch oedd yn ambell gornel. Sawl tro wedyn y gwelais i mam yn agor drws yr ystafell yn araf fel pe bai'n disgwyl i rywun fod yno, yn loetran am ychydig heb reswm o gwbl ac yn mynnu tynnu cadach ar draws y gwydr o wythnos i wythnos hir.

'Rhag ofn iddi ddŵad adra' heb inni ei disgwyl, ysti.' Dyna oedd yr esgus bob tro, ond mae hiraeth yn gallu creu esgusion fel y gwn innau'n iawn rŵan.

'Dw i'n gada'l y goriad i ti,' meddai hi wrth inni gau'r drws am y tro olaf, ac roedd yna fwy na gwacter yn y cau hwnnw.

'Roedd y dodrefn wedi dechrau dyddio braidd, a fydda i mo'u hangen yn y fflat newydd beth bynnag.'

'Be' wnei di efo nhw?'

'Oxfam?'

'Wyddost ti ddim na ddon nhw'n handi rywdro.'

Efallai mai i'r union ystafell y byddai Llinos wedi dod petai fy mreuddwyd yn dal yn fyw, er y buasai hi wedi newid popeth ynddi, ac wedi cael gwared â sawl peth. Merched sy'n newid popeth ar bob amgylchiad, newid bywydau, newid meddyliau a newid cyfeiriadau bywyd.

Doedd angen fawr ddim ar Morfudd yn y fflat moethus newydd, roedd popeth yno'n barod ar gyfer dechrau byw, er mai digon simsan roeddwn i'n gweld ambell ddodrefnyn. Welwn i ddim graen ym mhren y bwrdd, ac yna dechrau sylweddoli mai pren ffug oedd y cyfan.

'Fydd o ddim yn dangos baw, ysti,' meddai Morfudd a rhedeg bysedd ar hyd yr wyneb plastig. Erbyn meddwl, wyneb felly oedd gan Gertrude hefyd, ond roedd yna fwy na baw ar hwnnw. Symud y dodrefn wnaeth Morfudd a minnau, aildrefnu popeth er mwyn ei phlesio hi.

'Fel'na dw i 'i isio fo,' meddai hi wedyn wrth inni sefyll wrth y ffenestr fawr lydan a'r hen dre'n banorama o gwmpas. Doeddwn i erioed wedi gweld y dre' o'r uchder yma o'r blaen, dim ond ar lefel y strydoedd, ond rywsut roedd popeth yn edrych yn fach a braidd yn flêr. Llinynnau o strydoedd yn parselu'r adeiladau a gwe o rai culach yn eu cysylltu yn union fel y gwythiennau glas tenau oedd ar goesau mam pan oedd hi'n wael. Yn y gornel bellaf, fe welwn amlinell y Palladium, hen honglad sgwâr a llwyd, a dim golwg o'r golau neon oedd yn tynnu sylw ar sawl nos Sadwrn. Rhyfedd fel mae golau'n gallu cuddio a dangos pechodau. Roedd mam bob amser ofn i'r haul ddangos y llwch oedd dan ambell beth. Does fawr neb yn poeni am lwch yn y fan yma ac mae golau'n eitha prin, beth bynnag.

'Wnei di addo galw?' Geiriau Morfudd wrth i ni sipian paned neu ddwy ar ôl cael popeth i drefn, ac fe wnes i hynny mor aml â phosibl. Galw heb fod angen ambell dro, galw am fod rhaid i mi wedyn, a'r rheidrwydd hwnnw'n deillio ar bwl o hiraeth. Wnes i 'rioed feddwl y buasai gen i hiraeth am daclusrwydd chwaith, ond dyna wnaeth i mi alw yn fflat Morfudd sawl tro, a chefais i erioed fy siomi. Pin mewn papur o le oedd y lolfa ganddi, y clustogau'n feddal gysurus a'r ffenestri'n lân fel lliain cymun. Felly y byddai Llain Gyndyn cyn i mam a hithau adael a chyn i Gertrude gyrraedd. Mae yna arogl yn perthyn i lanweithdra ac i flerwch hefyd, ac roeddwn i'n methu dygymod pan ddaeth aroglau surni i gegin gefn Llain Gyndyn er i mi agor y ffenestri led y pen. Roedd hwnnw wedi dechrau treiddio i'r pren a chuddio mewn sawl cornel gul. 'Mi ddo i draw i roi trefn ar y lle,' oedd addewid Morfudd, ac fe ddaeth er na wnaeth nhad ddiolch iddi chwaith, dim ond derbyn popeth fel pe bai'n ddyletswydd arni i ddod.

Roedd gan Morfudd flodau yn y cyntedd wrth i mi alw'r Sadwrn wedyn a'r aroglau'n llenwi fy ffroenau wrth iddi agor y drws. Tanchwa o liwiau'n diferu dros ochrau'r ffiol fawr wydr a cherdyn bychan yn cuddio'n slei wrth ei hochr. Does dim angen gofyn pan mae llygaid yn dweud y cyfan.

'Dim ond ffrindia ydan ni,' meddai hi a chuddio ychydig mwy ar y cerdyn. Ond roedd ganddi newyddion pwysicach i'w rhannu na thusw o flodau.

'Ydi o adra?'

Doedd dim rhaid i mi ofyn pwy, roedd y gair 'tad' wedi gadael ei eirfa ers misoedd. Dim ond 'y fo' oedd o bellach, yn enwedig pan fyddai'r dicter yn cronni.

'Rw't ti'n gw'bod, dwyt?'

'Gw'bod be'?'

'Bod ganddo fo gariad.'

Weithiau mae munudau'n stond, yn afreal o lonydd, a fedrwn i ddweud dim na gwneud dim. Yn y diwedd, hanner chwerthiniad Morfudd rwygodd y tawelwch cyn i'r gwir daro fel gordd ar engan, syllu a gweld dyfnder y dicter a'r siom yn ei llygaid.

'Paid â ...'

'Dydw i ddim. Dw i wedi gweld y ddau.'

'Yn lle?'

Codi wnaeth hi wedyn a cherdded at y ffenestr fawr olau, syllu allan ar y dre' am ychydig cyn troi ei chefn ar yr olygfa a rhychau ei thalcen yn gwysi dwfn.

'Doedd o ddim adra nos Wener, nac oedd?

'Mi aeth allan tua chwech neu gynt.'

'A wnest titha' ddim gofyn i ble.'

'Dydi o ddim o musnas i.'

'Ydi, mae o'n fusnas i ni'n dau.'

Cerdded i gyfeiriad ei fflat roedd Morfudd, hen smwc o niwl yn powlio i mewn o gyfeiriad y môr a llinell o dawch oer uwchben yr afon. Powlio allan o'r Llew Coch wnaeth nhad hefyd a Gertrude ar ei fraich, er na wyddai Morfudd pwy oedd hi ar y pryd, na gwybod ei henw, ond mae Morfudd yn gallu adnabod yn well na fi. Mae yna dipyn o mam ynddi a dyna pam mae hi'n gallu ymdopi.

'Mi fedri di 'nabod amball un ar yr olwg gynta'.

A dyna wnaeth hi o'r cychwyn cyntaf. Adnabod a dechrau casáu. Cadw llygaid wnaeth hi wedyn heb ddweud dim wrth neb, dim ond gadael i'r casineb ffrwtian o'r tu mewn nes i'r cyfan fynd yn obsesiwn llwyr ganddi. A fi fu raid talu'r pris. Ffonio gartref i edrych oedd nhad yno, ac yna stelcian o gwmpas corneli'r strydoedd yn dre' fel llwynog yn dilyn prae, a chadw cofnod gofalus o bob digwyddiad cyn dangos y cyfan i mi.

'Goeli di rŵan, 'ta?'

Doedd yna ddim dewis wedyn ond ei gornelu, a chyfaddef wnaeth o yn y diwedd, ac mae digwyddiadau'r noson honno'n aros hyd heddiw. Dod acw wnaeth Morfudd a'r nodiadau ganddi wedi eu cofnodi mor daclus ag ewyllys. Eistedd ac aros a'r munudau'n tician yn uchel wrth i Sadwrn swrth droi'n Sul o syrffed. Clywed peiriant y car yn y pellter, agor mymryn ar y llenni a gweld y golau'n llinellau gwyn rhwng y coed cyn i'r olwynion grensian ar y buarth. Yna'r allwedd yn chwilio am dwll y clo.

'Be' ddiawl ydi'r mater?'

'Eisteddwch,' a geiriau Morfudd yn orchymyn pendant. Ac eistedd wnaeth o a mymryn o chwys yn sglein ar ei dalcen mawr. Doeddwn i erioed wedi ei weld felly o'r blaen, dim ond ei weld yn rheoli pobl a phob sefyllfa fel brenin ar orsedd, ond y noson honno roedd rhan helaeth o'i hyder wedi diflannu, a Morfudd oedd yn rheoli am gyfnod. Dyna lle'r oedd nhad yn gegrwth, yn codi ei ysgwyddau ac yn stwna gyda'i draed, gyda'i lygaid ymhobman ond arnom ni.

'Fedrwch chi wadu dim,' meddai hithau a throi tudalen ar ôl tudalen o ffeithiau o'r nodiadau gofalus oedd ganddi ar ei glin. Roedd y dystiolaeth yno'n gryno, pob symudiad bron, y llymeitian slei, y galwadau yn y banc, y blodau a'r gwin a'r teithiau cudd, ac ar ddiwedd y truth wnaeth o wadu dim. Yn araf bach fe ddaeth yr hen hyder yn ôl i'w lygaid a'i ddwylo'n beli crwn, cryfion wrth ei ochr.

'Doedd gen ti ddim byd gwell i'w 'neud, nac oedd?'

Cododd ar ei draed a'i gorff yn syth fel hoelen wyth, a'i ddwylo'n cydio ymyl y bwrdd fel pregethwr mewn pulpud.

'Wyt ti'n meddwl na wyddwn i ddim am Lerpwl, a pham y doist ti'n ôl i fa'ma? Paid ti â meddwl sôn am dwyllo wrtha' i. Paid ti â meiddio gneud hynny, mechan i.'

Erbyn hyn roedd y chwys yn danchwa, yn hongian yn berlau ar ei aeliau trwm, a'i ddicter yn gryndod yn ei lais. Ymlaen ac ymlaen am dristwch aelwyd heb bresenoldeb merch, am fam oedd wedi torri ei chalon am i'w merch adael heb ddweud fawr ddim, ac am blentyn a gollwyd heb i daid ei weld.

'Na, wnes i ddim sylweddoli ond, coelia fi, mi wnaeth dy fam, ac mi lwyddodd hi i faddau i ti. Paid â meddwl y medra i 'neud, yn enwedig ar ôl heno.'

Eisteddodd Morfudd yn dalp o syndod, a'r sioc yn troi'n ddagrau mawr.

'Er mwyn mam ...'

'Er mwyn mam, o ddiawl. Er dy fwyn di yr wyt ti'n 'i olygu. Er mwyn ceisio tawelu dy gydwybod bach di am be wnest ti. Yli, doedd dy fam ddim yr un ddynes wedyn, na finna'r un dyn chwaith taswn i'n onast efo ti.'

Fi geisiodd dawelu'r dyfroedd taswn i haws. Fi geisiodd lenwi'r bwlch amlwg oedd rhyngddynt, a fi fethodd. Cerdded allan wnaeth Morfudd, cerdded allan a'n gadael ni yno heb ddim i'w ddweud am gyfnod, a philen o niwl gwyn yn llenwi'r ffenestr, ac oerni llawer meinach yn datblygu rhyngom.

'Gad iddi fynd i'r diawl,' medda fo wrth i mi geisio cadw'r ddysgl yn wastad a chyn i'r drws gau'n glep galed ac iddi ddiflannu i'r gwyll.

Fo dorrodd ar y distawrwydd am na fedrai o beidio bellach. Doedd o ddim yn gallu dygymod â thawelwch a distawrwydd, er fy mod i wedi dechrau dysgu ers i Llinos adael. Mae colli a distawrwydd yn perthyn yn agos i'w gilydd.

'Yli, ma' pobol yn siarad ,' medda fo a phlygu ymlaen fel petai'r dweud yn anodd.

'Siarad am be, 'dwch? Amdanoch chi?'

'Fasa hynny'n poeni dim arna i.'

'Sgynnoch chi ddim c'wilydd o gwbl?'

'Sgen i ddim i gywilyddio amdano fo, i ti gal gw'bod, a tasa hitha' wedi aros mi fasa wedi ca'l gw'bod.'

'Gw'bod be, felly?'

Nid peth hawdd ydi cyfaddef y gwir, mi wn i hynny rŵan yn well na neb, ond fe lwyddodd nhad i fwrw'i fol heb i mi gael cyfle i ddweud gair o gwbl, ac roeddwn i'n falch nad oedd Morfudd yno. Fe fyddai'n rhaid i mi ddweud peth o'r hanes wrthi wedyn. Dweud peth, ond nid y cyfan chwaith.

'Mi wn i yn iawn fod Morfudd a thitha'n eitha' agos, a dw i'n falch o hynny rŵan, coelia neu beidio, ac mi fydd yn haws i ti ddeud ambell beth wrthi. Fedar tad ddim siarad am ambell beth efo'i ferch er i rai ddeud ma hogan 'i thad ydi pob merch. Mae tadau felly'n gythreulig o lwcus, ysti. Ella cei di'r profiad dy hun rywdro.'

Digon prin y gwelodd y boen ar f'wyneb wrth i'r geiriau daro tant o hiraeth a siom, ac ymlaen â fo yn afiaith ei gyfaddefiad.

'Wrth gwrs, mi ges i fy mrifo pan adawodd dy chwaer yr aelwyd 'ma, ond nid y fi deimlodd fwya' o bell ffordd. Dy fam gafodd y briw, mymryn o glais ges i. Wyddost ti pam? Ac mi fydd hyn yn sioc i ti.'

Arafu wnaeth o, geiriau'n anodd, teimlad yn llyffetheirio wrth iddo symud ei gadair fymryn yn nes ataf.

'Nid y fi ydi tad Morfudd.'

Ddywedodd o ddim wedyn am eiliadau, dim ond rhythu i'r unfan fel pe bai ddoe wedi dod ar ei warthaf unwaith eto. Allwn innau ddweud dim chwaith, ac unwaith yn rhagor fo dorrodd y tawelwch.

'Doedd gen i mo'r hawl i ddeud be ddeudis i heno, ac efallai basa'n well i titha beidio â deud wrthi chwaith. Weithia ma' peidio gw'bod yn well.'

'Yn well i bwy?'

'Yn well i bawb.'

Chysgais i fawr y noson honno, dim ond troi a throsi a hel meddyliau awr ar ôl awr. Roedd y frawddeg 'yn well i bawb' yn mynnu dod yn ôl, a'i gasineb at Morfudd yn llenwi'r munudau i gyd, a rywsut fe allwn deimlo peth o'r casineb hwnnw'n ceisio'i wthio'i hun arnaf. Mae casineb ambell dro'n gallu bod yn gydymaith da ac agos, ac onid felly roeddwn innau wedi teimlo am ychydig wedi i Llinos adael? Ond roedd casineb nhad wedi parhau am yr holl flynyddoedd a phechod y fam oedd pechod y ferch, a'r briw'n dal yn agored.

'Well i ti alw i weld Morfudd,' oedd ei eiriau cyntaf y bore wedyn, fel pe bai'n difaru am rannu ei gyfrinach gyda mi.

'Fasa hi ddim yn well i chi fynd?'

Wfftio'r syniad wnaeth o, a dweud na fyddai hi'n gallu maddau iddo fo am na allai yntau faddau'n llwyr i mam chwaith, am nad ydi maddeuant yn golygu dim i rai. Weithiau mae maddeuant yn hawdd. Anghofio sy'n anodd.

Doedd gen i fawr iawn o awydd cychwyn i'r dref y bore hwnnw, ond mynd oedd rhaid, a wnaeth y ffaith i nhad sefyll ar y trothwy wrth i mi gychwyn fawr o help. Dyna lle'r oedd o'n tueddu i fod, yn wargrwm yn sefyll yn y drws fel un o gymeriadau Kyffin, un llaw yn ei boced a gwên ofnus ar ei wyneb. Agosatrwydd Morfudd a minnau oedd y tu ôl i'r ofn hwnnw, ac roeddem ein dau'n ymwybodol o hynny. Roedd gen innau fy ofnau hefyd a hynny'n deillio o'r ffaith y gallai Morfudd ddechrau holi beth oedd wedi digwydd wedi iddi adael, ac i minnau lithro a dweud y cyfan wrthi.

Ôl dagrau oedd arni wrth iddi agor y drws, llinellau duon dan ei llygaid a mymryn o wrid ar ei gruddiau. Doedd dim blodau yn y cyntedd chwaith. 'Dw i'n difaru f'enaid,' oedd ei geiriau cyntaf wrth iddi eistedd yn ymyl y ffenestr a thynnu ychydig ar y llenni wrth i'r haul godi'n araf dros y dref. Wnaeth hi sôn run gair am ddigwyddiadau'r noson cynt na gofyn sut roedd nhad, dim ond sôn am Lerpwl. Difaru mynd yno a difaru mwy am iddi ddychwelyd. Mam oedd wedi crefu arni i beidio â mynd, a brawddegau fel 'Yma mae dy le di,' ac 'Mi fyddi mor bell wedyn,' yn dal i aros yn ei chof.

'Wyddost ti ddim be ydi hiraeth.'

Nid hiraeth am bobl oedd hi'n 'i olygu, meddai hi, wrth iddi sylweddoli bod fy hiraeth am Llinos yn dal mor agos i'r wyneb.

'Llain Gyndyn 'nath i mi fynd, ysti, dim byd arall, er na wnaeth nhad fawr ddim i geisio nghadw i adra chwaith. Ambell dro roeddwn i'n meddwl ei fod o'n falch mod i wedi mynd.'

Brathu nhafod wnes i wrth i'w geiriau ddod â chyfaddefiad nhad yn ôl. Efallai fod y ffaith iddi adael leddfu ychydig ar ei siom yntau, ond feiddiwn i sôn run gair am hynny. Wedi laru ar y cyffredin roedd hi, ac roedd Lerpwl mor anghyffredin wedyn. Pobl gyffredin oedd o gwmpas Llain Gyndyn, pobl wedi bodloni â'r frawddeg 'Fel'na ma' hi i fod' yn esgus am bob digwyddiad o siom neu lawenydd, ac roedd gadael pobl felly'n hawdd. 'Dygymod' oedd y gair mawr gan bobl felly, dygymod â thlodi, dygymod â cholled, dygymod â siom, a heb fentro brwydro yn erbyn y bodloni hwnnw.

'Dydi pobol fodlon yn gneud dim, ysti.'

Cododd yn sydyn a throi am y gegin a'i hosgo mor debyg i mam, a daeth ei chwestiwn fel saeth wrth iddi arllwys y dŵr i'r tegell.

'Wyt ti'n meddwl mai fi laddodd mam? Dyna ddeudodd nhad, 'te. Ddim yn yr union eiria' efallai, ond dyna roedd o'n 'i olygu, 'te?'

O glywed y gair 'tad' yn ei chwestiwn, roedd yn rhaid i mi fod yn ofalus am sawl rheswm. Ateb ei chwestiwn gyda chwestiwn arall oedd fy ymateb.

'Wnaeth mam dy holi di am y plentyn?'

'Doedd dim rhaid iddi. Ma' pob mam yn gw'bod.'

'Fasa hi wedi bodloni iti ddŵad â fo adra?'

Camgymeriad oedd i mi ofyn y fath beth ac fe anghofiodd y cyfan am y baned yr oedd hi ar fin ei pharatoi.

'Dŵad â phlentyn i Llain Gyndyn? Mi fasa hynny wedi lladd mam yn gynt na dim, coelia fi. Nid y plentyn fasa wedi'i lladd ond geiria' pobol, yn enwedig geiria nhad. Rhywsut wnes i 'rioed deimlo'n agos ato fo er na wnaeth o 'rioed godi'i law ata i chwaith. Gweiddi do, sawl tro, ond dim byd mwy na hynny, ond dipyn o hogan mam oeddwn i 'rioed a nhad yn gw'bod hynny.'

Roedd mam wedi mynd i Lerpwl unwaith, wedi aros am wythnos gyfan gyda Morfudd, ac wedi dotio'n lân ar y lle. Wedi rhythu ar ffenestri'r siopau ac wedi eistedd wrth ymyl yr hen afon fudr i weld llongau'n mynd a dod fe petai ganddi hithau hiraeth am adael pawb a phopeth. Wnaeth hi 'rioed weld bai ar Morfudd am adael wedyn, dim ond difaru am iddi fodloni'n ifanc. Run anian oedd yn y ddwy, mae'n amlwg, a'r un caethiwed hefyd. 'Wedi deall roedd hi, ysti,' a throi am y gegin yr eilwaith.

'Deall be?'

142

'Deall bod gada'l yn bwysig weithia'.'

Os oedd cychwyn am y dref yn y bore'n anodd, roedd troi am adref yn anoddach, nid am fy mod yn gadael Morfudd, ond am y ffaith y gwyddwn beth fyddai'n fy nisgwyl wedi cyrraedd. Troi am y traeth wnes i gyntaf cyn mentro i gyfeiriad Llain Gyndyn. Creu cwestiwn ar ôl cwestiwn a thybio mai dyna fyddai nhad yn ei ofyn, ac yna ceisio creu atebion fyddai'n bodloni heb greu mwy o anfodlonrwydd. Roedd y llanw newydd droi ac wedi gadael broc ei ymchwydd yn geriach blêr ar y traeth. Gweddillion ambell fordaith yn blastig, yn ddarnau o bren, yn ganiau a photeli yn gorwedd rhwng y cerrig mân a'r pyllau bach llonydd, a neb yno ond y fi. Yno byddai Llinos a minnau'n mynd ambell dro haf ar ôl haf, patrwm ein traed noeth rhwng y tywod a'r tonnau oedd yn llepian yn ddistaw, a'r awel gynnes lond ei gwallt. Dim ond gweddillion teithiau pobl eraill oedd yno bellach a hen long fudr yn triaglu'i ffordd i gyfeiriad Lerpwl. Damia Lerpwl. Roedd gweddillion taith i Lerpwl yn dal ar draeth ein bywydau ninnau, ac fe wyddwn y byddai nhad yn siŵr o ofyn beth oedd ymateb Morfudd.

'Ddeudaist ti ddim wrthi, naddo?'

Prin roeddwn wedi eistedd cyn iddo daflu ei gwestiwn ataf, fel pe bai'r diwrnod cynt yn dal i bwyso'n drwm arno, ac roedd ei ryddhad mor amlwg â gwaed ar liain gwyn.

'Be ddeudodd hi?'

'Poeni mai hi oedd achos gwaeledd mam.'

'Ddylwn i ddim bod wedi deud hynny wrthi.'

'Braidd yn hwyr rŵan, tydi.'

Ond doedd hi ddim yn rhy hwyr iddo roi ysgytwad arall gyda'i frawddeg nesaf.

'Dw i wedi gneud penderfyniad, a fydd hwnnw'n plesio neb ma' siŵr, yn enwedig Morfudd.'

Meddwl roeddwn i ei fod am gyfaddef y cyfan wrthi gan obeithio y byddai hynny'n lliniaru rhywfaint ar y sefyllfa.

'Dw i wedi gofyn i Gertrude ddod yma i fyw.'

Syllu wnaeth o wedyn, ei lygaid yn fy herio i ymateb, a dyna wnes i.

'Be ddiawl sy' arnoch chi, ddyn? Fedrwch chi ddim.'

'O gallaf, a fedri di na neb arall roi stop arna i chwaith.'

Roedd pendantrwydd caled yn ei lais, ac ymlaen â fo i geisio cyfiawnhau ei fwriad gwallgof. Bron nad oeddwn yn chwydu wrth glywed ei eiriau, ac mae'r un dicter yn dal i fy nghorddi yn y fan yma.

'Ac rydach chi'n disgwyl i mi ddeud wrth Morfudd?'

'Fydd dim angen i ti, mi fydd rhywun siŵr Dduw o agor 'i geg.'

Clywed ei draed yn dringo'r grisiau'n araf a hen ias yn treiddio rhwng y llenni. Agor mymryn arnynt a gweld cymylau trwm yn crwydro o gylch y lleuad wrth i'r nos gripian tros y Garn. Pethau mam oedd o'm cwmpas ymhob twll a chornel. Pethau roedd hi wedi eu cael a'u casglu ar draws y blynyddoedd. Y soser fach werdd ar silff ganol y dresel a *A Present from Liverpool* mewn llythrennau beiddgar ar yr ymyl.

'Anti Bet ddaeth â hi, ysti. Trip Ysgol Sul a finna'n methu mynd.' Geiriau mam wrth iddi geisio cuddio'r crac oedd yn y soser cyn ei gosod yn ôl yn gymen ar y silff.

'Tipyn o dderyn oedd Anti Bet, ysti, mynd i rywle'n dragwyddol, ond yn cofio dŵad â rhywbeth adra efo hi bob tro. Doedd glendid a hitha' ddim yn ffrindia mawr chwaith.'

Ar y wal bellaf roedd tair hwyaden degan yn hedfan yn yr unfan ers blynyddoedd a lliw sawl haf ar y llenni wedi pylu peth ar y lliwiau. 'Presant pan ges i Morfudd.' Dyna roedd hi wedi'i ddweud sawl tro, er na ddywedodd hi erioed gan bwy chwaith. Y canhwyllau pres oedd yn dechrau hel gwyrddni bellach, fel soldiwrs tal unionsyth uwchben y lle tân, a'r lliain bach les wedi'i blygu'n ofalus yn y drôr ganol. Welais i erioed hwnnw'n cael ei ddefnyddio chwaith. Ond amgueddfa mam oedd o'm cwmpas ymhobman y noson honno.

Hen fore mwll oedd y bore wedyn a nhad wedi codi o fy mlaen ac yn stelcian yn y cefn wrth i mi olchi'r llestri brecwast. Roeddwn yn gadael iddo redeg y fferm fechan fel y mynnai, a minnau wedyn yn gallu cadw fy swydd a rhoi help llaw ambell gyda'r nos a phenwythnosau fel yr angen. Trefniant felly oedd gennym a phrin y bu dadl erioed, yn enwedig pan oedd mam yn fyw. Mân gecru do, ond fawr mwy na hynny. Wnes i 'rioed ofyn am geiniog ganddo fo, a sgen i fawr o gof iddo yntau gynnig erbyn meddwl, dim ond derbyn mai fy nyletswydd oedd cynnal yr hen le.

'Cyn i ti fynd i dy waith, dw i isio i ti sylweddoli un peth.'

'A be ydi hwnnw?'

'Fydd 'na ddim newid meddwl ar fy rhan i, cofia, beth bynnag fydd dy farn di a Morfudd.'

Doedd gen i mo'r amser na'r awydd i ddechrau dadl, dim ond ei adael yno a gwybod y byddai hynny'n corddi yn ei feddwl yn ystod y dydd. Ond roedd pethau'n corddi ynof innau hefyd, hen feddyliau, hen ddarluniau, hen atgofion ac ambell frawddeg dreiddgar o eiddo mam. Brawddegau oedd erbyn hyn yn llawer mwy ystyrlon o gofio cyfaddefiad nhad a'r hanes am eni Morfudd.

Wnaeth mam ddim sôn am Llinos am ddyddiau ers iddi gael gwybod am y gwahanu, dim ond edrych ar fy nistawrwydd, a wnes innau ddim holi pwy oedd wedi dweud wrthi. Dim ond y hi a fi un bore Sadwrn, nhad wedi picio i'r dref a Morfudd yn gweithio awr neu ddwy'n ychwanegol ar gyfer y Nadolig.

'Paid â bod ofn dweud wrtha i, er mor anodd ydi hynny.'

'Does 'na ddim i'w ddweud, mam, ddim bellach.'
'Fedri di mo'i gadw fo am byth.'
'Mi fedra i gadw'r atgofion.'
'Ond fedri di ddim byw ar betha felly, cofia.'

Doedd hi erioed wedi siarad fel yna o'r blaen, a doedd gen innau fawr o awydd gwrando arni. Ond ymlaen yr aeth hi beth bynnag a cheisio lleddfu rhywfaint ar fy hiraeth wrth ddweud bod pawb yn gorfod anghofio rhai pethau. Rŵan dw i'n fy holi fy hun a meddwl tybed a oedd hi wedi dweud yr un peth wrth fy nhad rywdro.

Tafarn gartrefol ydi'r Faenol Arms, ac fe rown i lawer am fod yno'r foment yma. Distiau trwchus isel ac aroglau mwg a diota wedi treiddio iddynt dros y blynyddoedd, fel gweddïau i ddistiau eglwys. Byrddau bach crwn, mymryn o lwch lli ar y llawr a chroeso Wil Huw yn ben moel ac yn wên gron y tu ôl i'r bar hir. Fe alla i weld ei ddwylo'r funud yma, y bysedd tew a sawl modrwy'n gwthio'n galed dan y migyrnau. Doedd dim sôn am gerddoriaeth fel tafarnau'r dref, a dim ond y sgwrsio a'r bwrdd dartiau oedd yno i ddifyrru neb, a'r wal o gwmpas hwnnw'n profi nad oedd neb fawr o giamstar ar y gêm honno. Galw yno ar fy ffordd adref wnes i, dim ond dau neu dri'n seiadu'n rhadlon yn y gornel bellaf, a haul diwedd pnawn yn hidlo'n felyn feddal yn y ffenestri. Plygodd Wil Huw ymlaen a thynnu hanner peint bron cyn i mi gyrraedd y bar, a'i wyneb yn sgwrs cyn iddo ddechrau siarad.

'Ydi hi wedi cyrraedd?'

Nid trwyn am stori oedd gan Wil Huw ond y saga i gyd a'r cyfan ar flaenau'i fysedd mawr. 'Ddim eto,' a chymryd llwnc dwfn cyn i'r cwestiwn nesaf gyrraedd. Doedd dim pwrpas i mi wadu. Os oedd Wil Huw yn gwybod, yna roedd y stori ar dafod gwlad.

'Fydd 'na fodrwy, tybed?' Gwthiodd y newid mân yn araf tuag ataf. 'Nid bod hynny'n ffasiwn chwaith,' a sychu'r bar yn gyflym.

'Ma' pawb yn gw'bod, felly?'

'Y fo'n ca'l a chditha'n colli, dyna ydi'r stori.'

Treiddiodd ei eiriau fel cyllell at fy nghalon, ac fe wyddai yntau iddo wneud camgymeriad gyda'i hiwmor diangen a cheisiodd dawelu fy nicter wrth gynnig hanner arall a hynny heb dâl.

'Ond mi gei di dy gyfle eto, siŵr Dduw, ifanc w't ti, 'te ac ma' 'na ddigon o bysgod fel maen nhw'n 'i ddeud'.

Cipiais fy hanner peint oddi ar y bar a mynd i eistedd i'r bwrdd pellaf cyn iddo gael cyfle i ddweud mwy. Fan honno roeddwn i pan ddaeth Morfudd i mewn a'i llygaid yn fflam.

'Meddwl mai fan'ma y basat ti.'

'Be' gymeri di?'

'Dim.'

'W't ti'n gw'bod felly?'

'Ma' pawb yn y blydi lle 'ma'n gw'bod.'

Rhyfedd fel roedd ambell reg unwaith eto'n llithro i'w sgwrs pan oedd pethau'n anodd ac yn ei blino, fel petai dyddiau Lerpwl yn mynnu dod i'r wyneb yn ddiarwybod iddi.

'Wnei di ddim aros yn Llain Gyndyn, debyg? Fedri di ddim, ddim rŵan.'

Prin roeddwn i wedi meddwl am y peth nes iddi sôn. Llygaid mam oedd ganddi wrth iddi eistedd yn y fan honno'n gymysgfa o ddicter a siom a'i chalon wedi gadael Llain Gyndyn ymhell cyn iddi ddweud na fyddai'r un o'i thraed yn croesi carreg drws yr hen le eto. Llyncais weddillion fy hanner peint a llwybreiddiodd Wil Huw yno mor ddistaw â gweddi gan obeithio cael cynffon ein sgwrs a rhoi pennod arall yn y stori.

'Ffonia fi,' meddai Morfudd a throi ar ei sawdl cyn i ddwylo mawr Wil Huw gydio yn y gwydr a'i gario mor ofalus â chario babi yn ôl at y bar.

Ar fore Sadwrn y daeth Gertrude i Llain Gyndyn pan oedd yr hydref yn bentwr o ddail canlliw yn y buarth a brigau'r coed fel bysedd hen wrach rhyngom â'r Garn.

Roedd o wedi gwneud ymdrech dila i dacluso'r parlwr ac aroglau ffug lanweithdra'n llenwi'r lle. Wnes i ddim ysgwyd llaw na dim felly, na chynnig croeso, dim ond gadael i nhad ddweud ei ddweud yn ddistaw ond yn bendant.

'Ma' Gertrude yn mynd i aros yma o hyn allan.'

Wnes i ddim ymateb i hynny chwaith a gadael i'r tawelwch oeraidd ddangos fy nheimladau. Doedd dim angen geiriau i amlygu hynny. Syllodd hithau a'i llygaid yn herio, ond heb ddweud dim.

Yn araf bach, daeth ei phethau i ddisodli rhai mam ac i lenwi ystafell Morfudd, ac yn raddol ac araf y ciliais innau oddi wrth y ddau, a threulio llawer mwy o amser yn fy ystafell.

'Does dim angen i ti fod mor ddiawledig o ddigroeso.' Geiriau nhad un bore a'r barrug yn arian ar y buarth, a dim golwg o Gertrude.

'Musnes i ydi hynny, a neb arall.'

'Mi ddysgodd dy fam a finna' fyw yma, cofia, er gwaetha' pob dim o'dd wedi digwydd. Pam na fedri ditha'?

Doedd gen i ddim ateb ar y pryd. Roedd popeth yn newid yn araf a lle mam a Morfudd yn ildio i ddyddiau hollol wahanol, ac roedd hynny'n anodd ei ddioddef. Roedd y cellwair yn y Faenol Arms yn dân ar fy nghroen hefyd, er mai i'r fan honno roeddwn yn troi a hynny'n rhy aml yn ôl Morfudd. 'Rhoi cyfle i'r hen ddyn gal 'i damad a'i hwyl wyt ti,' meddai Wil Huw wrth iddo wthio peint arall ar draws y bar, a'r chwerthin brwnt yn llenwi'r ystafell o'n cwmpas. Ond eto, fi oedd yr olaf i adael yn aml a'r diflastod o ddychwelyd i Llain Gyndyn yn mynd yn feichus.

Mam oedd wedi trin yr ardd erioed, am wn i. Hances boced o dir brown y tu ôl i'r tŷ a gwanwyn ar ôl gwanwyn yn doreth o liwiau dan ei dwylo, a'r gwenyn yn heidio yno i fela. Fe alla i ei gweld y foment yma ar ei chwrcwd yn y gwaelod yn trin y ddwy goeden rosod, ac arogli'r sawr yn y parlwr wedi iddi eu gosod yn gymen yn y bowlen wydr fawr. Ble mae honno bellach, tybed? Aroglau gwahanol sydd yn y parlwr erbyn hyn. Ac yn y fan yma.

Dechrau pellhau wnaeth Morfudd hefyd am gyfnod, ac roedd hynny'n brifo. Gweld bai am fy mod yn dal yn Llain Gyndyn ac agosatrwydd brawd a chwaer yn araf ymddatod. Galw yn ei fflat moethus ambell dro a'r un hen eiriau'n gytgan o'i hanfodlonrwydd.

'Dwn i ddim sut rwyt ti'n gallu aros yna.'

Ddywedais i ddim fod sŵn chwerthin nhad a Gertrude yn boen enaid i mi ambell dro. Rhuthro i fy stafell a chau'r drws oedd yn digwydd wedyn. Erbyn meddwl, sgen i fawr o gof i mam chwerthin yn aml. Dim ond pan oedd y blodau lond ei hafflau ac yn lliw i gyd a'r gwanwyn yn gyffro. Ond roedd Llinos yn gallu chwerthin, chwerthin nes bod dau bant bach, bach o gylch ei cheg, a'i llygaid yn ddawns. Ei chwerthin hi a minnau oedd i fod yn Llain Gyndyn, nid chwerthin neb arall.

'Clywed dy fod yn y Faenol yn eitha' aml rŵan.'

'Mae o'n help i anghofio, tydi.'

'Dyna roeddwn inna'n 'i feddwl unwaith hefyd.'

Roeddwn ofn dweud bod ganddi fwy i'w anghofio na'r dyddiau yn Lerpwl, ac fe fyddai hynny wedi cynyddu'r pellhau a deimlwn. Pan ganodd cloch ei ffôn, fe ruthrodd i'w ateb a'i gwên yn dangos ei llawenydd wrth i'r sgwrsio ddechrau. Wnes innau ddim aros, dim ond codi llaw yn araf wrth droi am y grisiau, a wnaeth hithau ddim hyd yn oed godi ei phen wrth i'r drws gau mor ddistaw ag ochenaid. Sylwais ar y tusw anferth o rosod cochion yn y cyntedd wrth i mi adael a throi am adref.

Doedd dim golwg o nhad yn unman wrth i mi gyrraedd Llain Gyndyn, dim ond y golau gwyn yn rhimyn tenau dan ddrws y parlwr a grwndi'r teledu fel gwenyn ganol haf. Gertrude agorodd y drws hwnnw'n araf wrth i mi ddechrau dringo'r grisiau i gyfeiriad fy ystafell.

'Lle mae o?'

Wnaeth hi ddim ateb dim ond taflu cilwg i gyfeiriad y grisiau, gadael y drws yn agored a mynd i eistedd ar un o'r cadeiriau esmwyth dan y ffenestr. Roedd ei gŵn yn hanner agored a wnaeth hi fawr o ymdrech i guddio'i chluniau chwaith.

'Ydi o'n iawn?'

'Fel mae o. Dw i isio gair.'

Hanner llawn oedd y gwydryn ar y bwrdd bach wrth ei hochr, gwin coch golau a golau isel yr ystafell yn belydrau bach ynddo. Cododd hithau a chau'r drws yn ddistaw.

'Wyt ti'n meddwl na wn i ddim?

Lapiodd ei dwylo'n dyner o gylch y gwydryn, a sŵn ei modrwyau'n tincian yn ysgafn yn ei erbyn. Dim ond un fodrwy oedd gan mam. Dim ond un fu ganddi erioed a honno wedi gwisgo'n gylch tenau.

'Gw'bod be?'

Deall fy nghasineb i roedd hi am mai hogyn mam oeddwn i wedi bod erioed, neu dyna roedd nhad wedi'i ddweud wrthi beth bynnag, ond roedd o wedi dweud llawer iawn mwy na hynny, mae'n amlwg. Roedd yr hanes i gyd ganddi, yr holl fanylion bach budr am Morfudd, Lerpwl, hyd yn oed y ffaith nad nhad oedd tad Morfudd a hefyd am garwriaeth Llinos a minnau. Taflu'r ffeithiau ataf fel taflu dartiau wnaeth hi a phob un yn cyrraedd y nod yn finiog a hynny heb boeni dim am fy nheimladau i. Gwin, ffaith. Gwin, ffaith. Gwin, ffaith fel morthwyl ar engan a'i llais yn isel a chaled fel sŵn cenllysg ar wydr.

'Wyddost ti ddim mor falch oedd dy dad pan adawodd Llinos di? Wyddost ti pam roedd dy fam yn meddwl y byd o Llinos? Wyddost ti? Na wyddost, ond mi ddeuda i wrthat ti pam. O gwnaf.' Llowciodd weddill y gwin yn gyflym a'r gwrid ar ei gruddiau'n fflamgoch, ac ymlaen â hi yn doreth o gasineb di-baid.

'Am mai ewythr Llinos ydi tad Morfudd, dyna i ti pam. Dyna i ti pam roedd dy fam yn meddwl y byd ohoni, a dyna i ti pam na allai dy dad ei diodda hi. Do'dd yr haul ddim yn t'wnnu allan o dîn dy fam, ysti, ddim o bell ffordd, coelia fi, ac ma hi'n hen bryd i ti ddeall hynny. Chdi a Morfudd.' Methu coelio roeddwn i. Nhad oedd wedi siarad yn ei ddiod, wedi lliwio'r stori i ffitio'i ddyheadau ei hun, ond roedd hen amheuon yn dechrau codi. Efallai fod Llinos yn gw'bod yr holl gefndir, wedi sylweddoli, wedi poeni ac wedi gadael heb ddweud y cyfiawn wir. A beth os oedd Morfudd yn gwybod hefyd. Roedd amheuon yn gallu magu casineb, ac roedd yn rhaid i mi gael gwybod y gwir. Rhywsut fe fyddai'n rhaid cysylltu â Llinos ac roedd ei rhif ffôn yn dal gennyf yn rhywle. Cael y dewrder i wneud fyddai'n anodd.

Yn y tawelwch, fe giliodd peth o ddicter Gertrude yn araf, a dim ond tipiadau pendant y cloc yn llenwi'r ystafell. Syllodd arnaf heb ddweud dim, a'r colur ar ei hwyneb yn cuddio dim ar y llinellau oedd yno. Wnaeth mam erioed ddefnyddio colur, na Llinos chwaith. Codais yn araf o'r gadair a throi am y drws a'i gadael yno'n swbach.

Rhywle rhwng cwsg ac effro'r oeddwn i, glaw mân fel dagrau ar wydr y ffenestr a geiriau Gertrude yn dal i droi a throsi yn fy meddwl yn ddi-baid. Dialedd nhad oedd wedi dod â Gertrude i Llain Gyndyn, ei gasineb o oedd wedi gyrru Morfudd i Lerpwl hefyd, ac efallai mai dyna oedd y tu ôl i ymadawiad Llinos er nad oedd hi wedi sôn na dweud dim am hynny erioed. Dal ar fy nghyfle oedd rhaid, ei gornelu a mynnu atebion ganddo.

Roedd y glaw wedi cilio ers meitin a chopa'r Garn yn glir ac agos wrth i mi ei weld yn troi am y llwybr bach oedd yn arwain at yr afon.

'Cysgu'n hwyr wnest ti?' a'r cyhuddiad yn amlycach na'i gwestiwn.

'Clwydo'n gynnar wnaethoch chitha' neithiwr,' a hynny gan obeithio iddo sylweddoli miniogrwydd y geiriau. Wnaeth o ddim nes i mi gydio yn ei goler a'i wthio'n galed yn erbyn y clawdd.

'Paid ti â meiddio ...'

Agor fflodiart y noson cynt wnes i wedyn, lluchio'r casineb yn ôl i'w wyneb am na allwn i beidio.

'Chi yrrodd Morfudd i ffwrdd i Lerpwl, 'te, am na allech chi fadda' i mam. Dim ond un camgymeriad yn difetha bywyd pawb – mam, Morfudd a minna', a pheidiwch â meddwl am wadu chwaith. Dyna ddeudodd Gertrude 'na neithiwr tra oeddach chi'n gorweddian yn y llofft.'

'A phwy ddiawl ddifethodd 'mywyd i, tybad? Y?'

Hyrddiodd fi'n ôl gyda holl nerth ei ddwylo mawr a'i boer yn ffroth gwyn o gylch ei geg, a'i anadl yn swnllyd yn ei ffroenau agored. Roedd ei gynddaredd yn ferw erbyn hyn er na wnaeth o fawr o ymdrech i godi oddi wrth y clawdd am ychydig. Pan wnaeth o, rhoddodd ei law ar fy ysgwydd a'i godi ei hun i'w lawn daldra.

'Wyt ti'n meddwl na wn i ddim byd am siom? Wnest ti 'rioed feddwl be fasa nheimlada i tasa Llinos a ti wedi priodi a dŵad yma i fyw? Tasach chi wedi ca'l plant a sŵn 'u traed nhw yn fan'ma? Ma' hi'r un gwaed â fo a fedrwn i ddim diodda meddwl amdani yma. Y hi a dy fam a chditha' yma fel tasa 'na ddim byd wedi digwydd 'rioed, a finna efo neb ond chdi. A be wnest ti? Troi dy gefn ar y tir 'ma, ar y lle 'ma. O! mi wn i'n iawn nad ydi o fawr o le, cofia, ond mi fasat ti wedi gallu gneud rhywbeth allan ohono fo, ti a dy addysg, beth bynnag ydi hwnnw. Wnei di ddim bellach, a chei di mo'r cyfla chwaith.'

Sylwais fod mymryn o waed dan ei lygaid lle'r oedd draenen wedi cydio wrth iddo bwyso ar y clawdd, ac roedd golwg wyllt arno. Tynnais hances o mhoced ac estyn allan i'w sychu, ond trawodd fy llaw'n galed a'i gwthio ymaith a dechrau cerdded yn araf i fyny'r llwybr.

'Damia chdi,' meddai dan ei wynt a rhoi cip giaidd dros ei ysgwydd. Roedd wyneb Gertrude lond y ffenestr wrth i minnau gyrraedd y buarth. Aros allan wnes i, edrych i gyfeiriad y Garn a'r lleiniau patrwm bwrdd gwyddbwyll yn dechrau melynu'n araf gyda'r gaeaf, a'r coed yn plygu'n araf o flaen yr awel fel hen seintiau o flaen allor. Amgylchiadau eraill oedd wedi plygu nhad, ac yn fy mhlygu innau erbyn hyn.

Wn i ddim faint o amser dreuliais i yn y fan honno, ond yn sydyn fe agorodd y drws unwaith eto a nhad yn cerdded allan, ei gamau'n fyr a brysiog wrth iddo duthian am y car, ac i ffwrdd â fo gan bwyso'r sbardun yn galed a'r sŵn yn diflannu'n araf wrth iddo gyrraedd y ffordd fawr. Safai Gertrude yn nrws y parlwr wrth i mi gerdded i'r tŷ, ei hwyneb yn storm a'i dwylo'n lapio o gylch gwydryn helaeth o win coch tywyll. Dim ond cip. Dim gair. Dim ond troi i gyfeiriad fy stafell a chau'r drws yn glep cyn gorwedd ar fy ngwely. Llais Morfudd oedd ar y ffôn wrth i mi neidio'n frysiog o fy hepian, a'r llais hwnnw'n orchymyn na allwn wneud dim ond ufuddhau iddo a mynd yno.

Gorchymyn oedd ei gair cyntaf hefyd a hynny cyn i mi gael cyfle i ddweud na gwneud dim o gwbl.

'Ista.'

Ystafell gynnes oedd hi a'r gwydr dwbl yn cau allan unrhyw arlliw o oerni'r gwynt oedd yn cwyno i lawr y stryd. Y clustogau'n feddal gyfforddus a chlamp o lamp fawr dal yn y gornel yn taflu ei golau melyn croesawus ar draws y lle.

'Mae o wedi bod yma, a dw i'n gwbod y cyfan i ti gael deall.'

'Fi ddyla' fod wedi deud wrthat ti, neb arall.'

'Ond wnes ti ddim, naddo.'

'Wyddwn i ddim nes iddi hi ddeud. Ofn dy frifo di.'

'Dyna wyt ti wedi'i 'neud rŵan hefyd,'

Syndod oedd wedi ei tharo'n fwy na dim efallai, y syndod o weld nhad yno, ei lygaid yn dawnsio o un moethusrwydd i'r llall, a'r mymryn gwaed wedi caledu'n gochddu ar ei rudd. Fo oedd wedi dweud y stori i gyd, bron yn yr un geiriau a ddefnyddiodd gyda mi ond bod peth o'r miniogrwydd wedi gadael. Am y tro cyntaf ers blynyddoedd roedd o wedi gafael yn ei llaw, ei ddwylo caled yn sych yn erbyn ei bysedd llyfn a hir, ei lais yn floesg a mymryn o gryndod ynddo. Datgan ei siom wnaeth o, ceisio cuddio ond methu'n llwyr, a hanner ymddiheuro am iddo fod yn achos ei gyrru hi i ffwrdd i Lerpwl. Roedd o wedi bwriadu mynd i Lerpwl ar ei hôl ond methiant fu hynny hefyd, ond pan ddaeth hi gartref fe ddaeth yr hen atgofion i gyd yn ôl. Gweld mam a hithau a minnau mor agos, a phan ddechreuais i a Llinos ddod yn llawer mwy na ffrindiau roedd y briw'n gwaedu a'r maddeuant yn pellhau o ddydd i ddydd.

'Rhywsut fe fedra i ddeall ei bryder, cofia, ond fedra i ddim anghofio petha chwaith. Ydi o wedi sôn am werthu wrthat ti?'

'Dim ond deud na chawn i byth mo'r hen le.'

'Ofn sydd y tu ôl i hynny, ysti.'

'Ofn be?'

'Ofn i Llinos a ti ddod yn ôl at eich gilydd. Mae o'n benderfynol na ddaw'r gwaed yna ddim yn ôl acw, ac mi fedra i ddeall hynny.'

'Fedra i ddim meddwl amdanat ti fel hanner chwaer. Ddim o gwbl.'

'Does dim rhaid i ti, mi wyddost hynny, ond ma' raid i ti ddysgu madda.'

Ac allwn i ddim. Alla i ddim y foment yma chwaith, hyd yn oed yn y fan yma. Lluchio'r cwestiwn yn ôl wnes i cyn iddi gael y cyfle i ddweud mwy.

'Wyt ti wedi dechra madda?'

Wnaeth hi ddim ymateb am ychydig fel petai hi'n chwilio am ateb a hwnnw'n cau dod o unman. Ond maddau iddi hi ei hun oedd yn anodd, meddai hi, yn enwedig rŵan a nhad wedi dweud y cyfan wrthi. Roedd hi'n ceisio deall siom fy nhad hefyd, ein gweld ni'n dau mor agos at mam ac yntau wedyn ar ymylon y cyfan i gyd ac yn ceisio cadw'r cyfan iddo'i hun hefyd.

'Rho dy hun yn 'i le fo, a meddwl be fasa ti wedi'i 'neud. Fe fedra i ddeall pam roedd o'n falch o ngweld i'n mynd i Lerpwl. Lleihau'r baich oedd hynny iddo fo, 'te, hel petha dan y mat dros dro fatha llwch, a meddwl byddai anghofio'n haws na madda wedyn. Ond pan ddois i adra ...'

'A finna wedi dechra canlyn Llinos. Dyna roeddat ti am 'i ddeud, 'te?'

'Hanner y gwir ydi hynny.'

Prin roedd Morfudd na minnau wedi sôn am deimladau mam yng nghanol hyn i gyd. Sut roedd hi wedi ymdopi? Dyna oedd ar fy meddwl ar y daith yn ôl i Llain Gyndyn. Mam yn gweld ei merch yn gadael a hithau'n gorfod aros i wynebu'r hiraeth ddydd ar ôl dydd, ac edrychiad nhad yn cyhuddo heb iddo orfod dweud dim. Doedd ryfedd yn y byd nad oedd hi'n chwerthin yn aml. Faint oedd y ddau wedi'i guddio yn ddistaw bach a faint o gyhuddo oedd nhad wedi'i wneud? Oedd 'na ambell ddadl wedi digwydd ymhell o'm clyw, a distawrwydd llethol yn crafu cydwybod? Oedd 'na bellhau distaw a'r pellhau hwnnw'n cael ei hybu gan garwriaeth Llinos a minnau?

Dim ond Gertrude oedd yno pan gyrhaeddais adref. Dyna lle'r oedd hi'n hanner gorweddian rhwng y clustogau yn y parlwr a'i phen mewn llyfr. Roedd y gwydryn yn wag a haen amlwg o lwch ar y bwrdd bach rhyngddi a'r tân. Allai mam ddim dioddef llwch.

'Lle mae o?'

Darllenodd linell neu ddwy arall cyn fy ateb ac yna syllu dros ymyl y ddalen yn haerllug.

'Fel tasa ots gen ti.'

'Doedd o ddim efo Morfudd.'

'A dydi o ddim adra chwaith.'

'Fedar o ddim cuddio.'

'Dyna ddyla fo ar ôl be wnest ti, ac mi welis i'r cwbl o'r ffenast 'ma. Ella'i fod o wedi mynd at yr heddlu. Dyna faswn i wedi'i 'neud.'

Hi oedd yn plannu hadau'r ofn ac roedd hi'n gwybod hynny'n iawn, ac am gymryd mantais o'r sefyllfa. A dyna wnaeth hi gyda'i geiriau nesaf.

'I ble'r aeth dy dad am gysur pan oedd dy fam fel roedd hi? S'gen ti syniad?'

'Ddim atoch chi, gobeithio.'

Llwyddodd i reoli ei thymer er gwaethaf fy nirmyg, ond roedd ei chrechwen mor amlwg â'r llwch o'i chwmpas.

'Na, ddim ata' i, ond i'r union le lle mae o heno, ma'n siŵr.'

'Lle felly?'

'Yn y Faenol, mae'n debyg. I ti gael gw'bod, yn y fan honno y gwelis i o gynta', ac ma' dy chwaer yn gw'bod hynny'n iawn. Sori, hanner chwaer ydi hi, 'te.'

Gwenodd yn ddirmygus a throi'n ôl at ei llyfr a'i hwyneb mor galed â dur wrth feddwl nad oedd gen i ateb.

'A be' ydach chi? Hanner gwraig, ia?'

'Colli Llinos wt ti, 'te. Casáu pawb am na chefaist ti moni. Rhywun arall sy'n ca'l y pleser rŵan.'

'Pwy felly?'

Dechrau chwerthin wnaeth hi wedyn, edrych i lawr ei thrwyn a ngwneud i deimlo'n neb. Cydiais yn y llyfr oedd ganddi, rhwygo tudalen ar ôl tudalen a'u lluchio ati, ond wnaeth hi ddim ond chwerthin yn afreolus a thywallt mwy o'r gwin i'w gwydryn.

'Hogyn bach 'i fam yn methu cadw'i dempar, ond dyna fo, methu cadw'i theimlada' dan reolaeth roedd hitha' hefyd.'

Cilio wnes i unwaith eto er y buaswn wedi bod wrth fy modd yn ei thagu yn y fan a'r lle a'i gadael yno nes i nhad ddychwelyd. Nid meddwl amdani hi wnes i yn fy stafell chwaith, ac nid ei geiriau olaf hi oedd yn mynnu aros, ond pwy, tybed, oedd yn cael cariad Llinos? Pwy oedd yn cael edrych i'w llygaid, yn cael rhedeg llaw trwy ei gwallt a'i chusanu a'i dal yn agos, agos? Oedd hi'n cofio weithiau am ambell ddiwrnod gawsom ni'n dau gyda'n gilydd, y chwerthin a'r pleser? Oedd hi'n sôn amdanaf ambell dro wrtho fo, wrth ffrindiau, wrth rywun? Ai dim ond perthyn i ddoe oeddwn i bellach, fel y lluniau oedd gan mam yn yr albwm? 'Fuo 'na neb arall' oedd hi wedi ei ddweud ac roeddwn yn cofio'i geiriau air am air bron, a bellach doeddwn i ddim ond atgof. Doeddwn i'n neb iddi.

Morfudd ddaeth â nhad adref, soser o leuad yn hongian dros y Garn a chysgodion y ddau yn hirfain ddu ar y buarth wrth iddynt ddod o'r car. Roedd o'n pwyso arni a hithau'n gafael yn ofalus dynn yn ei fraich wrth iddo estyn y goriadau o'i boced. 'Fedra i byth fadda,' dyna'r geiriau yr oeddwn yn eu cofio iddo'u dweud, ond eto dyna lle'r oedd y ddau mor agos â dwy gneuan yng Nghoed yr Allt. Clywais y drws yn agor yn betrus a gweld Morfudd yn rhoi cip sydyn yn ôl wrth iddi ddychwelyd i'w char. Dim ond chwerthin direidus Gertrude ac yntau oedd 'na wedyn a golau car Morfudd yn llafnau hir o gwmpas y coed.

Gwenodd Wil Huw ei groeso arferol wrth i mi gerdded at far y Faenol Arms yn ystod awr ginio'r diwrnod wedyn. Treiddiai aroglau cawl poeth o du ôl y bar ac yntau wrthi'n brysur yn llenwi rhestr o'r danteithion amheus oedd ar gael yn ystod y dydd, a'r cyfan yn gynnyrch lleol. Doedd dim golwg o'r prisiau yn unman chwaith.

'Sut ma' gweddill y clan?' wrth iddo wthio peint i'm cyfeiriad ar draws congl y bar. 'Fawr o hwyl ar dy dad neithiwr nes i Morfudd gyrraedd.'

'O'dd y ddau yma, felly?'

'Nhw o'dd yr ola' i ada'l.'

'Paid â deud.'

'Efengyl i ti.'

Roedd rheidrwydd arna i i gredu'r efengyl yn ôl Wil Huw er mor anodd oedd hynny ac efallai nad oedd arna i eisiau credu chwaith. Os oedd Morfudd wedi dechrau pellhau ychydig, roedd hi hefyd wedi dechrau closio at nhad, a beth fyddai canlyniadau hynny i bawb? Doedd gen i fawr o awydd troi i gyfeiriad gwaith er na fûm i erioed yn un i lymeitian am oriau yn ystod y dydd ac roedd Wil Huw yn falch o gwsmer y pnawn hwnnw. Mwy o waith fyddai'n aros wedi mynd adref hefyd ac roedd aroglau eitha' da ar y cawl, beth bynnag oedd ynddo.

'Hanner arall?'

Aros wrth y bar wnes i gan wybod y byddai Wil Huw yn siŵr o ddweud mwy, ac roedd mwy o sglein ar ei wyneb nag oedd ar wydr yr hanner peint. Tywalltodd y cawl gyda llaw grynedig i'r bowlen gan wneud ei orau i guddio'r craciau oedd ynddi a rhoi pecyn o hancesi papur wrth ei hochr.

'Be' mae o am 'i 'neud efo'r lle 'cw?'

'Be' fedar o'i 'neud?'

'Gwerthu. Gosod y tŷ, beth bynnag mae o isio, 'te.'

'A be wedyn?'

'Fflat yn y dre', fo a Gert.'

Chlywais i neb yn ei galw'n Gert o'r blaen, ddim yn fy nghlyw i, beth bynnag, ac efallai iddo yntau sylweddoli iddo fod braidd yn gyfarwydd o dan yr amgylchiadau. Taro'n chwithig iawn oedd hynny, a beth bynnag oedd fy marn amdani, Gertrude oedd hi hyd yn oed i nhad. Edrychodd arna i braidd yn guchiog, yn amlwg yn disgwyl i mi ymateb i'w syniadau yn llawer mwy pendant, ond wnes i ddim, gan wybod y byddai hynny'n llacio ychydig mwy ar ei dafod.

'Mi fasa gosod y tir yn dy siwtio di i'r dim, pres iddo fo a gada'l y tŷ i ti.' Dechrau amau wnes i. Tybed oedd Wil Huw wedi clywed nhad a Morfudd yn siarad ac mai ail-ddweud eu sgwrs yr oedd o bellach. Roedd ganddo fo feinglust dda i sgandal. Os felly, doeddwn i ddim am adael i neb reoli mywyd i.

'Dydi o fawr o le i rywun fod yno'i hunan.'

Rowlio'i lygaid wnaeth Wil Huw wrth i mi ddweud hynny ac roedd mwy nag awgrym yn ei chwerthiniad nad oedd rhaid i bethau fod felly. Feiddiodd o ddim cynnig enw ar gyfer y syniad chwaith. Llowciais weddill y cawl a gadael yr hanner peint heb ei orffen ar y bar a throi tua'r drws, a gweddillion cawod drom o law yn rhedeg yn fudr frown i'r gwter wrth i mi frasgamu i gyfeiriad fflat Morfudd. Dim ond yn y bore roedd hi'n gweithio'r diwrnod hwnnw ac roedd arna i angen atebion i ambell gwestiwn.

Chefais i fawr o gyfle i ofyn cwestiwn chwaith cyn iddi dynnu'r gwynt o'm hwyliau'n llwyr.

'Dw i wedi bod yn siarad efo Llinos.'

Wnes i ddim gofyn yn lle na pham. Roedd clywed yr enw'n ddigon o sioc. 'Digwydd taro arni ar gornel Stryd y Cei wnes i, a manteisio ar y cyfla. Roedd hi'n falch o ngweld i, a bod yn onast efo chdi, yn hynod falch er nad o'dd hi'n medru edrych i fy llygaid i chwaith. Ddim fel y bydda hi. Methu deud y cyfan wrthat ti wnaeth hi wrth dy ada'l di, ond Gertrude o'dd wedi deud y cwbl wrthi hi un noson yn y Faenol ymhell cyn i honno symud i mewn i Llain Gyndyn. Diod yn siarad, ma'n siŵr, ac un peth yn arwain i'r llall, wyddost sut ma'r petha 'ma'n digwydd. Roedd sylweddoli bod yna berthynas waed wedi torri'i chalon yn llwyr a fedra hi ddim dygymod o gwbl, na deud wrtha ti chwaith. Methu coelio roedd hi ar y dechra, meddwl tybad oeddat ti'n gw'bod, meddwl mai siarad ar ei chyfer roedd Gertrude, yn enwedig ar ôl i chi eich dau ...'

'Ofn ca'l babi a ninna'n perthyn.'

'Rwbath felly.'

'Pam ddiawl na fasa mam wedi deud wrtha i yn lle croesawu Llinos? Faswn i byth wedi dechra breuddwydio wedyn.'

'Am fod ganddi ormod i'w guddio, ma'n siŵr, a dydi hynny ddim yn hawdd, coelia fi. Dw i wedi bod yna, ysti, *got the t-shirt and the luggage boy*, a fedra i ddim gweld bai ar neb bellach.'

'Dyna pam y doist ti â nhad adra neithiwr, ia?'

Dw i'n sylweddoli rŵan mor gythreulig o greulon a chiaidd oedd y geiriau yna ar y pryd, ond roedd yn rhaid i rywun ddechrau talu am ddinistrio mreuddwyd, a Morfudd druan oedd yr agosaf y diwrnod hwnnw. Wnaeth hi ddim dangos y boen yn syth chwaith, ond er bod yna ddagrau yn ei llygaid, roedd 'na fin ar ei geiriau wedyn.

'Fasa ti wedi'i ada'l o yno? Roedd ganddo ynta' freuddwydion hefyd, cofia hynny, a beth bynnag feddyli di, mam ddifethodd y breuddwydion hynny, a dydi'r un fam i fod i 'neud petha felly. Cynnal breuddwydion mae mam i fod i'w 'neud, nid eu difetha nhw, a dw i'n gw'bod hynny hefyd, o brofiad,'

'Nath hi ddim difetha mreuddwydion i, naddo.'

'Wyt ti'n siŵr? Mi wydda' hi'n iawn fod Llinos yn perthyn, cofia.'

Cofio roeddwn i wedyn, cofio geiriau mam wrth iddi geisio fy nghysuro a dweud bod pawb yn gorfod anghofio rhai pethau mewn bywyd. Tasa Gertrude wedi cau ei cheg, fyddai Llinos ddim wedi cefnu arna i, fyddai mreuddwyd ddim wedi cael ei ddinistrio, a fyddai dim angen i Morfudd ddod â nhad adra'n feddw dwll. A fuaswn innau ddim yn y fan yma wedyn chwaith.

O'r fan yna yn rhywle y deilliodd yr holl gasineb wedyn a fedrwn i reoli dim arno, dim ond gadael iddo fud losgi ddydd ar ôl dydd, nos ar ôl nos. Ambell dro, mae 'na bleser i'w gael o gasáu, pleser wrth weld a sylwi ar fethiant a dyna oedd yn digwydd yn Llain Gyndyn yn araf bach. Nid lle Gertrude oedd yr aelwyd honno, stryd a thafarn, siop a phalmant, gwin a dwndwr rhialtwch oedd ei chynefin naturiol hi i fod. Nid llwydni a thawelwch a'r gwynt o'r Garn yn finllym o dan ambell ddrws ar nosweithiau hir yn y gaeaf. Fe fyddai Llinos wedi gallu byw gyda phethau felly yn ddigon hawdd, yn enwedig gyda ffatian traed bach o gwmpas y lle. Fe fyddai hi wedi clywed cân y gog o'r goedlan yn ymyl y ffordd fawr, wedi gweld gwyrddni'r gwanwyn a lliwiau'r machlud, ac wedi cerdded y llwybrau i gyd. Y hi, fi a'r bychan. Sglein y gofal fyddai ar bethau'r dresel a gwynt yn bolio'r dillad bach a mawr ar y lein yn y cefn. Ond roedd diflastod yn dechrau cydio, hen arferion yn dod yn ôl, hen eiriau'n cael eu dweud a'r llwch yn casglu hyd yn oed ar y dresel hefyd erbyn hyn. Ac oedd, roedd angen glanhau Llain Gyndyn.

Prin a thenau iawn ydyw'r ffin rhwng caru a chasáu yn amlach na pheidio, a dw i'n sylweddoli hynny'n fwy nag erioed yn y fan yma. Ydi cariad yn gallu troi'n gasineb, ac os yw, beth sy'n meithrin hynny? Roeddwn wedi diawlio mam am beidio â dweud y gwir am Llinos, ond fe rown y byd yn grwn am gael ambell orig o ddoe yn ôl, a dim ond adwaith y foment oedd hynny. Siom ydi'r drwg bob tro, neu dyna ydi fy esgus i erbyn hyn. Weithiau mae'n anodd byw gyda siom, a dyna sydd wedi digwydd. Dyna pam dw i yma. Ond nid fy siom o golli Llinos yn unig, er bod hynny'n rhan o'r holl ddigwyddiadau.

Nos Sadwrn oedd hi, y Nadolig yn cyrraedd y gorwel a siopau'r dref yn sbectrwm o liwiau tymhorol, a'r bargeinion yn demtasiwn o hawdd i'w cael. Sŵn carolau'n gymysg â thrwst cerbydau wrth i daith flynyddol Siôn Corn ar ei lori geisio argyhoeddi pawb bod amser rhoi a derbyn wedi cyrraedd unwaith yn rhagor. 'Amser i bopeth dan y nefoedd, amser i ryfel, amser i garu ac amser i gasáu.' Ond ychydig a feddyliais fod 'na amser i bethau llawer iawn gwaeth ac erchyll. Fyddai dim angen cael anrheg i Llinos, dim angen y chwilio dyfal hwnnw am rywbeth fyddai'n plesio, y lapio gofalus a'r cuddio plentynnaidd, y rhoi ac yna y 'doedd dim isio i ti' ac wedyn y gusan o ddiolch. Hen eiriau fel 'na oedd yn cynnal yr hiraeth. Hynny, a gweld ambell ddau yn cerdded law yn llaw, yn loetran o gylch ffenestri'r siopau a'u hapusrwydd yn hafflau o barseli lliwgar.

Roedd y fwydlen ar gyfer y Nadolig yn amlwg yn nrws y Faenol a Wil Huw'n brysur wrthi'n hongian y celyn a'r uchelwydd plastig uwchben y bar a'i obaith am Ŵyl broffidiol yn groeso llawn o rubanau a phosteri lliwgar yma ac acw. Bingo a charolau fyddai'n croesawu'r Nadolig, gwobrau hael o wirod a danteithion melys, ac fe fyddai croeso cynnes i bawb ymuno yn y dathliadau.

'Lle byddi di dros y 'Dolig a'r Flwyddyn Newydd 'ma?'

Yn ddigon afrosgo, daeth Wil Huw i lawr o hanner uchaf yr ystôl, a phwysodd ar y bar am eiliad neu fwy i gael ei wynt ato ac i aros am fy ateb.

'Adra, ma'n debyg.'

'Ac mi fydd 'na dderyn arall acw'r 'Dolig yma, heblaw twrci dw i'n 'i feddwl.'

Chwarddodd yn uchel am ben ei hiwmor tila a disgwyl i minnau ymuno yn hynny. Wnes i ddim, ac yn ei siom edrychodd yn ddigon cuchiog wrth iddo dynnu hanner peint i mi. Ceisiodd newid cyfeiriad y sgwrs hefyd wrth sylweddoli iddo gael cam gwag, a dechrau sychu gwydryn neu ddau yn hollol ddianghenraid a rhoi mwy o gnau yn y twbyn crwn wrth fy ochr. Codi syched er mwyn cynnal sgwrs, mae'n siŵr.

'Ddaw Morfudd adra, tybed?'

'Gwestiwn gen i.'

Wnaeth o ofyn dim arall chwaith wrth i gwsmer neu ddau gyrraedd yn swnllyd a chodi ei obeithion am geiniog neu ddwy arall, a doeddwn innau ddim am roi cyfle iddo stilio a holi mwy, ond roedd meddwl am fwriadau Morfudd wedi codi cwestiwn neu ddau.

'Mynd i Lerpwl dw i am 'i 'neud dros y 'Dolig, gweld hen ffrindia, siopio 'chydig ac aros dros y flwyddyn newydd.'

Wnes i erioed feddwl am hynny am fy mod wedi cymryd mai rhan o'i ddoe oedd Lerpwl, ond roedd yna dynfa'n aros o hyd, ac roedd hynny'n amlwg yn ei heiddgarwch i fynd yno.

'Wyt ti am gadw'r cyswllt felly?'

'Ofn i mi aros w't ti?'

Doeddwn i erioed wedi cysylltu'r Nadolig gydag unigrwydd neb, dod adref ar gyfer y croeso wnaeth Morfudd erioed, neu felly roeddwn i wedi synio, beth bynnag, a mam yn edrych ymlaen ddyddiau ymlaen llaw. Ond fe fyddai'r Nadolig yma'n wahanol i hynny. Fyddai 'na ddim stêm yn glynu wrth y ffenestri, na'r aroglau cynnar yn treiddio'n araf o gyfeiriad y gegin. Fyddai 'na neb yn galw, mae'n siŵr, y gnoc gyfeillgar ar y drws, yr ysgwyd llaw a'r dymuniadau da i bawb oedd yn y tŷ, ac yn waeth na dim fyddai 'na ddim Llinos chwaith. Darllen fy meddyliau wnaeth Morfudd, eu darllen a dweud dim am ychydig, dim ond edrych, a'r edrychiad hwnnw'r un ffunud â mam.

'Dw i'n gw'bod y bydd hi'n anodd, ysti.'

'Ma' gen ti rwla i fynd iddo fo, a rwla i ddŵad yn ôl hefyd.'

'Fydd mynd i Lerpwl ddim yn fêl i gyd, cofia, na dŵad yn ôl i fan'ma chwaith. Bydd, fe fydd 'na chwerthin a hwyl, ond mi fydd 'na betha y tu ôl i'r chwerthin na fedra i mo'u hanghofio nhw.'

Dychwelyd i Llain Gyndyn wnes i'r noson honno. Cwmwl yn mynnu cuddio'r lloer a haen o farrug cynnar yn berlau sgleiniog ar ochr y ffordd, a golau'r car yn rhwygo'r cysgodion wrth i mi ddynesu at y tŷ. Agor ychydig ar ffenestr y car a'r awel fain yn fêl ar fy ngruddiau cynnes wedi'r sgwrs gyda Morfudd. Hwtiodd tylluan yn uchel o'r coed wrth i mi adael y ffordd fawr a throi trwyn y car i gyfeiriad y buarth, a sylwi bod golau pŵl yn ffenestr y llofft fawr. Cydiais yn y goriad yn ddistaw ac agor y drws yn araf a chlywed chwerthin isel wrth i mi sefyll ar waelod y grisiau a'r carped newydd yn pylu sŵn fy nhraed. Gertrude oedd wedi mynnu cael hwnnw i dorri ychydig ar ias y gwynt oer dan y drws. Hi oedd wedi dewis y lliw cochddu hefyd a thaflu allan y ddau fat hirsgwar oedd wedi bod yno ers dyddiau Adda bron. Pwyso fy nhroed wedyn ar y gris isaf un heb gofio bod honno'n gwichian yn aml. Tawelodd y chwerthin a daeth llafn wen o olau dan ddrws yr ystafell wely, ac yna'r drws yn agor yn araf. Dyna lle'r oedd Gertrude a'r golau o'r ystafell yn treiddio trwy'r dilledyn tenau oedd ganddi amdani a'i rheg amrwd bron â bod yn sgrech.

'Blydi hel, be wt ti'n da 'ma?'

Daeth cysgod o'r tu ôl iddi a dwy fraich gref yn cydio yn ffrâm y drws a rheg neu ddwy arall cyn i'r drws gau fel clap o daran. Nid amlinell nhad oedd yno'r foment honno, roedd ei freichiau o wedi teneuo'n araf wrth i sawl peth bylu'r awydd i ennill y frwydr yn erbyn cael y lleiniau crintach yn briddyn hyblyg. Sefais yno am eiliadau, gan ystyried carlamu i fyny'r grisiau, dyrnu'r drws a'i falu os na fyddwn yn cael ateb cyflym a chyhuddo'r ddau wyneb yn wyneb, ond dim ond fy ngair i yn erbyn ei gair hi fyddai canlyniad hynny. Dweud wrth nhad fyddai orau, ond o gofio hen ddigwyddiadau'r gorffennol fe fyddai hynny'n ailagor briwiau oedd heb orffen sychu, a phrin y gallai neb ymdopi â mwy o loes. Dim ond Gertrude a minnau allai setlo pethau. Neu efallai mai dim ond y fi allai wneud hynny yn fy ffordd fy hun. Aros am y cyfle fyddai orau.

Rhuthro'n ôl i'r car a thanio'r peiriant yn gyflym a gweld y mwg yn codi'n araf yn yr awyr oer. Cychwyn a chicio'r sbardun nes i'r cerrig mân oedd ar y buarth godi'n gawod swnllyd yn erbyn un o'r drysau, ac fe dawodd hwtian y dylluan yn y fan a'r lle.

Pam mae traeth yn galw pan fo problemau'n tyrru? Roedd sŵn y tonnau bach yn taro'n ysgafn ar y tywod a llwybr y lloer yn llinell olau ar eu traws. Ceisiodd esgus o gwmwl guddio'r lloer am ychydig, ond buan y gwthiodd yr awel fain ef ymhell i'r gorwel, a'm cysgod llonydd innau'n hirfain ar y dŵr. Roedd y garreg fawr ym mhen pella'r traeth yn oer oddi tanaf wrth i mi eistedd arni a rhedodd ias oerach na'r dŵr i lawr fy meingefn. Ac yn y fan honno y gwnes fy mhenderfyniad.

Fi brynodd y goeden Nadolig a'i gosod yn ofalus wrth y ffenestr fawr, a chrogi'r peli bach amryliw o blastig ar y brigau. Yna rhedeg llinyn y goleuadau gwyn fel llwybr o'r gwaelod i'r brig a rhoi'r seren arian yn orchestol yn goron ar y cyfan. Cinio Nadolig un o'r sefydliadau lleol oedd wedi sicrhau nad oedd neb gartref ond y fi, er bod rhai dyddiau eto cyn yr Ŵyl. Yn y gornel arall roedd y peiriant cryno-ddisgiau'n gampwaith o'r dechnoleg fodern a phentwr helaeth o'r disgiau'n rhesi trefnus wrth yr ochr. Un arall o anrhegion nhad i Gertrude oedd y cyfan a bu raid symud hen fwrdd bach derw mam i wneud lle iddo. Diffoddais olau'r ystafell fel mai dim ond goleuadau'r goeden oedd yn torri ar ddüwch y noson, a dewisais gân i lenwi'r tawelwch. Fûm i erioed yn dda am ddawnsio, dwy droed chwith yn amlach na pheidio, ond un o bleserau Llinos oedd dawnsio a rhythmau'r ddawns yn tanio'r synhwyrau ynddi. Dyna pam efallai i mi ddewis cerddorfa James Last yn chwarae 'The Last Waltz' a'r alaw'n llawn o hen atgofion am yr agosatrwydd fu rhyngom. Erbyn meddwl, roedd y teitl yn gweddu i'r dim i'r wythnos. Mae'n rhaid fy mod wedi dechrau hepian yn fodlon pan glywais sŵn y car yn cyrraedd y buarth a sylwi ar fysedd y cloc yn tynnu at un ar ddeg. Safodd nhad a Gertrude yn stond yn nrws yr ystafell a'r golau amryliw'n stribed ar eu hwynebau a'r pleser yn amlwg.

'Dyna be dw i'n 'i alw'n groeso.'

Geiriau nhad yn torri ar draws y gerddoriaeth, a chodais o'r gadair i ddiffodd y miwsig cyn i Gertrude syllu'n bryderus arnaf a rhoi cusan ysgafn ar fy ngrudd. Aroglau chwys a phersawr rhad yn gymysg â gwin rhatach oedd arni fel pe bai ei hofn yn mynnu dod i'r wyneb er gwaethaf ei hymdrech i roi argraff o bleser a diolch. Rhoddodd nhad ei fraich ar fy ysgwydd a'i anadl gynnes yntau'n arogli o'r ddiod. Gertrude wnaeth y paneidiau o goffi ond heb gymryd un ei hun, ac yna ein gadael yno yn y tawelwch heb ddweud gair. Dim ond wedi clywed sŵn ei thraed ar y grisiau y dywedodd yntau air.

'Doedd dim rhaid i ti, ysti, ond dw i'n gwerthfawrogi, cofia. Gwranda. Cinio allan fydd hi'r 'Dolig yma. Dw i wedi gofyn am fwrdd i ni'n pedwar yn y Faenol.'

'Fydd 'na ddim pedwar.'

'Be 'ti'n 'i feddwl?'

'Dim ond tri.'

'Paid â deud na ddoi di ddim.'

'Ddaw Morfudd ddim.'

Llithrodd y siom yn gysgod ar draws ei wyneb a syllodd ar y goeden ac yna arnaf innau.

'Pam?'

'Ma' hi am fynd i Lerpwl at ffrindia.'

'Damia hi.'

Cododd yn sydyn yn ei ddicter a cholli'r coffi'n llyn ar y carped, ac yna rhoi ei droed ar y cwpan nes bod hwnnw'n deilchion. Eistedd yn ôl wedyn heb falio dim am y llanast na'r aroglau, a'i ddwylo'n ddeuddwrn gwyn ar freichiau'r gadair.

'Sut medar hi fynd i fan'no?' Roedd cryndod yn ei lais wrth iddo geisio dygymod â'r siom a chwiliais am ateb yn gyflym.

'Am fod ganddi ffrindia yno.'

'Ac ma' ganddi deulu yma, os ydi hynny'n golygu rhywbath.'

Y pwyslais ar y gair 'teulu' oedd yn galed fel pe bai paent ddoe yn rhoi hagrwch i'r gair.

'Mi ddaw adra wedi'r flwyddyn newydd.'

'Ddaw hi?'

'Dyna ddeudodd hi.'

Wedi meddwl roedd o, wedi gobeithio bod pethau'n dod at ei gilydd, ac wedi gweld llygedyn o oleuni am yr yfory wrth i Morfudd ac yntau glosio ychydig. Tymor ewyllys da, tymor y teulu a chymodi, tymor y gobaith newydd, ac yna'r gair 'Lerpwl' yn difa'r cyfan ar amrantiad.

'Mi ffonia i'r Faenol fory.'

'Na, gad o rhag ofn iddi newid 'i meddwl.'

Mi wyddwn yn iawn na fyddai hynny'n digwydd, ond o gofio beth a wyddwn innau am Gertrude feiddiwn i ddim chwalu mwy ar ei obeithion y noson honno. Cododd yn araf o'r gadair a'r siom yn dal ar ei ruddiau, ac yna cerdded dros weddillion y cwpan heb gymryd sylw o gwbl cyn cau'r drws. Pwy ddywedodd bod ambell gwpan yn llawn breuddwydion? Gweddillion sawl peth oedd yn yr ystafell y noson honno, aroglau methiant yn gymysg â goleuadau'r Nadolig, a phlygais i dacluso ychydig ar y llanast a sychu'r carped. Dim ond wrth olchi fy nwylo y sylwais ar y gwaed oedd rhwng fy mysedd.

Fi oedd y cyntaf i godi fore trannoeth ac aroglau sur y coffi'n llenwi fy ffroenau wrth i mi geisio cuddio'r darn llaith oedd ar y carped a'r mymryn gwaed oedd wedi ceulo o'i gwmpas. Roeddwn ar fy ngliniau pan ddaeth Gertrude i lawr y grisiau a holl effeithiau'r noson flaenorol yn amlwg arni, ei gwallt yn swp blêr a'r gwreiddiau duon yn profi celwydd y lliw golau, a haul cynnar yn dangos lle bu'r colur. Eisteddodd yn ddioglyd ddigon yn y gadair fawr heb ddweud gair na chynnig help, dim ond syllu a'r euogrwydd yn llenwi ei llygaid.

'Coffi?' Nodiodd ei phen yn araf a derbyn fy nghynnig a'r ofn yn dal yn ei llygaid, a dim ond wedi i mi roi'r cwpan wrth ei hochr ar y bwrdd y mentrodd hi ddweud dim.

'Diolch i ti am neithiwr.'

'Er ei fwyn o a neb arall.'

'Mi fedra i ddeall hynny. Yli, ynglŷn â ...'

'Peidiwch â dechra, wir Dduw.'

'Dw i isio ti ddeall un peth.'

'Fedra i ddim byth, na madda chwaith, os ma' dyna ydach chi'n 'i feddwl, ond mi ddaw petha i dennyn, coeliwch fi.'

'Creda ne' beidio, dw i'n meddwl y byd ohono fo.'

Chwerthin wnes i, chwerthin yn haerllug ac yn llawn casineb a gweld yr ofn yn ffrydio'n ôl i'w hwyneb, ac roedd gweld hynny'n fwynhad llwyr. Crefu wnaeth hi wedyn, crefu arna i beidio â dweud dim wrth neb, a hynny er ei fwyn o, gyda'r Nadolig mor agos. Fe fyddai dweud yn dor-calon llwyr yn enwedig o gofio'r gorffennol, ac roedd noson cynt wedi plesio cymaint arno fo. Roedd o'n haeddu ychydig bach o ...

Chafodd hi mo'r cyfle i orffen ei brawddeg.

'Roedd o'n haeddu gwell na chi, beth bynnag.'

'Rhywun fel dy fam,' meddai hithau a'i chrechwen greulon yn f'wyneb cyn cymryd llwnc dwfn o'r coffi. Daeth sŵn traed nhad ar y grisiau cyn i mi gael y cyfle i ddweud na gwneud dim. Cododd Gertrude o'i chadair a rhoi cusan ysgafn ar ei rudd cyn troi am yr ystafell ymolchi. Edrych o'i gwmpas wnaeth o wedyn fel pe bai'n methu credu diddosrwydd yr ystafell a sylwodd o ddim ar y carped yn dechrau sychu'n araf.

'Pa bryd ma' Morfudd am 'i throi hi am Lerpwl?'

'Wn i ddim. Dim ond deud ei bod hi am fynd 'nath hi. Pam?'

'Isio bloda' dw i.'

'Bloda'?'

'I'w rhoi ar y bedd. Mymryn o gelyn efo nhw.'

Wyddwn i ddim sut i'w ateb am nad oedd gen i gof iddo erioed brynu blodau tra oedd mam yn fyw.

'Mi drefna i efo Morfudd.'

'A ngada'l i allan o betha fel arfar.'

Doedd gen i ddim bwriad i'w frifo ond dyna oedd wedi digwydd yn amlwg ddigon, ac efallai fod ei gydwybod yn dechrau pigo rhywfaint hefyd. Lluchiodd ddecpunt ar gornel y bwrdd a llusgo'n araf i gyfeiriad y drws cefn.

'Prynwch nhw, 'ta,' a rhoi clep galed ar y drws.

'Meddwl baswn i'n anghofio ma' siŵr.'

Dyna oedd geiriau Morfudd, a doedd gen innau ddim ateb ar y foment honno. Wedi trefnu i gyfarfod yr oeddem a hynny yn y caffi lle gwnaeth Llinos droi cefn arna i. Roeddwn wedi cyrraedd o flaen Morfudd ac wedi dewis bwrdd ymhell o'r bwrdd y bûm yn ei rannu â Llinos, ond prin y gwnaeth hynny wahaniaeth o gwbl. Doedd dim wedi newid yno, yr un rhosynnau plastig, yr un darluniau diystyr, a bron nad oeddwn yn adnabod y gerddoriaeth hefyd. Roedd dau'n eistedd wrth un bwrdd yn y gornel, eu hapusrwydd yn chwerthin isel dros y gerddoriaeth a'u dwylo'n cyffwrdd ambell dro a sglein ei modrwy'n amlwg. Synfyfyrio roeddwn i pan ddaeth Morfudd bron heb i mi sylweddoli, a'i geiriau sydyn yn dweud y cyfan.

'Yn dy fyd bach dy hun w't ti,' meddai hi cyn eistedd a chael cip ar y fwydlen cyn i mi ddechrau meddwl. Fu hi erioed yn brin o wneud penderfyniadau'n gyflym pa bynnag mor anodd oedd hynny, a'u gwneud yn fyrbwyll iawn ambell dro heb feddwl dim am y canlyniadau. Pan soniais am y blodau a'r celyn, daeth fflach o'i dicter i'w llygaid, ac fe wfftiodd fwy pan estynnais y decpunt a'i osod ar y bwrdd o'i blaen, a'm hatgoffa nad oedd hi wedi anghofio.

'Mi awn ni â nhw yno'r pnawn 'ma.'

A dyna hi wedi gwneud penderfyniad arall a hynny ar amrantiad heb boeni dim am neb arall. Rhosod oedd hi wedi'u dewis, a'r petalau'n gochddu frau, a doedd dim golwg o gelyn yn unman. Hanner crybwyll am hynny wnes i cyn iddi wrthod y syniad yn llwyr.

'Dydi bywyd ddim yn fythol wyrdd, ysti.'

O gofio digwyddiadau, prin y gallwn anghydweld â hi.

Hen honglad o eglwys ydi hi wedi bod erioed, yn rhy fawr o lawer i'r ardal, a'r oerni wedi treiddio i'w muriau yn batrymau o damprwydd o gylch y drws mawr llydan. Roedd enwau dieithr na wyddai neb fawr ddim amdanynt ar sawl plac yma ac acw ar y muriau, enwau Seisnig am filwyr a bonedd, a lluman Jac yr Undeb yn hongian yn llonydd nid nepell o'r allor. Cannwyll wedi hanner llosgi a hen gardiau o lun yr eglwys yn melynu'n araf yn croesawu ymwelwyr a'r gobaith am onestrwydd talu amdanynt yn y bocs pren wrth eu hochr. Roedd nifer o'r cerrig beddau wedi dechrau ildio i'r tir, yn gam fel hen fynaich bler, a'r glaswellt yn gwneud ei orau i'w cuddio mewn sawl lle. Fu mam erioed yn un o'r ffyddloniaid, dim ond mynychu pan oedd rhywbeth yn galw, priodas, angladd, bedydd ac ambell oedfa ddiolchgarwch pan fyddai'r cynhaeaf yn glyd yng nghornel y buarth.

Dechrau sylwi mwy ar y cerrig beddau wnes i, rhesi o golledion ar draws y blynyddoedd i gyd, ac eto dim ond un llinell fach rhwng y geni a'r marw, rhwng y dechrau a'r diwedd, a honno yn y diwedd oedd bywyd yn ei holl gyfanrwydd. Dydi geni na dyddiad marwolaeth yn golygu dim, dim ond y cyffro rhwng y ddau sy'n bwysig yn y diwedd, ac roedd yna gannoedd o linellau felly yn y fan honno. Rhan o'r llinell fach honno ydi fy nhymor i yn y fan yma.

Teimlad rhyfedd oedd teimlo bysedd Morfudd yn clymu'n dynn rhwng fy mysedd innau wrth i ni gerdded at fedd mam. Trefnodd y rhosod yn gylch taclus gyda'i gilydd, rhoi dŵr oer glân yn y gwydryn tra oeddwn innau'n tacluso ychydig ar y gwelltglas beiddgar oedd wedi meiddio cripian yma ac acw o gwmpas. Bron na allwn weld mam yn plygu o gylch y blodau yn yr ardd fach wrth i Morfudd gwrcydu'n isel a'r awel yn plycio'i gwallt. Dim ond Llinos oedd wedi cydio bys wrth fys fel yna o'r blaen. Loetran wnaeth Morfudd a minnau wedyn, loetran a methu gadael am gyfnod. Sefyllian heb ddweud dim ac yna cerdded yn ôl yn araf a chael un cip sydyn wrth i'r giât wichian ar ei cholyn cyn gadael.

'Wyt ti am ddŵad draw?' Ond er cystal fyddai croeso Morfudd, doedd gen i fawr o awydd dychwelyd i fynd a dwad y dre' wedi tawelwch y fynwent, ac roeddwn i'n dechrau dygymod yn araf gyda fy nghwmni fy hun. Troi'n ôl am Llain Gyndyn ac aroglau'r rhosod yn dal yn fy ffroenau a chyffyrddiad cynnes Morfudd yn ias rhwng fy mysedd. Doedd gen i fawr o awydd cwmni, cwmni nhad efallai, i mi gael dweud am y rhosod, ond nid cwmni Gertrude yn sicr ddigon. Roedd car fy nhad ar y buarth a sŵn cerddoriaeth ddieithr i'w chlywed trwy ffenestr y parlwr oedd yn hanner agored.

Troi i gyfeiriad y Garn wnes i cyn i'r diwrnod ddarfod a chymryd y llwybr bach rhwng y lleiniau agosaf at y tŷ a gadael i ddigwyddiadau'r dydd hidlo drwy'r cof. Roedd geiriau Gertrude yn dal yno, ei hymdrech dila i geisio cyfiawnhau pethau, ac roeddwn yn hanner difaru na fuaswn wedi rhoi cyfle iddi ddweud mwy, er i mi fwynhau gweld yr ofn yn ei llygaid. Fe fyddai hwnnw yno bob tro y byddai'n fy ngweld wedyn. Allwn i ddim anghofio'i geiriau ffiaidd am mam chwaith, na'r grechwen ar ei hwyneb wrth iddi eu poeri ataf. Beth fyddai ymateb Morfudd, tybed, pe bawn i wedi dweud y cyfan wrthi? Efallai y byddai hynny'n ei chadw yn Lerpwl am byth ac fe fyddai hynny'n golygu na fyddai 'na gydio dwylo byth wedyn.

Fe alla i gofio holl fanylion a thirwedd y llwybr bach tua chopa'r Garn y foment yma. Ambell garreg enfawr yma ac acw fel pe bai'r duwiau wedi eu lluchio o gwmpas yn eu dicter yn ystod y gorffennol pell, a'r mwsog mân melyn yn cydio ynddynt ac yn sgleinio yn y glaw. Ambell frân gribgoch neu hebog yn stond arnynt yn edrych am brae, a hen niwl oer yn hongian o gylch popeth fel ar ambell fore llaith, yn enwedig ar ddechrau'r gaeaf. Yn y gwanwyn, fe fyddai'r briallu'n garped o gwmpas yn arwydd o'r gobaith a'r dechrau newydd. Ond y tyllau mawr cyn cyrraedd y copa oedd y dynfa ers talwm. Bysedd mam yn biws a choch wrth i ni gasglu llus yn y fasged wellt, ac yna cael eistedd o gwmpas ar y gwellt meddal cyn iddi adael i mi daflu cerrig mân i lawr i grombil y tyllau. Wnes i erioed ofyn hanes y tyllau, dim ond gwrando ar y cyngor i beidio â mynd yn rhy agos atynt, ond mwynhau sŵn y cerrig yn bowndio o'r golwg i berfeddion y ddaear, yn taro o ochr i ochr ac yna'r distawrwydd wedi iddynt gyrraedd y gwaelod isaf. Weithiau, pan fyddai'r gwynt o'r gogledd, byddai'n hwtian o gylch y tyllau fel cerddorfa iasoer a'r sŵn yn codi ofn. Roedd yr haul yn goch fel gwaed wrth i mi droi'n ôl i'r llwybr bach a cherdded yn araf gartref.

Roedd gan fy nhad gyfnither yn byw ar y Gororau, ac er mai prin fu'r cyswllt teuluol erioed, am a wn i, fe fyddai'n ddefod bob Nadolig i fynd draw i ymweld. Mam yn pacio'r anrheg yn ofalus ac yna'n sgwennu'r label cyn ei gosod ar ganol y papur lliwgar a'n dymuniadau gorau arno mewn llythrennau bras ac un gusan fach. Ond aros gartref y byddai mam bob tro. Efallai fod y gyfnither yn gwybod mwy na Morfudd a minnau'r adeg honno, ond wnaeth hynny lyffetheirio dim erioed ar ei chroeso i ni'n dau. Dynes fach gron fel pêl oedd y gyfnither yma, traed chwarter i dri ac yn ffatian mynd o le i le'n dragwyddol, fel pe bai eistedd yn bechod. Ei hacen yn hollol wahanol ond arogl y *moth balls* ar ei dillad ydw i'n ei gofio, a hwnnw'n glynu yn ein dillad wedi iddi fynnu ein cofleidio wrth i ni gyrraedd a gadael, cyn iddi wthio arian Nadolig yn slei i'n pocedi.

Aroglau felly oedd arni yn angladd mam hefyd, ond roedd map o henaint yn llinellau hir ar ei hwyneb, a'i harafwch yn amlwg. Welais i ddim deigryn o gwbl yno chwaith erbyn meddwl.

Mynd ei hun wnaeth nhad y tro yma, a doedd dim golwg o anrheg yn unman o'i gwmpas wrth iddo gychwyn. Wnaeth o ddim gofyn oedd gen i awydd mynd efo fo chwaith, er mai Sadwrn oedd hi a'r haul yn gynhesach na'r disgwyl – dim ond taro cusan sydyn ar ruddiau Gertrude, codi ei ysgwyddau unwaith neu ddwy fel arfer, a mynd heb edrych yn ôl o gwbl. Manylion bach fel yna fydda i'n eu cofio am y bore Sadwrn hwnnw, ond mae manylion gweddill y dydd yn aros heb eu dileu, a does fawr o obaith y gwnaiff hynny ddigwydd. Fydd 'na ddim cyfle i mi eu dileu, beth bynnag, er y buaswn wrth fy modd yn gallu.

Roedd y llestri brecwast yn aros yn bentwr budr yn y gegin gefn yn gwmpeini agos i lestri swper y noson cynt, a'r gweddillion yn ceulo'n araf yn y dŵr oer. Aroglau sur oedd yno wrth i mi redeg y dŵr poeth drostynt yn gyflym a'r crwybr meddal yn gynnes ar fy nwylo, ac agorais ychydig ar y ffenestr i adael y stêm allan. A dyna pan ddaeth fy nghyfle.

Nid dynes yr awyr iach a'r llethrau oedd Gertrude wedi bod erioed ond wrth i mi gael cip allan trwy gornel y ffenestr, dyna lle'r oedd hi'n cerdded yn araf, araf i fyny'r llwybr bach at waelod y Garn a'r haul y tu ôl iddi. Gadael llonydd iddi gerdded ychydig ymhellach wnes i, lle mae'r llwybr yn culhau cyn cyrraedd y godre a'r afon fach yn tincian i lawr i gyfeiriad y tŷ. Gwisgais f'esgidiau Nike gyda'u gwadnau'n fflat a dibatrwm ac yna rhoi bagiau bach du plastig drostynt fel nad oedd ôl fy nhraed yn amlwg ar glai a gwellt y tir. Hwn oedd fy nghynefin. Ar hyd y llwybr troed yma y cerddais sawl tro gyda mam, ei dwylo'n galed braidd ond yn ofalus a chynnes. Plygu wrth lifbridd yr afon a mam yn codi brwynen a'i stwytho'n gelfydd ar ffurf cwch cyn rhoi draenen ddu neu bin drwyddi a'i gollwng ar ddŵr yr afon. Ar ochr y llwybr yma yng nghysgod y coed bach roedd Llinos a minnau wedi ...

Roedd fy nghamau'n llawer mwy nag yn y dyddiau hynny a buan iawn y llwyddais i ddal i fyny â Gertrude wrth iddi lusgo'i thraed yn araf. Cerdded yn ddistaw a llechwraidd o'r tu ôl iddi am ychydig ac yna, yn sydyn, taro fy llaw'n galed ar ei hysgwydd nes gweld ei chorff yn siglo mewn dychryn a sioc am funudau. Clywais hi'n llyncu ei hanadl yn gyflym a rhoddodd ei llaw ar fy mraich i geisio dod ati ei hun, ond gwthiais hi i ffwrdd a sefyll yno wyneb yn wyneb â hi heb yngan gair.

'Pam y dois di ar f'ôl i?' Llyncodd ei phoer wrth faglu dros ei geiriau a pheli bach o chwys oer yn ffurfio ar ei thalcen wrth i'r gwrid glirio ac ildio i lwydni ofn.

'Dŵad i ddeud ffarwel 'nes i, Gertrude.'

Roedd y cwestiwn lond ei hwyneb gwelw cyn iddi allu yngan y geiriau nesaf a'r dagrau'n dechrau cronni yn ei llygaid yr un pryd.

'I ble ti'n mynd? Fedri di ddim gada'l.'

'Nid fi sy'n gada'l. Dw i ddim yn mynd i unman Gertrude.'

'Ond ...'

'Chi sy'n gada'l.'

'Y?'

'Chi sy'n gada'l. Dyna ddeudis i, 'te? Steddwch.'

Gwthiais hi i gyfeiriad un o'r cerrig mawr a'i gorfodi i eistedd yno fel brenhines ar ei gorsedd galed.

'Ydach chi'n oer?

'Ydw braidd.'

A dyna fi'n dechrau chwerthin yn isel, ac mae chwerthin yn therapi, meddai rhai. Ond mae dial yn therapi i rai hefyd.

'Nadolig llawen, Gertrude,' a'i tharo'n galed ar ochr ei hwyneb nes bod ôl fy nwrn yn ddüwch egr ar ei grudd. Ceisiodd godi oddi ar y garreg oer nes i mi ei gwthio'n ôl a chydio yn ei gwallt o'r tu ôl a'i gwddf yn fwa gwyn o flaen fy mysedd, ac yna rhoi un llaw yn dynn dros ei gweflau. Rhedai cryndod drwyddi a'i llygaid yn fawr a'r düwch yn dechrau codi'n chwydd o'u cwmpas. Roedd aroglau ei hofn yn bleser llwyr.

'Does 'na neb o gwmpas, Gertrude, neb ond ni'n dau.'

Rhedodd rhimyn tenau o waed rhwng ei gweflau a diferu'n araf dros ei gên cyn i'r dagrau ddod, a'r ddau'n cymysgu'n oren ar ei gwddf.

'Dw i am roi petha mam yn ôl, Gertrude, llenwi'r dresal yn ôl fel roedd hi ers talwm cyn i chi ddod i Llain Gyndyn. Doedd gynnoch chi ddim hawl i'w tynnu i lawr, chi na nhad. Lladd y deryn ma' pawb yn 'i 'neud adeg y 'Dolig, 'te, ac yn ôl Wil Huw roeddach chi'n dipyn o dderyn, doeddach. Lladd y twrci, lladd amser, dyna ydi'r 'Dolig. A dw i'n gwbod bellach fod Wil Huw yn llygaid 'i le bellach, 'n dydw, ac mi ddyla fo w'bod, yn dyla, Gertrude.' Yna rhoi fy llaw ar ei gwddf a chwerthin unwaith eto wrth ei gweld yn sylweddoli beth oedd fy mwriad, ei tharo'n galetach fyth a rhwbio'r gwaed oedd wedi dechrau ceulo'n gylchoedd coch o gylch ei gruddiau.

'Fydd 'na ddim twyllo eto, Gertrude, byth eto. Fydd 'na ddim difetha breuddwydion na bychanu mam chwaith. Llinos a fi o'dd i fod yn Llain Gyndyn, sŵn traed ein plant o'dd i fod yno. Dyna o'dd mam isio hefyd.'

Does 'na ddim pwrpas sôn mwy am y manylion, dim ond dweud mai'r peth hawddaf yn y byd oedd lladd Gertrude, a dw i'n difaru dim. Dim hyd yn oed yn y fan yma. Ei chodi hi wnes i wedyn a'i chario at ymyl un o'r tyllau mawr cyn ei lluchio dros yr ymyl a chlywed sŵn ei phenglog yn taro o ochr i ochr fel y cerrig mân ers talwm. A dw i'n cofio'r distawrwydd wedyn. Y distawrwydd olaf un, a dyna pam efallai na alla i ymdopi gyda distawrwydd llethol bellach. Yn sydyn, daeth hebog heibio, sŵn ei adenydd oedd yr unig beth i dorri'r distawrwydd, ac yna safodd ar yr union garreg y bu Gertrude arni, a'i sgrech oeraidd yn atsain o gylch y cerrig mawr. Aroglau gwaed yn dynfa, mae'n debyg. Dim ond y fo a finnau yno ac aroglau gwaed arnom ein dau. Codais garreg neu ddwy a'u gollwng i grombil y ddaear ar ôl y corff, gwrando ar yr un sŵn dro ar ôl tro cyn i'r hebog ddiflannu a hedfan i ffwrdd yn ei siom. Aros wedyn i fwynhau'r tawelwch llethol cyn troi a golchi nwylo'n lân yn y ffrwd fechan, a'r gwaed yn cymysgu gyda'r dŵr cyn rhedeg tua'r môr a heibio'r dref. Roeddwn yn edrych ymlaen at fynd i lawr i'r traeth unwaith eto rywdro.

Roedd nhad wedi cyrraedd adref o'm blaen, golwg wyllt arno a'r lliw coch ar ei wyneb a'i ysgwyddau'n symud yn ddi-baid.

'Lle ma' Gertrude?'

'Dim syniad.'

'Aeth hi allan?'

'Be wn i. Doedd hi ddim yma pan ddois i adra, beth bynnag.'

'Yn y Faenol, ma' siŵr. Tyrd efo mi.'

Fu bron yr un gair rhyngom yn ystod y daith honno, ond roedd naws hwyliog y Nadolig yn siglo'r distiau wrth i ni gerdded i mewn i'r dafarn, a Wil Huw yn ei wisg Siôn Corn goch a gwyn yn cyfarch pawb yn wresog, a gweddillion ambell wydryn a mwg ei sigâr yn dechrau melynu'r locsyn dan ei ên.

'Ho, ho, ho, a be gymerwch chi'ch dau?'

'Ydi Gertrude yma, Wil?' Fi wnaeth ofyn cyn i nhad gael cyfle. Craffodd Wil Huw o gwmpas yr ystafell gan ddal ei fysedd main fel sbienddrych o gylch ei lygaid.

'Ddim os nad ydi hi dan y bwr'.'

Chwarddodd pawb o fewn clyw yn enwedig y ddau oedd yn pwyso ar gornel y bar a throi'r bowlen fach oedd yn dal y cnau nes iddynt bowndio ar y llawr.

'Gewch chi roi rwbath yn 'i hosan hi heno,' meddai Wil Huw, yn edmygu ei hiwmor ei hun ac yn aros i ni ddewis ein diod a chodi ychydig o'r cnau yn ôl i'r bowlen.

'*Jingle Bells, Jingle Bells, Jingle all the way.*'

Llanwodd y geiriau'r ystafell fel bloedd wrth i bawb ymuno yn y canu brwnt, a'i sŵn fel sŵn y cerrig mân yn y tyllau mawr. Wrth i ni basio trwy'r dref wedyn, roedd y goleuadau Nadolig yn rhaffau amryliw uwchben pob stryd, sŵn canu a phleser yn fwrlwm o ffenestri sawl tafarn, a dau'n cusanu'n eiddgar ar gornel y ffordd tua'r harbwr. Edrychais yn ofalus wrth i'r car arafu ar y gornel gul rhag ofn mai Llinos oedd yno. Doedd dim llygedyn o olau yn fflat Morfudd chwaith er i ni aros am eiliad neu ddau ac yna gadael.

'Wedi mynd am Lerpwl, ma' siŵr, erbyn hyn.'

Wnaeth nhad ddim ateb mewn geiriau dim ond rhoi ebwch annelwig oedd yn dweud llawer mwy nag unrhyw air, a digon distaw oedd y daith yn ôl adref.

'Aros am chydig wnawn ni,' meddai nhad a'i bryder yn amlwg erbyn hyn, ond fe wyddwn o'r gorau mor hir fyddai'r aros hwnnw. Awr yn troi'n ddwy a dwy bron yn dair cyn i dymer nhad ddechrau dod i'r wyneb ac iddo yntau godi a cherdded o gwmpas i dician araf y cloc a sŵn y gwynt o'r Garn.

'Peth rhyfadd na fasa hi wedi gada'l negas.'

Rhythu i gyfeiriad y tân wnaeth nhad, codi ei ysgwyddau fel pob amser ac yna codi ychydig ar gornel llenni'r ffenestr gan obeithio ei gweld yn dychwelyd, ond dim golwg yn unman. Agor y drws wedyn a dechrau cerdded o gwmpas y buarth yn ddiamynedd cyn dod yn ôl i'r tŷ a dechrau rhegi'n amrwd.

'Dydi Morfudd byth ar ga'l pan ma'i hangen hi.'

Doedd hi ddim wedi gadael rhif ffôn chwaith fel y gallem gysylltu â hi pe bai angen. Anghofio heddiw a chofio ddoe oedd ei bwriad hi dros y dyddiau i ddod. Peth braf ydi gallu anghofio ambell beth.

Galw'r heddlu fu'r hanes yn y diwedd wrth i hanner nos basio ac ymhen ychydig gweld y golau glas yn dynesu'n gyflym heibio'r coed ac yn llenwi'r buarth wrth gyrraedd. Fe alla i glywed sŵn y traed ar y metlin rŵan wrth i nhad frysio i agor y drws. Saesneg oedd iaith y ddau gerddodd i mewn yn ddigon awdurdodol heb arlliw o'r Gymraeg yn unman. Gwrthod paned wnaeth y ddau hefyd, a dim ond dechrau holi nhad a minnau bron cyn iddynt eistedd yn iawn. Yr Arolygydd Hollins oedd yn cymryd yr awenau, yn gofyn y cwestiynau bron i gyd tra oedd y plismon lleol. PC Jenkins, yn cymryd nodiadau'n ofalus ac araf, ond eto'n edrych o'i gwmpas i bob cornel ac yn dal fy llygaid innau weithiau. Rhoesom ddisgrifiad manwl o Gertrude, cadarnhau ei hoedran, cyflwr iechyd, ond haeru na wyddem ddim am y math o ddillad oedd ganddi, er y gwyddwn hynny'n well na neb. Holi a oedd gennym lun ohoni, un diweddar os yn bosibl, ac er syndod i mi roedd gan fy nhad un yn ei boced, ac yna gofyn oedd gennym syniad i ble y gallai hi fod wedi mynd. Prin y cefais gyfle i ateb, mewn gwironedd, gan fod nhad mor eiddgar i ddweud popeth ac yn ateb yn gyflym a phendant bron bob tro. Soniodd am ei daith i weld ei gyfnither a rhoi'r manylion i gyd yn daclus cyn i'r Arolygydd droi ataf innau. Dywedais i mi adael Gertrude yn tŷ a mynd allan i atgyweirio un o'r cloddiau yn y weirglodd bellaf cyn sylweddoli'n sydyn y byddai angen i rywun gael golwg ar hynny. Addo gwneud popeth oedd yn bosibl wnaeth y ddau cyn gadael ac y byddai rhywun yn cadw cyswllt â ni'n ddyddiol hefyd. Sylwodd nhad ddim fy mod wedi rhoi un o hoff lestri mam yn ôl ar y dresel, a ddywedais innau'r un gair wrtho.

Fore Sul llwyddais i godi'n gynnar, yn llawer cynt na'r arfer, a brysio i adael rhywfaint o ôl gwaith ar glawdd y weirglodd bellaf o'r tŷ. Roedd haid o frain swnllyd yn hofran yn fygythiol o isel o gwmpas y tyllau mawr a'u crawcian di-baid yn torri ar dawelwch y bore. Cerddais yn gyflym tuag atynt a churo nwylo'n galed gan obeithio'u dychryn, ond wrth i mi droi'n ôl tua'r tŷ roeddynt wedi dychwelyd yn herfeiddiol o ddu fel tyrfa mewn mynwent. Safai nhad yn y drws wrth i mi gyrraedd yn ôl a golwg flêr a phoenus arno.

'Lle buost ti?'

'Gorffen be wnes i ddechra ddoe.'

'Ar y Sul?'

Nid bod y Sul wedi cael ei gadw'n rheolaidd gennym acw, ond fe arhosai peth o'r parch o hyd, a dim ond os oedd gwir angen y byddai unrhyw waith trwm yn cael ei wneud. Safodd wrth y ffenestr gefn wrth i ni'n dau droi i'r gegin a syllodd allan i gyfeiriad y Garn am ychydig.

'Rhen frain 'na'n troi o gwmpas heddiw.'

'Storm 'fory, ma' siŵr.'

Edrych arna i wnaeth o a chael cip arall trwy'r ffenestr yn gyflym.

'Mi bicia' i yna ar ôl ca'l panad i edrych be' sy' o gwmpas.'

'Fasa ddim gwell i chi aros yma rhag ofn i'r heddlu alw?'

Roedd hi'n hwyr brynhawn pan ddaeth galwad yr heddlu a doedd neb wedi gweld Gertrude yn unman er yr holl holi a chwilio gofalus. Anfonwyd disgrifiad manwl ohoni i sawl awdurdod ond negyddol fu'r ymateb gan bawb hyd hynny. Bwriad yr heddlu oedd galw yn Llain Gyndyn yn fuan a chael gair neu ddau ymhellach os na fyddai 'na ddatblygiadau. Clywn nhad yn troi a throsi yn ei wely yn ystod y nos ac yna sŵn ei draed yn troedio'n ysgafn ar y grisiau wrth i'r hen goed wichian unwaith eto dan ei bwysau. Arhosais am ychydig cyn ei ddilyn a'i gael yn beichio crio a'i ben ar y bwrdd yn y gegin.

'Mi ddaw, 'gewch chi weld.'

Cododd ei ben yn sydyn a'r dagrau'n llinellau budr ar ei ruddiau a'i dawelwch yn dweud y cyfan.

'Ail gyfla o'dd arna i 'i angen, ysti, dim byd arall. Gweld fy hun yn dechra tynnu 'mlaen a thitha heb fawr o ddiddordeb yn y lle 'ma. A rŵan dw i ofn.'

'Ofn be'?'

'Ofn 'i bod hi wedi ngada'l i.'

Clywed sŵn y brain wnes i, cofio'r gwaed ar ddŵr yr afon ac roedd fy nwylo'n iasau oer i gyd. Rhoi'r tân nwy ymlaen a cheisio'u cynhesu o'i flaen, ond roedd fy nwylo'n crynu a theimlad fel dŵr oer yn rhedeg i lawr fy meingefn. Llymeitian paned neu ddwy o de ein dau nes i'r haul dreiddio'n wantan heibio conglau'r llenni. Doedd gen i ddim bwriad cyfaddef wrth neb, ond beth fyddai ymateb Morfudd a Llinos pan ddeuai'r stori i'r amlwg? Hel meddyliau fel yna'r oeddwn i, a'r diwrnod mor araf ag angladd pan ddaeth car yr heddlu'n sgrech o gyflymder i'r buarth a wyneb nhad yn olau gan obaith wrth iddo duthio tua'r drws.

'Ydi hi'n iawn?'

Ei ysgwyddau'n siglo a chryndod yn ei lais, ac alla i yn fy myw gael gwared o'r olygfa honno. Wnaeth Hollins ddim ateb, dim ond cau'r drws yn glep a dod i eistedd wrth f'ochr gyda'i gilwg yn sarrug. Edrych ar ei nodiadau wnaeth o a hynny'n araf a gofalus a'm gwneud yn anesmwyth wrth i Jenkins syllu'n dreiddgar. Roedd nhad ar bigau'r drain yn aros am ateb cyn i gwestiwn Hollins ein taro fel morthwyl a'i Saesneg coeth mor gythreulig o awdurdodol wrth iddo ofyn pam roeddwn i wedi dweud celwydd.

'Pa gelwydd?'

Ond roedd Jenkins ac yntau wedi cerdded y tir o gwmpas Llain Gyndyn yn gynnar gynnar fore Sul, ymhell cyn i nhad a minnau godi, a doedd dim golwg o waith wedi cael ei wneud ar glawdd yr un weirglodd. Galw wedyn cyn diwedd y dydd a'r olion mor ffres â'r diwrnod ei hun. Roedd Jenkins yn adnabod yr ardal yn dda, yn adnabod y bobl, yn gwybod am y mân siarad ac wedi cael gair gyda Wil Huw. Pwysai nhad ar flaen y dresel yn gegrwth ac yn ei gwman, ei holl gorff yn gryndod nes bod pethau mam yn siglo ar y silffoedd. Yna, gyda'i ddwrn mawr fe drawodd y pren gyda'i holl nerth nes i un darn o degan ddisgyn yn deilchion ar y llawr, a dechrau rhuthro amdanaf yn fygythiol nes i Jenkins afael ynddo a'i ddal yn yr unfan.

'Ble mae hi?' meddai Hollins yn dawel cyn i nhad fytheirio'n wallgof.

'Y diawl i ti'n twyllo fel dy fam.'

Ailofyn ei gwestiwn wnaeth yr Arolygydd a'r bygythiad yn amlwg yn ei lais wrth i Jenkins dynhau ei afael ar nhad a hwnnw'n glafoerio wrth anadlu'n drwm a gweiddi.

'Y blydi brain.'


Cyn bo hir, fe fydd drws y gell yma'n agor unwaith eto ac fe fydd rhaid i mi wynebu Morfudd a'r bargyfreithiwr sy'n dadlau fy achos a cheisio rhoi rhesymau am beth sydd wedi digwydd. Fe fedra i feddwl am y sgwrs yn y Faenol wrth i'r siarad a'r syndod ddod i'r wyneb, y mân sibrydion sy'n llawn celwyddau a'r modfeddi'n troi'n llathenni o sgwrs i sgwrs. Pethau brau yw breuddwydion pawb. Teulu clòs oeddan ni erioed, dyna roeddwn i wedi'i gredu. Dyna roedd mam wedi'i gredu hefyd, mae'n siŵr, ar y dechrau. Efallai mai dyna roedd pawb ohonom wedi'i gredu.


Ond mae 'na sŵn traed yn dod i lawr y grisiau ...

**Llên Micro**. Wyth darn yn ymateb i wyth darn o gelfyddyd Gymreig gydag esboniad neu lun o'r darnau

---

BEIRNIADAETH ANNES GLYNN

Ar un wedd, tipyn o siom oedd darganfod mai dim ond pump oedd wedi rhoi cynnig ar y gystadleuaeth hon eleni, yn enwedig gan fod Pwyllgor Llên Eisteddfod Bro Morgannwg wedi rhoi eu dychymyg ar waith ac wedi llunio testun a gynigiai dipyn o her i ddarpar-gystadleuwyr.

Gwn o brofiad, wrth gynnal gweithdai a seminarau yn y gorffennol, pa mor werthfawr yw defnyddio darluniau neu ffotograffau i sbarduno'r broses o ysgrifennu creadigol, a'r ffaith eu bod yn gallu bod o gymorth sylweddol i ehedwyr cyndyn fagu adenydd.

Efallai i eiriad y testun eleni fod yn rhy benodol i nifer, wrth gwrs. 'Wnâi rhyw ddarnau a ysgrifennwyd ers talwm ac a lechai yng nghefn llychlyd rhyw ddrôr mo'r tro ar yr achysur hwn, ac yn hynny o beth rwy'n gobeithio fod y pum ymgeisydd wedi cael eu hysgogi i fynd ati i greu o'r newydd.

Yr hyn a ddisgwyliwn wrth droi at y cynnyrch oedd cael fy nghludo, drwy grefft a dychymyg yr ysgrifennu, y tu hwnt i ddisgrifiad moel o'r gelfyddyd dan sylw i fyfyrio o'r newydd am y 'pethau oesol'.

Er mai siomedig oedd nifer y cystadleuwyr, braf yw cael dweud bod un ohonynt wedi fy nhywys ar y daith arbennig uchod a hynny mewn modd a roddodd foddhad a phleser neillltuol i mi.

*Adolygydd*: Dewisodd amrywiaeth o ddarnau celfyddyd, o Glogyn Aur yr Wyddgrug, yn dyddio bron i ddwy fil o flynyddoedd Cyn Crist, i Ganolfan y Mileniwm, Caerdydd. Mewn sawl darn, wrth ymateb i ddarlun o Leian gan Gwen John a chofeb Hedd Wyn, er enghraifft, mae'n defnyddio'r dechneg o gyfarch y testun dan sylw a gall hynny fod yn effeithiol. Yn y llun o'r lleian, mae'n ei holi'n graff am y cyferbyniad pryfoclyd y mae'n ei weld yn ei gwedd, ac wrth fyfyrio uwch y Clogyn Aur, mae'n cyfarch yr unigolion dienw fu'n ei wisgo. Gall ei 'dweud hi' yn effeithiol tu hwnt fel ar ddechrau'r darn gogleisiol yn ymateb i Salem, Vosper, yn dwyn y teitl 'Blingo'r Sais': 'A ninnau'n drwm dan fwrn ein hymneilltuaeth a'n pechod cenedlaethol, cythreulig o hawdd yw gadael i ddychymyg redeg yn rhemp ym mhlygion y siôl.' I mi, y darn mwyaf llwyddiannus yn y casgliad yw'r un olaf, lle cawn gip eto ar natur grafog yr ysgrifennu mewn darn am eiriau'r bardd Gwyneth Lewis ar du blaen Canolfan y Mileniwm fel y'u gwelir rhwng golau a gwyll: 'Wrnais Awen Sing'. Yma eto, mae'r frawddeg agoriadol yn hoelio ein sylw'n syth: 'Rhyw rwdl-mi-ri a welir ar yr olwg gynta': cydblethiad dwy yn arwain at ddryswch, a ninnau'n ymgiprys, fel arfer, â bwgan ein deuoliaeth'. Er i mi gael blas ar y gwaith hwn, hoffwn fod wedi gweld *Adolygydd* yn mynd y tu hwnt i ddisgrifiad a myfyrdod ynghylch yr hyn y mae'n ei weld, a defnyddio'r darn o gelfyddyd fel man cychwyn i greu byd cyfan gwbl wahanol.

*Ceffyl uncoes*: Wyth o ffotograffau gan Llinos Lanini, pedwar du a gwyn a phedwar lliw, fu'r sbardun i'r cystadleuydd hwn fynd ati i gyfansoddi. Mae ôl dychymyg bywiog a gwreiddiol yn brigo i'r wyneb bob hyn a hyn. Gwenais wrth ddarllen 'Ogofâu', a seiliwyd ar lun aelodau o gôr meibion a'u cegau'n agored led y pen fel cywion gog, ac mae 'Y Fenter Fawr', sy'n sgwrs rhwng dau gi digalon eu gwedd y tu cefn i dderbynfa gwesty, hefyd yn codi cwr y llen ar ddychymyg a hiwmor go wahanol. Gwaetha'r modd, picio i mewn ac allan fel haul rhwng cymylau y mae'r gwreiddioldeb, ac er y gall yr awdur lunio ambell ddarlun telynegol da, fel yn y darn 'Dail', anwastad yw safon yr ysgrifennu ac mae'r un darn cynganeddol coeth a gynhwyswyd yn y casgliad yn taro'n chwithig rywsut. Teimlwn hefyd ei fod yn od o gyfarwydd.

*Gwen*: O'r dechrau'n deg, teimlwn fy mod yng nghwmni llenor cynnil wrth ddarllen y casgliad hwn. Dewisodd *Gwen* gyfuniad diddorol o gelfyddyd, o boster ymgyrch arweinyddiaeth Leanne Wood i ddarnau mwy clasurol eu naws fel portread Evan Walters o'r Comiwnydd i gyfleu ei (g)weledigaeth o fywyd. Mae yma ymdeimlad cryf o Gymru fel y mae hi o ran ei siwrnai wleidyddol ar hyn o bryd ac y mae'r gwaith hefyd yn cynnwys sawl cyfeiriad ysgrythurol sy'n cyfoethogi'r dweud. Daw'r ddwy elfen yma ynghyd yn effeithiol yn y darn cyntaf a seiliwyd ar Gofeb Tryweryn gan y cerflunydd John Meirion Morris. Hoffais y coegni sydd ymhlyg yn y frawddeg a ganlyn wrth ddisgrifio rhai cenedlaetholwyr cyfoes, 'goleuedig' yn eu hymateb i hen frwydrau a fu, fel boddi Cwm Celyn: 'Rydym yn aeddfetach erbyn hyn, a'r frwydr wedi ei hennill'. Mae'n cloi gyda'r frawddeg a ganlyn: 'Ac fe gyfyd ein hyder fel eryr ...', adlais cynnil ond pendant o'r adnod gyfarwydd yn Eseia 40: 'Y maent yn magu adenydd fel eryr'. Yn yr un modd, mae brawddeg olaf y darn ar 'Y Comiwnydd', 'Hwn yw fy nghorff', yn ysgytwol o eironig yn y cyd-destun neilltuol yma. Dim ond un paragraff yw'r darn yn ymateb i bortread KyffinWilliams o Syr Thomas Parry ond dotiais at y modd y llwyddodd yr awdur i gynnal y ddelwedd o hollti llechen, a dawn yr artist o holltwr wrth ei waith – 'cŷn crefftwr yn hollti a datgelu gogoniant y geiriau'. Dro arall, fel yn y darn am y cerflun cyfoes, 'Glory, Glory (Het a Chyrn)' gan Laura Ford, mae'r ieithwedd yn cyfleu'r gelfyddyd i'r dim, a'r cyfeiriadau at 'dredlocs' a 'hangyps' yn gyferbyniad effeithiol i'r sôn cynharach am frethyn cartref a stôl drithroed. Llwydda *Gwen* i gyfleu'r pleser poenus o lenydda yn y darn dadlennol 'Sgrwtsh', sy'n cynnwys yr ymadrodd gwych 'crafu creu', tra bo'r geiriau 'dewiniaeth geiriau' yn llwythog eu hystyr yn y darn am Tŷ Newydd, Llanystumdwy. Dyma gasgliad crefftus a chraff gan un sy'n deall gwerth, rhythm a chynildeb geiriau.

*Iucundus*: Cefais flas ar oreuon y casgliad hwn gan eto werthfawrogi amrywiaeth ddifyr y darnau celfyddyd a ddewiswyd, yn gymysgedd ddiddorol o gerfluniau, gemwaith, gosodwaith ac arlunwaith. Mae pedwar o'r darnau'n datgelu eu neges drwy gyfrwng sgwrs rhwng Nain a'i hwyres a hynny'n gynnil a chrefftus. Drwy lygaid diniwed y plentyn, cawn olwg o'r newydd ar y byd o'n cwmpas ac ar ymwneud pobl â'i gilydd ac yma, yn y rhain, y mae crefft yr awdur i'w weld ar ei orau a ninnau'n cael cip ar fyd y tu hwnt i'r llun. Wrth weld cerflun o droed mawr yng ngorsaf y Fflint, er enghraifft, fel hyn y mae'r nain yn ceisio lleddfu ofn y fechan sydd newydd neidio oddi ar y trên:

> 'Dydy pobl fawr go iawn byth yn sathru.'
> 'Pam?'
> 'Pobl bach sy'n beryg.'
> 'Dw i'm yn dallt.'
> 'Gei di weld.'

Yn y darn clo, 'Craig', ymdeimlwn â dyfnder rhwng y llinellau, awgrym o dan wyneb y dweud, ac mae'r amwysedd bwriadol yn creu awyrgylch neilltuol.

*Joseff*: Darluniau ac un cerflun hynod ger Llanddwyn, Ynys Môn, yw dewis yr awdur hwn. Er nad yw'r un amrywiaeth cyffrous yn y gelfyddyd a ddewisodd o'i gymharu ag ambell gystadleuydd, llwyddodd i greu sawl stori ddifyr a chrwn wrth astudio'r gweithiau hyn a gŵyr werth ysgrifennu cynnil, a'r awgrym yn hytrach na'r dweud plaen. Mwynheais yr elfen dywyll ac iasol sy'n perthyn i amwysedd y stori 'Plethen' ac yn arbennig felly i'r darn olaf yn y casgliad, 'Chwarae yn y Chwarel', a seiliwyd ar un o luniau Ifor Pritchard. Hwn yw'r darn byrraf ond i mi, beth bynnag, y mwyaf effeithiol o'r cyfan am fod rhywun yn fwy ymwybodol o'r awgrym dan wyneb y llinellau yma. Byddai cyfnewid y gair 'gneud' am 'chwara' yn ei gryfhau ymhellach fyth. Ambell dro, bodlonir ar ddilyn trywydd disgwyliadwy, fel yn 'Côt Newydd', 'William' a 'Glan yr Afon', ac mae tueddiad ar adegau i roi gormod o bwys ar y frawddeg olaf fel ergyd glo. Ond dyma waith graenus gan un â gafael ar hanfodion llên meicro.

Bu'n gystadleuaeth ddiddorol a safonol yn gyffredinol, er mai dim ond nifer fechan a roddodd gynnig arni. Diolch i *Gwen* am wneud fy ngwaith fel beirniad yn hawdd ac yn bleser. Dyfarnaf y wobr iddi/iddo.

# Y Darnau Llên Micro

**Nodyn gan y Golygydd**

Ni ellir cynnwys yn y gyfrol hon y lluniau a sbardunodd y darnau a ganlyn oherwydd anawsterau technegol a goblygiadau hawlfraint. Fodd bynnag, cynhwysir dolen dan bob teitl er mwyn i chi allu eu gweld ar y we. Diolchaf i'r beirniad, Annes Glynn, am ddod o hyd i gyfeiriad pob gwefan ac eithrio'r un ar gyfer 'Poster. Celtes'. Cymru'.

### Cofeb Tryweryn. John Meirion Morris

http://www.johnmeirionmorris.org/tryweryn_mawrr.htm

Wylo drostan ni maen nhw.

Daw sgrechiadau cytûn yn llais unedig, gallant hyd yn oed ymffurfio'n ddarn o gelfyddyd. Ond codi cywilydd wna'r sgrech unigol. Aderyn clwyfedig – na, wir, 'dan ni ddim yn ei nabod o; bechod drosto, wrth gwrs – wrth i ni hedfan o'r tu arall heibio. Rydym yn aeddfetach erbyn hyn, a'r frwydr wedi ei hennill.

Mae'n ymestyn yn rhydd, i gysegru'r cof am y colledig, y plentyn fu farw'n ifanc, na chafodd erioed gyfle i dyfu i arwain ei genedl nac i droi'n alcoholig na hedfan dros y ffin i chwilio am waith.

Ac fe gyfyd ein hyder fel eryr …

\*       \*       \*

### Thomas Parry. Kyffin Williams

http://www.bbc.co.uk/arts/yourpaintings/paintings/sir-thomas-parry-19041985-121468??

### Hollt

Y sôn oedd na chymerodd yr artist at y gwrthrych o gwbl. A droswyd hynny i'w drem arnom? Ond mae gwynder yno yn loyw, yn torri trwy'r haenau o lwyd, yn haul ar lechfaen, cŷn crefftwr yn hollti a datgelu gogoniant y geiriau.

\*       \*       \*

**Glory, Glory (Het a chyrn). Laura Ford**

http://www.amgueddfacymru.ac.uk/cy/digwyddiadau/?event_id=5767

Dilyn fel defaid fu ein greddf; mygu dan haenau o frethyn cartref, wynebu ynghudd dan gywilydd, crymu dan grwbi ein taeogrwydd, a'n dwylo ymhleth yn wasaidd barod. Gosodwyd het ar ein gwarth.

Hyder heddiw sy'n rhoi cic i'r stôl drithroed, yn gorfoleddu mewn dredlocs ac yn hongian ein hangyps ar gyrn anifail yn ei llawn dwf.

*     *     *

**Goleuni. Aneurin Jones**

http://www.aneurinjones.co.uk/groups/pages/Goleuni%20light..html

Y Cymoedd oedd pen draw'r daith, a minnau wedi dod o erwinder Eryri i Bontrhydfendigaid, i dorri'r siwrne mewn cyfarfod. Trwy drafodaethau'r dydd anghyfarwydd, codwyd ofnau a gobeithion; cofiem ddyffrynnoedd darostyngiad, a hefyd y pinaclau.

Gorfoledd haul y pnawn yn chwerthin am ein bod yn rhan o hanes, yna cychwyn ail ran y daith. Cyn cyrraedd y tir ffrwythlon, rhaid fu teithio drwy'r anialwch gwneud, rhybuddion estron, a gwybod ystyr adfail. Crogai düwch cysgod yr hen dristwch drosom wrth fentro arswyd llethr serth; anadlu eto ar ôl goroesi'r dibyn, ac wrth gyrraedd gwastadedd, yno'r oedd y ddau. Yno y buon nhw erioed. A gwyddem fod Cymru'n Un.

*     *     *

**Cysyniad Addurniadol. Mari Thomas**

http://www.marithomas.com/collections/images/194//dc-neckpiece.jpg

**Sgrwtsh**

Sgwennu dim ond er mwyn cael llinellau, geiriau, unrhyw beth ond y ddalen wag, frau. Plygu dros y gwaith, gwasgu geiriau, crafu creu. Darllen. Diwerth. Sgrwtshio'r sgrifen, dalen yn disgyn o'r dwrn.

Codi, cerdded, mystyn, panad, ffonio, *facebook*, ffeilio – unrhyw beth ond y cymundeb enbyd rhyngof i a'r creu.

Dygymod. Dychwelyd.

O'r lle tywyll, fe ddaw'r awen, yr arial.

Arian byw.

        \*       \*       \*

**Y Comiwnydd. Evan Walters**
http://www.amgueddfacymru.ac.uk/cy/celf/arlein/?action=show_item&item=1901

Yr un hen gynulleidfa lwyd, y ffyddloniaid, ac erbyn hyn maen nhw, hyd yn oed, yn dechrau gweld y cwrdd yn ddiflas. O, mi wrandawan nhw ar y rhethreg gyfarwydd, yr ystrydebau treuliedig, ac fe fydd ambell wyneb astud, ac yn gyson anorfod, bydd un o'r gwragedd yn ei du yn aros ar ôl, yn aros ar ôl dragywydd. Ond y mae sylw eraill eisoes yn crwydro, yn troi o'r neilltu'n llechwraidd neu'n swagro'n ddi-feind.

Ac fe ddaw o raid drachefn a thrachefn i sefyll ger eu bron, i gynnig gloywder ei waredigaeth, i gynnig yr un fflach o oleuni, i gynnig ...

Hwn yw fy nghorff.

        \*       \*       \*

**Tŷ Newydd. John Petts**
http://www.artwales.com/artists-detail-print-mtg-en.php?artistID=41#

Lle taclus, tawel, tywyll i ddod yn ei henaint, er yr enw. Destlus, yn cuddio mewn coed. Ystafell i farw, ond bod ynddi atsain, a'r ffenestri'n loyw i gofleidio'r lawnt, y llwybr, y pentre a'r bae a'r holl bosibiliadau y tu hwnt i'r môr.

Nid cuddio mae o bellach, ond dawnsio mewn gwydr a goleuni. A gwybod dewiniaeth geiriau.

        \*       \*       \*

**Poster. Celtes Cymru**

'Ust!' meddai yn ei haraith – 'ellwch chi ei chlywed hi'n anadlu?'

Does dim angen peiriant cynnal bywyd bellach: mae'n anadlu'n naturiol. Ac yn gwneud synau.

Sŵn merch fach yn cael yn rhodd yr hyn a wadwyd i'w mam.

Sŵn haul yn codi.

Synau fel lliwia fory.

Fy wythnos yng Nghymru Fydd.

**Gwen**

**Portread** o gymeriad byw, heb fod dros 1,000 o eiriau, sy'n addas i'w gyhoeddi mewn papur bro

---

BEIRNIADAETH LYN EBENEZER

Derbyniwyd saith ymgais, pob un yn ateb gofynion y gystadleuaeth. Prif nodwedd y cynhyrchion yw eu cydraddoldeb o ran dawn a safon yr awduron. Nid cyffredinedd, sylwer. Does yma'r un ymgais wachul. Rhaid cyfaddef hefyd nad oes yma'r un ymgais wych.

Oherwydd eu cydraddoldeb, nid euthum ati i'w dosbarthu. Yn hytrach, nodaf brif nodweddion pob portread, gan eu trafod yn ôl y drefn y derbyniwyd y cynhyrchion o Swyddfa'r Eisteddfod.

*Ffan*: Testun y portread yw Huw Stephens, prif bwndit y byd pop yng Nghymru a'r tu hwnt. Pleser oedd derbyn portread o rywun ifanc gan mai hen begoriaid yw testunau arferol portreadau'r papurau bro – hynny yw, pobl o'm hoedran i (a hŷn). Ceir yma bortread cytbwys o fachgen hynaws a gwybodus yn ei faes.

*Letisha*: Portread o Muriel. Deallwn ar y diwedd fod Muriel yn chwaer i'r bortreadwraig. Dyma ddarlun cynnes, hyfryd o wraig weithgar mewn amrywiol feysydd, rhywun sy'n asgwrn cefn ei chymuned. Byddai unrhyw un yn falch o gael rhywun fel Muriel yn gymydog drws nesaf.

*Trofa Celyn*: Testun y portread hwn yw John Tudor Davies, dyn sydd wedi gwneud diwrnod da o waith ym myd cerdd. Cawn yma awdur nad yw'n bodloni ar restru ffeithiau. Mae yma ddisgrifio byw a defnydd o briodddulliau effeithiol. Disgrifia'r awdur ei hun fel rhywun heb fwy o reddf miwsig 'na maharen'. Sonia am fraich chwith yr athro'n 'siglo fel brigyn'. Meddai wedyn amdano'i hun a'i gyd-ddisgyblion yn Ysgol y Grango: 'Ni oedd llaeth glas y gyfundrefn addysg' o'u cymharu â 'hufen' Ysgol Ramadeg Rhiwabon.

*Hen Daid*: Portread o Kynric Lewis, dyn y gyfraith, dyfeisiwr a gweledydd a welodd yn dda i dyfu ei winllan ei hun – 'fedra' i ddim dychmygu gweithred fwy gwaraidd. Mae yma gynhesrwydd diweniaith am Fonwysyn a drawsblannwyd yn ardal Caerdydd. Fel ei winwydd, llwyddodd i ailwreiddio er bod ei anian yn dal i hedfan fel Nico Cynan i'w henfro.

*Sara*: Yma cawn ddarlun o un o'r Tregaroniaid alltud a aeth i brifddinas Lloegr i werthu llaeth a chadw siop. Rwy'n digwydd adnabod y gwrthrych, Lloyd Williams neu, i ni ym mherfeddion Ceredigion, Twm Terier. Yng nghysgod y darlun o Tom, cawn hefyd gyfeiriadau at ei wraig Leis, sydd lawn gymaint o gymeriad â'i gŵr. Hoffwn ategu'r awgrym ar y diwedd fod Tom yn haeddu anrhydedd Gorseddol.

*Malen*: Rwy'n adnabod testun y portread hwn yn dda hefyd, sef y Parchedig Peter Thomas. A'r gweinidog yn yrrwr car BMW, awgryma'r portreadwr mai ystyr yr acronym yn achos ei wrthrych yw 'Baptist Minister on Wheels'. Cyfeirir at gynulleidfaoedd prin fel rhai mor wasgaredig 'â chyrens mewn cacen cybydd'. Ceir yma hefyd gymhariaeth a chyffelybiaeth rhwng diddordeb y gweinidog mewn gwaith coed a gwneuthuriad ambell aelod o'i eglwys.

*Cae Bach*: William Evans yw testun y portread hwn, gŵr amryddawn o Walchmai. Llwyddodd yr awdur i gynnwys ymhlith ei ddiddordebau gariad at natur, tynnu a gwneud lluniau, gwylio adar, trwytho'i hun mewn hanes lleol, actio a choluro, siarad yn gyhoeddus, cwmnïa a mynychu oedfaon ei gapel. Ie, Wil Ifas, dyn crwn ei filltir sgwâr. Dyma, medd yr awdur, 'enghraifft hynod o'r werin wybodus, ddeallus sy'n prysur ddiflannu o'n tir'. Ffaith drist a llawer rhy gyffredin.

Ie, cyfartal iawn fu'r gystadleuaeth. Ond fel y dywedodd George Orwell, mae yna rai sy'n fwy cydradd na'i gilydd. A'r uchaf o ran cydraddoldeb yma yw *Trofa Celyn*.

# Y Portread

## DYN Y BYSEDD DAWNUS

Pan fydd dyn wrth ei waith yn sefyll, caiff ei gyhuddo o segura neu sefyllian. Os yw'n eistedd pan ddylai fod yn gweithio, fe'i cyhuddir o ddiogi. Dim ond pobl swyddfa sydd yn gweithio ar eu heistedd fel arfer. A dyn wedi rhoi oes o waith yn sefyll ac yn eistedd ydi John Tudor Davies. Sefyll mewn ystafell ysgol, eistedd wrth biano ar lwyfan neuadd ac wrth yr organ yn ei gapel.

Fe ddwedodd athrylith o feirniad llenyddol mai creu llun yw portread, ond 'siarad am' yw portread heb lun. Hawdd darlunio'i brysurdeb cyn ymddeol gydag adnod, 'Dyn a â allan i'w waith, ac i'w orchwyl hyd yr hwyr'. Mynd allan yn y bore i'r ysgol, yna rhoi gwersi piano a chyfeilio i gôr meibion hyd yr hwyr. Gweithgarwch gŵyl a gwaith, a'r Sul fel organydd yn ei gapel. Disgybl dŵad pedair ar ddeg oed yn ysgol y Grango oeddwn i pan welais ef gyntaf. Dyn golygus a'r gwallt du yn gweddu'r wyneb pryd tywyll i'r dim. Corff tal heb fymryn o fraster, yn union fel ei natur, yn hollol wastad o'i gorun i'w sawdl. Mi gofiaf ei gerddediad gosgeiddig ar draws iard yr ysgol. Ei law dde ym mhoced ei gôt a'i fraich chwith yn siglo fel brigyn cangen yn yr awel. Yn ei ystafell, roedd mor ysgafn a heini ar ei draed wrth gerdded oddi wrth y ddesg at y piano ac yn ôl nes gwneud i rywun feddwl fod ei esgidiau'n para'n ddigon hir i newynu crydd a gwneud perchennog siop esgidiau'n fethdalwr.

Ysgol eilradd fodern oedd Ysgol y Grango ar gyfer y rheini a wrthododd addysg uwchradd, neu fethu pasio'r 'Scholarship', ond fymryn yn rhy glyfar i aros mewn ysgol gynradd wedi troi un ar ddeg oed. Ni oedd llaeth glas y gyfundrefn addysg. Roedd yr hufen yn Ysgol Ramadeg Rhiwabon. Rhaid edmygu gweledigaeth y Pwyllgor Addysg yn penodi athro cerdd o'r radd gyntaf i ysgol eilradd. Roeddwn innau yn ei ddosbarth, yn un o griw eithaf anystywallt, ac yntau wrthi'n ddyfal yn hau safon cerddoriaeth ar greigleoedd 'lle ni chafodd fawr ddaear', a hynny mewn ystafell oedd yn debyg i dŷ gwydr tyfu tomatos, na chawsai gôt o baent er dyddiau'r Diwygiad. Ac eithrio dau neu dri, doedd yna ddim mwy o reddf miwsig yn y gweddill ohonom nag sydd mewn maharen. Ond dal ati'n ddi-ildio a wnaeth yr athro cerdd a gobeithio mewn anobaith y dôi mymryn o ffrwyth, mae'n debyg.

Fel athro, roedd yn un o'r eithriadau prin sy'n gallu rheoli tymer pan fydd tanc amynedd yn rhedeg yn sych. Gwersi canu ar gyfer cystadleuaeth yr unawd mewn eisteddfod a ddaeth â hyn i'r amlwg, a minnau dan orfodaeth ac yn erbyn f'ewyllys yn cystadlu. 'Carafán goch' oedd yr unawd, ac yntau, ar gais fy mam, yn ddigon caredig i roi gwersi. Os profwyd amynedd rhywun rywdro, mi brofais amynedd Tudor Davies i'r eithaf yn y gwersi yma.

Beth wnâi o efo disgybl heb ronyn o frwdfrydedd a'i ganu'r un lliw â'r garafán? Ond roedd rhywbeth arall yn denu sylw. Yn y cae gyferbyn â'i ystafell, roedd nifer o wartheg yn pori ac roedd gen i fwy o ddiddordeb yn y rheini. 'Dew, gwartheg da ydi'r rheina', meddwn i wrtho ar ganol y wers. 'Cau dy geg a chana', meddai yntau. Heb feddwl dim, mi atebais innau, 'Sut y medra' i ganu a chau ceg?' Sylweddolais yn syth i mi siarad cyn meddwl yn lle meddwl cyn siarad, a dweud peth beiddgar wrth athro ysgol. 'Wnaeth o ddim ond codi ei olygon heb godi ei ben, ond roedd cerydd llym yn ei ddau lygad tywyll. Deallais yr eiliad honno fod cerydd tawel filwaith trymach ei effaith na thymer yn berwi trosodd. Mae'r wers yna wedi aros hyd heddiw.

Fe aeth â'r Ysgol i'r pentref unwaith. Gwasanaeth Nadolig yng nghapel Penuel oedd yr achlysur. Roedd y plant i gyd yn y galeri a llawr y capel yn orlawn o rieni a theidiau a neiniau, ac yntau yn y pulpud yn arwain y canu. Pan ddechreuwyd canu ail bennill y garol 'The First Noel' – 'They looked up and saw a star, / shining in the east beyond them far', tybiaf i'r gynulleidfa ar lawr y capel edrych i fyny tua'r pulpud a gweld seren ddisglair yn arwain y canu. Gweld dawn yn dangos ei hun, nid dyn yn dangos ei hun. Dyna oedd arwain canu Tudor Davies bob amser.

Yn ddiweddar, daeth anrhydedd annisgwyl. Cafodd fynd i Balas Buckingham, cyfarfod y Frenhines a derbyn medal yr *MBE*. Hwyrach yng ngolwg y Frenhines mai fo'n unig oedd yn cael braint. Ond roedd yna esgid ar y droed arall hefyd. Fe gafodd hithau fraint. Cafodd gyfarfod cymeriad dirodres sy'n ymfalchïo iddo gael troedio palmant plentyndod yn nyddiau'r cyflogau bach a'r calonnau mawr, pan oedd arian poced yn geiniog neu ddwy a ffi gwers biano yn aberth. Fe welodd athro ysgol a roddodd am bob punt o gyflog werth dwy bunt o waith. A cherddor fu'n dysgu côr o enethod ar gyfer cyngerdd yr ysgol, pan aeth pawb adref y noson honno â'r diweddglo 'O lovely peace' yn canu yn eu clustiau. Ac fe welodd gyfeilydd côr meibion y Rhos am hanner canrif. Un a roddodd wefr i gynulleidfa mewn sawl cyngerdd mawreddog. Golygfa odidog oedd ei weld ar lwyfan y Stiwt yn eistedd wrth biano anferth. Eisteddai'n syth â'i ben yn plygu ymlaen a'r bysedd dawnus yn llithro'n ystwyth ar hyd y nodau mor hamddenol â gwenynen ar betalau rhosyn.

Ac i un a roddodd oes o waith yn sefyll ac eistedd, mae yna englyn addas yn dod i'r meddwl. Fe'i cyfansoddwyd i un o englynwyr mwyaf ein cyfnod ni gan gyn-Feuryn y Talwrn.

> Diau mai angau a'i myn yn ei dro
> ond yr wyf yn erfyn
> ar i'r Mistar ymestyn
> edafedd oes Dafydd Wyn.

Mae'r englyn yna fel cap elastig yn ffitio pen miloedd o unigolion dawnus ein cenedl. A rŵan fe safaf innau yn esgidiau'r awdur ac erfyn 'ar i'r Mistar ymestyn edafedd oes' i John Tudor Davies.

**Trofa Celyn**

# Ffuglen erotig, chwaethus heb fod dros 3000 o eiriau

BEIRNIADAETH MANON RHYS

Yn bersonol, credaf fod awgrym a chynildeb yn elfennau pwysig o ffuglen erotig, o'i chymharu â ffuglen fasweddus nad yw'n gadael fawr ddim i'r dychymyg. Ond beth am yr ansoddair 'chwaethus', a ychwanegwyd at ofynion y gystadleuaeth newydd, feiddgar hon? Ymhlith yr ystyron a restrir yn *Geiriadur Prifysgol Cymru*, ceir 'blasus', 'gweddus' ac 'archwaethus'. 'Blasus', 'hyfryd ei flas' a geir ar gyfer 'archwaethus', a 'blasu' a 'mwynhau' ar gyfer 'archwaethu'. Dychwelaf at y 'blasu' a'r 'mwynhau' ar ôl trafod y ddwy stori a dderbyniwyd.

*Cwmaswtra*: Ystlumod sy'n hongian ben i waered mewn sgubor yw cymeriadau'r stori ddi-deitl hon. Yn eu plith mae brawd a chwaer ystlum sy'n trafod 'Sut mae ca'l babis', gan bori mewn copi o'r *Kama Sutra*. Wfftio canllawiau'r gyfrol honno a wna Taid ystlum, sef Teidiach Mawr Slim Bacwn, gan ddatgan y dylid 'gadal i bopath ddigwydd ... yn drefnus-naturiol ...' Daw ystlum ifanc ar ei hynt a chymryd ffansi at y chwaer ac 'O! O! O! Y fath gynhesrwydd, tra maent yno fogail wrth fogail ... a hwythau'n hongian yn y tywyllwch, ac yn – ' [sic]. Yn groes i reolau disgyrchiant, llwyddir i genhedlu babi ystlum. Ond rhaid cyfaddef imi golli gafael rywle rhwng y geni a'r sôn am 'Y Cwmaswtra Cwmrâg', a'r sôn am weithiau Gwerfyl Mechain a Dafydd ap Gwilym a stampiau post Cymreig a 'Llywodra'th ddi-asgwrn-cefn Ganolog Llunda'n, Lloegr, drwy'r canrifoedd.' Ceir hiwmor trwsgl yn y stori hon ond chwiliais yn ofer am unrhyw gyffyrddiad erotig.

*Jeli Beibi*: 'Mangos'. A mango yw'r ddelwedd gychwynnol. 'Plannodd ei dannedd yn y ffrwyth gan adael i'r sudd melyn melys lifo lawr ei gên; gallai wneud unrhyw beth tu ôl i gaer y parasol heb i neb ei gweld.' Gwir a ddywedwyd ... Deallwn i Catrin syrffedu ar ei phriodas â Rhys, yn enwedig ar ôl iddi ei ddal yn eu gwely priodasol yng nghwmni 'seren y dosbarth yoga ... a'i ddwylo yn ymestyn i afael yn y bronnau a oedd yn chwyrlïo fel dau fango gwyllt'. Mae Catrin yn dianc i wlad boeth i chwilio am anghofrwydd ac yno, o dan y parasol, y llwydda merch ddirgel i beri'r fath bleser rhywiol iddi nes yr oedd 'ei choesau fel jeli a'i bron yn sgleinio dan chwys'. Nid yw hynny'n syndod, o ystyried natur egnïol y gweithgarwch (y cawn ddisgrifiad manwl ohono), gan gynnwys y gusan sy'n 'llenwi ei cheg â symffoni o halen a hufen iâ' (O am gynildeb Kate Roberts!). Yn wir, ni cheir fawr o awgrym na chynildeb yn y stori ystrydebol hon.

Ymddiheuraf am atal y wobr ond ni chefais flas ar y naill stori na'r llall, na mwynhad wrth eu darllen. Ond dyna ni, rhyw bethau tra phersonol yw blas a mwynhad – a chwaeth.

## Erthygl addas ar gyfer eich papur bro heb fod dros 800 o eiriau

BEIRNIADAETH DYLAN IORWERTH

Fel pob erthygl papur newydd, dylai erthygl i bapur bro gynnig gwybodaeth neu ddifyrrwch, neu gyfuniad o'r ddau. Ar gyfer cystadleuaeth fel hon, dylai hefyd roi blas ardal. Yn ddelfrydol, mi fydd yn dangos gwreiddioldeb a cheinder ysgrifennu hefyd. Mae'r goreuon yn cyflawni'r cwbl.

Mymryn o siom, os nad syndod, oedd hi fod bron pob un o'r 22 cystadleuydd yn edrych yn ôl. Doedd dim un o'r erthyglau'n ymwneud â phwnc cwbl gyfoes. Mae hynny'n dweud llawer am ddelwedd papurau bro. Cryfder a gwendid yn un.

Mae'r erthyglau'n ymrannu'n sawl dosbarth. I ddechrau, y rhai heb ddim arbennig yn eu cylch. Dyma erthyglau sydd am bynciau cyffredinol heb liw lleol. Taith ddigon cyffredin i Gaerdydd sydd gan *Nant y Pandy*, anerchiadau bychain neu ysgrif-ddamhegion sydd gan *Cymraes, Pen y Fedw, Erw Felen, Sabrina* a *Tŷ Phoo* efo darnau difyr ond heb ddim arbenigrwydd na chymeriad ardal. Trafod y syniad o gadw dyddiadur y mae *Marel* ond mi fyddai darn o'r dyddiadur ei hun yn well. Mae yna flas lleol ar ymgais *Tristan* a blas y gorffennol hefyd, gan mai hen erthygl ail-law ydi hi, yn galw 2010 yn 'eleni'.

Yn y dosbarth nesaf, mae erthyglau sy'n gwbl addas i bapurau bro ac, o dwtio a chryfhau yma ac acw, yn barod i'w cyhoeddi.

Mae 'na un neu ddwy o erthyglau sy'n addas ar gyfer papurau bro yn Lloegr, megis 'Llais y Dderwent', papur dysgwyr ardal Derby, sy'n cynnig diffiniad ychydig yn wahanol o 'fro'. Mae *Mr Cadno* a *Y Pafiliwn Pinc* yn ddigon difyr yn eu ffyrdd gwahanol, y naill yn trafod cadnoid dinesig a'r llall yn codi cwr y llen ar enwau lleoedd Cymraeg yn Lloegr.

Atgofion hiraethus sydd nesaf – atgofion alltud am ardal y Mynydd Du gan *Simran* ac atgofion annwyl am hen eglwys plentyndod gan *Sara*. Mi fyddai'r ddwy'n cynnig boddhad yn eu hardaloedd. Mae dwy erthygl ar gyfer papur bro *Y Fan a'r Lle* ym Mannau Brycheiniog, gan *Marchog y Mynydd* a *Sam*. Mae'r ddwy drafodaeth, ar enwau lleoedd a hanes camlas, yn ddigon twt ond heb arbenigrwydd mawr.

Y dosbarth nesa' ydi'r rhai sy'n barod i'w cyhoeddi; erthyglau cadarn, diddorol a llawn gwybodaeth – am John Legonna o Gernyw a fferm a oedd yn eiddo i'r Llyfrgell Genedlaethol gan *Tan y Gaer*, am John Owens, y radical a noddodd brifysgol ym Manceinion, gan *C. D. L.* ac am adar dau ddyffryn ym Maldwyn gan *Gro Mân*.

Safon y cynnwys a chryfder yr ysgrifennu sy'n codi'r rhai nesaf i dir uwch eto. Mae *Bryntirion* yn ddeheuig wrth ddefnyddio enwau tai a strydoedd tros y degawdau i gyflwyno hanes cymdeithasol Dyffryn Ogwen. Hanes hynod teulu o jocis a hyfforddwyr ceffylau sydd gan *Foxhunter* ac mae *Cidell* yn wirioneddol afaelgar wrth drafod tafodiaith un ardal fechan yng nghylch Llanelli.

Fflach greadigol a gwreiddioldeb sy'n gosod *High Stepping Gambler* a *Clochydd* ar y brig.

Mae'r *High Stepping Gambler* yn rhoi talp go dda o hanes y cob Cymreig trwy stori un march a rhyw ganllath o ffordd yng Nghwrtnewydd, Ceredigion. Mae'n mynd a dod tros y cloddiau, heb golli golwg ar y ffordd. Mae'r wybodaeth eang yn gwreichioni fel pedolau ar fetlin a'r brawddegau olaf yn ardderchog. Y gwir ydi y gallai fod yn erthygl lawer hwy a fyddai'n caniatáu tuthio ychydig mwy hamddenol a mwy o esbonio i'r llai cyfarwydd.

Ysgrif sydd gan *Clochydd* ond bod honno yn nhafodiaith y Cymoedd ac yn hynny y mae'r blas bro. Er nad ydi hi'n ffeithiol fel y lleill, mae'n llwyddo i ddweud stori am dorri beddau a dysgu Cymraeg ac yn llawn doethineb a ffraethineb cofiadwy. Yr elfen gyfareddol sy'n golygu mai *Clochydd* sy'n ennill.

# Yr Erthygl

## TORRI BEDDA

Yn ystod fy nyddia coleg, mi ges i amrywiath o waith gita golwg ar ennill dicyn bach i'w roi at yr ysgoloriath a dda'th oddi wrth y Cyngor Sir.

Pob Nadolig, cerddes yr hewlydd yn y gwynt a'r glaw fel postmon; adeg y Pasg chwyses i stecs yn ffwrna bara, a shwrna, cymeres i jobyn frwnt a dansherus mewn ffatri gemega. Arferwn ennill gymint â douddeg punt yr wythnos, sef yr un swm yn gwmws â chyflog 'y nhad, ac felly ro'n i'n falch o allu cyfrannu at incwm y teulu – a chatw peth at fy niben fy hun yn ystod y tymor.

Ond y gwaith iachusaf a wnes i erio'd o'dd torri bedda. Am bum mlynedd, gweithiwn bob haf yn y fonwent 'dros yr afon', ys dywedai hen bobol ein pentre ni, fel pe baent yn sôn am Stycs.

Ŷch chi'n gwpod shwt i dorri bedd, bid siŵr. Na? Wel, ro'dd rhaid cwpla'r dasg mewn diwarnod, a dim mwy, gan ddechra am hanner awr wedi saith y bore. Fel arfer, gwaith i ddou o'dd hyn. Wedi'r ceibio, cwnnu'r pridd 'da phâl lytan ar y dechre, wetyn cymoni'r ochra gita thwlsyn spesial er mwyn gwneud yn siŵr bod yr hirsgwar o'r maint iawn: naw troedfedd o hyd gan betair ar ei draws, ac yn ddigon dwfwn i ddal tri chwffin, o ieiaf 'whech troedfedd, pe bai angen. Âi'r twrchio'n fwy anodd wrth inni fynd i lawr trwy heinen o glai gwlyb, ac ro'dd rhaid imi atel hynny i Dilwyn. Cwlffyn o labrwr penigamp o'dd Dilwyn. Ei gyfrinach, 'dybiaf i, o'dd iddo boeri ar ei ddilo cyn mynd ati fel daeargi winad i dowlu'r pridd a'i doti mewn twryn taclus wrth ymyl y beddrod. Hoe fach wetyn, a ninne'n fflachdar o dan 'yr ywen hirymarhous', gan dorri ein syched 'da photeliad o seidir neu de o'r.

Treulies bob awr gino mewn ymgais i ddyscu Dilwyn shwt i ddarllen o'r *Daily Mirror*, ond yn ofer, mae arna i ofon. Do'dd dim llawer o bwynt dyfynnu '*Alas, poor Yorick*' i'w siort ef. Sach 'ny, ro'dd yn fachan bitir: un o'i hoff ddywediata o'dd, '*This is the dead centre of the world, see, butt*', a hynny hyd syrffed. Ond 'whara teg, ro'dd hynny'n wir yn ei achos ef, gan nad o'dd Dilwyn druan wedi mentro o'i filltir sgwâr erio'd: y gladdfa *o'dd* ei fyd bach ef.

Ta p'un, yn ôl at y gwaith, i gwpla erbyn petwar o'r gloch. O dro i dro, caem anawstera tra'n agor hen feddrota. Y gamp o'dd i balu'n ofalus nes cyrredd y cwffin heb dorri trwy'r clawr pwtwr a dwcid gweddillion y deiliad i ola dydd. Dranno'th, yn ystod y seremoni gladdu, rhaid o'dd goffod aros o'r neilltu am sbelan, wedi ein taclu yn ein crysia fel arwydd o ddyledus barch. Sylwes taw prin o'dd y bopol a gymerai gewc i lawr at wely'r bedd lle'r o'dd yr ymadawedig yn gorwedd, hyd yn o'd ymhlith y rhai a daflodd bripsyn o bridd i mewn i'r twll du. Ac ar un achlysur yn unig y gweles yr hen ddefod o gynnig 'arian y pâl' i'r torwyr bedda, a chan deulu o blant Mari o'dd 'ny. Wedi i'r gweinitog a'r galarwyr fynd yn ôl at eu ceir, ein dyletswydd olaf ni o'dd llenwi'r twll drachefen, symud y 'styllen a mynd â'r torcha draw i'r ardd goffa.

Gita llaw, pan glywaf bopol yn trafod y dewis rhynt claddu a llosci cyrff y meirwon, gallaf whilia o brofiad, megis. Wàth, gweithies ambell dyrn, yn ystod tywydd ffrit, yn yr amloscfa gerllaw, tu ôl i'r llenni, fel petai, gan hebrwng yr eirch i'r ffwrneisi. Yn 'y mhrofiad i, os yw o ryw ddiddordeb ichi, do's dim llawer i'w ddewis yn y pen draw rhynt y pridd a'r fflam. Dim ond ar gownt f'edmycedd o'r Dr William Price, Llantrisant, rwy'n tueddu i ffafrio amlosgiad.

Bo'd 'ny fel y bo, mae f'atgofion o weithio mewn claddfa'n dicyn melysach na hyn i gyd. Yno, trwy lawer i 'brynhawngwaith teg o ha' hir felyn tesog', ges i gyfle i fysedddu'r arysgrifa mwsoclyd ar y cerrig bedda, gan feithrin fy niddordeb cynyddol yn yr iaith Gymraeg: er serchus gof, yr hwn a fu farw, gynt o'r plwyf hwn, hefyd ei annwyl briod – dyma'r geiria cyntaf imi eu dyscu oddigerth yr ysgol a'r capel.

Dwys a thywyll, ar y cyfan, yw meddylfryd dyn mewn monwent, fe wn. Ond wrth imi gofio'n ôl am yr wythnosa a dreulies fel torrwr bedda, yr hyn sy'n sefyll yn 'y nghof yw'r heulwen, y gwyrddni a chôr y bore bach, a boddhad gwaith corfforol o dan awyr las, a chyfaredd y Gwmrâg, heniaith fy mro – ac iaith carreg f'aelwyd erbyn hyn.

Yn y dyddia 'na, ym mhreswylfa'r meirwon, fe wyddai llanc ifanc ei fod yn fyw.

Clochydd

**Blog amserol.** Cyfres o flogiau wedi'u hysgrifennu yn ystod mis Mawrth 2012, heb fod dros 3,000 o eiriau.

---

BEIRNIADAETH BETSAN POWYS

Mis Mawrth digon hesb o ran blogio gefais i, ac felly diolch i'r drefn fod pum ymgeisydd wedi cael mwy o ysbrydoliaeth o rywle. *Catrin Bica, Merch y Ddinas, Cookie, Dadtŷ* a *Crachffinant* yw'r pump, er mai'r un awdur yw *Merch y Ddinas* a *Cookie*. Rhesymau cwbl wahanol sydd wedi denu'r awduron i fyd blogio – yr awydd i refru a'i dweud hi, diffyg llwyfan fel arall, ystwytho Cymraeg yr ystafell ddosbarth, cofnodi, synnu, diawlio.

*Catrin Bica*: Syrffwraig, dysgwraig, blogwraig sy'n mynd o'r ffwrdd-â-hi ('Os dw i'n gallu bod yn *arsed*, bydda i'n ei gyfieithu') i'r barddonol (y Gymraeg a barddoniaeth yn 'cydblethu fel gwinwydd') mewn ffordd sobr o ddengar. Byddai rhannu peint a sgwrs gyda hon yn hwyl.

*Merch y Ddinas*: Merch o Gaerdydd sy'n nabod ei dinas fel cefn ei llaw ac yn dwlu ar y bwytai a'r galerïau. Sbarion gwaith ymchwil ar gyfer cyfrol sydd i'w chyhoeddi yw cynnwys y blog proffesiynol hwn, cyfres o adolygiadau ac argraffiadau byrlymus. Mae'r Gymraeg yn atgoffa rhywun o greadigaethau Caryl Parry Jones ers llawer dydd, sef Glenys-a-Rhisiart – a'u Cymraeg gor-goeth weithiau – ond byddai rhannu 'brechdan ham Sir Gaerfyrddin a Chaws Tindyrn wedi'i dostio' gyda hon yn addysgiadol.

*Cookie*: Yr un yw awdur blog *Cookie* ar fyd y ffilmiau. Eto, cyfres o adolygiadau sydd yma gan rywun sy'n deall ei phethau ac yn barod i roi ei barn. Rywsut dyw'r cyfanwaith ddim yn plethu'n flog apelgar.

*Dadtŷ*: Adre'n magu'r plant y mae hwn, a dyma gofnod o'i fywyd ar ffurf sgyrsiau gyda'i ferch fach yn bennaf. 'Mae Dadi yn hoffi criced a rygbi ac weithiau mae'n hoffi gwenu a glas a gwyrdd'. 'Wyt ti'n rhoi lawr y byrp? Ydw. Chwerthin'. Dw i'n cael yr argraff mai blogio er mwyn cadw'i ben uwchlaw'r dŵr y mae *Dadtŷ* weithiau, bryd arall am mai gwyn y gwêl pob brân ei chyw. Fe gydiodd fwyfwy wrth ddal ati i ddarllen.

*Crachffinant*: Yn oes yr arth a'r blaidd, fe fyddai hwn wedi pwyso ar y ffens gyda phaned o de – a rhefru. Yn 2012, mae'n creu blog – a rhefru. Mae'i deithi meddwl yn mynd ag e o'r ddefod foreol o wneud paned i gyflwynwyr rhaglenni plant i Idi Amin, o gamp lawn tîm rygbi Cymru i Frad y Llyfrau Gleision. Pleidiwr sy'n gas ganddo 'Mr Cameron' ac sy'n dwlu ar Dafydd Wigley sydd yma. Mi fydde Tori sy'n gas ganddo Mr Wigley yn creu mwy o argraff ym myd y blogiau Cymraeg – ond mae'n ysgrifennu'n rhwydd a difyr (er na chwblhaodd un o'i frawddegau yn ei ail flog).

Mae brwdfrydedd *Merch y Ddinas* yn apelio ac arbrawf *Dadtŷ* hefyd ond dw i'n amau mai â blog *Crachffinant* y byddwn i'n ymweld amlaf. Dw i'n rhoi'r wobr i *Crachffinant*.

# Y Blog

**Blog 1**
**6-3-12: 'Super Tuesday'**

Sawl gwaith, tybed, y cawn ein hatgoffa yn ystod y dydd heddiw ar raglenni newyddion ein cyfryngau ei bod hi'n 'Super Tuesday'? 'Sgwn i! Dyma un o uchafbwyntiau'r ras fawr i ddewis ymgeisydd y Gweriniaethwyr i herio Barack Obama yn yr etholiad arlywyddol.

Ers tro byd bellach, mae'r ras weriniaethol wedi bod yn pydru ymlaen gan deithio fel rhyw gorwynt di-ffrwt o dalaith i dalaith. Yn ôl y traddodiad Americanaidd o enwi corwyntoedd, mae gan y corwyntoedd gwleidyddol yma hefyd eu henwau trawiadol: Romney, Santorum, Paul a Gingrich! Yn ogystal, mae gan y ddau fath o gorwynt debygrwydd arall. Tra bo'r corwyntoedd naturiol yn afradu miliynau o ddoleri o ddifrod, mae'r corwyntoedd gwleidyddol yn afradu'r un faint, os nad mwy, o ddoleri ar wariant o fath gwahanol iawn!

Dw i'n bersonol yn cael trafferth mawr ymresymu gyda maint y gwastraff anfoesol yma o arian ar fwydo'r bwystfil a elwir yn ymgyrch. Er enghraifft, wyddoch chi fod y ceffyl blaen presennol, Mitt Romney, wedi gwario 31.4 miliwn o ddoleri ar ei ymgyrch yn 2008 cyn penderfynu rhoi'r ffidil yn y to ar ôl cloffi hanner ffordd trwyddi!

Yn ystod ymgyrch 2012, mae'r ymgeiswyr eisoes wedi gwario dros 30 miliwn o ddoleri ar hysbysebion yn unig! Duw a ŵyr faint fydd y pedwar ceffyl barus yma wedi ei wario erbyn diwedd y ras. Mae dywediad addas iawn yn cael ei ddwyn i gof: 'Mae gan y rhain fwy o bres na sens'.

Dyma daro hen, hen hoelen ar ei phen! Dyma, wrth gwrs, yw'r broblem amlwg a'r gwarth moesol sy'n golygu fod gwladweinwyr y byd yn meddwl bod gwario arian ar eu hybu eu hunain i bŵer yn gwbl dderbyniol. Tristach fyth yw'r ffaith ein bod ni, feidrolion diniwed y byd, rywfodd neu'i gilydd yn rhoi rhwydd hynt iddynt wneud hynny.

Wrth gwrs, nid yr Americanwyr yw'r unig rai sy'n euog o wario arian mor afrad. Beth am daflu ein golygon yn nes adref? Beth am aelodau Cabinet y Llywodraeth Brydeinig? Dyma ychydig o ffeithiau sy'n peri i mi deimlo'n dra anesmwyth:

- yn ôl datganiadau diweddar amdanynt, mae o leiaf 12 o'r 20 aelod yn filiwnyddion – ac ambell un ohonynt sawl gwaith drosodd!
- o'r 20 aelod, mae 12 ohonynt wedi graddio o Brifysgolion Rhydychen neu Gaergrawnt, a'r rhan fwyaf ohonynt wedi mynychu ysgolion bonedd. Ond, chwarae teg, mae un aelod yn eithriad i'r drefn, sef Eric Pickles. Gwyn ei fyd am fynd yn groes i'r drefn a graddio o Leeds Polytechnic!

Gyda chefndiroedd o'r fath, 'alla i ddim yn fy myw gredu y gall casgliad o bobl o'r un anian ddeall na dirnad yr anawsterau beunyddiol sy'n llethu meidrolion fel ni. Oes rhyfedd yn y byd fod bancwyr a barwniaid cyfoethog y byd yn cael rhwydd hynt i deyrnasu? Deud dim, deud ydw i ...

**Blog 2**
**8-3-12: Arolygon Dibwys**

Os clywa' i am ganlyniad rhyw arolwg hollol ddibwys arall, fe sgrechiaf, ar f'enaid i. Deffro'r bore 'ma i glywed y perl yma o wybodaeth fu'n destun codi gwrychyn cyn brecwast:

Yn ôl arolwg diweddar, mae pobl sy'n teipio 'un bys' gyda'r llaw chwith yn dueddol o fod yn bobl drist.

Agorodd fy ngheg led y pen mewn syfrdan llwyr. A 'synnech chi fawr beth ddaeth nesaf!

Mae pobl sy'n teipio 'un bys' gyda'r llaw dde yn dueddol o fod yn bobl hapus.

Ond ble mae hyn yn gadael meidrolyn fel fi sy'n teipio gyda'r ddwy law, tybed? Er mawr siom, nid aethpwyd ymlaen i ymhelaethu ar hynny. 'Fydd fy mywyd i fyth yr un fath!

Pwy yn ei iawn bwyll sydd angen gwybodaeth o'r fath ac, yn waeth na hynny, pwy ar wyneb y ddaear sydd yn penderfynu bod angen i ni gael gwybodaeth o'r fath. Y syndod mwyaf yw fod rhywun yn rhywle yn cael ei dalu am wneud arolygon o'r fath!

I brofi pwynt, dyma i chi ragor o ganlyniadau a gynhaliwyd yn ddiweddar. Cewch chi benderfynu drosoch eich hun a yw'r ffeithiau yma'n debygol o drawsnewid dyfodol ein bydysawd!

- Ar gyfartaledd, mae mwy o bobl yn defnyddio brwsys dannedd glas na rhai coch eu lliw.
- Yn flynyddol, bydd o leiaf 8800 o bobl yn eu niweidio'u hunain wrth ddefnyddio *toothpicks*.
- Mae cyplau sy'n priodi yn ystod misoedd Ionawr, Chwefror, neu Fawrth yn llawer mwy tebygol o gael ysgariad.
- Mae diferyn o law yn gallu cyrraedd cyflymder o 22 milltir yr awr.

Byddai'n ddifyr iawn cynnal arolwg o'r arolygon a cheisio mynd i'r afael â chwestiynau fel:

- Faint o arian sy'n cael ei afradu ar gynnal arolygon o'r fath?
- Faint o bobl sy'n cael eu cyflogi i gynnal arolygon?
- A oes unrhyw dystiolaeth fod canlyniad arolwg wedi gwneud unrhyw wahaniaeth i fywydau pobl?

Fyddwn i ddim yn malio dim i ddeffro un bore a chlywed canlyniad arolygon o'r fath ond byddwn yn mynnu bod pob [*sic*]

Hwyl am y tro.

**Blog 3**
**15-3-12: Pam?**

Yn ôl y ddefod foreol yn tŷ ni, codi'n gynnar ac yna, yn hogyn da, mynd ati i baratoi dwy baned o de, y naill i'r wraig a'r llall i minnau. Defod ddigon syml – berwi teciall, gosod dwy gwpan fach ac un fwy, yna rhoi dau fag te yn un o'r cwpanau cyn tywallt y dŵr berwedig i'r ddwy cyn trosglwyddo'r ddau fag te i'r gwpan arall! Swnio'n gymhleth? Wel, y bora 'ma am y tro cyntaf erioed, dyma stopio a meddwl a gofyn: Pam? Pam ar wyneb y ddaear mynd i'r ffasiwn drafferth – fydda hi ddim yn haws o lawer rhoi un bag te yn y ddwy gwpan o'r dechrau. Rhyfedd, 'nte!

Ia, wir, gair bach rhyfeddol yw 'pam' ac am weddill y dydd dw i wedi bod yn mwydro fy mhen efo sawl 'pam' arall, o'r 'pam' mwyaf dibwys i rai llawer dwysach.

- Pam mae rhaid cael dau berson i gyflwyno rhaglenni newyddion ar ein sianeli teledu pan allai un wneud y tro'n iawn – fel Angela Rippon, Robin Jones a Trevor McDonald ers talwm?

- Pam, O pam, mae Dylan Jones ar ei raglen 'Ar y Marc' yn dal i geisio ein dallu gyda'i chwarae ar eiriau wrth gyflwyno'r rhaglen?
- Pam mae cyflwynwyr rhaglenni plant yn mynnu ymddwyn yn fwy plentynnaidd na'r plant eu hunain drwy weiddi a sgrechian a thaflu slwj dros blantos bach diniwed sy'n cael ateb anghywir mewn cwis?
- Pam ydan ni'n dal i dderbyn yr hen drefn wleidyddol sy'n peri i'r rhai sydd ar waelod y pentwr cymdeithasol orfod diodde fwyaf mewn cyfnod o gyni economaidd?
- Pam mae llywodraethau cynifer o wledydd tlotaf y byd mor araf a chyndyn i warchod ac estyn llaw o gymorth i'w pobl eu hunain ac yn dewis gwario'u harian prin ar nwyddau milwrol a chynnal eu bywydau moethus eu hunain?
- Pam mae cenedlaethau ar genedlaethau o wledydd wedi cael ac yn parhau i gael eu sugno i mewn gan ddylanwadau a dogma un arweinydd dieflig ar ôl y llall – Hitler, Idi Amin, Ceausescu, Pol Pot, Saddam Hussein, Gaddafi, a'u tebyg?
- Mae'n debyg mai'r 'Pam?' anoddaf un i'w ateb yw pam mae trychinebau a phrofedigaethau annisgwyl yn digwydd.

Ie'n wir, gair bach pwerus a phwysig yw 'Pam?'. Hebddo, byddai gwareiddiad dyn yn cael llwyr hynt i wneud fel y mynno oherwydd 'fyddai neb yno i'w herio.

## Blog4
**18-3-12: Camp Lawn!**

Yogi! Yogi! Yogi! Hoi! Hoi! Hoi!

Dyma fore mae'r wawr yn ole
Mae popeth nawr yn ein dwylo ni

Ydi, mae'n fore da iawn i Gymru.

Saunders, Lewis … Valentine
Sami, Lydiate … Faletau
Cymru un ar bymtheg, y Ffrancod naw!

Beth fydd trydar y Saeson heno?
Pwy gafodd y gair ola, Mistar Dallaglio?
A phwy wyt ti, Austin Healy … ond twit yn twîtio!

Wfft i chi i gyd am amau'r Cymro
Edward y Cynta … a'r Arglwydd Grey,

Churchill, Beeching a Magi To Gwellt,
William Williams o Senedd San Steffan
A'i driawd taeog, Lingen, Symons a H. R. Vaughan Johnstone!

Y ni ydi'r gorau ar faes y bêl hirgron.
Er mawr glod i Warren Gatland.

Ew! Does dim byd gwell na **Camp Lawn** i godi'r galon Gymreig!

**Blog 5**
**25-3-12: Gwirfoddolwyr**

Gwirfoddolwyr, plant i Dduw? Dw i wedi treulio rhan helaeth o'r bore yn dilyn hynt a helynt y cannoedd o wirfoddolwyr sydd wedi ymuno yn ymgyrch 'Sports Relief' y bore 'ma. Bob tro y mae ymgyrchoedd o'r fath yn ymddangos ar y sgrîn fach, mae'n codi dau fath o emosiwn arnaf – euogrwydd ac edmygedd: euogrwydd am fod fy nghyfraniad i mor bitw ac edmygedd o weld pob math o bobl yn gwneud ymdrech mor arbennig i geisio helpu eu cyd-ddyn.

Ydych chi erioed wedi ystyried o ddifrif beth yw gwir effaith yr holl ymgyrchu gwirfoddol yma ar ein bywydau? Ydych chi erioed wedi ystyried beth fyddai'r sefyllfa yn y wlad yma a'r tu hwnt pe na bai'r un geiniog yn cael ei chodi gan gymdeithasau a mudiadau gwirfoddol? Ydych chi erioed wedi sylweddoli pa mor falch yw'r llywodraethau o bob lliw fod pobl gyffredin yn ddigon gwirion i gyfrannu o'u gwirfodd eu harian prin er mwyn cynnal myrdd o gymdeithasau, rhaglenni ymchwil a phrosiectau o bob math er mwyn cynnal gweiniaid ein cymdeithas? Ydych chi erioed wedi ystyried pa mor haerllug oedd ein Prif Weinidog annwyl i gynnig syniad mor wreiddiol o greu'r 'Big Society' ble mae pawb yn helpu ei gilydd? Wel, Mr Cameron, dw i'n amau dim bod eich 'Big Society' eisoes yn bodoli, diolch i Dduw. Ac i brofi'r ffaith, Mr Cameron bach, dyma i chi ychydig o ystadegau i bwysleisio pa mor eithriadol hael yr ydym fel cymdeithas.

| | |
|---|---|
| • Cyfanswm 'Sport Relief' 2012 | £52 miliwn |
| • Cyfanswm Diwrnod Trwynau Coch, 2011 | £74 miliwn |
| • Cyfanswm Plant mewn Angen 2011 | £26 miliwn |
| • Ymgyrch Macmillan, 2011 | £133 miliwn |
| • Marathon Llundain ers 1981 | £500 miliwn |
| • Ymgyrch Save the Children | £201 miliwn |

Y cyfanswm yn achos y chwe mudiad uchod *yn unig* ydi £1076 miliwn! Dychmygwch, mewn difrif, sawl mudiad, prosiect ac elusen sy'n gwbl ddibynnol ar y math o arian a nodwyd uchod. Wedyn, dychmygwch sawl unigolyn sy'n elwa'n sylweddol o gefnogaeth o'r fath. A dydi'r stori ddim yn gorffen yn fan'na!

- Sawl sganiwr sydd wedi'i brynu i'n hysbytai lleol yn deillio o haelioni pobl yr ardal?
- Arian pwy sy'n sicrhau ein bod yn cael gwasanaeth ambiwlans awyr mewn argyfwng?
- Arian pwy sy'n cyfrannu at gostau cynnal gwasanaeth y bad achub?
- Onid gwirfoddolwyr sy'n peryglu eu bywydau i achub pobl hanner call oddi ar ein mynyddoedd?

O, Mr Cameron bach! Tra wyt ti a dy fath yn ymdrybaeddu mewn 'mistimanars' y tu ôl i ddrysau caeedig y coridorau pŵer er mwyn sicrhau bod y cyfoeth yn aros yn nwylo'r breintiedig rai, mae'r werin wâr yn edrych ar ei hôl ei hun, diolch.

A beth am y sefyllfa mewn gwledydd tramor? Alla i yn fy myw ddeall na dirnad sut y gall to ar ôl to o lywodraethau gwledydd Affrica, er enghraifft, eistedd yn ôl a gwylio'u pobl eu hunain yng ngŵydd gweddill y byd yn llwgu i farwolaeth neu'n dioddef effeithiau afiechydon enbyd. Ai am eu bod yn ffyddiog y bydd popeth yn iawn oherwydd y bydd gwledydd 'ffeind' y byd yn 'morol amdanynt? Mae rhywbeth mawr yn bod yn rhywle; ai ynteu fi sydd yn dechrau drysu?

Ydi, Mr Cameron, mae'r 'Gymdeithas Fawr' eisoes yn bodoli; mae wedi bodoli ers cryn amser. 'We're all in this together', meddai'r gwron doeth. Nac'dan, wir, Mr Cameron, mae haen uchaf ein cymdeithas o ran cyfoeth yn ymbellhau o dan eich gwarchodaeth, credwch chi fi!

Ond mae math arall o 'haen uchaf' i'n cymdeithas. Mae'r math yma o bobl yn cyrraedd yr haen uchaf nid oherwydd eu cyfoeth materol ond oherwydd eu cyfoeth o ran moesoldeb a'u tegwch o ran chwarae teg i'r gweiniaid yn y gymdeithas.

Oes, wir, mae gwirfoddolwyr go iawn – 'gwirfoddolwyr, plant i Dduw'.

**Blog 6**
**Mawrth 31: Deg Uchaf Mawrth**

Am amryfal resymau, dyma'r deg eitem o newyddion sydd wedi cyrraedd fy neg uchaf yn ystod mis Mawrth, 2012:

1. **Y Gamp Lawn!**
   Am roi gwên fawr ar ein hwynebau am y trydydd tro ers 2005. Ond beth sydd yn gwneud y gamp yma yn fwy arbennig yw'r modd y chwaraeodd yr hogia. 'All neb o'r gwybodusion wadu'r ffaith am safon a grym eu chwarae a'u bod yn llwyr haeddu codi'r Tlws.

2. **Codi crachen y Malfinas**
   Pam ar wyneb y ddaear mae'n rhaid i'r cyfryngau torfol gyffroi'r dyfroedd unwaith eto drwy 'ddathlu' 30 mlynedd Rhyfel y Malfinas? Pam mae rhaid clodfori buddugoliaethau rhyfelgar? Wrth gwrs bod lle i gofio'r rhai a gollwyd ar y ddwy ochr yn sgîl y brwydro ond gellid bod wedi cyflawni hynny'n ddistaw ac yn urddasol. Gall ailgodi gwrychyn y ddwy lywodraeth gael effaith andwyol iawn ar berthynas y ddwy wlad. 'Sgwn i a fydd pobl ifainc o'r Wladfa a fydd yn ymweld â Chymru yn y dyfodol agos yn gorfod wynebu cwestiynau hallt yr awdurdodau yn ein meysydd awyr? 'Synnwn i ddim.

3. **Heno!**
   Mae safon yr arlwy o raglenni ar S4C wedi gostwng yn sylweddol yn ystod y blynyddoedd diwethaf ac mae'n amlwg i mi nad yw'r penaethiaid wedi gwrando na dysgu'r gwersi. Mae'r rhaglen 'Heno' yn binacl teilwng o'r diffyg yma. Pam mae'n rhaid efelychu rhaglenni Seisnig (megis 'The One Show'), gan ganolbwyntio mwy ar gyflwynwyr yn hytrach na sicrhau cynnwys difyr? Roedd y rhaglen a ddisodlwyd gan 'Heno', sef 'Wedi 7', yn cyflawni gwasanaeth pwysig iawn i'n cymunedau. Roedd cau swyddfa'r gogledd yng Nghaernarfon yn hoelen arall yn arch gwasanaeth cymunedol drwy gyfrwng y cyfrwng sgrîn fach. Diolch byth fod Radio Cymru yn parhau i gynnig gwasanaeth cystal sy'n cyrraedd y bobl.

4. **'Merve the Swerve'**
   Doedd hi'n drist colli un o arwyr amlycaf y saith degau! Siomedig iawn oedd colli Merfyn Davies, yr wythwr gorau erioed, a hynny ar drothwy camp lawn arall. Roeddwn yn digwydd bod yn y gêm rhwng Abertawe a Phont-y-pŵl pan drawyd 'Merve the Swerve' yn wael. Roedd munudau pryderus iawn yn y dyrfa bryd hynny wrth i bawb sylweddoli difrifoldeb y sefyllfa. Roedd yn gawr o ŵr o ran corffolaeth a phersonoliaeth ac yn eicon teilwng i gyfnod arbennig.

5. **Penodiad Leanne Wood**
   Fel rhywun sydd wedi cefnogi'r Blaid ers blynyddoedd, wedi cerdded strydoedd Caerdydd yn canfasio yn ystod y saith degau ac wedi cael y fraint o brofi gwefr ymgyrchoedd Dafydd Wigley, rwyf wedi

bod yn poeni ers rhai blynyddoedd fod y Blaid wedi colli ei ffordd; wedi colli golwg ar yr egwyddorion pwysicaf, wedi ymbellhau oddi wrth y pleidleiswyr cyffredin a phobl ifainc ac, yn wir, wedi parchuso gormod! Felly, roedd ethol Leanne Wood fel arweinydd newydd y Blaid yn newyddion calonogol iawn. Mae'n ymddangos bod yma arweinydd gyda'r modd i roi tân yn ein boliau unwaith eto. Gobeithio'n wir.

### 6. Y Torïaid yn dangos eu lliw!

Yn ystod y mis, mae nifer o ddigwyddiadau wedi cadarnhau i ni oll y ffaith yr oeddem eisoes yn grediniol ohoni. Yn ôl yr hen, hen drefn, y Torïaid yw pencampwyr y cyfoethog sydd yn mynd i ledu'r agendor rhwng y boneddigion a'r werin wâr. Beth sydd gwneud i mi wingo go iawn yw'r modd y maent yn ceisio celu eu gwir liw ac yn ceisio argyhoeddi pawb eu bod yn cydymdeimlo gyda phroblemau'r dyn ar y stryd a'n bod i gyd yn yr un cwch. Och a gwae! Dw i ddim yn meddwl eu bod yn ddigon galluog i gynnal y twyll rywsut!

### 7. Colli Gwilym Humphreys

Ar Fawrth 26, derbyniwyd y newydd trist o golli Gwilym Humphreys, arloeswr ym myd addysg ddwyieithog a Chymrawd yr Eisteddfod Genedlaethol. Dyma ŵr urddasol o benderfynol, gŵr gyda gweledigaeth a'r gallu i gyflawni'r nod yn wyneb pob anhawster. O dipyn i beth, rydym yn colli gwŷr a gwragedd o'r ansawdd yma, yn enwedig o'r byd addysg. Byddaf yn gwirioneddol boeni weithiau na fydd arloeswyr o'r un rhuddin ar gael i gymryd eu lle.

### 8. Moch Daear

Eto fyth mae Llywodraeth Cymru wedi gwrthod gwneud y penderfyniad anodd i ddifa moch daear er mwyn atal y diciâu. Mae'n anodd iawn credu nad oes ganddynt y synnwyr cyffredin i gefnogi amaethwyr sy'n colli eu bywoliaeth drwy orfod difa eu gwartheg. Mae'n gwbl dderbyniol i ddifa'r wiwer lwyd er mwyn gwarchod y wiwer goch – rhyfedd o fyd!

### 9. Agwedd yr Eglwys Gatholig

Drwy gydol y mis, mae dadleuon wedi bod yn poethi ynglŷn ag agwedd arweinyddion yr eglwysi tuag at briodasau hoywon. Fe ddeilliodd y cyfan o ddatganiad hynod o amhriodol gan y Cardinal Keith O'Brian. Fe ddisgrifiodd briodas hoyw fel 'a grotesque subversion of human right ... degenerating even further into immorality'. Pa hawl sydd gan ŵr o'r fath i wneud datganiad mor annoeth a phasio barn ar hawliau hoywon pan gafwyd adroddiadau am 10,667 o achosion o droseddau rhywiol yn erbyn aelodau o'r Eglwys Gatholig? Oes angen dweud mwy?

## 10. Y Gwanwyn Arabaidd

Hwn yw ail wanwyn y terfysgoedd Arabaidd – fel rhyw gorwynt yn 'sgubo ar draws gwledydd y Dwyrain Canol – mae Abdine Ben Ali, Hosni Mubarak a Muammar Gaddafi eisoes wedi eu trechu ond yn ystod y mis yma daeth yn fwyfwy amlwg fod Bashar al-Assad yn dipyn mwy o her. Os yw'r Gwanwyn Arabiadd wedi dangos rhywbeth, daeth yn amlwg fod bys sawl gwlad yn y potas ac nad tynged y trigolion diniwed yw'r prif ffactor wrth benderfynu ymyrryd yn filwrol neu beidio!

**Crachffinant**


### Nodyn gan y Golygydd

Ymddiheurwn i'r cystadleuydd nad oedd modd atgynhyrchu'r llungopïau a gynhwysodd gyda'i ymgais.

# Stori dditectif Gymreig gyfoes/seicolegol, heb fod dros 4000 o eiriau

BEIRNIADAETH GERAINT V. JONES

Mae lle, bob amser, i groesawu cystadleuaeth yn y *genre* hwn ond sut mae diffinio stori dditectif *Gymreig*? Ai galw oedd yma am stori wedi ei lleoli yng Nghymru? Ynteu un yn ymwneud â'r bywyd traddodiadol Cymreig? Ynteu stori lle mae'r cymeriadau i gyd, efallai, yn Gymry? A ninnau mor brin o storïau ditectif da yn y Gymraeg, anffodus yn fy marn i oedd cyfyngu awduron yn y fath fodd. Wedi'r cyfan, beth yw o bwys ymhle y caiff y stori ei lleoli, na phwy yw'r cymeriadau sydd ynddi, cyn belled â bod deunydd difyr a darllenadwy yn cael ei greu yn y Gymraeg?

Tuedd storïau ditectif yw dilyn yr un strwythur: (i) caiff trosedd ei chyflawni a honno'n un anodd ei datrys (ii) trwy flerwch neu ddiffyg arbenigedd yr heddlu, mae rhywun neu'i gilydd yn cael ei amau a'i arestio ar gam (iii) rhydd hyn gyfle wedyn i arwr y stori, sef y 'ditectif' (boed hwnnw'n blismon neu beidio), brofi ei glyfrwch trwy ddatrys y cyfan mewn diweddglo annisgwyl. Dyna, o leiaf, yw'r strwythur arferol ond mae rhwydd hynt i awdur greu ei fframwaith ei hun, wrth gwrs, cyn belled â'i fod yn llwyddo i dynnu'r darllenydd i mewn i'r dirgelwch a'i gadw yno wedyn tan y paragraff olaf un.

Cystadleuaeth siomedig oedd hon ar y cyfan, nid yn unig oherwydd y nifer bychan a ymgeisiodd ond hefyd oherwydd safon y cynnyrch a ddaeth i law. Dim ond tair stori a gafwyd ac er bod gan bob awdur ei rinweddau, eto i gyd pur ddi-fflach yw'r storïau hynny, drwodd a thro.

*Blasus:* 'Ac Eto'. Dyma stori sydd â dylanwad cyfresi teledu'n amlwg iawn arni. Mae'r cyfan wedi ei gyflwyno ar ffurf deialog ac yn symud yn gronolegol o un olygfa i'r llall wrth i'r awdur geisio creu dirgelwch, gam wrth gam. Ond y wers i *Blasus* yw fod gwahaniaeth mawr rhwng llunio sgript deledu ac ysgrifennu stori fer neu nofel oherwydd tra bo awdur y naill yn gallu dibynnu ar gamera a meicroffon i wneud y gwaith disgrifio ar ei ran, mae'n rhaid i awdur stori neu nofel, ar y llaw arall, gyflwyno'r disgrifiadau hynny mewn geiriau a chael y darllenydd i weld gyda'r dychymyg yn hytrach na'r llygad. Dyma, wedi'r cyfan, yw camp y llenor.

Yn dilyn ffrwydrad digon diniwed mewn cae diarffordd yng nghefn gwlad Cymru, ac ar sail tystiolaeth denau, a dweud y lleiaf, mae'r heddlu'n rhuthro i'r casgliad mai terfysgwyr Islamaidd sydd y tu cefn i'r cyfan a bod angen hysbysu'r Swyddfa Gartref ar fyrder er mwyn trosglwyddo'r achos i ddwylo MI5 a'r *Special Branch*. Yn y cyfamser, fodd bynnag, mae'r Ditectif

Arolygydd yn llwyddo i brofi mai gohebydd papur newydd lleol oedd yn gyfrifol am y ffrwydrad ac mai dial hiliol oedd ei gymhelliad. Mae'r eironi'n amlwg. Does dim o'i le ar gynllun y stori hon ond byddai awdur mwy profiadol wedi gwneud llawer gwell defnydd ohono.

*Sam*: 'Dyfrllyd Fedd'. O ran iaith ac arddull, mae *Sam* yn ei medru-hi. Mae'n gallu'i fynegi ei hun yn hynod o raenus, er nad bob amser gyda'r cynildeb a ddisgwylir mewn stori fer. Caiff merch ifanc ei llofruddio a'i thaflu i afon sydd mewn llif. Pan ddeuir o hyd i'w chorff rai dyddiau'n ddiweddarach, a phan ddarganfyddir yr arf a ddefnyddiwyd i'w lladd, yna mae'r dystiolaeth yn awgrymu mai milwr o wersyll cyfagos y Gurkha a gyflawnodd yr anfadwaith. Gwaith y ddau dditectif yw profi'n wahanol ac, ar ôl clywed bod arf tebyg wedi diflannu o gwpwrdd arddangos yn swyddfa'r Maer, cânt le i amau mab y glanhawr ond daw tystiolaeth yn fuan wedyn mai rhyw lanc arall oedd y llofrudd. Er cystal yw dawn dweud yr awdur, mae nifer o wendidau yn ei stori. Er enghraifft, ni cheir unrhyw eglurhad pam y cafodd y ferch ei lladd, na chwaith pam yr oedd y llofrudd wedi mynd i'r drafferth o daflu ei chorff i'r afon, gan adael yr arf ar dir sych i'r heddlu ei ddarganfod yn hawdd. Mae'r diweddglo hefyd yn dod yn llawer rhy hwylus.

*Salander*: 'Treched treisiaf'. Rwy'n gyfarwydd â'r ddihareb 'Trechaf treisied, gwannaf gwaedded' ond methais roi unrhyw ystyr call i deitl y stori hon. Fel *Sam*, mae *Salander* hefyd yn gallu ysgrifennu'n raenus ac yn llenyddol. Stori sydd yma am ferch yn cael ei threisio ar ei ffordd adref un noson ond, yn hytrach na mynd at yr heddlu i ddioddef y cywilydd o gael ei chroesholi, mae'n penderfynu troi'n dditectif ei hun. Ymhen amser, mae'n darganfod pwy yw'r treisiwr a thrwy ystryw yn ei hudo wedyn er mwyn cael dial arno a'i ladd. Ddyddiau'n ddiweddarach, deuir o hyd i'w gorff 'mewn ffos ar dir comin'. Mae rhannau o'r stori hon yn bwerus iawn ac mae'r stori ei hun yn uned daclus ond does dim sy'n newydd yn y cynllun, gwaetha'r modd. Wedi'r cyfan, onid dial mewn modd tebyg iawn a wna'r Salander gwreiddiol yn un o nofelau Stieg Larsson? Byddwn yn dadlau hefyd nad stori dditectif mohoni hi o gwbl, gan nad oes yma unrhyw ddirgelwch i'w ddatrys unwaith y ceir gwybod pwy yw'r treisiwr. Yn fy marn i, byddai'n well pe bai'r awdures wedi dechrau ei stori efo'r diweddglo sydd ganddi a gadael i ryw dditectif arall wedyn ddarganfod pwy oedd yn gyfrifol am y llofruddiaeth, a pham.

Ar ôl rhoi ystyriaeth ddwys i'r tair stori, ac yn arbennig felly i waith *Sam* a *Salander* oherwydd rhinweddau amlwg eu harddull, eto i gyd nid wyf yn teimlo bod yr un ohonynt wedi cyrraedd gofynion y gystadleuaeth hon. Gyda thristwch, felly, ni allaf ond argymell atal y wobr.

**Yr oeddwn i yno.** Ysgrif am ddigwyddiad yn ymwneud ag un o ymgyrchoedd yr iaith Gymraeg

---

BEIRNIADAETH EMYR LLYWELYN

Roedd pedwar ymgeisydd ac mae'r digwyddiadau a ddisgrifir ganddyn nhw'n gyffrous ac yn ddiddorol. Mae'r wobr yn mynd i'r un a lwyddodd i ysgrifennu'r hanes yn y modd mwyaf bywiog a chrefftus gan ddod â chyffro'r digwyddiad yn fyw.

*Atgof*: Protest ar safle Rio Tinto ar Ynys Môn yng nghyfnod Margaret Thatcher sydd yma a Magi ei hun am eiliad yn cael ei dychryn gan gynddaredd y dorf. Ymdrech dda er gwaethaf y gwallau iaith.

*Bonheddwr Mawr o'r Bala*: 'Beibl Saesneg Os Gwelwch yn Dda'. Meddiannu tŷ haf yw'r brotest. Mae'r naratif yn bersonol ac yn dweud yr hanes yn gatalogaidd. Gobeithio bod modd cadw tystiolaeth o'r math yma ar glawr yn rhywle.

*Hen goes*: Disgrifiad o brotest Pont Trefechan gan un a oedd yno yn chwarae rhan bwysig yn y digwyddiad. Mae yma hanes personol pwysig ond ni chafwyd naws y digwyddiad cyfan.

*Thired*: Roedd awdures yr erthygl hon yn ferch fach bedair oed yn y brotest adeg prawf mawr Achos yr Wyth, sef achos yr arwyddion ffyrdd yn Abertawe. Mae'r hanes yn gyffrous a darllenadwy ac er nad yw'n ysgrif draddodiadol, mae eto'n dod o fewn y diffiniad o ysgrif fel 'darn o ryddiaith sydd wedi'i glymu yn ei gilydd gan bersonoliaeth ei awdur'!

Gwobrwyer *Thired*.

# Yr Ysgrif

*Nos Sadwrn, Mai 8, 1971: 'This is the Ten o'clock News. Today, in Swansea, over a thousand people were present at a Rally outside Swansea Crown Court, in support of ...*

Annwyl Nain,

Ychydig a ddychmygwn ar y pryd y byddai 'ngwep bach i'n llenwi'r sgrîn deledu – fi, o bawb; ie, fi, yn oddrych yr eitem gyntaf ar Newyddion Lloegr ITN! Pawb gartref wedi fy ngweld i, medden nhw, ac yn methu deall sut oeddwn i wedi 'nghael fy hun yn y fath sefyllfa.

A beth amdanat ti, Nain? O! diar, sut yn y byd oedd esbonio i ti beth oedd yn mynd ymlaen? Doeddet ti ddim cweit yn deall pam yr oedd rhaid i ni fynd yno yn y lle cyntaf. Dw i'n siŵr dy fod ti wedi dychryn yn ofnadwy wrth fy ngweld i ar y sgrîn. Welest di fi, 'ndo? Wel, do, siŵr iawn, a beth oedd dy ymateb di? Yn ôl y sôn: 'There's bloody soft they are. What the 'ell do they think they're doin'?'

Yn naturiol, mae'n siŵr gen i, amdana' i a neb arall 'roeddet ti'n poeni, ac yn pryderu beth oedd yn mynd i ddigwydd i fi, yntê. Doedd dim ffonau symudol 'radeg honno, wrth gwrs, ac felly doedd dim posib gadael i ti wybod bod popeth yn iawn, nad oeddwn i mewn peryg, mewn gwirionedd, er gwaetha'r sefyllfa hyll iawn ar brydiau yr oeddet ti'n dyst ohoni ar y sgrîn fach. 'Roeddwn i yng nghanol y bwrlwm a'r cyffro ... ac yn dyst i'r anghyfiawnder a'r ymateb gwrthwynebus o'r ochr arall. Ond roedd hi'n anodd i rywun 'fath â ti, Nain, ddeall hyn.

Beth oedd achos yr holl helynt, felly? Pam yr oedd camerâu teledu yno yn y lle cyntaf? Mae'n rhaid eu bod nhw'n poeni'n o arw ac yn ei weld yn achlysur digon pwysig i anfon criw teledu yno i gofnodi'r achlysur. Mae'n rhaid eu bod nhw'n amau y byddai 'na drwbwl! A gwir pob gair, yn anffodus. Mae'n rhaid bod Rali Abertawe yn bwysig iawn ac yn arwyddocaol, yn eu golwg nhw, beth bynnag, ac fe fanteision nhw ar y cyfle i geisio sathru'r 'hen Genedlaetholwyr ymfflamychol hynny sy'n mynnu creu trwbwl ac yn herio'r Sefydliad'.

Felly, yn ôl i'r dechrau, a cheisio dirnad ac egluro i ti beth oedd wedi symbylu hyn, beth oedd wrth wraidd y fath ymdeimlad a chefnogaeth ar y naill law a chasineb ac atgasedd ar y llaw arall, a pham yr oedd rhaid i ni fod yno.

Rhaid i ti geisio deall, Nain, fod y cyfnod hwn yn gyfnod cyffrous iawn i ni sy'n poeni am ddyfodol ein hiaith. Mae'n wir dy fod ti wedi byw heb yr iaith gyhyd, ond mi wn, hefyd, dy fod, yn ddistaw bach, yn falch iawn, iawn, o dy wyrion, a'r ffaith fod y Gymraeg wedi dod yn ôl i'r aelwyd. Mi glywa i di, rŵan, yn eu brolio wrth dy ffrindiau: 'Only Welsh they speak, see'.

A dyna pam ein bod ni wedi gorfod dod i Abertawe – i gefnogi, i ddangos ein hochr, i sefyll dros ein hiaith. Pam, felly, yr oedd cymaint o bobl wedi dod i Abertawe y p'nawn yma? Pwy oedden nhw yn eu cefnogi? Sut y trodd pethe'n hyll, a phwy oedd ar fai am hynny?

Wel, i dorri stori hir yn fyr, cyhuddwyd wyth o bobol o 'gynllwynio' (Duw a ŵyr yn erbyn pwy!) ac oherwydd iddynt ddifrodi arwyddion ffyrdd Saesneg, dygwyd achos yn eu herbyn a bu'n rhaid iddynt ymddangos o flaen y Barnwr Howard ym Mrawdlys Caerfyrddin. Penderfynodd hwnnw fod rhaid trosglwyddo'r achos hollbwysig hwn i Frawdlys Abertawe, achos, yn ôl y gŵr doeth hwn: 'Does a wnelo'r llys hwn ddim oll â gwleidyddiaeth … yma i weinyddu cyfiawnder y mae'.

## Achos yr Wyth

**Y Cyhuddiad?**
Cynllwynio

**Brawdlys Caerfyrddin**
Y Barnwr Howard

### Pwy oedd yr wyth?

| | |
|---|---|
| Gwilym Tudur: | Blwyddyn |
| Dafydd Iwan: | Blwyddyn |
| Ieuan Bryn: | Blwyddyn |
| Ieuan Wyn: | Blwyddyn |
| Gronw Davies: | 6 mis |
| Robat Gruffudd: | 3 mis |
| Ffrederic Ffransis: | Blwyddyn |
| Rhodri Morgan: | Ei ryddhau |

**Brawdlys Abertawe**
Y Barnwr Mars Jones

**Y Ddedfryd?**
7 – Carchar Gohiriedig

Felly, heidiodd Cyfeillion yr Iaith a Charwyr ein Hiaith yma i'r Rali bwysig hon, a phawb mewn hwyliau da. Roedd ysbryd newydd yn y tir, a'r hen a'r ifainc fel ei gilydd, yn barod i frwydro dros yr iaith a chynnig eu cefnogaeth mewn gwahanol ffyrdd. Wedi'r cyfan, roedd cyrff cyhoeddus, gan gynnwys rhai cynghorau sir, o blaid cael arwyddion ffyrdd Cymraeg. Onid oedd hynny'n hollol resymol? I ni, efallai, ond nid iddyn nhw.

Cyrchfan y Ralïwyr oedd grisiau'r Guildhall yn Abertawe. Llywyddwyd y Rali gan Tedi Millward, Aberystwyth, a'r siaradwyr eraill oedd y Dr Phil Williams, Alwyn D. Rees, Raymond Garlick, ac Emyr Llewelyn.

I ddweud y gwir, Nain, roedd yn reit ddiflas i mi achos doedd gen i ddim cymaint o ddiddordeb â hynny i wrando ar y rhain ond, yn sydyn reit, dyma pethau'n newid! Fe luchiwyd 5 o arwyddion ffyrdd ar y grisiau, gyda'r bwriad o'u cario nhw drwy strydoedd Abertawe mewn gorymdaith ond, och a gwae, mewn amrantiad, ymddangosodd criw o blismyn gan arestio'r rhai oedd wedi taflu'r arwyddion, a'u llusgo, druain, i faniau du'r Heddlu a ddisgwyliai ar y cyrion.

Aeth y dyrfa'n wyllt, a minne'n dychryn, braidd – sŵn bloeddio, cymeradwyo, gweiddi, sgrechian brêcs, canu! Doeddwn i erioed wedi gweld na chlywed y fath beth o'r blaen. Gafaelais yn dynn, dynn yn nwylo Dad, ac yntau wedyn yn fy nghodi rhag i mi gael fy nal yn y don a lifai tuag at faniau'r Heddlu i'w hamgylchynu. Roeddwn i eisie crio ond mi wnaeth Mam fy nghysuro, a 'ngwasgu'n dynn yn ei breichiau, tra'r un pryd yn codi'i dwrn gan ddweud y drefn wrth Heddwas a geisiodd ein rhwystro rhag cefnogi'r protestwyr.

*Ac wrth gwrs, dyna beth welest ti ar News at Ten, yntê, Nain!*

Mae'n siŵr fod rhai wedi gwaredu i Mam a Dad hyd yn oed ystyried mynd â phlentyn bach pedair oed i'r ffasiwn beth, a thithau, Nain, yn eu plith. Ond diolch byth eu bod nhw wedi ystyried Rali Abertawe yn achlysur y dylwn i fod yn rhan ohono, a sawl Rali arall ar ôl hynny, a dweud y gwir (e.e. y tu allan i Garchar Caerdydd, pan oedd Dafydd Iwan y tu mewn i'w furiau, a Huw Jones Dŵr, yn canu 'Paid digalonni'). Wrth i ni orymdeithio ar hyd Stryd y Frenhines, roeddet ti, Nain, yn ein gwylio yn y cysgodion, ac yn codi dy law yn slei bach rhag ofn i'r siopwyr a âi heibio dy weld ti a gweld bod 'na gysylltiad!

Ond hidiwch befo, rhaid i mi ddweud fy mod yn falch iawn fy mod wedi bod yn rhan o hanes ac wedi cyfranogi tipyn bach i'r achos, er mor fach ac ifanc oeddwn i ar y pryd. Mae'n siŵr nad oeddwn i'n gallu gwerthfawrogi arwyddocâd yr holl gyffro'n iawn, pan oeddwn i yno, ond deallaf yn awr. A diolch i ti, hefyd, am geisio deall, ac i Mam a Dad am roi'r cyfle i mi.

I brofi hyn i gyd, mae fy llun i yn *Lloffion y Flwyddyn, Cyfrol 1* (Gol. Tegwyn Jones), llun a dynnwyd gan ohebydd *Y Cymro*, a gallaf ddweud â balchder: 'Roeddwn i yno! Oeddwn, wir!'

Hwyl, Thired

**Thired**

## Sgript Stand-Yp rhwng 5 a 7 munud o hyd: Jiwbili'r Frenhines neu Y Gemau Olympaidd

BEIRNIADAETH DANIEL GLYN

Daeth chwe ymgais i law, a phob un wedi deall yn iawn natur y grefft o ysgrifennu stand-yp, er bod y safon yn amrywio.

*Rhiwle ger y cefn*: Mae'r awdur yn bendant wedi deall mai rhywbeth i'w berfformio yw sgript stand-yp, a chynhwysodd ambell ffraetheb (*gag*) gref iawn. Gwaetha'r modd, mae elfen swreal yn pefrio drwy'r gwaith, a hynny'n amharu ar y deunydd cryf.

*Ôl-Rowndar*: Mae gwaith y cystadleuydd hwn yn cynnwys nifer o ffraethebion cryf, yn ogystal ag un o wir hanfodion stand-yp, sef ymgais i chwilio am y gwirionedd. Efallai fod yr hiwmor braidd yn rhy blwyfol ar adegau ac efallai'n angharedig yn hytrach na doniol ond ymdrech dda ar y cyfan.

*Sam*: Yn y byd stand-yp, mae person sy'n benthyca hen jôcs, a jôcs pobl eraill, ac yn ceisio'u 'gwerthu' fel eu rhai hwy'u hunain, yn cael eu hadnabod fel '*gagpie*', a dyna a gawn yng ngwaith *Sam*. Er hynny, dw i'n edmygu ei hyfrdra. Ar y cyfan, fodd bynnag, mae hwn yn waith diog iawn.

*Hostburt*: Unwaith eto, darn o waith plwyfol iawn, ni fyddai ynddo ond hyn a hyn o apêl i unrhyw un y tu allan i Wynedd. Serch hynny, mae ambell ffraetheb gref iawn yn y gwaith ond, ar y cyfan, mae ynddo ormod o rantio a dim digon o ffraethebion.

*Decker Slaney*: Mae'r un peth yn wir eto – diffyg ffraethebion cyson. Stori sydd gennym yn y fan hon, gydag ambell ymgais (sy'n llwyddianus ar adegau) at jôc neu ffraetheb ond, ar y cyfan, does dim llawer gan yr awdur i'w ddweud am y testun, ac yn bendant, felly, o fewn cyd-destun sgript stand-yp.

*Bollt*: Mae'r awdur hwn wedi deall yn iawn yr angen i cael ffraethebion cyson mewn sgript stand-yp, yn ogystal â sut i ymdrin â gwahanol syniadau o fewn y sgript. Efallai nad yw pob ffraetheb yn taro deuddeg ond, fel cyfanwaith, mae'r strwythur yn gryf ac, yn bendant, gallwn weld y sgript hon yn gweithio o flaen cynulleidfa fyw. Rhoddaf y wobr i *Bollt*.

# Y Sgript

## YR OLYMPICS

Ma'r Olympics 'di dechrau yn Llundain. We hei!

Ie ... dyna'r union ymateb llugoer o'n i'n ei ddisgwyl. Dw i 'di clywed cynghanedd wael yn cael gwell ymateb na hynna yn y babell 'ma!

Os ŷch chi fel fi, 'chi 'di syrffedu ar yr Olympics cyn iddyn nhw ddechre. Wedi'r cyfan, ma'r peiriant PR wedi bod yn stwffo newyddion amdanyn nhw i lawr ein gyddfe ni ers misoedd.

Mae'n teimlo fel oes ers i Boris Johnson 'neud araith yn cyhoeddi bod *WiffWaff* yn dod adre. Felly, cyfraniad Prydain i'r Gemau Olympaidd yw tennis bwrdd. Galla' i ddychmygu'r Groegiaid cynnar, cyhyrog, oedd 'di arfer reslo'i gilydd yn noeth hyd angau, yn ymfalchïo bod y gemau wedi esblygu i ganiatáu ping-pong fel camp Olympaidd.

Ro'dd y peiriant PR yn trio'n cael ni i gyffroi dros daith y fflam rownd Prydain. 'Na'th e ddim lot i *fi*, ma' rhaid i fi 'weud ... ond falle y galle S4C ffeindio fformat i raglen newydd – ras fflam Eryri, ras ble ma'n rhaid rhedeg dros dirwedd fwyaf anfaddeuol Cymru gyda fflam. Ac i'w 'neud e bach mwy diddorol, dylai'r rhedwyr roi tai haf ar dân tra bôn nhw wrthi. Wedyn bydde fe'n werth colofn y papur newydd a dw i'n siŵr y bydde fe'n codi ffigyrau gwylio'r sianel.

Wedyn ro'dd na ffŷs anhygoel am wisgoedd athletwyr Prydain. Stella McCartney wedi'u dylunio nhw – cyfuno steil gyda chyfforddusrwydd. Esgus tila am gyfle arall i 'neud arian ar y *merchandise* ac i chwifio fflag Prydain yn ein hwynebau.

Ond 'feddylies i wedyn, falle fod y 'Steddfod yn colli tric fan hyn. Falle fod 'na ffynhonnell arian fan hyn – galle Julien Macdonald roi *makeover* i wisgoedd yr Orsedd – gwisgoedd cyfforddus ac ymarferol yn cyfuno traddodiad gyda steil – *Lycra* yn gwneud yr Orsedd yn gyfoes ac yn secsi. Gallen nhw werthu crysau replica. Gallaf weld stondin ar y maes dan ei sang gyda rhes ar ôl rhes o wisgoedd *all-in-one Lycra*. Rhesi gwyrdd, glas a gwyn. Bydde'r rhai gwyn yn ddrutach, wrth gwrs – statws uwch! Yna, am ffi ychwanegol, gallech gael enw eich hoff brifardd ar y cefn, gyda rhif yn dangos faint o brif wobre ro'dd e neu hi 'di'u hennill.

Wedi dweud hynny, dw i'n siŵr bod ishte yn y gadair ar y llwyfan gyda chleddyf uwch eich pen yn sefyllfa ddigon anghyfforddus. Dychmygwch faint yn fwy anghyfforddus fydde fe 'tase'r Archdderwydd a Cheidwad y Cledd mewn *one-piece Lycra* y naill ochr i chi. Fyddech chi ddim yn gw'bod ble i edrych. A bydde fe'n rhoi gogwydd hollol wahanol ar weld Cerrig yr Orsedd! A'r gynulleidfa druan – bydden nhw'n wynebu rhesi ar resi o aelodau'r Orsedd mewn gwisgoedd a oedd yn amlygu pob bwmp a lwmp yn eu corff. Dewch i ni fod yn onest, oni bai'ch bod chi'n athletwr, rych chi'n annhebygol iawn o edrych yn dda mewn *lycra* – a does dim lot o athletwyr yn yr Orsedd.

Ond dyw'n henwe ni ddim yn eu cynnig eu hunain i fod yn athletwyr, ydyn nhw? Drychwch ar Usain Bolt. Ma' 'da fe enw addas, 'n does. Usain Bolt! Mae'n creu delwedd o gyflymder, pŵer, mellten. A phwy sy 'da ni'r Cymry? Dai Greene. Enw sy'n creu delwedd o foi bach boliog yn ishte mewn sied *pitsh and put* yn Aberystwyth yn pasio clybs i dwristiaid. Yr agosa fydde fe'n dod at hyrdlo fydde camu dros y cachu ci ar 'i ffordd i'r Pier i mo'yn hufen iâ amser cinio.

Dw i'n credu mai'r prif reswm pam nad ydyn ni'n hoffi'r gemau Olympaidd yw achos 'u bod nhw'n deffro atgofion anghysurus o wersi ysgol gyda brid sy'n profi'r linc rhwng epa a dynol ryw – yr athro Chwaraeon. Nôl pan o'n i yn yr ysgol, ro'dd gwaith papur, i athro Chwaraeon, yn golygu anfon y plant ar gwrs traws gwlad digon hir iddo allu darllen tudalenne cefn y *Western Mail*. Ro'dd hyn nôl yn nyddie'r dapsen, arf penna'r athro Chwaraeon. Bydde athro da'n gallu bwrw pen ôl plentyn mor galed fel y byddech chi'n gallu darllen maint yr esgid ar 'i foch e!

Ro'n nhw hefyd yn lico meddwl 'u bod nhw'n ddamcaniaethwyr mawr. Ro'dd wastad ryw berle 'da nhw i'w cynnig fel *No pain, no gain*. Neu fel ro'n i'n lico meddwl: *No pain, no pain*. Un arall o'dd *'Don't look back, leave it all on the track'*. Ro'dd hi braidd yn anffodus i'r athro Chwaraeon fod Mathew Tew 'di cymryd hynna braidd yn rhy lythrennol ar ôl 'i stwffio'i hun amser cinio. Chwarae teg i Mathew, 'na'th e chwydu'i berfedd yn *lane three* heb grwydro i'r *lanes* y naill ochr o gwbl.

Ond falle 'mod i'n annheg ar yr athrawon yma. Wedi'r cyfan, ro'dd eu cyfoedion nhw yn y coleg yn ennyn parch mewn campau rhyngwladol tra'u bod nhw'n gorfod gwylio plant fel Mathew Tew yn g'neud i'r ras glwydi edrych fel *obstacle race*.

'Nes i ddim gweld athrawon yn g'neud lot o chwaraeon eu hunain, cofiwch. Yr unig bryd i fi 'u gweld nhw'n rhedeg o'dd ar ôl i'r chweched bobi cacenne iddyn nhw. A'r cacenne hynny'n drwm 'da *laxatives*. Do'dd y rheol

203

'dim rhedeg yn y coridore' ddim yn berthnasol i'r athrawon o'dd yn rhuthro am y toilede'r d'wrnod 'ny.

Ond falle y dylen ni bitïo'r athrawon 'ma a rhoi cyfle iddyn nhw 'u profi eu hunain. Addasu rhai o gampau'r Olympics i siwtio'r athrawon chwaraeon. Yn lle'r ras can metr, y *'strut* hyd y coridor'. Marcie am ba mor *macho* a bygythiol oeddech chi. Yn lle'r naid uchel, be am gystadleuaeth i weld pa mor uchel y gallech chi 'neud i ddisgybl neidio gyda'r dapsen. Neu, un o ffefrynnau un o'n hathrawon ni [*anelu fel petawn i'n taflu dart*], y gystadleuaeth taflu dwster bwrdd du – marcie ychwanegol am daro disgybl ar ei ben.

Dw i wedi bod yn meddwl llawer am hyn a 'di dyfeisio camp newydd. Cyfuno bocsio [*estyn a gwisgo maneg focsio*] gyda thennis bwrdd [*rhoi bat yn y faneg focsio*]. Camp dw i 'di bathu enw iddi hi'n barod. 'Wiff waff, biff baff'.

Faint yn fwy o hwyl fydde fe i wylio dau athro chwaraeon, rhwystredig, yn y cylch, yn trio bwrw'i gilydd gyda batie tennis bwrdd [*esgus bwrw'r person arall gyda'r bat. Y bat yn cwympo i'r llawr. Ceisio'i godi … yn methu – pen ôl yn yr awyr*]? Galle fe fod yn trici pan fo'r padl yn cwympo – ond 'tasen ni'n rhoi'r dapsen yn y llaw arall bydde'r athro chwaraeon o'r diwedd yn cael y clod a'r bri haeddiannol ac yn cael serennu yn y Gemau Olympaidd! [*esgus taro pen ôl yn galed gyda'r bat tennis bwrdd*].

Diolch yn fawr

**Bollt**

# Dyddiadur taith / Blwyddyn Mas, heb fod dros 3,000 o eiriau

BEIRNIADAETH GWYN LLEWELYN

Cyn edrych ar unrhyw un o'r ymdrechion a ddaeth i law, dyma estyn at Restr Testunau Prifwyl Bro Morgannwg i f'atgoffa fy hun beth yn union oedd y gofyn. Teimlo i ddechrau fod byd o wahaniaeth rhwng 'Dyddiadur taith' a 'Blwyddyn Mas'. Gallai'r naill fod, er enghraifft, yn hanes siwrne fer annisgwyl/ gyffrous/ anturus. Nid amhosib i'r gofyn arall roi bywyd i'r undonedd a ddaw o fwydo'n hir mewn man sefydlog. Afraid dweud y byddai'n rhaid i gynnwys unrhyw ymgais fod o ddiddordeb i gylch ehangach na'r cystadleuydd ei hun. Buddiol hefyd fyddai cadw mewn cof y gwahaniaeth rhwng 'taith' a 'gwyliau' a rhwng 'teithiwr' ac 'ymwelydd'. Hawdd iawn fyddai syrthio i'r fagl honno. Mae gwahaniaeth mawr rhwng pythefnos hunangynhwysol ymlith miloedd mewn hongliad afiach o westy RIU a chysgu dan balmwydden yn byw'r bywyd brodorol ar yr un rhimyn gwyn o draeth. O ystyried hyn oll, felly, mae cyfuno 'Dyddiadur taith/ Blwyddyn Mas' yn sail cystadleuaeth gwbl ddilys. Fe obeithiwn ganfod, ymhlith y saith ymgais a ddaeth i law, gofnod o ryw brofiad annileadwy – rhywbeth gwahanol, rhywbeth yn cyffroi ...

*Corlan*, 'Disgwyl Pen-blwydd y Brenin'. Adroddwyd hanes taith noddedig i Wlad Thai dros gyfnod Nadolig 2004, er nad wyf yn deall sut y gallodd yr awdur ofyn nawdd am rywbeth sy'n darllen fel hanes deng niwrnod o wyliau 'pecyn' yng ngwmni tywysydd. Drwy ddwyn i gof ddau ewythr a wasanaethodd yn yr Ail Ryfel Byd, ymdrechir i weu elfen o bererindod i'r daith wrth ymweld â rhai o fynwentydd rhyfel destlus Gwlad Thai er nad yno y gorwedd yr un ewythr na ddaeth yn ôl. Ar ôl cychwyn addawol yn Bangkok, lle talodd yr awdur gan *baht* am ryddhau aderyn gwyllt o gawell, roeddwn yn disgwyl gwell. Drwodd a thro, dyw'r gwead ddim yn argyhoeddi, a gwastraff (pan nad yw'r gofyn ond am 3,000 o eiriau) fu neilltuo rhan olaf y 'dyddiadur' i sôn am ddau lyfr cwbl amherthnasol.

*Cerddwr*: 'Ardal y Llynnoedd'. Cawsom hanes cwta wythnos ar daith gerdded flynyddol yn Ardal y Llynnoedd yn rhannu tŷ gyda phump o gyffelyb fryd yn ystod wythnos o Fai. Cynhwysir y math o wybodaeth a geir mewn unrhyw gyfeirlyfr a 'dyw disgrifiadau'r awdur ei hun yn ddim mwy na hynny. A chawn ni ddim anghofio iddo gael sawl 'peint' ddydd Sadwrn, 'cwpwl o beints' ddydd Sul, 'peint' ddydd Llun, 'bolied o gwrw' ddydd Mawrth a 'dogn go dda o Guinness' ddydd Mercher. Do, dw i'n siŵr i'r cerddwyr o'r Canolbarth gael amser wrth eu bodd ac, yn ôl a ddeallwn, yr un fydd eu mwynhad yn dilyn trywydd cyffelyb eleni eto – a phob blwyddyn arall! A rhag i'r teithiau i gyd redeg i'w gilydd, fe fydd y gwaith hwn ganddo fel *aide memoire* o'r hyn a wnaethon nhw y flwyddyn dan sylw.

*Ceiliog a hannar*: Bu ond y dim i mi daflu ymgais *Ceiliog a hannar* o'r neilltu'n syth. Na, does dim yng ngofynion y gystadleuaeth i ddweud nad oes lle ond i ddyddiaduron ffeithiol. Ond, wrth reswm, dyna'r disgwyl. Ar yr olwg gyntaf, felly, rwdlan abswrd yw hanes pythefnos Wili Cwacwinero ym Magladw. Wel, llai na hynny, mewn gwirionedd! Ac yntau'n 89 oed, bu peth dryswch a chollodd Wili rai dyddiau cyn sylweddoli y câi adael 'Llwyn yr Esmwythyd Blu' i hedfan i'r haul ar draul cwmni gwyliau. Ni fu fawr o dro'n cael ei draed dano er mai mewn ysbyty y bu diwedd y daith ac iddo gyrraedd adre gyda'r Gymraes a weinyddai arno yng nghefn ei siwtces! Ie, dyddiadur taith yn ddiamau ac am ei stori ddoniol, 'Wil Samaidd', caiff yr awdur hwn yr un ystyriaeth â'r chwe ymgeisydd arall ond gydag awgrym y dylai chwilio am gystadleuaeth fwy cydnaws â'i ddawn oni ddaw i'r brig y tro hwn!

*Goran*: 'Goran, y Pab a fi'. Hanes ysgrifennwr ifanc yn mynd ar wyliau pedwar diwrnod gydag Easy Jet i Croatia. Does dim anarferol yn digwydd iddo a does dim yn anghyffredin yn y lluniau a gynhwysir gyda'i stori. Yn wir, go brin fod pedwar diwrnod yn sail dyddiadur. Ac eto, mae'n llwyddo, drwy ei arddull, a'i Gymraeg cywir, i gyfleu cyffro profiad newyddian. Rwy'n hoffi 'gwarbacwyr' am 'backpackers', gyda llaw! Mae'n hedfan yn gyntaf i Zagreb a chawn eglurhad rhannol o deitl y dyddiadur – roedd y Pab Bened XVI yno ddeuddydd o'i flaen. Ond nid lle'r beirniad ydi gorfod gofyn 'pam Goran?'. Yn ninas Split, mae'n debyg, man pellaf y wibdaith hon, y ganed Goran Ivanisevic, y pencampwr tennis! Ar ddiwrnod olaf y daith, ar fferi i ynys Brac, mae Ray a Mary o Bontypridd yn sylwi ar y geiriau 'Iechyd Da' ar grys-t Goran ond mae hwnnw'n llwyddo i ddianc. Mae'r awdur i'w longyfarch ar wneud cymaint mewn cyn lleied o amser – mae'n berchen elfen ymholgar gref, mae'n ddiddig yn ei gwmni ei hun a thrwy fod â'r reddf i adnabod *bores*, a sut i ddianc rhagddynt, mae'n berchen ar yr elfennau angenrheidiol i fynd ar daith lawer mwy anturus y tro nesa!

*Morton*: Tan i mi ddarllen dyddiadur *Morton*, roeddwn yn prysur ddod i'r cagliad y byddwn yn gorfod gwobrwyo ffuglen *Ceiliog a hannar*. Ond o'r diwedd dyma ddyddiadur gafaelgar gan awdur yn deall mai'r manylion, yr argraffiadau o'r pethau bychain yn hytrach na'r darlun ehangach sydd, yn amlach na pheidio, yn dal y dychymyg. Y gwendid (os gwendid hefyd) yw mai cofnod sydd yma o daith bron 42 o flynyddoedd yn ôl! Wythnos o daith yn dilyn llwybr Henry Morton Stanley ar ran o Afon Congo yng nghanol cyfandir Affrica. *Morton* oedd yr unig Ewropead ar fwrdd yr 'MV Colonel'. Gallwn arogli'r drewdod, synhwyro'r budreddi, clywed cecru creaduriaid y glannau. Ers taith *Morton*, daeth llawer tro ar fyd i'r Congo, gan gynnwys cyfnod dan enw hollol wahanol, ond dichon mai digon tebyg fyddai taith ar hyd yr un darn o brif afon y wlad heddiw. Caf yr argraff y gallai dyddiadur *Morton* fod yn rhan o gyfrol gyfan (er na allaf ei dwyn i gof). Onid yw wedi'i gyhoeddi'n barod, yna'n sicr fe ddylai weld golau dydd. Ond chwiliwn o hyd am ddyddiadur cyfoes.

*Meirion Puw*: 'Ar grwydr yn nhir ein cyndeidiau'. Hanes epig o daith – o Cape Town drwy anialwch Namibia, gan orffen, fis yn ddiweddarach, yn Harare, prifddinas Zimbabwe. Cyfandir Affrica yw un o'r ychydig lefydd lle mae rhyfeddodau gweledol yn weddol hawdd eu cyrraedd a hynny heb golli dim o'u haruthredd. Hwn yw'r unig gystadleuydd sy'n cynnwys lluniau ystyrlon i gynnal ei naratif. Yn wir, catalogaidd yw'r dweud: y lluniau sy'n rhoi swmp i'r ymgais. Ond un gwendid amlwg yw nad oes map i'n tywys. Gwendid arall i mi yw mai hanes taith drefnus sydd yma, wedi ei harchebu ymlaen llaw, a'r llwybr yn ymagor i'r cyd-deithwyr o ddydd i ddydd yn union yn ôl y disgwyl.

*Picwn*. 'Dyddiadur Taith'. Ynganiad trigolion Lop Buri, pentre gwledig yng Ngwlad Thai, o enw'r awdures yw *Picwn*. Aeth yno yn un o griw o athrawon a oedd â thrwydded yn rhoi'r hawl iddyn nhw ddysgu'r iaith Saesneg fel iaith dramor. Y sioc gyntaf iddi fu canfod y gallech brynu fersiwn ffug o'r union dystysgrif (*TEFL*) ar y stryd yn Bangkok! Dyma'r unig gystadleuydd a ddewisodd ddweud hanes 'Blwyddyn Mas'. Gwerth chwe mis a gawn, mewn gwirionedd, ond yr un yw'r egwyddor. Byddai blwyddyn gyfan wedi ychwanegu at fwynhad y darllen! Ac mae'n rhaid i hynafgwr bellach geisio derbyn, meddan nhw, mai geiriau Cymraeg, yn yr unfed ganrif ar hugain yw erchyllbethau fel 'hileriys', 'ocwyd' a 'ridicilys'. Y tro hwn, o fewn y cyd-destun, maen nhw'n gweithio, serch nad oes maddeuant am ddefnyddio 'methu' pan mai 'colli' yw'r gair (er y bydd y Golygydd yn siŵr o fod wedi ei gywiro cyn cyhoeddi'r gyfrol hon!). Eto, am ei ffresni, ei doniolwch a'i ffraethineb, *Picwn* sy'n sgorio yn y gystadleuaeth hon! Rhoddaf y wobr i *Picwn*.

# Y Dyddiadur Taith

### Hydref 18 2010

Dw i ddim yn siŵr iawn pam dw i wedi dewis gneud hyn! Y mwya ma' pobl wedi bod yn 'i ddeud wrtha i am beidio – 'i fod o'n beryg ... 'mod i'n gada'l swydd dda ... y gneith o chwalu 'mherthynas ... y bydda i'n methu fforddio byw ar y cyflog, mwya'n byd dw i isie'r her. Ond rŵan dw i'n wir ddim yn gw'bod be' ddiawl dw i'n 'i 'neud! Go iawn, dw i'n cachu brics. Pam dw i 'di gada'l teulu, cariad, ffrindia, swydd dda ... jyst i brofi pwynt 'mod i'n annibynnol? Heddiw, dw i 'di gneud y penderfyniad gwiriona erioed a fflio allan i weithio yn Thailand am chwe mis.

Dydd Nadolig, pen-blwydd, a'r ffarwel anodda erioed – i gyd mewn un diwrnod. Mi es i adra amser cinio i ffeindio'r tŷ wedi'i orchuddio mewn tinsel, a choeden 'Dolig (o ryw fath!) yng nghanol y stafell. Roedd Mam 'di gwahodd pawb draw – y teulu i gyd a'r genod i ga'l cinio Nadolig! Alla i ddim ca'l dros faint o ymdrech roedd hi wedi'i 'neud, cracyrs a bob dim. Teimlad od ... actio'n hapus i gyd yn fy het bapur ond yn teimlo'n sâl y tu mewn. Wedyn, ar ôl y cinio 'Dolig, teisan pen-blwydd, a phawb yn canu pen-blwydd hapus! Pum mis yn fuan, ond roedd heddiw'n ddiwrnod o sdwffio pob dim fydda i'n 'i golli i mewn i un diwrnod. Ych, roedd gada'l yn hollol afiach, dw i erioed 'di teimlo mor hunanol ... 'mod i'n rhoi pawb trwy chwe mis o boeni tra dw i'n mynd i ffwrdd ar yr antur fawr 'ma.

### Hydref 20 2010

Wedi cyrraedd Bangkok, lle y bydda i am ychydig ddyddia cyn mynd ymlaen i Lop Buri. Ma' 'na tuag ugain ohonom ni yma, i gyd yn athrawon newydd i'r wlad. Yma y bydda i am yr wythnos gyntaf, ond wir dw i'n ystyried gada'l. Y peth ydi, does gen i ddim digon o bres i allu fflio'n ôl; felly rili dw i reit styc. Dw i jyst ddim yn 'y ngweld i'n setlo. Dw i'n gw'bod dw i ddim 'di rhoi cyfle i mi fy hun ond dw i'n meddwl y bydda i'n colli 'ngartra ormod i allu mwynhau fan'ma. 'Di'n Saesneg i ddim yn wych i ddechra, felly mi fydd hi'n anodd gneud ffrindia heb sôn am gyfathrebu hefo'r bobl Thai. Dw i ddim yn siŵr iawn be i'w 'neud, a deud y gwir, teimlo'n hollol afiach ac yn colli pawb yn uffernol.

### Hydref 21 2010

Teimlo lot gwell heddiw. 'Di bod yn treulio lot o amser efo'r ddwy hogan fydd yn dysgu yn yr un ysgol â fi. Y ddwy'n hollol lyfli ac, fel fi, dipyn bach yn ddryslyd pam 'dan ni 'di dewis gneud hyn!

Wedi ca'l gwersi Thai heddiw a sesiwn ar betha i beidio â'u gneud yn Thailand. Y cwmni wedi trefnu ein bod yn ca'l hyn cyn mynd i'r ysgol. Reit – **rhaid cofio** – petha i beidio â'u gneud yn Thailand: peidio â chyffwrdd ym mhen y plant (na phen neb os 'di hi'n dod i hynny), tynnu sgidia wrth fynd i mewn i unrhyw adeilad, peidio â lladd ar y Brenin, osgoi trafod gwleidyddiaeth y wlad, peidio byth â chyffwrdd mynach.

### Hydref 22 2010

Bangkok ydi'r lle mwyaf gwallgo' yn y byd – ffaith! Dw i ofn! Anhrefn llwyr. Ma' hi mor beryg yma, mae'n ffantastig! Ti jyst gorfod derbyn yr holl ochr *seedy* 'na, y *sex trade*, y merched yn cynnig sioeau ping-pong am bunt, hen ddynion *Western* gyda merched Thai hardd – elli di mo'i osgoi, mond derbyn ei fod yn rhan fawr o economi'r wlad a mynd ati i ddarganfod yr holl bethau eraill sydd gan y ddinas unigryw yma i'w cynnig. Y peth cyntaf welis i'n ca'l ei werthu ar y stryd oedd tystysgrifa *TEFL* – y cwrs dw i 'di slafio drosto fo yn ystod y misoedd dwytha 'ma yn sgwennu traethoda am ramadeg, jyst i ga'l y cyfle i deithio'n rhad! 'Ti'n gallu prynu tystysgrif gradd Rhydychen yma hefyd, a leisians ddreifio Brydeinig; mi gei di beth bynnag 'ti'i eisiau ar Ko San Road, a dyna sy'n anhygoel am y lle.

'Swn i'n gallu crwydro'r strydoedd am ddyddia, yn mynd o un farchnad i'r llall yn blasu ac arogli'r holl fwydydd anhygoel sydd ar ga'l. Dw i isio trio pob dim, dwn'im be sy 'di dod drosda i, dw i wedi trio'r petha rhyfedda o goesa cyw iâr i gocratsian – ac maen nhw mor flasus! Mae'n synhwyra i wedi mynd yn boncyrs yma … pob pryd gyda'r cydbwysedd perffaith o flas sur, melys, hallt a chwerw.

### Hydref 23 2010

Gada'l Bangkok heddiw, yn anffodus. Cyrraedd Lop Buri ar ôl cinio ac ma'r lle yn hollol wallgo'. 'Di o ddim yn ddel, 'di o ddim yn gyffrous, does 'na ddim byd i'w 'neud yma, ac fel ma'r *guidebooks* i gyd yn 'i ddeud, ma' mwnciod wedi cymryd y dref drosodd … ond dw i'n caru'r lle! Dyma dw i eisiau … dyma'r Thailand go iawn, ac mae'n hollol unigryw. Pan o'n i'n darllen *wikipedia* cyn dod yma, doeddwn i ddim cweit yn gw'bod be i'w ddisgwyl pan o'dd o'n deud 'Lop Buri is a town overun by monkeys' – dw i'n dallt rŵan. Maen nhw 'fatha gwylanod Caernarfon, ond yn waeth. Fedra i ddim cerdded i lawr y stryd heb ga'l mwnci'n dwyn fy mag. Fedra i ddim gwisgo clustdlysau neu mi fyddan nhw 'di'u rhwygo nhw allan; os gwisga i sbectol haul, mi fyddan nhw 'di rhedeg i ffwrdd efo hi. Maen nhw 'di cymryd drosodd a 'sa dim byd all neb 'i neud am y peth. Ond ma' o'n grêt i economi'r dref achos dyma'r unig reswm y ma' twristiaid yn stopio yma. Ma' perchennog y gwesty hyd yn oed yn rhoi *sit down meal* i'r mwnciod bob haf i ddiolch iddyn nhw am ddod â phobl i Lop Buri!

P Nui (P yn lle Mr neu Mrs yma – dangos parch) ydi enw mentor y tair ohonom ni yma. Ddoth o i nôl ni o Bangkok i fynd â ni i'n fflat newydd ac wedyn i gwrdd â chriw'r ysgol. Ma'r fflatia'n grêt. Dim yn neis o bell ffordd, dim toiled iawn, dim dŵr poeth, a dw i 'di gweld 17 cocratsian yn y stafell yn barod, ond ma'r tair ohonom ni yn yr un bloc ac ma'r ddynas sy bia'r fflatia yn seren – P Nit, dynas yn ei 70au gyda Saesneg gweddol dda, ma' hi am fod fel Nain i ni am y misoedd nesa, dw i'n siŵr.

## Hydref 27 2010

Reit, wnes i ddim dallt hyn cyn dod yma ond *governor* yr ardal, a'i wraig y maer, sydd wedi dewis ca'l athrawon Saesneg i'r ysgol leol. Maen nhw'n ofnadwy o gyfoethog yma, ac isio dangos hynny. Yn Thailand, ma' ca'l ffrindia gwyn yn dangos cyfoeth a statws … a dw i ddim yn gw'bod a ydw i'n bod yn sinigaidd ond dw i'n meddwl bod y tair ohonom ni am fod yn handi iawn i'r cwpwl yma! Felly, nhw sydd wedi ca'l y fflatia 'ma i ni, a nhw fydd yn talu ein cyfloga ni. Maen nhw newydd adeiladu ysgol newydd sbon. Aethon ni i'w cyfarfod nhw pnawn 'ma, cyfarfod swyddogol efo P Nul yn cyfieithu pob dim i ni – does gan y *governor* na'i wraig ddim Saesneg o gwbl. Ma' ca'l dim Saesneg yn un peth, ond ma' trio'i ga'l o i ddeud f'enw i … hileriys! Y ddwy arall, dim problem … ond maen nhw 'di dewis newid fy enw i, i fod yn deg ar y plant, yn Pi-cwn. Ia, piso cŵn! Maen nhw 'di penderfynu prynu tri beic i ni hefyd 'to lose fat', fel y dwedodd o, ac o ia, un peth arall – gofyn i ni wisgo ychydig bach mwy o golur i ddysgu!

## Hydref 30 2010

Mae'r ysgol yn lyfli, dw i wrth fy modd yma. Dw i'n dysgu plant bach pump a chwech oed. Dw i'n dysgu dau ddosbarth o 35 yn y bora, yna yn y pnawn dw i'n dysgu dosbarth o 70! Ma'r plant yn gwbl annwyl – dw i isio un! Gwenu o hyd, ac yn fy addoli i! Ma' hi mor drist sut ma' bod yn wyn yn eich gneud chi'n boblogaidd a chyfoethog yn awtomatig yma – dw i'n teimlo fel seleb. Ma' gweld y ffordd ma'r athrawon yn trin y plant bach yn anodd iawn. Dw i'n gw'bod mai dyma maen nhw 'di arfer efo fo ond mae'n anodd iawn ei wylio – dŷn nhw ddim yn gweld nad oes dim o'i le ar guro'r plant, a'u curo gyda darn anferth o bren ac weithiau hyd yn oed gyda darn hir o fetel. Heddiw, mi wna'th 'na hogyn druan sibrwd tra oedd yr athrawes yn dysgu a'i gosb oedd mynd i du blaen y dosbarth i'w daro'i hun dros ei wyneb ddeg gwaith. Maen nhw'n od … yn bobl mor hapus a chlên and pan mae'n dod i'r ffordd maen nhw'n dysgu'r plant, maen nhw'n gas. Does 'na ddim hwyl i'w ga'l yma, dim ond trefn a phatrwm llym. Mae'r ysgol wedi fy ngwahardd i rhag chwarae *hokey-cokey* efo nhw'n barod ar ôl i dri phlentyn chwydu ddoe wedi ecseitio gymaint, bechod!

## Tachwedd 3 2010

Dw i ddim yn dysgu yma ers hir ond ma'r plant yn dechrau ca'l acen Gymraeg yn barod! Ma'r genod yn piso chwerthin bob tro maen nhw'n clywed y plant yn ailadrodd 1 i 10 ar f'ôl i. *Wooooon, Twwwww, Thrriiiii* – yr acen Sir Fôn gryfaf glywis i erioed! Ma' enwau'r plant yn ciwt hefyd … ma'r rhieni'n awyddus i'r plant ga'l llysenw Saesneg a dyna ma' pawb yn eu galw nhw yn hytrach nag enw Thai hir. Rŵan, 'di'r Saesneg yn yr ardal wledig 'ma ddim yn grêt ac maen nhw'n clywed geiriau randym ac yn eu cofio nhw i'w rhoi fel enwau i'r plant. Felly yn fy nosbarth i, ma' 'na 'Ice', 'Donut', 'Beer', 'Fat', 'Golf' a 'Shampoo'!

## Tachwedd 20 2010

Ro'n i'n iawn. 'Dan ni'n handi iawn i'r *governor* a'i wraig (dw i'n dal ddim yn gw'bod be 'di henwa nhw!). Yn y pythefnos diwethaf 'ma, dw i 'di bod mewn dau angladd a pharti priodas! Ma' o'n ca'l rhywun i'n ffonio ni i ddeud wrtha ni am wisgo'n smart a rhoi colur; yna, ymhen deng munud ma' 'na gar y tu allan i'r fflat yn barod i fynd â ni. Am brofiad swreal! Yn y deml, ma' 'na lun anferth o'r person sydd wedi marw ac ma'r tair ohonom ni'n gorfod mynd ar ein pen-glinia o flaen llun y person druan a rhoi blodau a thanio cannwyll iddyn nhw! Dw i'n gw'bod ei fod yn beth drwg ond ges i gigls ofnadwy yn yr angladdau, doeddwn i jyst ddim yn dallt, ac roedd o mor ocwyd fel y gnes i jyst chwerthin! Ond roedd y briodas yn hwyl, lot o *rice wine* a Thai wisgi, lot o ddawnsio a lot o bobl andros o glên. Roedd y tri phrofiad yna'n brofiadau swreal ond ma' be 'nath ddigwydd heddiw hyd yn oed yn odiach fyth! Ddoe roedd P Nul 'di ca'l neges i ddeud wrtha ni am fod yn barod am bedwar o'r gloch y bora i fynd am drip hefo'r *governor*. Gan feddwl mai camgymeriad, *lost in translation*, oedd yr amser, aethom allan neithiwr ac yfed tan tua 3. Ond lai nag awr ar ôl ni fynd i gysgu, roedd 'na gnoc ar y drws a dreifar y *governor* yn disgwyl amdanom ni – mewn ambiwlans! Ma'n siŵr na 'nawn ni byth wybod pam 'i fod o 'di dewis nôl y tair ohonan ni mewn ambiwlans, fel na wna i byth wybod pam roedd hanner y pethau dros yr wythnosau dwytha 'ma 'di digwydd, ond ta waeth … ambiwlans aeth â ni i dŷ'r *governor* y bora 'ma, hefo'r tair ohonom ni'n gorwedd ar y gwely yn y cefn yn chwil a dryslyd! Mi oedd 'na fws yn disgwyl amdanom ni yn nhŷ'r *governor* yn llawn o bobl bwysig iawn ac i ffwrdd â ni i Bangkok, siwrna 3 awr – 3 awr o deimlo 'fatha marw ond eto'n dal yn ddigon chwil i allu chwerthin am y peth. Eto, doedd 'na neb efo Saesneg digon da i esbonio lle'r oedden ni'n mynd, ond i'r 'United Nations Conference on Thai Democracy' yr aethon ni, yn yr UN Building yn Bangkok! Pam? Dw i ddim yn gw'bod – jyst i gynghorwyr Lop Buri edrych yn dda am fod ganddyn nhw dair merch ifanc wen efo nhw, beryg, ac i dynnu lluniau hefo nhw. *Speech* bach neis gan Ddirprwy Brif Weinidog Thailand ac wedyn i ffwrdd â ni'n ôl i Lop Buri a nôl i'r ambiwlans i ga'l lifft adra! Dw i'm yn meddwl y bydda neb yn fy nghoelio fi oni bai fod gen i'r lluniau, ond ia ... dyna 'nes i heddiw!

## Rhagfyr 11 2010

Dw i 'di ca'l fy pimpio allan heddiw. Gan y brifathrawes. 'Picwn, someone here for you food'. *Chief Constable* Lop Buri oedd o mewn car mawr du hefo *tinted windows* a dreifar efo gwn. Yn ôl be 'nes i ddeall, mi oedd o 'di clywed bod 'na genod gwyn yn yr ysgol a 'di gofyn fasa fo'n ca'l mynd ar ddêt efo un. 'Nes i ofyn plîs, plîs, a fasa'r ddwy arall yn ca'l dod gan nad o'n i'n teimlo'n saff ar 'y mhen fy hun, ac i ffwrdd â ni! Sôn am ga'l fflipin gigls! Y ddwy arall yn methu stopio, a finna'n gorfod trio bod yn glên a gneud sgwrs efo'r hen ddyn 'ma. Roedd o'n amlwg 'di gneud ei ymchwil: 'It is cold in Wales, you live close English' A dyna ddiwedd y sgwrs. Doedd o ddim yn fy nallt i, doeddwn i ddim yn ei ddallt o, a'r ddwy arall ar y bwrdd drws nesaf efo'r dreifar wrth eu boddau gan mor ocwyd oedd y sefyllfa! Ges i nhw'n ôl, 'nes i roi rhif ffôn Hannah iddo fo pan oedd o'n mynnu 'mod i'n rhoi fy rhif ffôn iddo fo ... ac ma' hi 'di ca'l dau alwad ffôn yn barod heno, jyst yn deud 'I love you'. Ma'r heddlu mor llwgr yma – os basan ni 'di gwrthod mynd, mi fasan ni 'di ca'l ffein neu rywbeth, ma'n siŵr, maen nhw'n ofnadwy!

## Chwefror 2 2011

Pam na alla i ddim deud 'na'? Ma' gen i gymaint o ofn pechu fel nad ydw i isio gwrthod dim byd ma'r *governor* yn ei gynnig. Yr wythnos ddwytha wnaethon nhw 'neud cyhoeddiad mawr yn yr ysgol – 'u bod nhw'n rhoi rhan i'r tair ohonom ni yn eu sioe flynyddol am y Brenin Narai (Brenin Siam flynyddoedd yn ôl, oedd yn byw mewn palas yn Lop Buri). Mae'n amlwg yn rhywbeth pwysig iawn yn y gymuned, ac mae'n fraint 'u bod nhw 'di gofyn ... ond dw i'n casáu pethau fel hyn. Doeddwn i ddim hyd yn oed yn cymryd rhan yng nghân actol Ysgol Llan gan 'mod i mor swil. Ond gan ei bod yn ymddangos mai drama fach yn yr ysgol 'di'r sioe a'i fod yn golygu cymaint iddyn nhw, mi 'nes i ddeud iawn. Ma'r ddwy arall 'di gwrthod. Pa mor anghywir o'n i, a pha mor gall oedden nhw! Nid sioe fach yn neuadd yr ysgol mohoni ond sioe efo cast o 200 o bobl, 50 bobl yn gweithio ar y set, y goleuadau a'r sain, tri chriw teledu'n ffilmio, a fi 'di Brenhines Ffrainc! Dw i isio marw. 'Dan ni'n ymarfer wyth awr y dydd, ma' hi'n chwilboeth, dw i mewn wig fawr sinsir a'r ffrog hylla welais i erioed. Dw i rili ddim yn dallt sut dw i wedi fy ngha'l fy hun i'r fath sefyllfa! 'Dan ni wedi bod yn ymarfer ers wythnos rŵan, mewn hen gastell – adfeilion palas y Brenin Naroi. Mae o'n lleoliad hollol anhygoel ond ma'r ffŷs sydd ynglŷn â'r ddrama 'ma yn ridicilys. Mae 'na bedwar eliffant byw ar y set, cwch a mwnci'n reidio beic! *Cool* dwd bach o Bangkok sy'n cyfarwyddo a wow, mae o'n dda! Ma'r sioe nos fory ac ma' rhywun 'di deud 'mod i am fod yn y salon am bum awr cyn bod yn barod. Plis, plîs, plîs deudwch fod 'na rywun 'di drysu.

## Chwefror 4 2011

O, *my gosh*, doedd na ddim dryswch 'di bod. Neithiwr oedd y noson fawr ac oedd, mi oedd angen pum awr i roi'r colur a rhoi'r wig ymlaen yn iawn. Roedd angen pum haen o *foundation* ... ella o achos ei bod mor boeth a dw i'n chwysu'r *foundation* i gyd i ffwrdd! Lliw glas llachar, llachar o gwmpas y llygaid a bochau mawr coch. 'You look like a drag queen' oedd geiriau Hannah ar ôl iddi allu ca'l anadl i siarad ar ôl chwerthin cymaint! 'Nes i gasáu pob eiliad. Yr unig ddarn ffyni oedd pan 'nath yr 'eira' ddisgyn ar 'y mhen i a'r Brenin Louis – bechod, dŷn nhw erioed 'di gweld eira nac'di, ac felly dydi'r eira smal sy ganddyn nhw ddim yn wych, 'te! Mwy 'fatha *foam party*! Dw i rili ddim yn meddwl bod pobl adra yn 'y nghoelio fi ... ond maen nhw'n gneud *dvd* o'r sioe ac felly mi gân nhw dipyn o laff yn sbïo ar hwnnw!

## Mawrth 10 2011

Dw i ddim yn coelio'i bod hi'n amser i ni orffen yn yr ysgol. Maen nhw wedi cynnig cytundeb chwe mis arall i ni ond, er cymaint dw i'n hoffi'r ysgol a'r disgyblion, dw i ddim yn meddwl y gallwn i ymdopi efo chwe mis arall o'r gwallgofrwydd yma a byth fod cweit yn siŵr beth sy'n mynd ymlaen! Ma' fy Thai i reit dda erbyn rŵan ond ma' Saesneg y plant hyd yn oed yn well – mi alla i ga'l sgwrs fach am y tywydd efo nhw, a dw i hyd yn oed 'di snîcio o un i ddeg yn Gymraeg i mewn, a drysu'r creaduriaid!

**Picwn**

**Cystadleuaeth i rai sydd wedi byw yn y Wladfa ar hyd eu hoes** ac yn dal i fyw yn yr Ariannin: 'Achlysur i'w gofio' (heb fod yn llai na 1,500 o eiriau) ar ffurf traethawd, cyfres o negeseuon e-bost neu flog

BEIRNIADAETH GWILYM E. ROBERTS

Daeth chwe ymgais i law a chefais bleser anghyffredin yn pwyso a mesur cynnwys pob ymgais cyn dyfarnu pwy, yn fy nhyb i, oedd yn haeddu'r wobr. Roedd gan bob un ei ragoriaethau a rhaid i mi ganmol eu gwaith a'u cefnogaeth i'r gystadleuaeth hon.

*Lisa*: 'Cwm Hyfryd 1885-2011'. Mae'r gwaith hwn wedi ei rannu'n dair rhan, sef yr Hanes, 2010, a'r Presennol – 2011. Adroddir hanes yr Arlywydd Fontana yn cyrraedd Cwm Hyfryd yn yr Andes am y tro cyntaf a'r dathlu sy'n digwydd bob blwyddyn ers hynny. Mae gafael ardderchog gan yr ymgeisydd hwn ar y Gymraeg ac mae'r hanes yn cadw diddordeb drwyddo draw. Efallai y byddai'n well pe bai wedi canolbwyntio ar un achlysur fel y gofynnir amdano yn nhestun y gystadleuaeth yn hytrach na neidio o 2010 i 2011.

*Nant y Mynydd*: 'Achlysur i'w gofio'. Unwaith eto, rydym yn yr Andes a'r cystadleuydd hwn yn adrodd hanes y newid a ddaeth i'r parthau hyn wrth adeiladu argae enfawr i wasanaethu'r ffatri alwminiwm ym Mhorth Madryn. Mae'r ieithwedd yn lân ar y cyfan a'r dweud yn cadw diddordeb hyd y diwedd.

*Esyllt*: 'Elena Grenhill Blackier'. Canolbwyntir ar adrodd hanes y Saesnes hon a ddaeth yn enwog ym Mhatagonia ganrif a mwy yn ôl am ei hanturiaethau, a llawer ohonyn nhw'n rhai digon amheus. Ond cofiant yn hytrach nag achlysur sydd gan yr ymgeisydd hwn ac er bod y cynnwys yn hynod o ddiddorol, nid dyna y gofynnir amdano yn ôl amodau'r gystadleuaeth hon.

*Brigyn*: 'Noson o wanwyn ar y paith'. Ceir hanes colli plentyn ifanc ar y Paith gan yr ymgeisydd hwn ac adroddir yr hanes yn ddigon dramatig i gadw diddordeb y darllenydd. Mae'r hanes yn un trist ac yn seiliedig ar y gwir, a chof plentyn sydd gan yr ymgeisydd am y digwyddiad. Roedd rhywbeth atyniadol yn y modd y datblygwyd yr hanes a'r dweud yn glir mewn iaith gartrefol, er bod angen cywiro tipyn ar sillafiad ambell air.

*Lleuad Fedi*: 'Achlysur i'w gofio'. Hanes ymweld â Chymru am y tro cyntaf er mwyn mynychu Cwrs Cymraeg yn Llanbedr Pont Steffan sydd gan yr ymgeisydd hwn, ac mae'r cynnwys yn mynegi llawer o brofiadau amrywiol a ddaeth i'w ran, ac mae'n gofnod diddorol ar gyfer haneswyr y dyfodol. Mae gafael dda gan yr ymgeisydd ar y Gymraeg a rhaid ei longyfarch am feistroli'r iaith.

*Dychymyg – 2015*: 'Achlysur i'w gofio'. Dyma'r unig un o'r cystadleuwyr sydd wedi mentro i'r dyfodol er mwyn adrodd hanes dathlu achlysur pwysig yn hanes y Wladfa, sef dathlu can mlwyddiant a hanner sefydlu'r Wladfa. Mae Cymraeg yr ymgeisydd yn gyfoethog ac roedd hi'n bleser darllen ffrwyth dychymyg y dathlu mewn mannau megis Porth Madryn, Trelew, Cwm Hyfryd, Buenos Aires a'r Hen Wlad. Gobeithio y daw'r holl broffwydo'n wir yn 2015!

Mae pedwar ymgeisydd wedi creu argraff ffafriol arna' i, sef *Brigyn*, *Nant y Mynydd*, *Lleuad Fedi*, a *Dychymyg – 2015* ond, o drwch blewyn, dyfarnaf mai *Brigyn* sy'n mynd â hi y tro hwn. Diolch i bob un a ymgeisiodd ac a greodd gystadleuaeth gofiadwy – daliwch ati bob un a fentrodd i'r maes.

# Y Traethawd

## ACHLYSUR I'W GOFIO: NOSON O WANWYN AR Y PAITH

Atgof plentyn sydd gennyf am yr achlysur hwn a oedd yn ddigwyddiad cofiadwy nid yn unig i mi ond i lawer o drigolion Dyffryn y Camwy.

Roedd yn arferiad yn y gorffennol i fynd allan i'r paith i chwilio am goed tân ar gyfer y gaeaf. Coed coch *algarrobos* oedd y rhai gorau i wneud cols. Wedi eu hel, eu pentyrru a'u torri, yr oedd pawb yn hapus. Wedi i'r gaeaf fynd heibio, roedd angen dechrau eto a dyna lle y manteisiai'r gwragedd a'r plant i fynd am dro i'r *camp* yn y gwanwyn. Aml dro, ymunai dau neu dri theulu i fynd am ginio, sgwrsio a chymdeithasu yn yr awyr iach a disglair.

Ar fore braf o wanwyn, cychwynnodd Owen Williams gyda Blodwen, ei wraig, a phedwar o blant, yng nghwmni teulu arall o dref Dolavon, ar eu gwagenni gyda dau geffyl i'w tynnu ymlaen. Yn araf y tu ôl iddynt reidiai'r gwas, Avelino Payagual, i gyfeiriad lle y gwyddai fod coed cryf yn tyfu.

Mewn fferm gyfagos â thref Dolavon yr oedd cartref Owen Williams ac roedd yn un o blant John a Meri Williams, teulu a sefydlodd yn y dref ar y dechrau, sef tua 1918. Roedd pawb yn adnabod John Williams a'i wraig a fu'n gweithio fel bydwraig am flynyddoedd lawer. Mae ysbyty Dolavon yn cario ei henw i gydnabod ei ffyddlondeb. Âi hi allan ar gefn ei cheffyl neu gerbyd unrhyw adeg o'r dydd neu'r nos, ar hyd y Dyffryn Uchaf, pan ddeuai galwad, a llawer o sôn a glywais am ei charedigrwydd.

Yn y bore bach, aeth y teulu heibio Nain a Taid i ffarwelio'n hapus, â'r plantos ar frys i gychwyn. Roedd angen croesi rhan o'r paith am ryw ddwy awr ac, yn aml, agor llwybr rhwng y twmpathau uchel a thro arall dilyn cwrs lle'r oedd anifeiliaid wedi gadael eu trac.

Dyma ddisgyn o'r diwedd a chludo'r llwdn i'w rostio i wneud *asado* mewn lle reit glir ac yng nghysgod boncyn bach isel. Yna cario'r fasged ac ynddi'r bara cartref a chacennau bach at y p'nawn i fwynhau paned o de. Aeth y plant gyda'i gilydd i chwilio am le agored i chwarae cuddio neu i wneud cylch i neidio a chanu. Yn eu mysg, roedd Franklin, un o blant Owen a Blodwen, yn bedair oed ac un arall tua blwydd oed gyda'i fam. Gagi y galwai ef ei hun er pan oedd yn fach iawn ac yr oedd yntau'n awyddus i chwarae gyda'r rhai hynaf. Yr oedd Sara Jane yno, hefyd – chwaer ieuengaf y fam oedd hi wedi'i chymryd i fagu a helpu yn y cartref.

Tra oedd y cig yn cael ei rostio dan ofal y gwragedd, ffurfiwyd cylch i yfed *mate*, arferiad yn y Wladfa bellach ac mae'r Cymry'n ymwybodol ohono hefyd. Pob un yn sgwrsio trwy ei gilydd nes i'r *mate* eich cyrraedd y tro nesaf yn y cylch. Clywent y plant o bell yn chwarae gyda'u miri iach ac yn sicr yn disgwyl y munud pan fyddai galw arnynt i ddweud bod y cinio'n barod.

Erbyn hyn, roedd Gagi wedi cael rhybudd gan ei chwaer i gilio draw am ei fod yn rhwystr iddynt chwarae'n rhydd. 'Rwyt ti'n rhy fach i chwarae,' meddai'r fodryb. 'Eistedd ar y garreg ac aros am sbel,' dyfarnodd Sara Jane. Yn bwdlyd braidd, ufuddhaodd a dechreuodd hel cerrig mân o gwmpas ond wedi hir ddisgwyl, ac yn ei dymer drwg, taflodd y cerrig mân at y plant a chododd, yng nghwmni ei gi bach, gan ddweud, 'Dw i'n mynd yn ôl at mam', gan ddisgwyl i rywun ei ddanfon. 'Cer at mam, os wyt ti'n dewis, mae hi'r tu ôl i'r boncyn bach acw,' meddai'i chwaer.

Dechreuodd gerdded ac wedi troi a throsi rhwng y twmpathau uchel, collodd ei ffordd, gan na welai ymhellach na'r boncyn. Nid ystyriodd ei fod wedi ymbellhau a daliodd i gerdded ac i redeg, gan ymddiried y buasai'n siŵr o gwrdd â'i fam. Camgymerodd y cyfeiriad yn hollol a dyfalwn mai eistedd i grïo yn anobeithiol a wnaethai tra oedd ei gi bach yn disgwyl amdano. Erbyn hyn, roedd haul canol-dydd yn gwasgu tipyn a galwyd ar bawb i ginio gan fod yr *asado* yn barod i'w flasu. Pawb yn newynog ac ar frys i gael tamaid tra oedd Blodwen yn holi, 'Lle mae Gagi?'. Atebodd un o'r plant, 'Ni ddaeth yma?' 'Naddo,' meddai'r fam, mewn braw. 'Mi gychwynnodd yn ôl bron yn syth!', dywedodd Sara Jane, hefyd mewn syndod. A dyma ddechrau chwilio o gwmpas. Roedd y fam mewn braw, a mentrodd redeg a galw'n ddi-baid ond ni ddaeth ateb o'r un cyfeiriad. Gadawodd y babi yng ngofal Sara Jane ac aeth i alw ar Owen, a hefyd y gwas a'r cymydog a oedd ymhellach i ffwrdd yn hel a thorri'r coed.

'Chwiliwn o gwmpas, ni fedr fod ymhell', meddai ei dad. Daeth y plant ar draws pant lle mae'r Indiaid yn cyrchu cerrig i naddu eu saethau *(flechas)*. Gwelsom yno lawer siâp a lliw ond nid oedd arwydd fod Gagi wedi aros yno chwaith. Aeth pawb ati â'i holl nerth i chwilio trwy'r p'nawn ac anfonwyd Avelino ar garlam i'r dref i alw am help cyn i'r nos gau amdanynt. Rwy'n cofio'n awr fy hun, gweld fy nhad yn dod â'i gaseg fach goch, dywyll, aflonydd, yn ei gerio ar frys ac yn cychwyn, gan godi ei law arnom, i ymuno â chriw arall i estyn eu cymorth. Trawodd y newydd yn y dref arnom ninnau gan ddyheu y buasai'r cwbl yn llwyddiannus yn y diwedd gyda chynhorthwy pawb.

Bu llawer o'r teuluoedd yn gwylio'n ddyfal tan ryw hanner nos a phawb yn siarad am yr achos tra oedd y dynion dan olau'r sêr a'r lloer yn tramwyo'r *camp* mewn gobaith i'w ddarganfod. Roedd distawrwydd y paith wedi ei rwygo fin nos gan lef y fam a'r galw cyson mewn llais uchel, 'Gagi! Gagi!' ond dim ond cysgodion mud oedd o'i chwmpas. Cafodd y teulu eu cynghori i agosáu at y gwagenni i ddadflino tan y bore i arbed damwain arall. Erbyn hyn, roedd y lludw lle gwnaed yr *asado* wedi oeri ac wedi cuddio'r llwdn rhost nad oedd wedi'i gyffwrdd. Chwythai'r gwynt rhwng y twmpathau ond penderfynodd y marchogion ddal ymlaen i chwilio am ryw arwydd. Cofiai rhai ohonynt fod llawer o ddynion wedi colli'r ffordd ar y paith eang ond dilynent gwrs yr haul yn y dydd a seren y de yn y nos, ond be' wyddai'r creadur bach diniwed am yr arwyddion hynny?

Gwawriodd eto, a doedd dim i'w glywed ond cân ambell aderyn, fel Robin Goch a'r canwr bach sydd yn dod yn agos os gwelant griw o bobl, ond nid oedd neb mewn cyflwr i daflu briwsion iddynt. Nid oedd dim yn codi eu calon na'u meddwl na'u hysbryd, dim ond blinder a thristwch. Cododd pawb yn y dref hefyd, a'u meddyliau ar yr achlysur digalon, gan ofni y gallai piwma fod wedi ymosod arno. Nid yw'n beth cyffredin i biwma ymosod ar berson ond os bydd sychder ar y paith, mae'r anifeiliaid gwyllt yn agosáu at ryw ddyffryn i chwilio am ddŵr. Os bydd piwma'n newynog ac yn taro ar rywbeth diamddiffyn, gall wneud niwed, yn sicr, fel y digwyddodd flynyddoedd yn ôl yn yr Andes.

Maes o law, tua thri o'r gloch y p'nawn, dyma un o'r tracwyr yn nesáu ar garlam ac yn codi ei law ar y teulu oedd wedi cyrchu yn y lle arferol. Wedi iddo gyrraedd â rhywbeth o'i flaen, rhedodd y fam drallodus gyda gwaedd o lawenydd. 'Rydym wedi dod o hyd iddo a dyma'r ci bach fydd eisiau llymed o ddŵr', meddai'r dyn.

'Diolch i Dduw, fy mhlentyn annwyl. A ydyw'n fyw?', gofynnodd Blodwen yn syth.

'Ydi, ond braidd yn anymwybodol', atebodd y cymydog o Dolavon, i ysgafnu ychydig ar y baich. 'Yr oedd yn agos i'r llwybr sydd yn mynd am Esquel ac felly aethant ag ef yn syth am Dolavon i weld y meddyg'. Roedd cymydog arall ynghyd ag Owen wedi mynd ar garlam i hysbysu'r doctor i'w ddisgwyl. Ymhen eiliad, dechreuwyd symud y ddwy wagen eto i gario'r teulu, gan ddychwelyd gyda gobaith ffyddiog.

Cyraeddasant pan oedd yn dechrau nosi eto a gwelsant dyrfa o bobl o gwmpas yn eu disgwyl a phawb yn hyderus am newyddion da, tra oedd y meddyg yn ei archwilio. Mentrodd Blodwen i mewn a gwelodd nad oedd y doctor mewn cyflwr i siarad na bod ei wedd yn golygu arwyddion da. Cusanodd y fam ei phlentyn yn dyner a distaw ac aeth allan yn brudd. Roedd y nos yn cau eto amdanynt a phawb o'r gwylwyr yn ddistaw a pharchus yn disgwyl am y canlyniadau. Gwaetha'r modd, bu ateb y meddyg yn un o anobaith, a hunodd y plentyn annwyl oedd yn 'rhy fach i chwarae' mewn distawrwydd llwyr.

Aeth y newydd fel ton o dristwch dros y Dyffryn mewn cydymdeimlad dwys â'r teulu oll ac yn ergyd garw i galon Taid a Nain yn eu henaint.

Pan gyfarfu Avelino â'r tad trallodus, dywedodd wrtho: 'Son cosas del Destino don Owen' ('Trefn Rhagluniaeth, don Owen'), yn ôl ei feddwl syml. Daeth llawer ynghyd i'w ddanfon i'r fynwent y bore wedyn, gyda'r pregethwr yn cyflwyno neges dyner i gysuro'r teulu. Cofiaf fy hun ymysg y dyrfa gyda'm rhieni y tu ôl i'r arch fach wen a oedd yn cael ei chario gan rai o'r teulu. Tra siaradai'r pregethwr, roedd fy meddwl plentyn yn dianc a deuai i'm golwg gwmni Franklin yn yr Ysgol Sul yng Nghapel Dolavon. Safai'r Capel wrth ymyl y gamlas fawr lle mae eto'r hen olwynion dŵr sydd yn dal i droi fel arfer rhwng y ddwy res o goed hardd. Pan euthum allan yn ddistaw dros y bont o'r fynwent, nid oedd dim i'w glywed ond murmur y dŵr yn rhedeg heb fyth ddod yn ôl, ac felly y digwyddodd i Gagi wedi iddo ddweud wrth ei dad y bore hwnnw, 'Mi fydda i'n mynd i'r haul i hel blodau gwyllt', ac ni ddaeth byth yn ôl.

Ceisiodd y gwanwyn drefnu'r blodau a oedd yn gorchuddio'r arch tra oedd lleisiau'n canu emyn teimladwy i ffarwelio ag ef. Wrth y bedd gorweddai ei gi bach oedd wedi ein dilyn, i wylio ei hir gwsg. Heddiw darllenwn y plac uwch ei fedd sy'n dangos ei fod wedi ei eni ar y 5ed o Fawrth, 1926, a huno ar yr 18fed o Hydref, 1930.

Nodyn: Daeth dwy ferch a dau fachgen arall i gartref Blodwen ac Owen wedi'r digwyddiad hwn, ond bu hiraeth am y bach yn aros, aros fyth a neb yn mentro sôn wrthynt am y digwyddiad trist a ddaeth i'w rhan.

**Brigyn**

**Atodiad**

**Nodyn gan y Golygydd**

Trwy amryfusedd, ni chyrhaeddodd tudalen olaf y stori hon ddwylo'r golygydd y llynedd. Gydag ymddiheuriadau diffuant iawn i'r awdur, fe'i hymgorfforir yn gyflawn yn y gyfrol hon.

# Y Stori Arswyd

Buddugol yn Eisteddfod Genedlaethol Cymru, Wrecsam a'r Fro, 2011, gan John Meurig Edwards, Ystrad Fflur, 48 Heol Camden, Aberhonddu, Powys, LD3 7RT.

## Y BWTHYN

Cael clonc gyda dwy o'i ffrindiau, Menna a Ffion, yng nghaffi'r pentref oedd Llinos, pan ganodd ei ffôn symudol. Wrth edrych ar y sgrin fach, gwelodd mai Dafydd, ei thad, oedd yn ei galw, a gwasgodd y botwm pwrpasol er mwyn derbyn yr alwad.

'Haia, Dad.'

'Helo, Llinos. Yli, os nad wyt ti'n fishi iawn, wyt ti'n meddwl y gallet ti 'neud cymwynas â fi?'

'Wrth gwrs. Be' ti'n moyn?'

'Fe hoffwn i ti fynd i daflu dy lygad dros fwthyn rwy'n ystyried 'i brynu o bosib. Enw'r lle yw Tynfron ac ma' fe ryw dair milltir lan o Dregaron, mewn lle eitha' anghysbell. Ma'r Sais o'dd yn arfer byw 'na wedi gadel ers rhyw dri ne' bedwar mis ac ma'r lle ar werth. Os galla' i 'i ga'l e am bris gweddol resymol, a'i 'neud e lan, ma'n bosib y gallwn i 'neud elw bach digon teidi o'r fenter.'

'Ar yr amod fod rhan o'r elw bach teidi hwnnw yn ffeindio'i ffordd i 'mhoced i!' cellweiriodd Llinos.

'Fe gei di dy siâr, paid â becso - hynny yw, os ca' i adroddiad ffafriol gen ti am gyflwr y lle ac os bydd hi'n werth bwrw mla'n,' cellweiriodd yntau.

Gwyddai Dafydd y gallai ddibynnu'n llwyr arni i roi iddo adroddiad manwl a chywir am gyflwr y lle. Adeiladwr oedd e wrth ei alwedigaeth ac roedd adnewyddu hen dai a bythynnod yn yr ardal yn rhan amlwg a phwysig o'i waith o ddydd i ddydd. Ac er nad oedd hi ond dwy ar bymtheg oed, profodd Llinos fod ganddi ben busnes da ac roedd hi eisoes yn cynorthwyo llawer ar ei thad yn ei hamser hamdden ac ar benwythnosau, i weinyddu a rhedeg y cwmni adeiladu. Roedd hi'n cael blas ar y gwaith, a'i bwriad oedd mynd i weithio'n llawn amser gyda'i thad ar ôl gadael yr ysgol. Roedd hynny'n apelio llawer mwy ati na mynd i goleg. A beth bynnag, roedd digon o gyrsiau rhan amser ar gael bellach, lle gallai ennill cymwysterau eraill pe byddai angen.

'Dim problem,' meddai Llinos. 'Fe a' i fyny 'na nawr. O ble alla' i ga'l yr allwedd?'

'Galwa yn swyddfa James ac Evans ar y sgwâr. Maen nhw'n ddigon bodlon rhoi'r allwedd i ti, fel y gelli di fynd lan i ga'l sbec.'

Pan alwodd hi yn y swyddfa, gloywodd llygaid Dai James, mab un o'r partneriaid, o weld merch ifanc mor ddeniadol yn cyrraedd. Gan ei fod e'n byw nid nepell o'r dref, roedd e wedi gweld Llinos o'r blaen o gwmpas y lle ond nid oedd yn ei hadnabod yn dda iawn. Bu rhyw fân siarad digon cyfeillgar rhyngddynt a gwyddai Llinos yn iawn fod Dai'n ceisio fflyrtian â hi.

'Rhyw foi digon od o'dd yn byw yn Nhynfron, ma'n debyg. Ro'dd e wedi treulio nifer o flynyddo'dd dramor, a'i hobi e o'dd cadw pysgod a chreaduried egsotig. Yn ôl y cyfreithwr, a ffoniodd i ofyn i ni roi'r tŷ ar y farchnad, ma' fe wedi penderfynu mynd ar 'i deithie eto - i Dde America'r tro 'ma. Neis iawn i rai pobol!'

Derbyniodd Llinos yr allwedd, gan ddweud y byddai'n ôl ymhen rhyw awr neu ddwy. Cyn bo hir, roedd ei Renault Clio bychan yn teithio ar hyd y lôn gul a arweiniai o'r dref i gyfeiriad y mynydd. Daeth y bwthyn i'r golwg, yn sefyll ar ei ben ei hun nid nepell o'r lôn.

Ar ôl parcio, y peth cyntaf a wnaeth Llinos oedd ceisio ffonio'i thad i ddweud ei bod wedi dod o hyd i'r lle. Syndod oedd gweld na allai wneud cysylltiad ffôn – mae'n siŵr fod a wnelo'r mynyddoedd o gwmpas rywbeth â hynny. O, wel, doedd dim ots. Gallai roi adroddiad llawn iddo ar ôl dychwelyd.

O'r tu allan, edrychai'r bwthyn mewn cyflwr digon da ond byddai angen gwneud tipyn o waith clirio a thacluso, gan fod popeth wedi tyfu'n wyllt. Agorodd y drws heb unrhyw anhawster, er iddo roi gwich neu ddwy ddigon oeraidd. Yr hyn a'i tarodd yn syth oedd arogl annymunol y lle. Roedd disgwyl i le a fuasai'n wag am rai misoedd arogli'n sur - byddai tamprwydd a diffyg awyr iach yn sicrhau hynny. Ond roedd awyrgylch y lle hwn yn llethol a chyfoglyd, a theimlai Llinos yn ddigon anghysurus wrth gerdded i mewn i'r ystafell fyw. Gan mai dim ond un ffenestr fechan annigonol oedd i'r ystafell hon, edrychai'r lle'n dywyll a bygythiol. Sylwodd gyda rhyddhad fod swits ar y wal ger y drws ac aeth i roi'r golau ymlaen, gan obeithio bod y cyflenwad trydan heb ei ddatgysylltu. Y funud y daeth y golau ymlaen, clywodd sŵn fel sblash gref o'r tu cefn iddi, sŵn a wnaeth iddi neidio mewn braw.

Pan drodd i edrych, gwelodd yr olygfa ryfeddaf. Roedd wal ochr yr ystafell fyw yn un tanc pysgod anferth, ac allan drwy dop y tanc gallai weld gwahanol blanhigion dŵr yn ymestyn tua'r llawr fel nadroedd hirion. O ddiffyg sylw, y peth amlycaf am y tanc oedd yr holl lysnafedd gwyrdd a orchuddiai bopeth oedd ynddo, ynghyd â'r gwydr a ffurfiai wal yr ystafell.

Ar waetha'r iasau oer a redai i lawr ei chefn, mentrodd Llinos yn nes at y gwydr. Sylwodd fod mân esgyrn yn drwch ar lawr y tanc ond nid oedd arwydd o fywyd ynddo. Ond yn sydyn, gwelodd ryw symudiad yn y llysnafedd yn nhywyllwch un o gorneli'r tanc ac ar amrantiad roedd dau lygad mawr yn syllu arni o'r ochr arall i'r gwydr. Parodd sydynrwydd y cyfan iddi gamu'n ôl mewn braw ac i'w chalon guro'n gynt. Yn syllu arni o'r tanc roedd un o'r pysgod hyllaf a welsai erioed. Roedd e bron yn llathen o hyd ac mae'n siŵr mai esgyrn y pysgod eraill a fwytawyd ganddo oedd y rhai ar lawr y tanc. Roedd rhywbeth yn edrychiad y pysgodyn a wnâi i'w gwaed fferru ac roedd yn falch o gael cilio o'r lle.

Gan nad oedd bellach yn teimlo'n gyfforddus o gwbl, penderfynodd mai cipolwg brysiog a roddai ar weddill y bwthyn. Agorodd ddrws y gegin a gallai dyngu iddi weld cynffon hir yn diflannu i'r gwyll. Ond roedd Llinos yn ferch ddigon hirben a chall a phenderfynodd mai ei dychymyg oedd yn chwarae mig â hi. Fodd bynnag, ni fentrodd ddim pellach i'r gegin a chaeodd y drws yn falch o'i hôl.

I fyny'r grisiau roedd hi'n annibendod llwyr ym mhob ystafell, fel petai'r tenant olaf wedi gwneud ei orau i greu cymaint o lanast â phosibl. Dillad gwely'n bentyrrau hwnt ac yma, pob drôr a chwpwrdd wedi eu hagor, a'r cynnwys wedi ei wasgaru ar hyd y lle. Pan gyffyrddodd yn rhai o'r dillad, gwibiodd anferth o bry copyn dros ei llaw, gan beri iddi sgrechian yn uchel. O'r holl bethau roedd Llinos yn eu casáu, pryfed cop oedd y gwaethaf o'r cyfan. Ond mwy iasoer na'r pryfed cop hyd yn oed oedd y teimlad annifyr a gâi fod rhywun yn ei gwylio. Ai ei dychymyg oedd yn rhy effro eto ynteu a oedd rhywbeth na allai ei weld yn llechu yno ymysg yr annibendod a'r aflendid? Yn araf gadawodd yr ystafell a mynd i lawr y grisiau ac er gwaethaf oerfel y lle, sylweddolodd fod chwys oer yn torri allan ar ei thalcen.

Ei hawydd pennaf bellach oedd gadael y lle ond pan welodd fod drws wedi ei leoli o dan y grisiau, aeth ei chwilfrydedd yn drech na hi ac aeth draw i geisio'i agor. I ddechrau, meddyliodd fod y drws wedi ei gloi, gan nad oedd yn symud wrth iddi wasgu'r glicied, ond wrth roi gwthiad neu ddau go gadarn iddo gyda'i hysgwydd, ildiodd o'r diwedd a'i gadael yn syllu i'r düwch islaw. Gallai weld grisiau pren yn arwain i lawr i seler ac yn union y tu mewn i'r drws, ar y pared, gwelodd fod swits trydan yno. Pan wasgodd y swits, goleuwyd y seler, a gallai Llinos weld fod y lle hwn eto mewn anhrefn llwyr. Roedd pob math o geriach yn cael eu cadw yno ac roedd yn amlwg fod y cyn-berchennog yn defnyddio'r lle fel rhyw fath o stordy.

Gan fod y lle wedi ei oleuo, penderfynodd fentro i lawr i gael gweld beth yn hollol oedd yno. Roedd y grisiau'n ddigon cadarn, er braidd yn wichlyd a llychlyd. Wrth iddi gyrraedd llawr y seler, clywodd 'Ping!' main wrth i'r bwlb trydan ffiwsio a'i gadael mewn tywyllwch llwyr. Yr un funud, clywodd ddrws y seler yn cau'n swnllyd y tu ôl iddi, fel pe bai gwynt cryf wedi ei glepian ynghau.

Brawychwyd Llinos a dechreuodd ymbalfalu i fyny'r grisiau yn y tywyllwch. Yna ceisiodd dynnu ar y glicied, ond doedd dim yn tycio. Roedd y drws yn hollol sownd, a chofiodd am yr ymdrech a gafodd wrth geisio'i wthio'n agored yn y lle cyntaf. Tynnodd ar y darn bychan o glicied ond doedd ganddi mo'r gafael na'r nerth i agor y drws. Roedd ei bysedd yn llithro bob cynnig, a melltithiodd wrth sylweddoli ei bod wedi torri un neu ddau o'i hewinedd yn yr ymdrech.

Yna, wrth dynnu'n galed ar y glicied, collodd ei gafael a disgynnodd yn bendramwnwgl i lawr y grisiau. Bron na allai deimlo'r baw a'r bryntni wrth iddi geisio codi o lawr y seler, a gwnâi'r ffaith iddi gael ergyd neu ddwy go galed wrth ddisgyn iddi deimlo'n fregus iawn. Ac roedd yr aroglau cryf, annymunol yn y seler yn ychwanegu at ei hofn a'i harswyd. Ceisiodd ymbalfalu eilwaith am y grisiau ond roedd yn ffwndrus ac ni allai ddod o hyd iddynt yn y tywyllwch. Gallai deimlo a chlywed rhywbeth yn cracio o dan ei thraed, fel brigau'n torri, ac wrth estyn ei llaw i lawr i deimlo beth oedd yno, sylweddolodd mai mân esgyrn oedd yno, fel rhai anifeiliaid bychan.

Erbyn hyn roedd Llinos wedi ei pharlysu gan ofn a phenderfynodd roi cynnig arall ar geisio ffonio'i thad. Ond yr un oedd y stori – nid oedd cysylltiad yn bosibl ar ei rhwydwaith ffôn. Rhoddodd ei throed ar rywbeth, a bu bron iddi lewygu pan deimlodd y peth hwnnw'n symud. Gwnaeth y symudiad iddi golli ei chydbwysedd a syrthio, ac wrth iddi wneud hynny, gollyngodd ei gafael yn ei ffôn a disgynnodd hwnnw i'r llawr.

Yn sydyn, fferrodd wrth deimlo rhywbeth oeraidd yn llusgo yn erbyn ei choes. Yn bendant, roedd rhywbeth byw yn symud o gwmpas yn araf ar lawr y seler. Gallai glywed ei sŵn yn symud, yn ogystal â rhyw hisian isel, bygythiol. Pan glywai'r sŵn mewn man arbennig, ceisiai hithau gilio i le gwahanol er mwyn osgoi bod yn agos at beth bynnag oedd yno. Yna, clywodd y sŵn drachefn, yn agos ati, a châi Llinos y teimlad fod rhywbeth ar ei thrywydd ac yn ceisio'i chornelu. Y funud y teimlai ei bod allan o'i gyrraedd, byddai'r sŵn llusgo a hisian yn agos ati drachefn. Yna, teimlodd y creadur yn rhwbio yn ei herbyn, a synhwyrai fod yna wyneb a phâr o lygaid yn ei gwylio.

Penderfynodd sgrechian, yn y gobaith y byddai rhywun yn digwydd bod gerllaw, ond oherwydd safle anghysbell y bwthyn, gwyddai bron yn sicr mai ofer fyddai'r fath weithred. Sgrechiodd nerth esgyrn ei phen, a dyna pryd y teimlodd gorff oer, nadreddog yn dechrau ymdorchi o gwmpas ei choesau, gan weithio'i ffordd i fyny'n araf. Wrth i'r creadur dorchi fwyfwy amdani, roedd ei gorff yn tynhau fwyfwy hefyd, gan wasgu ei chorff. Gwyddai Llinos mai dyma ddull rhai nadroedd o ladd eu prae, sef torchi'n dynnach a thynnach, gan wasgu'r bywyd allan o ryw greadur anffodus. Sgrechiodd yn orffwyll wrth deimlo'r wasgfa ar ei chorff. Roedd yr hisian dychrynllyd erbyn hyn yn llawer cryfach, a gwyddai Llinos nad oedd ganddi obaith dianc. A dyna pryd y llewygodd.

*     *     *

Roedd hi'n ganol y prynhawn cyn i Dafydd feddwl ei bod yn rhyfedd na fyddai Llinos wedi ffonio. Roedd rhai oriau bellach ers eu sgwrs ar y ffôn, hen ddigon o amser iddi ymweld â'r bwthyn a chael rhyw syniad a fyddai'n werth rhoi cynnig amdano. Ceisiodd ei galw ar ei ffôn symudol ond, yn rhyfedd, nid oedd ymateb. Ffoniodd ei wraig ond doedd hithau ddim wedi clywed gair gan Llinos ers iddi adael y tŷ'r bore hwnnw. Yna galwodd ar Menna, ffrind Llinos, a chadarnhaodd honno iddi adael am swyddfa James ac Evans yn union ar ôl derbyn yr alwad ffôn gan ei thad. Cadarnhaodd Dai James hefyd iddi fod yn y swyddfa i nôl yr allwedd ond nad oedd wedi dychwelyd.

Synhwyrodd Dafydd fod rhywbeth o'i le. Roedd Llinos yn ferch gyfrifol ac roedd peidio â chysylltu fel hyn yn groes i'w natur. Penderfynodd mai'r peth gorau i'w wneud oedd mynd lan i'r bwthyn i gael gweld a fu hi yno ai peidio.

Pan gyrhaeddodd, gwelodd fod y Clio wedi ei barcio yno a bod drws y bwthyn wedi ei ddatgloi, ac aeth i mewn. Cerddodd o ystafell i ystafell gan alw ei henw, a ffieiddio ar yr un pryd at y budreddi a oedd yno. Yna sylwodd ar ddrws y seler a cheisiodd ei agor. Bu'n rhaid iddo yntau ddefnyddio grym ysgwydd cyn llwyddo, a phan geisiodd roi'r golau ymlaen, sylweddolodd fod rhywbeth yn bod ar y bwlb neu'r swits, gan fod y seler mewn tywyllwch llwyr. O wel, meddyliodd, fyddai Llinos ddim yn debygol o fentro i lawr i'r fath le di-olau ond, er hynny, penderfynodd fynd i nôl tortsh o'r car, er mwyn tawelu ei feddwl.

Er ei fod yn hen gyfarwydd â bod ym mhob math o adeiladau ac ystafelloedd gwag, cafodd ryw deimlad annifyr, iasoer wrth fynd i lawr y grisiau i'r seler. Roedd rhywbeth brawychus, arswydus ynglŷn â'r lle. Pwyntiodd y goleuni i bob cyfeiriad, gan droedio'n ofalus drwy'r llanast ar y llawr, ond nid oedd sôn am Llinos yn unman. Dechreuodd symud ambell beth o ran chwilfrydedd, a phan symudodd bentwr o hen ddilladach mewn cornel o'r seler, cafodd sioc ei fywyd. Yno'n glir yng ngolau'r tortsh roedd dau lygad mileinig yn syllu arno. Gwelodd rywbeth hefyd yn fflachio ar y llawr, a daeth cryndod drosto o sylweddoli mai ffôn symudol ei ferch oedd yno. Galwodd enw Llinos drachefn, ond yr unig sŵn a glywai oedd hisian cynyddol a dieflig y creadur a syllai arno.

Yn ei ofn, rhuthrodd Dafydd am y grisiau, a gyrru o'r lle ar frys. Rhaid oedd cael help ar unwaith. Pan ddychwelodd at ei weithwyr, roedd yn amlwg iddynt fod rhywbeth mawr o'i le. Ar ôl egluro'n frysiog beth a ddigwyddodd, cytunodd pawb y dylent fynd i fyny i'r bwthyn ar unwaith. Aethant â darnau solet o bren, rhofiau, ceibiau a bwyell neu ddwy gyda hwy, ynghyd â lamp neu ddwy bwerus. Yn dawel a gofalus, aethant i lawr i'r seler, a dangosodd Dafydd iddynt y fan lle'r oedd y sarff yn cuddio. Yng ngolau'r lampau, gallent weld y ddau lygad yn syllu arnynt a dechreuodd yr hisian dychrynllyd unwaith eto. Gyda'r arfau oedd ganddynt, dyma nhw'n ymosod ar y creadur, a brawychwyd hwy o weld maint y corff a oedd yn chwipio ac yn gwingo ar lawr y seler. Bellach, roedd llwch a baw yn tasgu i bobman wrth i'r creadur ymladd am ei fywyd. Bu'n frwydr ffyrnig ond ni allai'r creadur wrthsefyll ymosodiadau'r dynion, ac o'r diwedd gorweddai'r corff anferth yn llonydd ar lawr.

Yna sylwodd Dafydd fod chwydd mawr ar ran o'r corff, a pharlyswyd ef gan y syniad ofnadwy fod y sarff wedi llyncu ei ferch. Rhwygodd un o'r dynion archoll ddofn yn y corff. Llifodd pob math o lysnafedd a budreddi drewllyd allan, a wnâi i bob un ohonynt deimlo fel cyfogi. Yna, yn yr archoll, gwelsant ran o ddillad a chorff Llinos. Roedd y sarff wedi llyncu'r ferch yn gyfan.

# ADRAN DRAMA A FFILM

## Y Fedal Ddrama

er cof am Urien Wiliam

**Cyfansoddi drama lwyfan** heb unrhyw gyfyngiad o ran hyd

---

BEIRNIADAETH IAN ROWLANDS A SERA MOORE WILLIAMS

Pleser oedd darllen y naw drama a ddaeth i law eleni. Er bod amrediad eu themâu'n eang, maent ar y cyfan wedi eu huno gan grefft y dramodydd o ran eu strwythuriaeth, datblygiad cymeriad a datblygiad naratif. Roedd hyn, ym marn un ohonom, yn welliant sylweddol (ers y tro diwethaf y bu'n beirniadu'r gystadleuaeth) ac, o bosib, yn dystiolaeth o ffrwyth cynlluniau Sherman Cymru ar y cyd â'r Eisteddfod Genedlaethol ac Eisteddfod yr Urdd, ynghyd â chwmnïau theatr eraill, i hybu egin-ddramodwyr yn y blynyddoedd diweddar.

Dyma ychydig sylwadau ar y naw drama.

*Chwaer Doreen*: 'Hiraeth'. Wedi hanner canrif o fywyd digynnwrf, hiraetha hen fenyw am ei hieuenctid ffôl. Rhannwyd y ddrama'n ddwy ran. Yn y gyntaf, gwelwn hi'n fenyw ifanc a gwympodd dros ei phen a'i chlustiau mewn cariad â beiciwr ifanc. Digwydd yr ail ran hanner can mlynedd yn ddiweddarach, lle cawn bortread o undonedd ei bywyd priodasol gyda dyn di-fflach, a'r hiraeth sydd ganddi am ei gwir gariad a fu farw'n annhymig. Mae'r ddeialog yn gredadwy er bod yr ail ran, sy'n sôn am y presennol, braidd yn ailadroddus ac efallai'n lleihau'r posibiliadau theatrig. Tybed na fyddai cyfuno'r ddau gyfnod yn fodd i greu naratif cyfoethocach wrth i ddigwyddiadau'r presennol a'r gorffennol wrthgyferbynnu â'i gilydd – yn enwedig am fod y beiciwr yn ymddangos fel ysbryd o fewn corff y ddrama?

*Elen*: 'Wedi'r Drin'. Cawn hanes dau filwr yn teithio tuag adref wedi brwydr hanesyddol Hyddgen pan drechwyd y Saeson gan Owain Glyndŵr. Ysgrifennwyd y ddrama mewn arddull delynegol a dyna yw ei gogoniant. Mae'r iaith yn gaboledig ond nid yw'r 'gwneud' yr un mor ddeheuig o ran dyfnder y cymeriadau na chwaith strwythur y naratif presennol. Arbrawf dewr sydd yma. Gyda thipyn o ddatblygu, gallai esgor ar waith o'r safon uchaf.

*Ifor*: 'Y Rhandir'. Gwaetha'r modd, mae'r ddrama hon yn troi ychydig bach yn rhy gyflym ac mae diffyg datblygiad ynddi o ran y naratif a dyfnder y cymeriadau. Efallai fod sylwadau treiddgar yn meddu ar wirioneddau mawr ond nid yw'n dilyn o reidrwydd fod y dweud yn wirionedd mawr ynddo'i hun. Mwy o chwysu dros y cyfrifiadur sydd ei angen ar y dramodydd hwn, 'dybiwn ni.

*John*: 'Fi, Taid a Peter Kaye'. Dau droseddwr yn rhannu cell – un ifanc ac un hen. Mae'r senario'n debyg i'r gyfres gomedi *Porridge* slawer dydd, er bod 'na dristwch dwysach o lawer yn sail i'r ddrama hon. Bwriadai gŵr ei ladd ei hun a'i wraig (a oedd yn dioddef o afiechyd nad oedd modd ei wella) mewn damwain car ond dim ond hi a laddwyd, a hynny oherwydd ei lwfrdra ef. Dyna yw ei drosedd go iawn – ei lwfrdra. Yn wir, uchafbwynt y ddrama oedd cyffes yr hen ddyn i'w gyfaill ifanc ynghylch ei fethiant i'w ladd ei hun yn ogystal â'i wraig (am iddo droi olwyn y car ar yr eiliad olaf). Mae'r berthynas rhwng y ddau'n ddigon difyr er ychydig yn ystrydebol. Rhaid i'r dramodydd dwrio'n ddyfnach i'w heneidiau er mwyn dyfnhau'r ddrama.

*Kon Tiki*: 'Trai'. Lleolir y ddrama hon ar draeth tebyg i Dinas Dinlle. Dilynwn hanes tri ffrind o ben llanw optimistiaeth eu plentyndod hyd at drai eu diniweidrwydd wrth i'r oedolion ifainc gamu oddi ar y traeth i'r byd mawr. Ym marn un ohonom roedd yr act gyntaf yn fath o wrogaeth i *Diwedd y Byd* (Meic Povey) ac o ganlyniad yn wannach na gweddill y ddrama ac, mewn gwirionedd, yn ddiangen am fod ei chysgod yn gorwedd dros y cyfan. Tybiai mai cryfder y ddrama hon yw'r ail a'r drydedd act lle ceir fflachiadau o athrylith a strwythuro tynn. Ym marn y beirniad arall, roedd y cymeriadau'n gredadwy, a'r ddeialog yn gryf, gyda natur y sgwrs yn yr act gyntaf yn gweddu'n union i rythmau siarad plant ifainc, y symud chwim o un pwnc i'r llall a'r hiwmor sy'n tarddu o ddiniweidrwydd. Roedd yma synnwyr cryf iawn o le ac o gyfnod, ac effaith y cyfnod ar y cymeriadau wrth iddyn nhw dyfu i fyny. Roedd strwythur cadarn, syml y ddrama yn galluogi i amser fynd heibio ac i ninnau ddilyn hanes y tri chymeriad. Mae un cymeriad yn cydnabod mai'r pethau bach sy'n bwysig ac mae'r ddrama hon yn orlawn o bethau bach sy'n cyfuno i greu portread twymgalon, torcalonnus ar adegau, o bethau mawr bywyd.

Yn y pen draw, er bod rhaid cael sgiliau penodol iawn i ysgrifennu drama, awydd cryf i ddweud rhywbeth sy'n creu llais dramodydd. Mae ysgrifennu drama'n mynnu buddsoddiad ac aberth eithriadol a dichon mai dyma fu'r rheswm dros ddiffyg teilyngdod yn y gystadleuaeth hon yn y gorffennol. Nid yw taith yr un ddrama a ddaeth i law eleni wedi ei chwblhau. Yn wir, nid yw taith yr un ddrama'n dod i ben nes iddi gyrraedd y llwyfan.

*Randal Nelson*: 'Campio'. Mae'r ddrama hon yn debyg iawn i ddrama Geraint Lewis, *Y Groesffordd*, am ei bod yn bortread o Gymry'r 'pethe' ar eu gwyliau. Mae'r dramodydd yn gosod dau gwpl o'n blaenau mewn gwersyll yn ne Ffrainc: Geraint, darlithydd a bardd, a'i wraig Fflur, sy'n athrawes, yn aros mewn pabell, a Dr Gwynn, darlithydd a bardd ddeng mlynedd yn hŷn, a'i wraig yntau, Mrs Gwynn, sy'n gyn-athrawes, yn aros mewn *camper van*! Mae'r cwpl iau am geisio achub eu priodas. Mae'r gwin yn llifo'n ddidor ac yn bygwth agor llifddorau cyfrinachau'r ddau gwpl. Mae'r ddeialog yn fachog a ffraeth ond does 'na ddim sbarc theatrig ynddi. Mae popeth ynddi'n ddisgwyliedig ac o ganlyniad yn siomedig braidd. Efallai fod y dramodydd wedi colli cyfle, o ran arddull, i ddefnyddio'r ffaith fod 'na ddau fardd yn y ddrama hon, gan y byddai eu cyfathrebu â'i gilydd wedi gallu bod yn fwy o ymryson efallai. Pe bai'r dramodydd wedi treiddio'n is na'r wyneb – ymhell y tu hwnt i fasg y 'pethe' – buasai'n ddrama lawer difyrrach.

*Rhwng Dau*: 'Nadolig Pwy a Ŵyr?' Trwy lygaid mab i dad a gollodd ei swydd trwy fistimanars a mam alcoholig a orfodwyd i weithio wedi i'w gŵr golli'i swydd y gwelwn ni'r ddrama hon. Ar Noswyl Nadolig, mae'r fam yn gadael y cartref ac yn ffoi i freichiau ei chariad. Ni fyddai Nadolig byth 'run fath i'r tad a'r mab. Mae'n astudiaeth ddifyr o euogrwydd am fod y mab yn credu mai ef sydd ar fai am y tor-priodas (fel y mae plant yn dueddol o'i wneud – a hynny'n ddiangen). Mae'r ddeialog yn gryf a'r cymeriadu'n sensitif. Ymgais lew, er nad yw'n taro deuddeg bob tro. Un peth yw defnyddio cyfarwyddiadau i lywio'r naratif, peth arall yw cyfarwyddo actorion sut i ddweud geiriau (a hynny'n ddiangen). Rhaid i'r dramodydd gael ffydd yn yr actor – mae hwnnw'n fwy creadigol a greddfol nag a feddyliwch!

*Walter Thomas*: 'Tu ôl i'r Llen'. Wrth i berfformwraig ddod i ddiwedd ei gyrfa, mae'n ystyried ei pherfformiad ar lwyfan bywyd. Rhyngdorrir digwyddiadau ei pherfformiad olaf gyda noson flynyddoedd yng nghynt pan gafodd ei chyfle mawr cyntaf. Mae yn y ddrama ddeialog dda er yr amheuir y defnydd o Saesneg gan un cymeriad yn arbennig. Mae'r ysgrifennu'n ddramatig ar y cyfan er bod y diweddglo fymryn yn rhy rwydd.

*Y Dorf*: 'Mygu'. Roeddem ychydig yn bryderus wrth ddarllen y disgrifiad a ganlyn: 'Brenda: gwraig weddw, 72 oed, yn dioddef o Parkinsons – yn *stage* olaf yr afiechyd', a'r cyfarwyddiadau llwyfan cyntaf: 'Cyfyd golau gwan ar ward geriatrics mewn ysbyty'. Ond, o'r dudalen gyntaf ymlaen, cawsom ein siomi ar yr ochr orau. Mae gofalu am yr henoed yn destun cynyddol bwysig yn ein byd ni sy'n prysur heneiddio. Roedd gwybodaeth y dramodydd am yr ysbyty a'r afiechyd yn gadarn iawn, ac roedd 'na lawer o bethau'n cael eu dweud am gyflwr ein gwasanaeth iechyd ac am gyflwr ein cymdeithas. Byddai llawer yn gallu tystio i gymhlethdod prif thema'r ddrama, sef cyfrifoldeb teuluol mewn cyd-destun rhiant sydd ag angen gofal. Roedd hon yn ddrama hynod a dreiddiodd at galon y broblem deuluol ddyrys hon. Roedd y cymeriadu'n gryf, y strwythur yn gadarn a'r ddeialog yn gymysgedd gymeradwy o'r llon a'r lleddf. Serch ei chryfderau lu, doeddem ni ddim yn hoff o ddatgeliad un o ferched y fam am berthynas rhyngddi a gŵr ei chwaer. Y gwendid mwyaf yn y ddrama oedd fod y plot wedi dod yn frenin, a bod yr wybodaeth am gyflwr priodas un chwaer, a'r datguddiad ynglŷn â pherthynas y chwaer arall a'i brawd yng nghyfraith, yn tanseilio ein diddordeb yn y ddrama. Gellid bod wedi cadw'r wybodaeth hon am y cymeriadau fel 'storïau cefndirol', yn effeithio ar y sefyllfa yn yr un modd ond heb i ni wybod pam. Does dim angen stori ar bob drama. Gall drama fod yn foment mewn amser.

Wedi ystyried y naw drama, roeddem ni'n dau o'r un farn mai 'Campio' gan *Randal Nelson*, 'Mygu' gan *Y Dorf*, a 'Trai' gan *Kon Tiki*, sy'n codi i'r brig, gyda 'Wedi'r Drin' gan *Elen* yn haeddu canmoliaeth hefyd. Ond mae'n bleser gennym ddatgan mai *Kon Tiki* sy'n fuddugol am gyfansoddi'r ddrama lwyfan orau a'i fod ef hefyd yn deilwng o ennill y Fedal Ddrama eleni.

# Cyfansoddi drama fer rhwng 20 a 50 munud o hyd ar gyfer cwmni drama ar y thema 'Teulu'

BEIRNIADAETH GWYNETH GLYN A JOY PARRY

Difyr fu darllen y pum drama hynod wahanol a ddaeth i law. Roedd gan bob un o'r ymgeiswyr stori i'w dweud ynghyd â dealltwriaeth sylfaenol o hanfodion ysgrifennu ar gyfer y theatr a gwnaeth hynny'r profiad o ddarllen y gwaith yn un rhwydd a phleserus. Y bai mwyaf cyffredin oedd ôl brys, a amlygid drwy gamgymeriadau ieithyddol, cymysgu enwau cymeriadau, a diweddglo gwan neu ffwrdd-â-hi. Nid ar chwarae bach y mae mynd ati i ysgrifennu drama (hyd yn oed un fer!). Mae diweddglo unrhyw ddrama yn rhy bwysig i'w frysio. Dyma air am bob ymgais.

*Titw*: 'Colled'. Drama ddirdynnol wedi ei lleoli mewn ysbyty. Wrth i gymeriad Carys siarad â'i mab sydd mewn coma, daw hanes cythryblus a dyfodol bregus y teulu i'r amlwg. Mae gan yr awdur glust dda am rythm iaith lafar, ond weithiau roedd gwallau iaith yn cymylu'r ystyr. Ceir ymgais i fynd dan groen un cymeriad yma, sydd efallai'n gwneud y ddrama'n llai addas ar gyfer ei llwyfannu gan gwmni drama. Ond mae'r tro annisgwyl yn y gynffon yn iasol o drawiadol.

*Lleucu*: 'Bandit yr Andes'. Comedi ddifyr a deifiol sy'n gosod Glyn ap Glyn (Yr Archdderwydd) a Meleri Medi (Meistres y Gwisgoedd) mewn cyfyng-gyngor o gael eu dal yn wystlon gan ddau sydd â'r nod o adfer seremoni'r 'Cymry ar Wasgar'. Mae'r ddeialog yn llifo mewn modd swreal a thros ben llestri, ac mae dychymyg y dramodydd i'w edmygu, ond mae perygl i'r ddeialog chwim a phytiog fynd yn syrffedus; byddai ambell newid cywair wedi torri ar hynny. Ymgais dda serch hynny.

*Shanachi*: 'Y Storïwr'. Drama deimladwy, chwerw-felys sy'n archwilio perthynas gŵr a gwraig ar drothwy eu priodas aur. Mae'r tyndra'n deillio o'r ffaith fod y wraig yn dioddef o dementia, a defnyddir eironi dramatig a phathos i danlinellu tristwch y sefyllfa. Dyma ddramodydd meistrolgar a chynnil, a cheir eiliadau gwirioneddol bwerus yma. Dylid bod yn ofalus nad yw natur undonog bywydau'r cymeriadau'n trosglwyddo i fod yn ddrama undonog. Byddai o fudd ailedrych ar daith pob cymeriad drwy'r ddrama. Dyma ymdriniaeth ddewr a chredadwy o sefyllfa rhywun â dementia.

*Tafwys*: 'Er Mwyn Fy Nheulu'. Drama sy'n archwilio dilema deuluol wrth i gymeriad Dewi ystyried gadael Llundain a dychwelyd gyda'i deulu i'w fro enedigol yn y cymoedd. Datblygir y thema mewn modd teimladwy a defnyddir ôl-fflachiadau i gynyddu'r tyndra. Ceir golygfeydd dirdynnol rhwng Dewi a Ceris, ei wraig, ond gwaetha'r modd, nid yw'r cystadleuydd wedi ateb y gofynion o ran hyd y sgript. O chwynnu ac amrywio'r areithiau llafurus gyda deialog fwy naturiol, byddai hon yn elwa ar ei chanfed.

*Ffion*: 'Yn Enw'r Tad a'r Mab!'. Comedi fyrlymus yn dilyn hynt a helynt yr ymgymerwr angladdau, Dic Death, a 'brawdoliaeth y dafarn' wrth i un o'r criw wynebu clyweliad teledu. Ceir yma wledd o hiwmor tafodieithol Cwm Tawe a daw'r cymeriadau'n fyw trwy eu hagweddau a'u hymateb i'w gilydd. Mae ar y diweddglo amherthnasol angen ei gryfhau ond, o wneud hynny, credwn y byddai hon yn gomedi hwyliog i'w pherfformio ac yn noson ddifyr o adloniant.

Dyfarnwn y wobr i *Ffion*.

# Cyfansoddi Drama (cystadleuaeth arbennig i rai dan 25 oed)

BEIRNIADAETH IAN ROWLANDS

Daeth tair o ddramâu byrion difyr i law a'r tair yn rhai y mwynheais eu darllen.

*Brân*: 'Tair Ochr i'r Geiniog'. Roedd y cynnwys a'r arddull abswrd braidd yn ddisgwyliedig ac ystrydebol. Serch hynny, roedd 'na ddigon o fflachiadau yn y ddeialog. Dramodydd ar ei ffordd i ddarganfod ei lais ei hun sydd yma.

*Evan*: 'Porth y Gwyll'. Drama fer gaboledig o ran ei strwythur. Roedd yn ymdrin â thema oesol, sef yr enaid, a hynny o bersbectif Cristionogol. Cawn yma ddeialog fachog a phwrpasol ac fe luniwyd y cymeriadau'n glir. Un sylw: pwrpas drama yw gosod cwestiynau gerbron cynulleidfa ac nid rhoi atebion.

*Sipsi*: 'Perthyn': Da oedd darllen drama yn nhafodiaith Crymych a'r fro. Perthynas driongl a geir yma, dwy chwaer ac un dyn. Gosodir y ddrama yn ystod yr Ail Ryfel Byd – cyfle i archwilio moesoldeb difyr y cyfnod. Ymgais ddewr, er ychydig bach yn episodig, yw hi – e.e. does dim angen ailymweld â'r motif o olchi bath byth a beunydd ac mae yna le i ddatblygu'r cymeriadau yn y ddrama hon.

'Gwobrwyir y ddrama sydd yn dangos yr addewid mwyaf ac sydd â photensial i'w datblygu' yw nod y gystadleuaeth hon. Pe bawn i am wneud hynny, byddwn yn gwobrwyo drama *Evan* am ei strwythur tynn a'i deialog fachog. Ond, yn hytrach, am fod yna botensial a gonestrwydd gan ymgeisydd arall a chan y teimlaf y byddai'r cyfle iddo ddatblygu ei waith o les mawr iddo fel cyw dramodydd, rwyf am wobrwyo *Sipsi*.

**Trosi un o'r canlynol i'r Gymraeg:** *Broken Glass*, Arthur Miller; *Who's Afraid of Virginia Woolf*, Edward Albee; *Muscle*, Greg Cullen

---

BEIRNIADAETH SHARON MORGAN

Daeth wyth sgript i law, pum trosiad o *Broken Glass*, dau o *Who's Afraid of Virginia Woolf* ac un o *Muscle*.

Beth sydd rhaid i gyfieithydd ei gyflawni yw creu ymdeimlad o awyrgylch a gwirionedd y ddrama wreiddiol gan ddefnyddio iaith a chystrawen sy'n llifo'n gwbl rydd a diymdrech a heb golli is-destun, grym a chynildeb y gwreiddiol. Mae'n waith anodd iawn, yn enwedig o gofio mai'r dasg yw trosglwyddo o'r iaith fwyaf hyblyg ac amlhaenog yn y byd i iaith gwlad fechan lle mae'r gagendor rhwng y llenyddol a'r llafar yn anferthol ac astrus. Mae'n bleser cael dweud bod pob cystadleuydd wedi llwyddo i ryw raddau.

*Gruffudd:* 'Gwydrau'n Deilchion'. Mae yma ymgais glodwiw ond, serch hynny, mae 'na ormod o bwyslais ar gywirdeb ieithyddol yn hytrach nag ar rythm a llif. Mae'r iaith yn taro'r nodyn iawn o ran cefndir y cymeriadau, trwy fod yn safonol a heb fod yn rhy dafodieithol, ond mae hwn yn drosiad sydd yn teimlo braidd yn anystwyth ac annaturiol. Does dim digon o ddychymyg wrth drosi priod-ddulliau a chysyniadau, ac mae anghysondeb a chamgymeriadau llythrennol wrth drosglwyddo ystyr. Mae'n bwysig bod yn gymharol rydd wrth drosi gan drosi'r cymeriadau a'i emosiynau yn ogystal â'r geiriau a'r sefyllfa ond, ar y llaw arall, mae'n rhaid glynu mor agos ag y bo modd at ffeithiau ac emosiynau'r testun gwreiddiol, e.e. 'And I loved her' wedi ei drosi'n 'Rydan ni mewn cariad'. Dylid cofio hefyd rhoi'r cyfarwyddiadau llwyfan naill ai mewn ffont wahanol neu mewn llythrennau italaidd.

*Gwydr Dwbwl:* 'Y Gŵr Mewn Du'. Mae'r trosiad yma'n llifo'n wych gyda rhythm da a'r llinellau'n dod oddi ar y dudalen yn llawn egni. Mae'r awdur yn amlwg wedi meddwl yn ddifrifol am ieithwedd a thafodiaith drwy ddefnyddio tafodiaith ogleddol ar gyfer yr Iddewon a thafodiaith ddeheuol ar gyfer y lleill. Gallai hyn fod yn ddewis effeithiol; mae iaith ogleddol anystwyth Gellberg yn gweddu i'w gymeriad mewnblyg a thafodiaith ddeheuol Doctor Hyman, fel ei wraig Margaret, yn awgrymu bod Hyman, er yn Iddew, yn ymwrthod â'i dras drwy uniaethu â'i wraig nad yw'n Iddewes. Serch hynny, dw i dim wedi fy argyhoeddi'n llwyr o ddilysrwydd artistig y penderfyniad a, gwaetha'r modd, mae'r iaith ogleddol yn tueddu weithiau i fod yn rhy anystwyth ac annaturiol, a'r iaith ddeheuol weithiau'n troi'n lletchwith ac yn colli urddas. Mae diffygion hefyd o ran trosi cysyniadau a phriod-dduliau.

*Brooklyn*: 'Gwydrau'n Deilchion'. Mae'r trosiad yma'n dda iawn, iawn mewn rhannau. Mae'r awdur wedi dewis iaith led dafodieithol ac mae hynny'n golygu bod yr iaith yn gallu llifo'n rhwydd a naturiol ac yn gweddu i arddull syml ac uniongyrchol Miller. Ar y cyfan, mae'n taro tant addas a digon safonol ac urddasol ar gyfer y cymeriadau, sydd naill ai'n ddosbarth canol neu'n ymgeisio at fod felly. Tra'n rhagori ar fynegiant syml, mae'r trosiad yma'n colli wrth geisio cyflwyno'r darnau mwy cynnil a chymhleth, ac mae ynddo weithiau eiriau trwsgl neu anaddas fel 'coch-melyn', 'llyfrifydd', 'gwagymffrost', a 'llaw-bel'. Hefyd, mae angen mwy o ofal gyda rhythm o bryd i'w gilydd.

*Dolydd Gleision*: 'Gwydr yn Deilchion'. Mae'r ymgeisydd hwn wedi cynnwys sylwadau o ragarweiniad y gwreiddiol nad yw, er mor ddiddorol, yn rhan o'r dasg. Hefyd, mae'r testun mewn llawysgrifen ac mae'n anodd iawn ei ddarllen. Hoffwn awgrymu y dylai'r cystadleuydd hwn ddod o hyd i rywun a all ddefnyddio prosesydd geiriau. Mae'r iaith yn tueddu i fod yn llenyddol ac, er gwaetha'r ffurfioldeb, mae'r arddull yn caniatáu i'r ddeialog lifo gan amlaf, er yr anystwythder a'r anghysonderau ar brydiau. Mae'n llwyddo'n ardderchog wrth drosi rhai o'r darnau anoddaf.

*Rwdlan*: 'Gwydr Toredig'. Mae'r iaith yn y trosiad hwn yn llifo'n hawdd a diymdrech, a'r awdur yn defnyddio tafodiaith ogleddol ond heb fod yn ormodol. Mae'n wych o uniongyrchol a rhwydd, yn syml a naturiol. Serch hynny, mae yma fân frychau a thueddiad i beidio ag ymdrechu digon yn rhai o'r darnau mwy heriol. Does dim digon o ymdrech i fod yn ddyfeisgar parthed y cysyniadau cynnil, ac weithiau ceir diffyg ymgais i gyfieithu o gwbl, e.e. 'boardwalk', a 'figures', ac weithiau fe gamddeellir ystyr, e.e. 'I made my son in this bed' fel ' rhois fy mab i gysgu yn y gwely 'ma', neu gamgyfieithu: 'Duw marbl' am 'Marble goddess'. Ond mae hwn yn drosiad ardderchog mewn mannau.

*Thespis*: 'Pwy sydd ofn Virginia Woolf'. Yr her wrth drosi'r ddrama hon yw llwyddo i gyfleu'r ddeialog gyhyrog, ddoniol rhwng y gŵr a'r wraig, George a Martha. Mae'r awdur yn llwyddo ar y cyfan yn y darnau o ddeialog byrion, bachog – y darnau mwy llenyddol eu natur ac, yn arbennig, y darnau mwy difrifol ar ddiwedd y ddrama, ond nid yw'n llwyddo i feistroli egni a lliw iaith y frwydr rhwng George a Martha. Mae'r ymgeisydd yn defnyddio tafodiaith ogleddol ar gyfer George a thafodiaith ddeheuol ar gyfer ei wraig a'r ddau ymwelydd Nick a Honey, ond does dim mantais i hynny, yn fy nhyb i. Mae 'na gryn anystwythder mewn mannau ac mae amryw o ddywediadau lletchwith neu anghymarus, lle mae angen bod yn fwy dyfeisgar; nid yw 'Twrio'r Westywraig' yn gweithio ar gyfer 'Hump the Hostess' na 'Gwanu'r Gwesteion' ar gyfer 'Get the Guests'. Serch hynny, mae'r trosi ar dudalennau olaf y ddrama'n ardderchog.

*Un o'r Cwm*: 'Pwy sy' Ofn Virginia Woolf?'. Mae'r ymgeisydd yma'n cynnig y ddamcaniaeth ddiddorol fod y cymeriadau yma'n siarad Cymraeg perffaith am fod eu cyndeidiau, ymfudwyr o Gymru rai blynyddoedd ynghynt, wedi llwyddo i drosglwyddo'r iaith iddynt. Dyw'r ddamcaniaeth yma, fodd bynnag, ddim yn cyfiawnhau'r iaith orlenyddol ac annaturiol. Mae'r ffurfiau 'Rwyf' a 'Rwy'n,' yn ein pellhau ni oddi wrth y cymeriadau ac, yn aml, mae angen dod hyd i ffordd lyfnach, fwy uniongyrchol o fynegi. Mae'r darnau mwy llenyddol yn benigamp, mae'r iaith yn addas ac yn llifo'n dda. Eto, er ei fod yn ddiddorol, mae'r esboniad o ystyr Walpurgisnacht ar ddechrau'r ail act yn ddianghenraid, felly hefyd roi cyfieithiad ochr yn ochr â'r geiriau Ffrangeg ar dudalen 46. Os cyfieithu'r rhain, pam nad cyfieithu'r Sbaeneg a'r Lladin ymhellach ymlaen? Dyw'r ymgeisydd hwn chwaith wedi llwyddo i gyfleu'r ystyr sy'n gyrru'r emosiwn yn neialog gyhyrog, amrwd George and Martha.

*Helynt*: 'Nerth Braich'. Mae'r ddrama hon wedi ei hysgrifennu mewn sawl arddull ond yn bennaf yn dafodieithol, a'r dafodiaith honno'n gweddu i'r gwahanol gymeriadau, sef nifer o ddynion yn adrodd eu hanesion am brofiad ac ystyr bod yn ddyn. Tafodiaith ddeheuol sy yma, ar y cyfan, a thipyn o ddylanwad Cwmtawe; iaith naturiol bob-dydd dynion cyffredin di-addysg yn aml. Ond mae'r awdur yn llwyddo i osgoi'n gelfydd y defnydd o Saesneg ar wahân i ambell air, gan godi'r iaith i lefel safonol heb golli hunaniaeth gynhenid, gredadwy'r cymeriadau. Mewn rhai achosion, ceir defnydd o iaith fwy ffurfiol yn ôl y galw. Er bod y cymeriadau o dras amrywiol – Nigeraidd, Gwyddelig, Indiaidd ac Iracaidd, yn ogystal â Chymraeg, mae'r iaith yn eistedd yn gwbl lyfn a naturiol ym mhob achos, ac yn llestr ar gyfer yr ystyr a'r emosiwn. Mae'r ymgeisydd hwn yn meddu ar y gallu i gyfathrebu'n uniongyrchol gyda'r gynulleidfa ac mae'n llawn haeddu'r wobr.

# Cyfansoddi dwy fonolog gyferbyniol heb fod yn hwy na chwe munud

BEIRNIADAETH DAFYDD JAMES

Efallai fod sgwennu dwy fonolog gyferbyniol lwyddiannus yn cynnig tipyn mwy o her greadigol i ddramodydd nag a dybir pan ystyrir y peth gyntaf. Yn fy marn i, mae'n her sy'n fwy o ymarfer academaidd yn hytrach na gweithgaredd creadigol, dramatig. Roedd creu gwaith a fyddai'n bodloni gofynion y gystadleuaeth ond hefyd yn plesio mewn modd theatraidd, yn mynd i fod bob amser yn dipyn o gamp. Rhaid dechrau, felly, drwy ganmol pob ymdrech, gan fod elfennau i'w clodfori ymhob un ohonynt.

Wrth fynd ati i feirniadu, roeddwn yn edrych am destun nad oedd yn darllen fel cyfrwng llenyddol ond, yn hytrach, yn un a oedd yn gweddu i brofiad byw o flaen cynulleidfa. Roeddwn hefyd yn gobeithio y byddai un neu ddau o'r dramodwyr wedi darganfod rhesymau theatrig penodol dros ddefnyddio ffurf y fonolog. Er enghraifft, oes 'na berthynas arbennig rhwng y cymeriad a'r gynulleidfa sy'n cyfiawnhau'r math yma o gyfathrebu uniongyrchol? Hyd y gwelwn i, nid oedd yr un ymgeisydd wedi ystyried hynny wrth greu ei waith. Wrth gwrs, mae'r fonolog yn ymddangos yn aml mewn drama heb y math yma o gyfiawnhad (dramâu radio neu ymsonau Shakespeare, er enghraifft) ond erbyn hyn, yn y theatr gyfoes, dw i'n un sy'n hoffi mwy o berthynas rhwng strwythur a ffurf os oes modd.

Mae rhythm ac iaith hefyd yn bwysig o fewn monolog ac yn gorfod adlewyrchu'r sefyllfa, boed hynny'n realistig neu'n farddonol. Roeddwn hefyd yn edrych am gymeriadau amlhaenog a'r lluosogrwydd hwnnw'n cael ei ddatgelu drwy is-destun diddorol. Mae sgwennu dwy fonolog hunangynhwysol y tu allan i gyd-destun drama yn gwneud y gwaith hwn yn anoddach fyth; felly, teimlais y byddai perthynas uniongyrchol rhwng y ddwy fonolog yn helpu'r achos. Ac, wrth gwrs, roeddwn yn edrych am waith gwreiddiol, adloniannol a fyddai hefyd yn cyffroi.

Daeth pum ymgais i law a dyma ychydig eiriau am bob un:

*Slei Bach*: Dwy fonolog yn sôn am y terfysgoedd yn Llundain a gafwyd yma, un o safbwynt merch neu fachgen yn ei (h)arddegau hwyr a'r llall o safbwynt perchennog siop. Roedd cwestiwn diddorol wrth wraidd y gwaith, sef beth yn union ydi 'fandal'? Serch hynny, teimlais mai triniaeth braidd yn arwynebol ac academaidd o'r pwnc a gafwyd yma yn hytrach na thriniaeth ddramatig. Wedi dweud hynny, roedd 'na ddefnydd canmoladwy o rythmau amrywiol ac iaith lafar ac mae'n amlwg fod gan y dramodydd glust theatraidd.

*Y Pentan Du*: Cynigiwyd dwy fonolog yn sôn am briodas yn chwalu: un o safbwynt y gŵr, Gethin, a'r llall o safbwynt y wraig, Rhian. Mae Gethin wrthi'n adeiladu dodrefnyn fflat-pac a'r weithred honno'n cynnig ffordd i archwilio ei berthynas â'i gyn-wraig, e.e. *'Connect A to B carefully making sure the alignment is correct.* Rhian o'dd A a fi o'dd B ac roedd y cysylltiad yn un da yng ngolwg pawb'. Roedd trosiad tebyg ar waith ym monolog Rhian wrth iddi sôn am gasineb Gethin tuag at gelfi ail-law: 'Gair bach budur odd 'ail-law' iddo fo ... Dechra 'ngweld inna fel rhywbath ail-law wnaeth o o hynny ymlaen, am fod rhywun arall wedi cal 'i ddwylo arna i'. Mae yna briodas theatrig yma rhwng gweithred a thema ond teimlais fod y defnydd o drosiadau ychydig yn gyfleus ac ambell dro'n teimlo'n llafurus ac yn blino. Er hynny, mae'r iaith lafar yn llifo ac mae'r awgrym amwys fod Rhian wedi cael perthynas â Gwyn, brawd Gethin, yn creu diweddglo effeithiol.

*Dai Bando*: Dwy fonolog ddigyswllt a gafwyd yma: un gan ferch, Bethan, sydd wedi gorfod symud i gartref am fod ei thad yn dioddef o salwch meddwl yn yr ysbyty, a'r llall gan Gavin, ffan rygbi sydd, yn ei eiriau ei hun, 'off yn rocar!'. Roeddwn yn hoff o ddefnydd y dramodydd o frawddegau byrion, ergydiol a bachog i greu rhythm y dweud. Er hynny, teimlais mai braidd yn arwynebol oedd y gwaith heb fod yr un fonolog yn llwyddo i fynd dan groen y cymeriadau. Roedd mwy o siâp naratif i fonolog Bethan nag un Gethin gan fod gormod o fwydro yn honno ar brydiau yn hytrach na'i bod yn cynnig naratif dramatig.

*Arfon*: Mae dechrau rhywbeth diddorol iawn yma: tad yn araf fynd o'i go a'r mab sy'n dianc o'i gyfrifoldebau a'i 'ddyletswyddau' tuag ato. Serch hynny, fe'i cawn yn anodd darllen y gwaith ambell dro. Rhaid bod yn ofalus wrth ddefnyddio system atalnodi i gyfleu iaith lafar a llif meddwl naturiolaidd rhag i'r testun greu gormod o benbleth i'r un sy'n dehongli'r gwaith! Ond mae'n amlwg fod gan y dramodydd yma ddealltwriaeth o sut mae sgwennu drama fel cyfrwng 'byw'. Roedd dyfnder i'r cymeriadu yma ac awgrym o berthynas gymhleth rhwng y ddwy fonolog. Maent yn ymddangos fel pe baent yn perthyn i ddrama ehangach, un ddiddorol dros ben. Ond mae'n rhaid beirniadu'r gwaith o fewn ei gyd-destun annibynnol ac felly nid yw, gwaetha'r modd, yn fy argyhoeddi'n llwyr fel darn o waith hunangynhwysol gan fod straeon y cymeriadau rywsut yn anorffenedig. Edrychaf ymlaen, serch hynny, at weld gwaith *Arfon* yn y dyfodol.

*Menai*: Yma cawn ŵr a gwraig, Huw a Meri. Mae Meri wedi cwympo i lawr y grisiau ac wedi gorfod symud i gartref a hithau wedi colli ei chof yn sgîl hynny. Mae cefndir is-destunol diddorol i'r gwaith sy'n awgrymu mai Huw sydd wedi gwthio Meri am ei fod e'n cael perthynas gyda'u cymydog, Angharad. Mae'r ddwy fonolog yn mynegi'r syniad yma'n gelfydd ond ni theimlais fy mod yn dod i adnabod rhyw lawer ar y cymeriadau a'r gwrthdaro mewnol a ysgogodd Huw i gyflawni gweithred mor eithafol.

Mae ôl dawn sgwennu dramatig yng ngwaith pob un o'r cystadleuwyr ac mae gwaith *Arfon* a *Menai* yn rhagori ychydig ar y lleill. Gwaetha'r modd, nid oes yr un ymgais yn fy argyhoeddi'n gyfan gwbl o ran fy nisgwyliadau i o'r gystadleuaeth ac felly rwyf wedi penderfynu atal y wobr. Dw i'n mawr obeithio, serch hynny, y bydd pob un yn parhau i sgwennu gan fod addewid yma'n sicr.

# ADRAN DYSGWYR

## CYFANSODDI

## Cystadleuaeth y Gadair

**Cerdd: Bro.** Lefel: Agored

---

BEIRNIADAETH DYLAN FOSTER EVANS

Anfonodd pedwar ymgeisydd ar ddeg eu gwaith i'r gystadleuaeth hon eleni. Roedd y goreuon o safon uchel, a dau neu dri yn unig a oedd wedi mentro i gyfansoddi cerddi cyn i'w gafael ar yr iaith fod yn ddigonol. Darluniwyd sawl bro wahanol – rhai ohonynt yn ardaloedd penodol ac eraill yn ymgorfforiadau o werthoedd neu bryderon eu hawduron ynglŷn â'r gymdeithas a'r amgylchedd yn yr oes sydd ohoni.

Gosodaf y cerddi mewn tri dosbarth ond mae un ymgais nad wyf wedi ei chynnwys yn y dosbarthiadau hynny. Casgliad o gerddi byrion a gafwyd gan *Dan Camp Llawn* ac felly nid yw wedi cadw at amodau'r gystadleuaeth. Teitl y casgliad yw 'Cymru: Bro Rygbi' a cheir ynddo gerddi ysgafn a hwyliog am guro Iwerddon yng Nghwpan y Byd, am gerdyn coch 'Capten Sam', am y goron driphlyg, ac am y gamp lawn.

Y TRYDYDD DOSBARTH

*Ffynnon Garw*: 'Bro'. Mae'n ymddangos mai ymdriniaeth sydd yma â theimladau bachgen o ardal lofaol sydd yn ffarwelio â'i fro enedigol cyn dychwelyd iddi ymhen rhai blynyddoedd. Ond mae'r brawddegu'n annelwig iawn ac anodd yw dilyn yr ystyr mewn sawl man. Mae llunio odlau ar gyfer y gerdd wedi mynd yn drech na'r bardd y tro hwn.

*Llywelyn Glyndŵr*: 'Wrth eu bodd ein tir'. Cerdd yw hon sy'n mynegi'r ymdeimlad o berthyn i fro benodol. Fe'i lleolir yn ardal Clawdd Offa yng ngogledd-ddwyrain Cymru, a dethlir harddwch y fro a'r modd y bu i'w thrigolion wrthsefyll ymosodiadau o'r tu hwnt i'r ffin mewn canrifoedd a fu. Ond mae angen i *Llywelyn Glyndŵr* weithio'n galed i wella'i afael ar yr iaith gan nad yw eto wedi meistroli cystrawennau'r Gymraeg.

*O'r môr*: 'Bro'. Cerdd fer – wyth llinell – yw hon am fywyd amaethyddol mewn bro wledig ar lan y môr, lle 'mae'r bryniau gwyrdd yn rholio i'r pellter'. Mae'r mynegiant yn glir, ond byddai'n fuddiol ceisio ymestyn ar y delweddau cyfarwydd a geir yma.

## YR AIL DDOSBARTH

*Chwarae Teg*: 'Bro'. Dyma gerdd sy'n agor drwy ddisgrifio allfudo Cymry di-waith 'fesul diferyn' i Lerpwl, ac sydd wedyn yn trafod boddi Llanwddyn er mwyn cyflenwi dŵr i'r ddinas honno. Cyfeirir at y 'cathod tew' o'r cwmni dŵr sydd bellach yn ymelwa'n ariannol tra bo bro Llanwddyn yn dawel heb blant nac ysgol: 'Dyma fro gafodd ei thwyllo'. Er nad yw'r odli'n llwyddiannus bob tro, mae'r dweud yn uniongyrchol a chlir.

*Glanffrwd*: 'Tribannau'r Fro'. Cyfres o naw triban â blas hen dribannau Morgannwg arnynt. Cawn gyfeiriadau at wahanol leoliadau ym Mro Morgannwg, ac at Iolo Morganwg ei hun, ond efallai mai'r triban olaf o'r naw (sy'n ddiatalnod, fel y lleill) yw'r mwyaf cofiadwy: 'Draw yn y fro cei heddwch / Awyrgylch llawn tynerwch / Yma caiff dy ysbryd di / Lonyddu mewn dedwyddwch'.

*Gwynt Teg*: 'Aberthged Maldwyn'. Dyma gerdd sydd yn gwrthgyferbynnu delweddau nefolaidd o gefn gwlad Maldwyn (lle 'mae'r barcud coch yn nofio yn y gwynt') â chynllun i lawr ym Mae Caerdydd i osod melinau gwynt ar y bryniau ('gan ddwyn eu hangenfilod dros y sir'). Mae'r cyferbynnu'n ddigon effeithiol, ac mae barn y bardd ar y pwnc llosg hwn yn cael ei mynegi'n glir.

*Llydawes*: 'Y Fro'. Disgrifiadau estynedig o gefn gwlad a byd amaeth a geir yn y gerdd hon. Defnyddir geirfa eang a delweddu clir, os cyfarwydd: 'Mae'r ddraenen wen yn gyfrinach,/ Yn amddiffyn blodau perffaith/ Yn yr haf ym myd y fro'. Cawn brofi cylch y tymhorau, a hyd yn oed yn nyfnder gaeaf y mae'r atgof am yr hindda'n parhau: 'Ond yn nychymyg natur fyth/ Fel breuddwyd disglair pur,/ Bydd gwanwyn prydferth yn y fro'.

*ôl-feddwl*: 'Bro'. Cerdd am ryfel yw hon, mewn gwirionedd, ond mae presenoldeb oesol trais yn cael ei gyfleu drwy gyfrwng 'brain y fro' sydd yn ymddangos ar ddiwedd y pennill cyntaf a'r pennill olaf: 'Yn fyw neu farw, un â'r pridd,/ yn fyw neu farw, brain y fro'. Cawn orolwg dros ganrifoedd o ryfela, o gyfnod y Rhufeiniad, y gwŷr a aeth Gatraeth, ac Edward I hyd heddiw. Cyfeirir yn goeglyd at '[l]luoedd ein daioni' sydd, fel erioed, 'yn cynnig hedd, ond digwydd bod/ yn gwerthu arfau ar eu hynt'. Er bod y rhain yn honni amddiffyn y wlad, dywed y bardd mai'r sawl sy'n cadw 'gwlad ac iaith yn fyw' yw'r 'Merched sy'n mynd â'r maen i'r wal,/ bois yn y baw yn crafu byw'. Er y llygedyn hwnnw o obaith, pesimistaidd yw tôn y gerdd hon wrth i'r bardd weld yr un 'hen orymdaith yn parhau'.

*Pabi'r ŷd*: 'Bro'. Cerdd fywiog (sy'n agor â'r cyfarchiad 'Sh'mae, být') yw hon am fachgen sy'n ymadael â'i gartref ym Morgannwg cyn dychwelyd yno ddeugain mlynedd yn ddiweddarach. Cawn glywed llais ei fam-gu, gwraig uniaith Gymraeg o Lanhari, ar ddechrau'r gerdd, ond wedyn â'r bachgen i wasanaethu ar long danfor, ac ni chlywir ganddo am flynyddoedd hyd nes iddo ddychwelyd i Landŵ ei hun: 'Yn henach ac yn hagrach/ wyt. Ond, gwell hwyr na hwyrach'.

*Poppy*: 'Bro'. Cerdd yw hon sydd yn canmol harddwch bro Clwyd. Drwy gyfrwng cyfres o gwpledi odledig, awn ar daith yng nghwmni'r bardd i weld hyfrydwch yr ardal honno a safleoedd sy'n gofnod o'i hanes: 'Yn hen oes yr arth fawr a'r blaidd mhell yn ôl/ Yn ogof Bontnewydd cewch ganfod eu hôl!' Ond diwedd y daith yw'r hoff leoliad: 'Dyma ond cip i chi o'r hyfryd fan/ Cartre nheulu a fi – Bodelwyddan'.


Y DOSBARTH CYNTAF

*Hen Heddychwr*: 'Bro'. Cyfres o chwe englyn a gafwyd gan yr ymgeisydd hwn, ac er bod teitl gwahanol i bob un ('Bro', 'Dadrithiad', 'Ffieidd-dra', 'Galar', 'Dialedd', ac 'Ysbrydoliaeth'), maent yn ffurfio cyfanwaith thematig. Fel y mae'r teitlau hyn yn ei awgrymu, tinc negyddol sydd i'r gerdd at ei gilydd, ac mae'r bardd yn gwaredu am y difrod y mae dynoliaeth yn ei achosi i'r amgylchedd. Ond yn yr englyn clo, ceir peth gobaith: 'Ac mae sain llais nain yn y nant – a rhu/ 'R rhaeadr yn y ceunant/ Â phŵer mwy na pheiriant/ Yw'r fro fydd yn taro tant'. Nid yw'r gynghanedd yn ddi-fai, ac nid yw'r dweud yn glir bob tro. Ond mae meistroli ffurf yr englyn i'r fath raddau yn gryn gamp.

*Ceffyl uncoes*: 'Bro'. Mae'n amlwg fod y bardd hwn yn gyfarwydd â gwaith T. H. Parry-Williams, ac fe'i cawn yn aml yn adleisio'r gerdd 'Hon': 'be' 'di'r ots am fro', meddai ar ddechrau'r ail bennill. Mae'n mynegi amheuon ynghylch brogarwch a chenedligrwydd, gan ddatgan y byddai'n well ganddo fod yn '[d]dinesydd felly, dyn o'r ddaear gron'. Erbyn diwedd y gerdd, fodd bynnag, mae ei deimladau'n dechrau newid wrth iddo daflu 'odlau fel hen hadau yn y gwair'. Mae'r cwpled olaf yn datgan yn groyw: '... mae'r bryniau 'ma yn lloches nawr i mi/ ac yn fama mae fy nhragwyddoldeb i'. Ond er mor debyg yw'r gerdd i 'Hon', mae wedi ei hysgrifennu o safbwynt cwbl wahanol, fel y dengys y pennill cyntaf: 'Gwrandwch ond am funud ar fy llais;/ pwy neu beth yr ydwyf, ond yn Sais?/ Mwy na thinc o dafod estron, nage wir?/ Gwedd na fydd yn gwywo cyn bo hir;/ mwy na thinc sy'n dweud nad Cymro ydwyf i;/ dieithryn draw o'r dwyrain; dyma fi'. Felly mae'r gerdd yn trafod y profiad o ymserchu yn y wlad a'i diwylliant o'r tu allan, fel petai, a'r amwysedd teimladol y gall hynny ei beri. Yn wir, dyma'r unig gerdd yn y gystadleuaeth sydd yn mynd i'r afael â phrofiad felly, a da o beth yw cael barddoniaeth o'r fath yn y Gymraeg.

*Mynach y mynydd*: 'Bro'. Hon yw'r ail gerdd yn y gystadleuaeth sydd ar fesur yr englyn ac mae'r bardd hwn yn amlwg yn gryn feistr ar ofynion y gynghanedd. Treigl y flwyddyn yw testun y gerdd, a hynny mewn bro benodol yn ardal Moel Fama. Mae esgyll yr englyn cyntaf yn cael eu hailadrodd yn yr englyn olaf o'r deg: 'oer, mor oer, yw'r môr eira,/ ac yn wir, ffordd hir i'r ha'.' Cawn ein harwain gan y bardd o dymor i dymor, a hyd yn oed mewn marwolaeth mae gobaith i'w gael yn yr 'awen aileni': 'Y mae'r hydref yn ymerodraeth; pridd,/ parhad a threftadaeth; o'r amdo darfod, arfaeth,/ yn olion y meirwon, maeth'. Nid yw'r iaith a'r gynghanedd yn ddi-fai ond rhaid cofio nad di-fai yn hynny o beth mo pob cyfansoddiad sydd wedi ennill Cadair arall yr Eisteddfod. Yn wir, mae'r gynghanedd yn aml yn gywrain a mentrus, ac er bod yma strwythur traddodiadol, mae'r bardd wedi llwyddo i lunio cerdd gofiadwy o'r newydd.

Byddwn wedi bod yn fodlon rhoi'r wobr eleni i *Ceffyl uncoes*, pe na bai am un ymgeisydd arall. Am gerdd ardderchog, cadeirier *Mynach y mynydd*.

# Y Gerdd

## BRO

Rŵan mae bys arian o iâ'n gafel
  hen gapel ar gopa;
oer, mor oer, yw'r môr eira,
ac yn wir, ffordd hir i'r ha'.

Ac esgus gaeafgysgu, erys cân
  fy milltir sgwâr, clymu
cadwyn clegar a charu,
gwae na fydd a gwae na fu.

Ac iraidd yw gwawr a ddaw, rhoi'r gwanwyn
  ar olwyn, i'r alaw,
ac ymhlith y gwlith a glaw
naddu ystyr yn ddistaw.

Y mae'r awen aileni; mur o haul,
    amryliw garpedi,
    ar y gair yn rhagori;
    gardd o sŵn, a gwyrdd ei si.

Ger y ffin, gwair yn ffynnu; y cyfan
    yw cyfoeth a chanu;
    haf o doreth, yn plethu
    ysgrythur o fflur a phlu.

Gwyrth yw Moel Fama i gyd; am hwylio,
    mae cymylau'n symud,
    a mae uwchlu y machlud
    yn dawel oriel o hud.

Y mae ar gae ei gywair; lliwiau llesg
    ar hen hesg yr esgair;
    a glendid oes, glain disglair
    y dail, yn sail ei oes aur.

Y mae'r hydref yn ymerodraeth; pridd,
    parhad a threftadaeth;
    o'r amdo darfod, arfaeth,
    yn olion y meirwon, maeth.

Ni welir ond gwan olau y lôn gul,
    yn gaeth i'r tymhorau,
    rwtsh yn rholian, hen rannau
    hen gylch; a'r cylch wedi cau.

Croeso'n ôl, yn ôl i'r iâ; wrth y gors,
    brath y gwynt; ac yma,
    oer, mor oer, yw'r môr eira,
    ac yn wir, ffordd hir i'r ha'.

**Mynach y mynydd**

# Cystadleuaeth y Tlws Rhyddiaith

**Darn o ryddiaith**, hyd at 500 o eiriau: Dathlu. Lefel: Agored

---

BEIRNIADAETH BETHAN GWANAS

Dim ond 14 o ymgeiswyr y llynedd ond mynydd o 26 eleni. Mae'n amlwg fod y testun wedi apelio ac wedi rhoi cyfle i'r awduron ysgrifennu am unrhyw beth oedd yn destun dathlu, yn ffuglen ac yn ffaith. Rwy'n falch o fedru dweud bod y safon yn uwch y tro hwn hefyd, a chefais fwynhad aruthrol yn pori drwy'r cynigion.

Cafwyd traethodau am wahanol ddathliadau, o Ddydd Gŵyl Dewi i sefydlu'r Urdd i ganmlwyddiant Scott a'i griw yn anelu am Begwn y De. Mynd am ysgrifau personol a wnaeth nifer, gyda chriw llai niferus yn mentro i fyd ffuglen.

O ran cywirdeb iaith, roedd nifer bron â bod yn berffaith – yn well na gwaith Cymry iaith gyntaf (ac awduron proffesiynol, o ran hynny!). Ond roedd gormod o orddibynnu ar eiriaduron, a llawer gormod o eiriau hirion, dieithr lle byddai gair bach syml wedi bod yn llawer mwy effeithiol. Dylech anelu at ddefnyddio geiriau sy'n swnio'n naturiol, fel bod y Gymraeg yn llifo. Gwn yn iawn fod hynny'n dasg anodd ond nid yw'n amhosib o bell ffordd. Darllenwch ragor o nofelau, gan gynnwys rhai ar gyfer plant; mae'r rheini'n aml yn haws eu darllen. Dyna fydda i'n ei wneud i wella fy Sbaeneg.

Mae trefn y frawddeg yn rhyfedd gan ambell un – e.e. 'Llond bol cawson ni', ac mae'n rhaid cyfaddef i mi wenu wrth weld enghreifftiau o gamddefnyddio'r geiriadur yn llwyr neu fathu geiriau newydd – e.e. 'edrych ar y fflamau'n rechian' neu 'ro'n i newydd orffen fy mhrydyw'. Byddai'n syniad i chi ddangos eich gwaith i'ch tiwtoriaid neu Gymry iaith gyntaf (sy'n ddarllenwyr) cyn anfon eich cynigion y tro nesaf. Ond roedd hi'n berffaith amlwg fod y rhan fwyaf wedi gwneud hynny, ac rwy'n eich llongyfarch, un ac oll, am gyrraedd y fath safon. Dylech ddathlu, ar bob cyfrif!

O safbwynt y rhai a ganlyn, hoffwn eu hannog i ddal ati a rhoi cynnig ar gystadlu eto yn y dyfodol: *Blodyn, Dan y Graig, Doed a Ddelo, Gwdihŵ, Mab Dyfed, Mab y Mynydd, Miss Haf, Terfyn, Y Gelli, Y Gwyliwr, Y Llygotwr, Yr Arlunydd*.

Roedd y safon uchel yn gwneud y gwaith o ddewis y goreuon yn anodd ond rydw i wedi llwyddo i gyfyngu'r dosbarth cyntaf i chwech: *Tristan, Caradog,*

*Calon Lân, Brythlys, Tawe* a *Cyflam Bobtro*. Ond hoffwn ganmol gwaith *Y Wawr Dywyll, Y Sibyl, Yr Eryr, Maen i'r Wal, Gobeithiol, Meistres ei Ffawd, Angel Pen Ffordd* a *Llygad y Dydd*, hefyd. Mae'n eitha posib y byddai beirniad gwahanol wedi rhoi'r rhain yn y dosbarth cyntaf ond dim ond mympwy a chwaeth y beirniad ar y diwrnod sy'n penderfynu, mae arna i ofn.

Ychydig eiriau'n awr am bob un o'r goreuon:

*Cyflam Bobtro*: Hanes digri'r wyres yn gwneud i'w theulu gochi at eu clustiau yn y capel. Clir, syml a hynod ddarllenadwy.

*Tristan*: Ymson effeithiol a chynnil milwr sydd newydd ddod adref o Afghanistan. Mae'r stori a'r Gymraeg yn llifo'n ddiymdrech. Dydw i ddim yn siŵr am y gair 'odid' – ychydig iawn o ddefnydd sydd ohono'r dyddiau hyn, ac er bod 'cnocell' yn air da am gnoc ysgafn, mae fy chwaeth i'n ffafrio 'cnoc ysgafn'!

*Caradog*: Ymson gan awdur crefftus, sy'n ein harwain i feddwl mai merch ar fore ei phriodas sy'n siarad, ond mae tro yn y gynffon. Ysgrifennu cynnil, sensitif a hyfryd ond dydw i ddim yn hoffi'r frawddeg gyntaf: 'Deffrais yn sydyn ar frig y wawr o fy hunllef.' Mae lle i wella ar hon.

*Calon Lân*: Darn a wnaeth fy nghyffwrdd. Ymson dyn sy'n dod dros lawdriniaeth ar y galon. Mae ei hiwmor a'i hapusrwydd yn treiddio drwy'r cyfan ac mae wedi ysgrifennu'n hyfryd o syml ac effeithiol.

*Brythlys*: Ymson braf, ddarllenadwy a gonest am ddathliadau D-Day, rhedeg marathon a dod yn dad-cu. Mae'r emosiwn sy'n rhedeg drwyddo yn hyfryd ac yn dod â gwên i'r galon.

*Tawe*: Hanes taith i Efrog Newydd i ddathlu pen-blwydd y ferch yn 21 oed. Er mai cofnodion syml am yr hyn a wnaethon nhw a'r hyn a welson nhw a gawn, mae'r cyfan wedi ei ysgrifennu'n wirioneddol dda ac yn llawn brwdfrydedd. Chefais i mo'r un mwynhad pan oeddwn i fy hun yno ac rydych chi wedi gwneud i mi fod eisiau mynd yn ôl i roi cynnig arall arni!

Wedi hir bendroni, y ffuglen sy'n mynd â hi. Am ddarn llawn dychymyg ac emosiwn a Chymraeg sy'n destun dathlu, rhoddaf y wobr i *Tristan*, gyda *Calon Lân* yn dynn wrth ei sodlau.

# Y Darn Rhyddiaith

## DATHLU

Mae'r wyneb sy'n syllu'n ôl arnaf i o'r drych ar y bwrdd gwisgo yn llawer mwy doeth a meddylgar yr olwg na'r wyneb ffres yn y llun wrth ei ymyl. Mae'r llygaid llwyd yn ddyfnach rywsut ac efallai'n dristach erbyn hyn. Ochneidiaf a cheisio canolbwyntio ar glymu fy nhei. Mae amser yn brin. Gallaf glywed synau i lawr stâr yn barod – lleisiau aneglur, tincian gwydrau, ambell bwl o chwerthin. Bydd y Maer a'r hoelion wyth ar eu ffordd. Mae fy mharti croeso-gartre ar fin dechrau.

Ond a oes rheswm da dros ddathlu, tybed? Ydi'r rhyfel diderfyn yn Afghanistan yn achos i orfoleddu? Go brin, dd'wedwn i. Collasom dri o'r bechgyn – mêts i gyd – yn yr ymosodiad diweddaraf 'na, a chafodd dau arall eu hanafu'n ddifrifol. Fi wnaeth achub eu bywydau, maen nhw'n 'i ddweud, er nad ydw i'n cofio'n iawn. Ni wnes i ond yr hyn a wnâi unrhyw un yn fy lle. Ond dyma fi'n cael fy ngalw'n arwr bellach. Mae'r Maer yn mynnu gwneud araith a chyflwyniad, a chael ei lun yn y papurau ...

Anodd dathlu hefyd o ystyried sefyllfa'r werin bobl draw fan 'na. Nhw sy'n medi'r gosb ar ôl deng mlynedd o'r Taleban, llygredd a gwendid y llywodraeth a rhyfelgyrchoedd NATO. Odid y byddan nhw'n dathlu y p'nawn 'ma, 'dybiwn i! Ydi pethau ronyn gwell iddyn nhw er gwaethaf ein holl ymdrechion ac aberthau? Ychydig sydd a wnelo'r gwenu a'r chwerthin i lawr stâr â'r wynebau tynn a digyfaddawd yn Helmand.

Dyma gnoc ar ddrws yr ystafell wely.

'Geraint? Ydi popeth yn iawn?'

Fy ngwraig Lowri.

'Be' ti'n 'i wneud? Mae pobl yn dechrau gofyn ...'

Dyma hi'n dod draw ataf i a rhoi'i breichiau am fy ngwddw. Mae ei hwyneb pert a'i llygaid glas yn debyg iawn i eiddo'r ferch yn y llun ar y bwrdd gwisgo ...

'Alla' i ddim yn fy myw ddod i lawr a chymryd arna' i 'mod i'n cael amser da, Lowri! Dw i wedi gweld cymaint o ddioddefaint yn Afghanistan. Does fawr reswm dros ddathlu, hyd y gwelaf i!'

Dyma hi'n ystyried yn ddwys am eiliad. 'Dw i'n deall dy fod ti wedi dod wyneb yn wyneb â phethau cas, a gweld gormod o drais a dioddefaint. Wrth gwrs, nid rhesymau dros ddathlu mohonyn nhw. Ond nid ti yw cydwybod y byd, chwaith, 'ti'n gw'bod! Ni all neb ohonom ond byw ei fywyd ei hun. Ac mae gen innau, a dy ffrindiau, y pentref i gyd, angen dathlu dy ddychweliad diogel, a rhoi teyrnged i'n lluoedd arfog, hefyd. Fe ddylet ti adael inni wneud hynny, hyd yn oed os bydd yn golygu ysgwyd llaw gyda Wil Bach y Maer, y peth rhwysgfawr!'

Edrychwn ar ein gilydd yn y drych a gwenu.

''Ti'n iawn fel arfer, cariad! 'Well inni fynd i lawr, sbo!'

Codaf ar fy nhraed. Cymona hithau fy nhei.

'Geraint …?'

'Be' sy'?'

'Mae 'na rywbeth arall … Do'n i ddim yn mynd i ddweud eto, ond … Wel … Dw i'n feichiog! 'Ti'n mynd i fod yn dad!'

Bum munud yn ddiweddarach, dyna fynd i lawr y grisiau, law yn llaw, i ymuno â'r gwesteion …

**Tristan**

**Sgwrs amser coffi.** Tua 100 o eiriau. Lefel: Mynediad

---

BEIRNIADAETH LOIS ARNOLD

Mae'n braf dweud bod 18 wedi rhoi cynnig ar y gystadleuaeth hon. Llongyfarchiadau iddyn nhw i gyd am roi eu Cymraeg ar waith. Cefais bleser mawr yn darllen eu cyfansoddiadau.

Wrth feirniadu, roeddwn yn chwilio am dri pheth: sgyrsiau bywiog, difyr; iaith syml, gywir o fewn gofynion lefel Mynediad; ac amrywiaeth o gystrawennau ac amserau'r ferf.

Roedd y sgyrsiau'n amrywio'n fawr iawn, a'r cymeriadau'n trafod ystod eang o bynciau, gan gynnwys gwyliau, plant, gwaith, iechyd a salwch, y tywydd, siopa, teulu, ffilmiau, bywyd cymdeithasol, a dysgu Cymraeg. Mwynheais yr hiwmor mewn rhai a'r defnydd effeithiol o dafodiaith ac idiomau mewn eraill. Roedd amrywiaeth hefyd o ran cywirdeb yr iaith, a methodd rhai gyrraedd y brig oherwydd gwallau sylfaenol, esgeulus. Difyr ond gyda mwy o wallau iaith nag eraill oedd sgyrsiau *Julie, Jinny, Fflur* a *Maggy*. Gwaetha'r modd, roedd nifer o'r cynigion yn rhy hir o lawer. Felly, er bod sgyrsiau *Twm Siôn Cati, Salisbury Grace, Olewydden, Roni* a *Megan* yn dda iawn, nid oeddwn yn teimlo y byddai'n deg i'w cynnwys yn y dosbarth cyntaf. Roedd sgyrsiau *Emma, Carole* a *Richard* yn addawol ond braidd yn fyr. Roedd rhai ceisiadau'n anodd eu darllen a byddai'n well teipio'r gwaith y tro nesa.

Ar ôl hir bendroni, y chwech a gyrhaeddodd y brig oedd:

*Elaine*: Ymgais dda iawn gydag ychydig o wallau iaith. Yn y sgwrs gredadwy hon, mae ffrindiau'n sôn am y tywydd, salwch a mynd i'r sinema.

*Caroline*: Sgwrs dda'n sôn am wyrion ac am ymweliad â Lerpwl. Mae'r Gymraeg yn wych ond dyw'r sgwrs ddim yn llifo mor esmwyth â rhai eraill yn y grŵp yma.

*Kathy*: Mae'r iaith yn gywir ac mae'r sgwrs yn effeithiol, er braidd yn herciog.

*Y Ddraig Gymraeg*: Dyma sgwrs dda'n sôn am ofalu am wyrion, mynd i ddosbarthiadau Cymraeg a chynlluniau am y penwythnos.

*Dilys*: Sgwrs wych rhwng ffrindiau, yn trafod teulu a chynlluniau ar gyfer pen-blwydd un o'r ddwy. Defnydd da iawn o iaith lefel Mynediad i greu sgwrs ddifyr, gredadwy.

*Gwenfair*: Sgwrs fywiog, ddiddorol rhwng ffrindiau, yn sôn am y penwythnos diwetha ac yn gwneud cynlluniau ar gyfer y penwythnos nesa. Mae'r iaith yn gywir ac yn llifo'n naturiol, gan ddefnyddio amrywiaeth o gystrawennau ac amserau'r ferf yn effeithiol iawn.

Rhoddaf y wobr i *Gwenfair* oherwydd naturioldeb ei sgwrs a chywirdeb yr iaith. Llongyfarchiadau gwresog iddi hi ac i bawb arall a gyrhaeddodd y brig.

# Y Sgwrs

*Anwen*   Wel, beth wnest ti dros y penwythnos?
*Catrin*   Aethon i'r sinema i weld *Patagonia*.
*Anwen*   Beth wyt ti'n 'i feddwl o'r ffilm?
*Catrin*   Roedd hi'n wych. Beth wnest ti?
*Anwen*   Aethon ni i dŷ bwyta Eidalaidd.
*Catrin*   Neis. Dw i'n hoffi bwyd Eidalaidd.
*Anwen*   Beth wyt ti'n 'i wneud dros y penwythnos?
*Catrin*   Dw i ddim yn gwneud dim byd.
*Anwen*   Wyt ti eisiau mynd i Gaerdydd i siopa dillad?
*Catrin*   'Na syniad da! Siaradwn ni ar y ffôn heno.
*Anwen*   Ar ôl *Pobl y Cwm*, plis!
*Catrin*   Iawn. Rhaid i fi fynd nawr.
*Anwen*   Mae'n dda dy weld ti! Hwyl fawr!

**Gwenfair**

**Blog neu ddyddiadur.** Tua 150 o eiriau. Lefel: Sylfaen

---

BEIRNIADAETH MARK STONELAKE

Daeth pedair ymgais i law. Maent ar destunau amrywiol, gyda'u cynnwys yn glynu yn y cof, a chefais y gweithiau hyn i gyd yn ddiddorol i'w darllen.

*Y Gonzo Wych*: 'Blog Ffred'. Ymgais dda oedd yn debycach i stori fer â thro yn ei chynffon na blog. Dim ond ar ddiwedd y darn yr ydym yn darganfod bod yr awdur yng Ngharchar Durham am ladd ei wraig. Er bod rhai diffygion, mae hwn yn waith da ar y cyfan nad yw'n datgelu ei gyfrinach tan y llinell olaf.

*Y Cwcw*: Blog neu ddyddiadur mam brysur dros ddau ddiwrnod ym mis Chwefror yw testun y gwaith hwn. Ymdrech deg sy'n cyfleu teimladau'r awdur er bod cryn nifer o wallau iaith elfennol ynddi.

*Fysedd gwyrdd*: 'Dyddiadur Garddio'. Gwaith diddorol iawn, wedi'i gyflwyno'n drawiadol heb lawer o wallau iaith ac yn cynnwys llun. Mae'r awdur yn dewis tri dyddiad yn ystod y flwyddyn arddio i ddangos yr hyn a wneir yn yr ardd ar wahanol adegau gan ddefnyddio amrywiaeth o amserau'r ferf yn effeithiol.

*Marchog*: 'Noswaith Tywyll Hir'. Mae'r awdur yn y darn hwn yn meddwl am ddyddiau 'hirfelyn tesog' ei wyliau ar noson hir dywyll. Mae'r gwaith hefyd yn cynnwys cerdyn post at ei fab yn sôn am helyntion ei fam yn gwisgo *bikini* oedd yn llawer rhy fach iddi! Ymdrech dda ar y cyfan ond ni theimlais i'r awdur gadw at ffurf nac arddull blog neu ddyddiadur.

Rhoddaf y wobr i *Fysedd gwyrdd*.

# Y Dyddiadur

## Ionawr 25, 2011

Wel, bydda i'n brysur yn yr ardd eleni! Mae llawer o hadau yn fy mocs hadau i. Heddiw, plannais saets a theim yn y ffrâm dyfu. Os bydd y tywydd yn braf dros y penwythnos nesa, rhaid i mi blannu pys. Mae coeden afalau newydd mewn pot bach – baswn i wedi ei phlannu yn yr ardd heddiw ond mae hi'n rhy oer.

## Mehefin 16, 2011

*Cofio*! Phlanna i ddim betys yn fy ngardd eto! Mae llawer o ddail ar y planhigion ond mae'r gwreiddiau'n llai na phys. Byddwn ni'n bwyta llawer o bys cyn bo hir – mae'r planhigion pys wedi bod yn tyfu ers mis Mai. Ar hyn o bryd, rydyn ni'n bwyta moron, pigoglys, mefys, mafon a ffa.

## Hydref 30, 2011

Mae fy ngardd i'n barod i fynd i gysgu nawr, roedd hi'n brysur eleni. Taclusais i'r ardd yr wythnos ddiwetha ond mae llawer o ddail wedi cwympo i lawr dros y penwythnos. Os na fydd y ddaear wedi rhewi yfory, bydda i'n plannu ffa – roedd y cylchgrawn yn dweud: 'Plannwch ffa y flwyddyn nesa nawr'! Arhosiff y cennin yn yr ardd – gobeithio y bwytawn ni ein cennin dros y Nadolig.

**Fysedd gwyrdd**


### Nodyn gan y Golygydd
Ymddiheuraf i'r cystadleuydd nad oedd modd atgynhyrchu'r llungopi o'i ardd a amgaeodd gyda'i ddyddiadur.


251

# Llythyr neu ebost at eich tiwtor/athro. Lefel: Canolradd

BEIRNIADAETH EIRIAN WYN CONLON

Daeth deuddeg ymgais i law, naw llythyr a phedwar e-bost. Rhoddodd pob un lawer o fwynhad i mi wrth eu darllen ac roedd bron pob un ar lefel addas. Y rhai sy'n aros yn y cof ydi'r llythyrau/ e-byst sy'n rhoi'r argraff eu bod yn negeseuon go iawn ac nid yn waith cartref yn unig. Roedd hi'n ddiddorol gweld defnydd nifer o'r cystadleuwyr o idiomau difyr – yn wir, mi ddysgais i un newydd oedd yn amlwg yn gyfarwydd i fwy nag un o'r ymgeiswyr, sef 'top y tebot'!

Dyma air byr am y deuddeg:

*Maisey Clare*: Mae'n diolch i'w thiwtor yn gynnes am ei holl gymorth. Mae 'na ambell ddefnydd da o idiomau, a gobeithio'n wir y bydd hi'n parhau â`r cwrs Uwch y flwyddyn nesa.

*Alaw*: Gwaetha'r modd, daeth i'r penderfyniad y dylai ddechrau'r cwrs o'r newydd unwaith eto. Er ei bod yn gwybod tipyn o Gymraeg, ac er bod ei defnydd o idiomau'n werth chweil, mae'n bosib ei bod yn iawn i feddwl nad ydi hi mor hyderus ar lefel Canolradd â gweddill y cystadleuwyr. Gobeithio y bydd yn dal ati, ac fel y dywed: 'gwell peidio rhoi'r ffidil yn y to, dyfal donc a dyr y garreg'!

*Maggie T*: Ysgrifennodd lythyr effeithiol a chywir yn gwahodd ei thiwtor i recordiad o'r rhaglen `Jonathan`. Ymgais ddifyr ond ychydig yn fyrrach na'r goreuon yn y gystadleuaeth.

Mae mwy o sylwedd a gwreiddioldeb yng ngwaith y naw sydd ar ôl.

*Chappers*: Mae'n awyddus i gystadlu yn yr Eisteddfod ac yn edrych ymlaen at ganu ym Maes D. Mae hi'n llawn brwdfrydedd wrth sôn am ddewis cân. Mae ei defnydd hithau o idiomau'n effeithiol.

*Robin Goch Fach*: Mae'n sgwennu e-bost hynod o gredadwy a naturiol efo llawer o hiwmor – ac mae taith i'r Eisteddfod a Maes D ar y gweill yma eto. Mae'r cynnwys yn ddifyr dros ben ond gallai fod wedi dangos yr e-bost i'r tiwtor cyn ei anfon i'r gystadleuaeth o bosib er mwyn cywiro rhai gwallau. Ond gobeithio'n wir y bydd yn mwynhau'r Eisteddfod fel arfer ac yn mentro i Ddinbych y flwyddyn nesa!

*Menyw y Clogwyn*: Mae'n e-bostio ei thiwtor i ofyn am gymorth efo dysgu arddodiaid. Syniad diddorol sydd yma o roi'r ateb cywir yn yr e-bost a`r ateb anghywir (gan amlaf) mewn cromfachau. Mae 'na neges ymarferol ganddi hefyd, lle mae'n ymddiheuro ymlaen llaw am golli cyfarfod nesaf y dosbarth.

*Pamela Vieira*: Mae ar ei ffordd i Frasil i weld ei theulu. Mae'r llythyr yma'n gynnes a chredadwy. Mae'r idiomau'n frith drwy'r llythyr hwn eto ond efallai y gallai fod wedi ailddarllen ei gwaith yn ofalus neu ddangos ei llythyr i'w thiwtor cyn ei anfon i'r gystadleuaeth er mwyn ei gywiro ychydig.

Mae pum ymgais ar ôl, a dyma'r goreuon. Byddent i gyd yn deilwng o'r wobr – ac mae pob un yn cynrychioli carfan bwysig o'r bobol sy'n dysgu'r iaith ac yn gwneud cyfraniad gwerthfawr i'r diwylliant Cymraeg.

*Seren Siriol*: Mae'n anfon e-bost at ei thiwtor yn Llundain i sôn am ei phrofiad ers iddi hi symud i Lanidloes i fyw. Mae'n cymharu'r profiad o ddysgu Cymraeg yn y ddau le. E-bost cryno a chywir, yn llawn balchder ei bod wedi dal ati yn Llundain er mwyn cyrraedd Cymru a medru defnyddio'r iaith.

*Catrin Efrog*: Mae'n ysgrifennu at ei thiwtor, mewn arddull sgyrsiol hyfryd, i esbonio pam mae hi'n mwynhau dysgu Cymraeg. Braf iawn cael rhywun mor adeiladol mewn dosbarth. Mae hi'n gwerthfawrogi manteision byw mewn gwlad ddwyieithog – er bod angen cymryd gofal wrth astudio'r arwyddion ar y ffyrdd!

*Pili Pala Fach*: Gofyn ffafr a wna i'w thiwtor – mae angen tystlythyr yn Gymraeg arni gan ei bod am ymgeisio am swydd mewn ysgol Gymraeg. Mae hi'n ysgrifennu'n gywir a graenus – ac unwaith eto'n mwynhau defnyddio idiomau. Dyma enghraifft (sy'n dangos y math o ddefnydd a gafwyd o idiomau gan gynifer o'r cystadleuwyr): 'Dw i'n gwybod mod i'n dal i ddysgu ond ceffyl da ydy ewyllys. Mae hi'n hen bryd i mi ddefnyddio'r iaith bob dydd yn y gwaith. Wel, deuparth gwaith ei ddechrau'.

*Cennin Pedr* ydi`r unig ymgeisydd sy' wedi cyflwyno'i llythyr mewn llawysgrifen hyfryd ar bapur sgwennu lliwgar – ffordd dda i ddylanwadu ar feirniad! Mae'r llythyr yn llawn helbulon a hanesion difyr. Mae tipyn o hiwmor yma – tybed a oedd hi'n ffugio salwch i gael gwared â'i nai drygionus?

*Briallen*: Diolch i'w thiwtor y mae hi hefyd, gan hel atgofion am ei gwers gyntaf a`r daith wedi hynny. Mae ei brwdfrydedd yn heintus – ac wedi fy atgoffa i fynd nôl i edrych ar y llyfr *Can Lle* ... er mwyn cyfri i faint o'r llefydd y bûm innau, ac i geisio ymweld â rhagor! Mae hi hefyd yn diolch i'r awduron sy'n rhoi cymaint o gymorth i'r rhai sy' hanner ffordd at ddod yn rhugl efo'u llyfrau pwrpasol ar gyfer dysgwyr.

Diolch o galon i bob un o'r deuddeg cystadleuydd am anfon deunydd difyr sy'n werth ei ddarllen. Daliwch ati i ysgrifennu yn Gymraeg a mwynhau'r iaith ym mhob ffordd arall. Ond mae'n rhaid dewis enillydd ac, ar ôl hir bendroni, rydw i am roi'r wobr i *Briallen* am yr amrywiaeth o bethau sy'n ei hysbrydoli ac am ei brwdfrydedd arbennig. Llongyfarchiadau iddi hi.

# Y Llythyr

Tyddewi
Dydd Mercher, y pedwerydd ar hugain o Fawrth. 2012

Annwyl Margaret,

Gair byr i ddiolch i chi o galon. Pedair blynedd! Dw i'n dysgu Cymraeg ers pedair blynedd a dw wedi mwynhau'r profiad yn fawr. Pan gyrhaeddais Gymru, bedair blynedd yn ôl, ro'n i eisiau dysgu am y wlad, am bethau Cymreig a dysgu'r iaith, wrth gwrs! Felly, cofrestrais yn fyfyrwraig unwaith eto.

Y wers gynta, es i ar gefn y beic, heibio'r Eglwys Gadeiriol, lan y rhiw i'r ddinas, i chwilio am dŷ bychan ar y sgwâr yn Nhyddewi. Do'n i ddim yn gwybod fy mod i ar drothwy byd newydd. Roedd y 'stafell yn glyd iawn. Roeddech chi wrth y drws. 'Bore da', dwedoch chi ... ac ro'n i'n rhy nerfus i ateb! Eisteddais, edrychais i ar y bobl a fyddai'n ffrindiau da cyn bo hir.

Diolch yn fawr am y storïau, y farddoniaeth, y ganiadaeth a hanes Cymru. Syrthiais mewn cariad â Chymru a'i iaith bob yn dipyn. Daethoch chi i'r dosbarth â llyfr gan John Davies – *Can Lle* oedd ei enw e – roedd e'n ysbrydoliaeth i mi. Dw i wedi ymweld â thri deg tri o'r llefydd yn barod! Ro'n i wrth fy modd yn enwedig yn Ynys Môn. Roedd y siambrau claddu'n fendigedig gydag enwau gwych, fel Barclodiad y Gawres! Es i, hefyd, i Ynys Llanddwyn ar ôl clywed eich stori drist am Ddwynwen a Maelor a hanes ei droi'n dalp o iâ! Roedd yr ynys mor hardd!

Roedd hi'n gyffrous iawn darllen fy llyfr cynta yn Gymraeg. Diolch i chi a diolch i Bethan Gwanas a Lois Arnold, a.y.b! Ac wedyn llyfrau T. Llew Jones: anturiaethau Barti Ddu ar y môr a'i ddychweliad trist i Gasnewy' Bach, bywyd sipsiwn Tim Boswell a'i ddewis anodd yn *Tân ar y Comin*, a stori am ddyn ofnus a ddaeth at y dollborth gyda'r nos yn *Un Noson Dywyll*. Ond fy hoff lyfr ar hyn o bryd, top y tebot yw ... *Straeon o'r Mabinogi* gan Mererid Hopwood a Brett Breckon. Mae e'n llyfr hyfryd, hyfryd! Dw i'n ei ddarllen drosodd a drosodd.

Dwedoch chi bod rhaid i ni fynd i foreau coffi, i Merched y Wawr ... siarad, siarad, siarad! Mynd i'r clonc bach, i'r clonc mawr! ... siarad, siarad, siarad ... mynd i Sadwrn Siarad, i'r swyddfa'r bost ... siarad, siarad, siarad. Rhaid i ni siarad ar y stryd, yn yr eglwys, gyda ffrindiau. Dw i'n gweithio'n galed ond dw i ddim yn rhugl o gwbl! 'Sdim ots! Yn hwyr neu'n hwyrach. mi siarada i â chi mewn Cymraeg perffaith!

Cofion cynnes,
Briallen

**Briallen**

## Adolygiad o lyfr neu *cd* Cymraeg. Tua 300 o eiriau. Lefel: Agored

BEIRNIADAETH GERAINT WILSON-PRICE

Daeth naw o adolygiadau i law ac er y byddai wedi bod yn braf derbyn rhagor gan gofio pa mor bwysig ac allweddol yw darllen llyfrau i ddysgwyr Cymraeg, rhaid canmol y rhai hynny a benderfynodd gystadlu eleni. Rwy'n ddiolchgar iawn i bob un ohonynt am eu hymdrechion clodwiw.

Yn ôl y disgwyl, roedd rhai wedi cyrraedd safon uwch na'i gilydd ond ar y cyfan roedd safon yr iaith yn uchel iawn a llwyddodd pob un i'w fynegi ei hun yn dda. Peth braf oedd gweld priod-ddulliau a diarhebion roedden nhw wedi'u dysgu yn eu gwersi neu wedi'u darllen yn codi'n gyson yn eu gwaith. Ac mae pob tiwtor yn ymfalchïo o weld y rhain yng ngwaith dysgwyr y lefel hon. Er hynny, dylid nodi bod rhai gwallau cyfarwydd yn codi o hyd. Y rhai mwyaf cyffredin oedd camdreiglo, trosi o'r Saesneg, a'r genidol sy'n peri anhawster hyd yn oed i'r dysgwyr gorau ar adegau. Ond gan mai ysgrifennu adolygiad yw nod y gystadleuaeth hon, roeddwn yn fodlon maddau i'r cystadleuwyr am ambell lithriad yma ac acw ac wrth reswm roeddwn am weld adolygiad go iawn yn hytrach nag ailddweud yr hyn a ddigwyddodd.

Dyma ychydig o sylwadau ar bob ymgais:

*Y Tyst*: *'Ar Lan y Môr y mae ...'*. Adolygiad o nofel John Gwynne sy yma gyda disgrifiad byr o'r stori, ynghyd â dadansoddiad a gwerthusiad da iawn o'r nofel o safbwynt y cymeriadau a dawn y storïwr. Mwynhaodd yr adolygydd y nofel yn fawr ac mae'n edrych ymlaen at ail lyfr yr awdur. Mae'r adolygiad yn llifo'n dda ac yn gywir iawn.

*Twm o'r Nos*: *'Cythral o Dân'*. Hanes llosgi'r Ysgol Fomio a geir yma ac mae'r adolygydd yn crynhoi digwyddiadau'r noson a'r canlyniadau wedyn. Mae'n canmol sut mae'r llyfr yn codi cwestiynau pwysig heb roi atebion rhwydd ac yn peri i'r darllenydd feddwl yn ddyfnach. Efallai y gellid cynnwys mwy o werthuso i wneud yr adolygiad yn adolygiad go iawn. Iaith ddigon cywir ar y cyfan er bod ambell gystrawen chwithig sy'n torri ar draws llif yr adolygiad.

*Y Pysgotwr*: *'Beti Bwt'*. Nofel a leolir yn y pum degau yw hon ac nid stori hiraethus am y cyfnod hwnnw yn unig a geir yn *Beti Bwt* yn ôl yr adolygydd ond stori galonogol sy'n codi gwên ac sy'n achosi dagrau. Adolygiad digon diddorol er y gallai'r awdur fod wedi gwerthuso'r nofel yn fwy trwy nodi unrhyw feirniadaeth. Mae'r Gymraeg yn gywir at ei gilydd er bod ambell gamdreiglad yma ac acw.

*Igam-Ogam*: '*Annwn*'. Y tro hwn, ceir adolygiad o *cd* Catrin Finch. Mae'r awdur yn rhoi ychydig o wybodaeth am gynnwys y *cd* gan nodi'r traciau gwahanol ac yn tynnu sylw at wahaniaethau rhwng y fersiynau hyn a'r rhai mwy traddodiadol. Rhydd yr awdur adolygiad manwl iawn gan dynnu sylw at allu a dawn y delynores i gyflwyno'r caneuon mewn ffordd unigryw. Er gwaetha'r canmol mawr, nid yw *Igam-Ogam* yn ofni beirniadu'r *cd*. Mae'r ffaith bwysig fod yr adolygydd yn codi awydd mawr ar y darllenydd i brynu'r *cd* yn arwydd o adolygiad llwyddiannus. Mae'r Gymraeg o safon uchel hefyd.

*Rhwng Dau Feddwl*: '*Cyfrinachau Llynnoedd Eryri*'. Adolygiad o lyfr am lynnoedd Eryri yw'r testun yma. Mae'r adolygydd yn amlinellu cynnwys y llyfr diddorol hwn, casgliad o luniau godidog a hanesion difyr llynnoedd yr ardal. Ceir disgrifiad da a diddorol o'r ffordd yr aeth yr awdur ati i gynllunio'r llyfr. Er bod y llyfr ei hun yn plesio'n fawr, mae beirniadaethau amdano: nid oes mynegai sy'n achosi problemau o safbwynt dod o hyd i rai llynnoedd ac, yn bwysicaf oll, nid llyfr dwyieithog ydyw, mewn gwironedd, er gwaetha'r broliant. Nid yw *Rhwng Dau Feddwl* yn ofni ysgrifennu plaen! Cymraeg clir a graenus.

*Piper Fach*: '*Geirie yn y Niwl*'. *Cd* newydd Dewi Pws yw testun yr adolygiad yma. Ceir ysgrifennu clir a digon difyr am y *cd*. Er nad oes adolygiad manwl o'r caneuon o unrhyw safbwynt cerddorol, mae'r adolygydd yn amlwg yn mwynhau'r caneuon ac yn cyflwyno'i deimladau'n glir. Mae'n gwerthfawrogi hiwmor Pws ac yn meddwl bod rhywbeth yn y *cd* at ddant pawb. Mae nifer o wallau gramadegol yn y darn ond nid ydynt yn amharu'n ormodol ar lif y cynnwys.

*Bachgen o Diryberth*: '*Y Tiwniwr Piano*'. Yn ôl yr adolygydd, mae hon yn stori bleserus gyda disgrifiadau graffig o ymddygiad rhywiol yn y Gymru gyfoes. Mae'r stori'n ymwneud â'r cymeriadau Efan, y tiwniwr piano, Crid, Ed, Meryl a Gwen. Mae'r Gymraeg yn gywir ac mae'r darn yn llifo'n weddol dda. Ond, gwaetha'r modd, disgrifiad o'r hyn sy'n digwydd yn y nofel yn unig a geir yma ac nid oes unrhyw werthuso o gwbl a fyddai'n ei wneud yn adolygiad go iawn.

*Y Gelli*: '*Yn ôl i Gbara*'. Rhaglen deledu am Bethan Gwanas yn dychwelyd i Gbara ar ôl ei chyfnod yno yn yr wyth degau sydd dan sylw. Braidd yn ddisgrifiadol yw'r adolygiad ar y cyfan a byddai'n well petai'r cystadleuydd hwn wedi gwerthuso'r rhaglen yn fwy. Ond wedi dweud hynny, mae'r adolygydd yn amlwg wedi mwynhau'r rhaglen yn fawr, gan dynnu sylw at yr emosiynau cryf yn y rhaglen a gododd ar ôl yr holl flynyddoedd. Mae Cymraeg yr adolygydd yn dda iawn ar y cyfan er bod ambell lithriad.

*Y Cricedwr*: *'O Drelew i Dre-fach'*. Hanes Ellen, Nel Fach y Bwcs, yw testun y llyfr hwn. Mae'n stori hynod ddiddorol a thorcalonnus sy'n adrodd am gyfeillgarwch ac agosatrwydd teulu Ellen. Mae'r adolygydd ym amlwg wedi'i mwynhau. Ond er bod Cymraeg yr adolygydd o safon uchel ac yn gywir iawn, mae'r adolygiad yn tueddu i fod braidd yn ddisgrifiadol, gan adrodd hanes Ellen yn unig yn hytrach na chynnig gwerthusiad o'r llyfr.

Hoffwn ddiolch i bob un a gystadlodd. Mawr obeithiaf y byddant i gyd yn dal ati gyda'r Gymraeg ac y byddant yn cystadlu eto. Yn ddiau, nid oedd yn hawdd penderfynu. Ond o drwch blewyn, gosodaf *Rhwng Dau Feddwl* yn drydydd, *Y Tyst* yn ail ac *Igam-Ogam* yn gyntaf.

# Yr Adolygiad

## ADOLYGIAD O *CD ANNWN* GAN CATRIN FINCH

Casgliad o ganeuon traddodiadol Cymreig ydi *Annwn*, yr albwm diweddaraf gan gyn-delynores y Tywysog Charles, sef Catrin Finch. Mae'r albwm wedi cael ei ysbrydoli gan straeon y Mabinogi. Annwn ydi enw'r byd arall yn y straeon – byd o hyfrydwch ac ieuenctid tragwyddol.

Mae'r albwm yn cynnwys caneuon fel 'Cwyn Mam yng Nghyfraith', 'Mil Harddach' ac 'Ar Lan y Môr'. Ond os 'dach chi'n meddwl eich bod chi wedi clywed yr hen ganeuon hyn o'r blaen, meddyliwch unwaith eto, gan eu bod nhw wedi cael eu trefnu gan Catrin mewn arddull fodern a jasaidd.

Mae'n rhaid bod Catrin wedi bod yn brysur iawn efo'r albwm achos, yn ogystal â chanu'r delyn, hi fu'n recordio a chynhyrchu'r albwm efo'i gŵr, ac am y tro cyntaf mae hi'n canu yn ei llais mwyn ar albwm hefyd.

Mae rhai caneuon heb eiriau, ac felly mae'r gerddoriaeth, yn enwedig rhan y delyn, yn gorfod cyfleu teimladau o gariad, hwyl, hiraeth, ac yn y blaen, ar ei phen ei hun. Yn 'Cwyn Mam yng Nghyfraith', er enghraifft, 'dach chi'n gallu clywed sŵn y cwyno trwy'r gerddoriaeth ac yn 'Llongau Caernarfon' 'dach chi'n gallu clywed sŵn y môr. Wrth gwrs, mae Catrin yn lwcus bod y melodïau gwreiddiol mor hyfryd, ond heb ei threfniadau cyffrous a'i pherfformiadau cryf ar y delyn, 'fasai'r caneuon ddim mor llwyddiannus.

Er i mi fwynhau rhan y delyn ar y traciau, weithiau doedd y gerddoriaeth gefndirol ddim mor effeithiol. Er enghraifft, yn ystod 'Tra Bo Dau', roeddwn i'n meddwl bod y gerddoriaeth gefndirol fel 'musak' – y math o gerddoriaeth neis-neis 'dach chi'n ei chlywed yn aml mewn lifft neu ar y ffôn os 'dach chi'n galw llinellau cymorth.

O roi problem y gerddoriaeth gefndirol ar un ochr, dw i'n credu bod *Annwn* yn broject llwyddiannus. Yn anffodus, dw i ddim wedi canfod ieuenctid tragwyddol wrth wrando ar 'Annwn'. Ond, o dro i dro, wrth wrando ar yr albwm, dw i wedi cau fy llygaid a dianc am dipyn o fy myd arferol.

**Igam-Ogam**

# Gwaith Grŵp neu unigol

**Cywaith** yn cynnwys casgliad o ddeunydd amrywiol mewn unrhyw gyfrwng. Lefel: Agored

BEIRNIADAETH HEINI GRUFFUDD

Dim ond tri grŵp sydd wedi cystadlu. Mae llunio cywaith yn gallu bod yn weithgaredd cadarnhaol mewn dosbarth neu grŵp dysgwyr. Gyda rhaglenni cyfrifiadur yn gallu cyfuno lluniau a thestun yn eitha hawdd, mae'n drueni na fentrodd rhagor.

Mae dau gywaith yn weddol debyg i'w gilydd. Cynhyrchodd *Parti Gele* a *Canolfan Fowlio Prestatyn* bapur pedair tudalen yn cyflwyno'u hardal, ar ffurf papur bro. Mae'r ddau'n cynnwys tua dwsin o luniau lliw ac eitemau byr a diddorol gan y dysgwyr.

*Parti Gele*: 'Ein Ardal Ni: Abergele'. Mae cywaith y parti hwn yn cynnwys eitemau am eglwysi a Chastell Gwrych, gydag un dudalen yn sôn am feddau mewn mynwentydd. Mae arysgrif un o'r beddau'n awgrymu bod arfordir gogledd Cymru wedi'i foddi gan y môr. Mae pedwar o'r parti wedi cyfrannu. Mae'n braf gweld gwahanol lefelau o ysgrifennu, gyda rhai eitemau'n fwy llafar ac eraill yn fwy ffurfiol. Mae angen ychydig ofal wrth baratoi eitemau ar ffurf papur, gyda'r gosod a'r ffont. Un anhawster yw torri geiriau ar ddiwedd llinell, e.e. caiff 'cyhoeddus' ei rannu rhwng yr 'dd'.

*Canolfan Fowlio Prestatyn*: 'Ein Ardal Ni: Prestatyn'. Mae wyth o gyfranwyr wedi ysgrifennu yn y cywaith hwn. (Mae'n ddiddorol nad oes 'h' ar ôl 'ein' gan yr un o'r ddau grŵp: mae'r Gymraeg yn prysur newid.) Mae'r lluniau yn y papur hwn yn fwy trawiadol. Ar ôl cyflwyno'r ardal yn y ddwy dudalen gyntaf, gydag eitemau byr ar hanes y Rhufeiniaid a Chlawdd Offa, mae eitemau ar ddiddordebau'r cyfranwyr yn yr ardal, gan gynnwys golff, rownderi a physgota. Mae'r papur yn gorffen gyda disgrifiadau o ganol y dref a'r hyn sydd i'w weld ac i'w wneud yno. Mae lefel iaith y naw yn debyg, heb fod yn rhy uchelgeisiol, ac mae'r eitemau'n hwyliog gan gynnwys tipyn o hiwmor. Mae gosodiad y tudalennau ychydig yn fwy bywiog na phapur *Parti Gele*.

*Criw Dros y Bont*: 'Dysgu Cymraeg'. Mae hwn yn gywaith gwahanol iawn. Mae'n llyfryn 28 tudalen sy'n rhoi gwybodaeth am sut i ddysgu'r Gymraeg yn Basingstoke. Mae naw wedi cyfrannu eitemau, gyda phedwar yn sôn am sut y gwnaethon nhw ddysgu Cymraeg. Trueni nad oes lluniau ohonyn nhw.

Mae eitemau eraill yn sôn am ddiddordebau'r cyfranwyr: un yn ysgrifennu am ei hoff gân, un arall am ei hoff lyfr. Mae'r llyfryn wedyn yn cynnwys nodiadau ar sgyrsiau a roddodd y rhain i'r Gymdeithas, un am noson yn y theatr ac un arall am ddoliau gwellt, un yn sôn am ei deulu ac un am dref Aberdâr. Nodir bod y sgyrsiau llawn i'w gweld ar wefan y Gymdeithas ond er chwilio yno, methais ddod o hyd iddyn nhw. Roedd y wefan yn cynnwys nifer o luniau bywiog a byddai'n dda pe bai'r llyfryn wedi cynnwys rhai o'r rhain. Mae gweddill y llyfryn yn rhoi cyfarwyddiadau defnyddiol ar sut i fynd ati i ddysgu ac yn nodi cysylltiadau â phrifysgolion a'r cyfryngau, gwefannau a gweisg, ac yn gorffen gydag enwau swyddogion y gymdeithas. Mae'r llyfryn yn gyfan gwbl ddwyieithog. Mae'r Saesneg yn hanfodol i fwriad y llyfr, sef cyflwyno'r iaith i ddysgwyr newydd, ac nid oes modd ei wobrwyo, felly. Byddai cyfraniad y dysgwyr, yn ysgrifau a sgyrsiau, gyda lluniau ohonyn nhw, wedi rhoi llyfryn da o gynnyrch y dosbarth, ac wedi ennill. Diolch i'r dysgwyr hyn am eu brwdfrydedd amlwg. Bydd y llyfryn yn help i ddysgwyr newydd ddod at y Gymraeg.

Fel y mae, rydw i'n rhoi'r wobr i *Canolfan Fowlio Prestatyn*.

# PARATOI DEUNYDD AR GYFER DYSGWYR

Agored i ddysgwyr a siaradwyr Cymraeg

**Casgliad o sgriptiau deialog a darnau gwrando a deall** yn addas i lefelau Mynediad a Sylfaen. Lefel: Agored

---

BEIRNIADAETH HAYDN HUGHES

Yn ei feirniadaeth ar y gystadleuaeth hon y llynedd, tynnodd Elwyn Hughes sylw at amwyster geiriad y testun. Nid oedd y fath amwyster yn bodoli eleni. Roedd yr amodau'n glir. Mae cyfeirio at y lefelau'n awgrymu mai at ddysgwyr sy'n oedolion yr anelir y deunyddiau ac nid at blant ysgol. Efallai na fyddai hynny'n glir i unrhyw un y tu allan i'r maes addysg.

Mae hon yn gystadleuaeth o bwys nid yn unig oherwydd y wobr hael o £100 ond, yn ogystal â hynny, cyflwynir y gwaith buddugol i banel adnoddau Cymraeg i Oedolion Llywodraeth Cymru. Mae maes Cymraeg i Oedolion wedi elwa'n fawr o fuddsoddiad y Llywodraeth yn ystod y pum mlynedd diwethaf. Mae wedi ei broffesiynoli i raddau helaeth, a da hynny. Mae'r deunyddiau sydd ar gael i diwtoriaid y dyddiau hyn o ansawdd uchel iawn. Mae diwyg da ar y cwrslyfrau, sydd i gyd wedi eu hysgrifennu gan arbenigwyr yn y maes. Ceir ynddynt ddarnau gwrando pwrpasol a deialogau i gyd-destunu'r patrymau iaith a ddysgir. Yn sgîl datblygu 'Y Bont', porth electronig i rannu adnoddau dysgu, disgwylir nifer o adnoddau digidol newydd ar gyfer y maes. Gwn fod nifer o diwtoriaid ymroddgar a thalentog yn creu eu hadnoddau eu hunain i ychwanegu at yr hyn sydd ar gael.

O ystyried yr uchod, trueni felly na ddefnyddiwyd ychydig mwy o ddychymyg wrth ddewis y testun eleni. Byddai creu adnoddau i gyd-fynd â'r datblygiadau cyffrous ym myd Cymraeg i Oedolion o bosibl wedi denu cystadleuwyr o'r maes ei hun. Mae gwir angen gwybodaeth o beth yw ystyr 'lefelau Mynediad a Sylfaen' o ran y cywair a'r eirfa a ddefnyddir ac o ran cyrhaeddiad disgwyliedig dysgwyr ar y lefelau hyn. Mae'n anodd gweld sut y gall unrhyw un sydd yn anghyfarwydd â'r maes, un ai fel dysgwr neu ddiwtor, gyrraedd y safon yn y gystadleuaeth hon.

Fel mae'n digwydd, un casgliad a ddaeth i law, sef eiddo *Clychau'r gog*. Ceir yma chwe darn darllen a deall (nad oedd yn un o ofynion y gystadleuaeth), tair deialog a thair tasg gyfieithu (nad oeddent chwaith yn un o'r gofynion). Ni chafwyd darnau gwrando a deall o gwbl. Efallai y byddai modd recordio rhannau o'r darnau darllen ond nid oedd blas llafar arnynt drwyddi draw.

Nid oedd yr un o'r darnau'n addas ar gyfer lefel Mynediad a Sylfaen o ran cywair na geirfa. Mae nifer fawr o ddysgwyr sydd yn dilyn cyrsiau Wlpan yn cyrraedd y lefel hon ar ddiwedd eu blwyddyn gyntaf. Y cywair llafar anffurfiol a gyflwynir iddynt er mwyn eu harfogi i gynnal sgyrsiau elfennol gyda ffrindiau a theulu. Go brin y byddai dysgwyr ar lefel Uwch hyd yn oed yn gallu ymdopi â'r pennill hwn: 'Cest dy ddymchwel, a'th ddifrïo, / 'Rwyt ymysg y creiriau heno, / Yma bellach dy gynefin, / Ti hen dderwen Tref Caerfyrddin'.

Pob clod i *Clychau'r gog* am ei ymdrech. Mae ôl gwaith caled yma, mae'r iaith yn lân, y darnau'n amrywiol a cheir talp iach o hiwmor ynddynt. Gwaetha'r modd, nid yn y gystadleuaeth hon yr oedd lle'r casgliad ac, am y trydydd tro mewn pedair blynedd, bydd rhaid atal y wobr.

# ADRAN CERDDORIAETH

## Tlws y Cerddor

**Sonata** i delyn a ffliwt a ddylai gynnwys o leiaf dri symudiad gwrthgyferbyniol hyd at 10 munud o hyd

---

BEIRNIADAETH RICHARD ELFYN JONES A DEIAN ROWLANDS

Gofynnwyd eleni am sonata, a chan fod cryn amheuaeth erbyn y ganrif newydd hon ynghylch beth yn union yw 'sonata', dylem drafod y diffiniad o'r term yn ein hoes ni. Nid ymarferiad academaidd mo hyn oherwydd mae esbonio 'sonata' yn berthnasol mewn perthynas ag un o'r ceisiadau, sef eiddo *Deryn Amheuthun*, a oedd heb gynnwys y gair yn nheitl ei waith. Yn ystod y ganrif a hanner a aeth heibio, pellhaodd y sonata o'i chyd-destun clasurol gwreiddiol a'r disgwyliadau penodol ynglŷn â'i ffurf. Gwelwyd y rhyddid newydd mewn strwythur a mynegiant yn sonatau Liszt, Debussy, Schoenberg, Stravinsky, a sawl un arall ar eu hôl fel Tippett a Boulez. Os gallwn ddiffinio'r sonata yn ei dull mwy diweddar fel gwaith amwys iawn ei ffurf, oherwydd bod y diffiniad clasurol gwreiddiol wedi ei ddiddymu, yna addas yw i ni ystyried 'sonata' yng nghyswllt y gystadleuaeth hon mewn ffordd eang, ryddfrydol.

Dyma sylwadau byrion ar bob ymgais.

*Anest*: 'Sonata Werin ar gyfer Ffliwt a Thelyn'. Mae'r gwaith hwn yn dechrau gyda syniad llawn asbri ond sy'n datblygu dros 32 bar yn unig ac yna'n gorffen; gwaetha'r modd, nid oes ail syniad fel y disgwyliem. Mae'r ail symudiad yn llawer mwy swmpus ond mae'r llif a'r gynghanedd braidd yn arwynebol gan mai naws cerddoriaeth gefndirol a geir yma. Ar ddechrau'r trydydd symudiad, fe'n hatgoffir o gywreinrwydd rhythmig William Mathias ac mae hyn yn argoeli'n dda ond nid oes digon o ddychymyg wrth ddatblygu'r deunydd.

*Tomos*: 'Sonata Antique'. Fel yr awgryma'r teitl, ceisio ailgyfleu swyn y gorffennol a wneir a gellid cymharu *Tomos* gydag *Anest* yn hyn o beth oherwydd eu harddulliau confensiynol a cheidwadol. Mae llais telynegol gan *Tomos* ond nid yw'n llwyddo i grisialu ei syniadau mewn dull sy'n argyhoeddi. Ni chynorthwywyd hyn gan fyrder y symudiad agoriadol (26 bar yn unig). Byr iawn yw'r ail symudiad hefyd er bod swyn yma, gydag alaw fachog. Yn gyffredinol, hoffem fod wedi gweld mwy o wreiddioldeb yn y gwaith a ffresni yn y mynegiant. Hefyd, gresyn bod y cyflwyniad technegol i'r delyn yn wallus. Un neges bwysig yr hoffem ei hanfon at y cystadleuwyr (neu, o leiaf, at bawb ond un ohonynt) yw y dylent gymryd cyngor proffesiynol ar ysgrifennu ar gyfer y delyn oherwydd bod y delyn yn offeryn peryglus i unrhyw gyfansoddwr nad yw'n hyddysg yn ei chyfrinachau technegol.

*Milgi*: 'Crynodiadau – Sonata i Delyn a Ffliwt'. Mae'r gwaith hwn yn saith munud o hyd a chyda phum symudiad. Mae hyn yn rhagdybio gwaith cryno. Er gwaethaf y teitl testunol, mae egwyddor gynhenid y sonata ar waith yma. Mae elfen tafod yn y boch gogleisiol i'r symudiad cyntaf sydd ar nodau diatonig yn unig gyda defnydd pryfoclyd o seibiannau sy'n rhoi effaith gellweirus. Arwain hyn at ail symudiad ffantasïol sydd â harmonïau haniaethol, dirgel eu naws. Yma, gwelir personoliaeth gerddorol ddiddorol y cyfansoddwr. Mae'r trydydd symudiad yn siomedig gan ei fod yn adleisio hen droadau Tiwtonaidd anniddorol (fel a geir, dyweder, yng ngweithiau Hindemith pan yw ar ei fwyaf academaidd). Arwynebol braidd yw'r llif yma. Yn y symudiad olaf, difyr yw sylwi ar sut y ceisir syntheseiddio'r deunydd cynharach gan gyfiawnhau'r syniad mai 'sonata' sydd yma wedi'r cwbl. Teimlem, fodd bynnag, fod elfen ailadroddus techneg dynwarediad yn arwain at effaith ystrydebol.

*Llŷr*: 'Sonata i Delyn a Ffliwt'. Mae'n dechrau'n nwyfus gyda phrif thema ddiddorol, ond wrth ddatblygu mae'r gynghanedd yn colli'i ffresni ac mae gormod o hen drawiadau o'r bedwaredd ganrif ar bymtheg a dilyniannau arwynebol. Ceir cordiau diddorol, amwys, lled fodern, ond maent ochr yn ochr â chordiau traddodiadol iawn ac mae hynny'n creu penbleth i'r gwrandäwr ynglŷn â beth yn union yw arddull y darn. Yn yr ail symudiad, crëir perthynas dda rhwng y ddau offeryn ond gresyn fod dilyniannau ailadroddus unwaith eto'n eu hamlygu'u hunain. Yn dilyn, ceir trydydd symudiad sy'n wan yn gynganeddol oherwydd bod gormod o amlygrwydd i gordiau'r tonydd a'r llywydd.

Mae'r ddau ymgeisydd nesaf, *Ianto* a *Gwern*, yn derbyn canmoliaeth arbennig. Haeddant gael eu hystyried mewn dosbarth ar eu pennau'u hunain.

*Ianto*: 'Sonata i Ffliwt a Thelyn'. Prif rinwedd symudiad agoriadol y gwaith yw'r rheolaeth gadarn ar y ffurf a swyn neilltuol yr ail thema. Ond mympwyol, efallai, yw'r ffordd y mae'r syniad cyntaf yn datblygu ac nid yw'n osgoi rhywfaint o rethreg wag ac amherthnasol. Cawsom fwynhad o'r ail a'r trydydd symudiad, y naill yn unol a chryno gyda diweddglo dychmygus a'r llall (Marwnad) yn hyfryd o hiraethus ei lif. Yn y pedwerydd symudiad, nid yw'r deunydd yn ddigon cofiadwy i roi arbenigrwydd; felly, unwaith eto yn y gystadleuaeth hon, gwelir problem diffyg cysondeb.

*Gwern*: 'Sonata i Delyn a Ffliwt'. Cawn ysgafnach arddull nag eiddo *Ianto*. Mae ei symudiad cyntaf yn swmpus a graenus ac yn dechrau'n addawol gyda siglad ei ddawns yn codi'r ysbryd. Fodd bynnag, mae'r ail syniad, gyda'i or-bwyslais ar y nodyn D, yn llai diddorol. Mae naws fyrfyfyrgar dyner yn y *Giocoso* sy'n dilyn ond nid yw'r deunydd yn ein cyffroi ryw lawer er bod rhai 'effeithiau' anghyffredin yn y delyn wrth i'r darn symud tuag at ei ddiweddglo. Hoffem yn arw'r trydydd symudiad, sy'n fyr ac i bwrpas ond gresyn nad yw'r symudiad olaf confensiynol a di-fflach yn cynnal y diddordeb.

Mae'r ymgeisydd a ganlyn, fodd bynnag, yn sefyll mewn dosbarth ar ei ben ei hun.

*Deryn Amheuthun:* 'Cwyn y Gwynt – Tri Symudiad i Ffliwt a Thelyn': Ysgrifennodd waith testunol yn seiliedig ar delyneg enwog John Morris-Jones. Mae arddull y cyfansoddwr yn hollol wahanol i'r hyn a welwyd eisoes. Mae â'i fys ar bŷls y syniadaeth ddiweddaraf am gynghanedd a rhythm. Mae'r gwead yn soffistigedig tu hwnt. Yn gyffredinol, nid gwaith i'w lawn werthfawrogi ar wrando arno unwaith yw hwn. Bu'n rhaid inni archwilio'r tudalennau'n ofalus er mwyn gwerthfawrogi'r cyfrinachau technegol a chyfoeth y mynegiant. Mae 'Cwyn y Gwynt' yn waith mwy cyfoes na'r lleill ond nid dyna'r rheswm am ei osod ar y brig, oherwydd mae'n ddarn o ansawdd uchel sy'n dangos cyfansoddwr sydd â'r gallu i ymdopi â'r rhwystrau technegol i gromatyddiaeth sydd mor aml yn wynebu unrhyw gyfansoddwr cyfoes sy'n ysgrifennu ar gyfer y delyn. Gan ei fod mewn tri symudiad, gallai 'Cwyn y Gwynt' fod wedi adleisio cynllun tri phennill y bardd a byddai hynny'n rhoi cyfle da yn yr ail symudiad i 'hyrddio dagrau' yn gyffrous. Ond na, agwedd lawer mwy anuniongyrchol a haniaethol y geir yma. Mae'r tri symudiad yn lled unol eu gwead, gyda'r symudiad cyntaf dirgel ('Llwydnos Gwynfannus') yn frith o effeithiau a harmonïau ôl-argraffiadol tra mae cynhesrwydd hyfryd y cordiau amryliw jasaidd ar ddechrau'r ail symudiad ('Galargan: Dagrau Ddaw …') yn datrys problem ddyrys offeryn mor anhydrin â'r delyn drwy lwyddo i ffurfio sawl cord wyth nodyn gyda thua chwech o'r nodau'n wahanol. Yn y symudiad olaf ('Breuddwyd'), caiff y gwaith telynegol a hunangynhwysol hwn ei gloriannu yn y plethiad atyniadol unwaith eto rhwng y ffliwt a'r delyn.

Ar ôl ystyried yn fanwl y saith cyfansoddiad, rydym ein dau'n gytûn fod yma ymgeisydd teilwng yng nghystadleuaeth Tlws y Cerddor eleni, sef *Deryn Amheuthun*.

# Emyn-dôn i eiriau Siân Rhiannon

BEIRNIADAETH RHYS JONES

Am ba sawl blwyddyn eto, tybed, y cynhwysir y gystadleuaeth arbennig hon yn nhestunau'r Eisteddfod Genedlaethol? Gyda'r lleihad trist yn niferoedd y rhai hynny sy'n mynychu'r addoliadau cyhoeddus, tranc yr Ysgol Gân a llofruddiaeth y Tonic Sol-ffa gan gerddorion a ddylai wybod yn well, mae'r dyfodol yn fregus. A ydym am wynebu'r dyfodol yn canu unsain yn ein haddoliadau a dibynnu ar ein horganyddion i lenwi'r gynghanedd? At hynny, mae'r arferiad cynyddol o osod sgrîn o flaen y gynulleidfa yn cario geiriau'r emynau'n unig yn ychwanegu at y broblem. I un a fagwyd yn sŵn Cymanfaoedd hynod lwyddiannus ym mhedwar a phum degau'r ganrif ddiwethaf, mae'r sefyllfa bresennol yn peri imi dristáu. Gwn nad yw hyn yn ddarlun cywir o'r sefyllfa ymhobman a gwyn fyd y rhai hynny sy'n cadw'n fyw holl ogoniant y Ganiadaeth Gysegredig.

Fe ddenodd y gystadleuaeth bump ar hugain o donau ac amrediad eang o osodiadau o emyn gwych Siân Rhiannon. Mae'r emyn yn gofyn am gerddoriaeth nwyfus i adlewyrchu holl naws hyfryd y geiriau ac, yn wir, fe gafwyd hyn gan y goreuon. Roedd rhai o'r tonau'n amlwg wedi eu cyfansoddi cyn i'r cerddorion weld geiriau eleni – tonau oedd yn ffitio ond ddim yn gweddu.

Gan fod yr emynydd wedi cynnwys Cytgan Dewisol, fe barodd hyn broblem i rai o'r cyfansoddwyr – rhai'n cynnwys y gytgan, eraill yn ei hanwybyddu. Ar y cyfan, fe dderbyniwyd tonau canadwy gan gerddorion a oedd gan amlaf yn deall gofynion tôn gynulleidfaol, gan gofio pwysigrwydd llunio alaw ddiddorol a chanadwy i bob un o'r lleisiau. Ym mhob un bron o'r tonau, fe gafwyd ymateb deallus i naws arbennig emyn Siân Rhiannon.

Fe osodwyd y tonau mewn tri dosbarth ac fe gyflwynir beirniadaeth fer i bob un o'r cyfansoddwyr. Dylwn ddatgan diolch i bob un ohonyn nhw am fentro i'r maes arbennig yma.

I'r trydydd dosbarth y perthyn y rhai a ganlyn: *Bryan Seal, Cwmfelin, Eirianfa, Erin, Helios, Llwyn Helyg, Llygad yr Haul,* a *Mari Elena.*

Yn yr ail ddosbarth y mae tonau *Meurig, Lan yn y Llofft, Ardwyn, Hydfer, Talesyn, Heulwen, Eirlys, Tomos, Blaguryn* a *Canu Iesu Tirion am Fowlen o Gwstard.*

Mae'n rhaid i mi gyfeirio at ymgais *Emrys (1)* – un o'r pedair tôn a gynigiwyd gan yr un cystadleuydd. Dyma dôn gynulleidfaol ragorol yn y dull traddodiadol a gyfansoddwyd, 'fuaswn i'n meddwl, cyn i *Emrys* weld emyn Siân Rhiannon. Awgrymaf y dylai chwilio am emyn mwy cydnaws â'i dôn a thrwy hynny greu priodas werthfawr a ddylai ganu'n gynulleidfaol yn arbennig o effeithiol.

Y tonau a ganlyn sydd wedi eu gosod gennyf eleni yn y dosbarth cyntaf: *Llygad y Dydd, Rhys, Cilcain* a *Gwawr*.

*Llygad y Dydd*: Cyfansoddwr medrus a phrofiadol, 'dybia i. Mae'r diwyg yn rhagorol ac mae rhyw ffresni afieithus yn y dôn. Efallai nad ydi'r pwyslais ar rai o'r nodau, e.e. 'llafn *o*' neu 'godi', yn taro'n esmwyth ar y glust. Gan mai gofyn am emyn-dôn gynulleidfaol y mae'r gystadleuaeth flynyddol yma, efallai fod y dôn y tu hwnt i'r hyn a geir yn lleisiol yn ein haddoldai erbyn hyn. Yn wir, y mae'r gwaith ardderchog hwn bron yn anthem! Llongyfarchiadau.

*Rhys*: Emyn-dôn gyfoethog sy'n cynnwys llinellau canadwy a diddorol i bob llais. Roedd y defnydd creadigol o nodau cyplad yn creu gwead lleisiol deniadol, gyda'r llinell fas yn y gytgan yn atgof byw iawn o'r hyn a fu. Dyma dôn i ddenu cantorion i ganu'n rymus a llon er nad wyf wedi fy llwyr argyhoeddi fod y briodas rhwng yr emyn a'r dôn hon yn un hollol ddiogel. Mae angen edrych eto ar y gosodiad o'r gytgan. Da iawn, yn wir.

*Cilcain*: Tôn fyrlymus, ddeniadol a rhythmig sy'n gweddu'n wych i'r geiriau. Dyma dôn weddol syml na fydd yn dreth ar allu darllen y cantorion ac eto mae yma rythmau hynod effeithiol sy'n adweithio mor ddeallus i eiriau'r emyn. Mae ynddi ryw ysgogiad eithaf cyffrous sy'n gafael yn y dychymyg. Mae angen cywiro rhai camgymeriadau bach yn y defnydd o arwyddion clymu nodau, e.e. barrau 12, 14, 16 ac ymlaen). Mae'r rhannau tenor a bas yn gorwedd braidd yn isel eu traw ac fe allai hynny arwain at ganu unsain. Er hynny, dyma osodiad nwyfus a llon sy'n apelio'n fawr ar y gwrandawiad cyntaf.

*Gwawr*: Tôn swynol ac apelgar sy'n adlewyrchu'n dda iawn holl naws a neges emyn Siân Rhiannon. Mae'r dewis o arwydd amser cyfansawdd (6/8) yn gweddu'n berffaith ac fe gafwyd yn y dôn ryw sigl hynod ddeniadol. Efallai fod yma ac acw gymalau byrion a glywyd o'r blaen ond, yn gyffredinol, dyma dôn a ddylai ganu'n ardderchog. Mae'n ychwanegiad rhagorol i'r ganiadaeth ac yn haeddu sylw eang. Fe roddwyd llinell ganadwy a diddorol i bob un o'r lleisiau. Dyma dôn i blesio cantorion a gwrandawyr fel ei gilydd.

Pleser yw cyhoeddi, gyda'm llongyfarchiadau calonnog, mai'r dôn fuddugol eleni yw tôn *Gwawr*.

# Yr Emyn-dôn Fuddugol 2012

(i eiriau Siân Rhiannon)

Gwawr

Daw llafn o haul dy wanwyn di i godi llen y llwydni,
drwy ddafn o wlith, drwy'r eirlys gwyn, mae grym d'oleuni'n gloywi.
Briallu mwyn ar ffridd a ffos, a'r brigau brau'n blaguro;
wynebwn lygad haul dy ras i weld yn eglur eto.

Drwy gawod haul dy wanwyn di dy ynni ymbelydra;
cofleidia ni yn nisglair des y gwres a'n hadnewydda.
Dysg ni i fyw yn llewyrch haul yr un sy'n llonni'n llwybrau,
gan adlewyrchu'r cariad sy'n rhoi'r gwanwyn yn ein gwenau.

Pan gryna seiliau sicrwydd byd, a phan ddaw'r gwyll i'n gwyro
gogwydda ni at lygad haul i dyfu'n dalsyth eto.
Pelydrau'th ras sy'n treiddio'n bod; amsugnwn nerth dy gariad,
estynnwn haul dy wanwyn di a'i ledu hyd dy gread.

Siân Rhiannon

## Ffantasi i Organ hyd at bum munud o hyd

BEIRNIADAETH ROBERT NICHOLLS

Wrth feirniadu unrhyw gystadleuaeth o'i bath, mae'n bwysig ystyried beth yw'r gofynion, a holi beth, yn yr achos hwn, yw hanfodion 'ffantasi'? Mae'r enw ei hun yn awgrymu elfen o ryddid, ac er cyfnod y Dadeni, pan ymddangosodd y term am y tro cyntaf, tuedda ffantasïau i fod yn gyfansoddiadau gwrthrychol yn amrywio yn eu strwythur o arddull fyrfyfyr i arddulliau mwy gwrthbwyntiol a chaeth.

Daeth chwe ymgais i law ac, ar y cyfan, er eu bod yn amrywio o ran safon a mynegiant cerddorol, maent yn gymeradwy ac yn dderbyniol i'w perfformio'n gyhoeddus, gyda phob un o'r cystadleuwyr yn deall hanfodion sylfaenol ysgrifennu ar gyfer yr organ.

*Wil*: 'Ffantasi ar thema wreiddiol'. Fel yr awgryma'r teitl, ymgais sydd yma i lunio ffantasi'n seiliedig ar thema wreiddiol y cyfansoddwr. Er bod y brif thema'i hun yn ddigon gafaelgar a chofiadwy, ni theimlaf fod y thema honno wedi'i datblygu a'i hymestyn i'w llawn botensial. Dylid bod yn ofalus wrth ysgrifennu gormod o nodau ailadroddus o'r un traw ar gyfer y pedalau, gan nad yw seiniau pibau'r pedalau ymhob offeryn, a chydag acwsteg amrywiol mewn gwahanol adeiladau, i'w clywed yn glir wrth eu hailadrodd. Mae'n wahanol iawn ar gyfer organ electronig, ac o ddadansoddi'r darn ymddengys mai ar gyfer offeryn electronig y bwriedir y cyfansoddiad, gyda chyfeiriadau at *'vibrato'* (barrau 78-85) a *'non vibrato'* (bar 86 hyd y diwedd). Un o brif wendidau'r darn yw diffyg amrywiaeth o ran alaw, cywair a chynghanedd yn gyffredinol. Ni cheir unrhyw gyfeiriad at ddewis stopiau er mwyn rhoi syniad i organydd y math o seiniau a fwriedir. Mae'r diweddglo braidd yn ddigyffro ar gyfer Ffantasi a byddwn wedi hoffi gweld mwy o ysgrifennu dychmygus a chyffrous yn arwain at yr uchafbwynt.

*Tipynbach*: 'Ffantasi i Organ'. Dyma ymgais glodwiw i fynegi teimlad 'ffantasi' ar gyfer yr organ. Dyfalaf eto, wrth ddadansoddi'r gerddoriaeth, mai ar gyfer offeryn electronig y bwriedir y cyfansoddiad hwn. Ceir nifer o *crescendi* graddol o *pp* i *fff* o fewn gofod ychydig o farrau, a hynny heb gyfeiriad at ychwanegiad stopiau o gwbl (oni bai fod y cyfansoddwr yn bwriadu defnyddio pedal *crescendo* cyffredinol, nad yw ar gael ar bob organ). Ceir digon o amrywiaeth o fewn y darn, gyda defnydd llawn dychymyg o *tempi* gwahanol ac arddulliau cerddorol addas ar gyfer naws yr adrannau amrywiol. Mae'r cyfan yn adeiladu at uchafbwynt effeithiol gan greu diweddglo grymus a buddugoliaethus.

*Tomos*: 'Ffantasi i Organ'. Cydiodd y darn hwn yn fy nychymyg o'r darlleniad cyntaf er bod rhaid cyfaddef fod yr arddull yn fwy gweddus ar gyfer *toccata* neu ffanfer yn hytrach na Ffantasi. Mae'r cyfansoddwr yn amlwg yn organydd neu o leiaf yn deall gofynion a hanfodion ysgrifennu effeithiol ar gyfer yr offeryn. Ceir cyfarwyddiadau manwl ynglŷn â dewis stopiau a marciau mynegiant yn gyffredinol, ac mae'r darn cyfan wedi ei weu at ei gilydd i greu cyfanwaith cerddorol gyda strwythur a phatrwm synhwyrol yn perthyn iddo. Mae'r arwyddion amser sy'n symud yn hwylus o 7/8 i 6/8 gydag adran ganolog fwy myfyrgar yn 4/4 yn ychwanegu at effeithiolrwydd y cyfan. Mae'r symud naturiol rhwng allweddellau'r *swell* a'r *great* yn lliwio'r awyrgylch yn hyfryd (barrau 70-80), gydag ychwanegu'r tiwba ym marrau 100, 101 a 106 yn llwyddo i'n harwain at benllanw celfydd.

*Gerallt*: 'Surrexit Christus Hodie'. Ceir is-deitl i'r cyfansoddiad hwn sef 'Ffantasi i'r Pasg ar Hen Emyn Scandinafaidd'. Dyma enghraifft o ysgrifennu cynnil a choeth ar gyfer yr organ. Ceir patrwm cyson ailadroddus o hanner cwaferi yn yr allweddellau fel cyfeiliant i alaw'r emyn dôn Scandinafaidd yn y pedalau. Mae'r patrwm cyfeiliant yn debyg i'r hyn a geir gan Louis Vierne yn y symudiad olaf i'w Symffoni Rhif 1 ar gyfer yr organ. Serch hynny, mae diffyg datblygiad a dyfeisgarwch yn gyffredinol yn perthyn i'r darn ac mae'n dueddol i aros yn yr unfan yn gerddorol.

*Dyfrig*: 'Ffantasi alla marcia'. Mae'r dilyniant o gordiau agoriadol yn creu rhyw fath o ddolen gyswllt gerddorol sy'n uno'r cyfansoddiad hwn. Yn debyg i ymgais *Wil* a *Tipynbach*, ni cheir unrhyw gyfeiriad at ddewis stopiau er mwyn cynnig cyfarwyddyd i organydd ynghylch y math o seiniau a fwriedir ar ddechrau'r darn, er bod nodyn ym mar 17 i leihau'r dewis stopiau ac i ychwanegu eto ym mar 41. Mae digon o ddychymyg cerddorol yn perthyn i'r ymgeisydd hwn a byddwn yn ei annog i ddal ati a cheisio mireinio'i grefft a'i fynegiant cerddorol. Mae'n amlwg fod deunydd craidd cyfansoddwr derbyniol iawn o fewn ei gynnyrch.

*Taid Alys*: 'Ffantasi 2012'. Dyma ddarn 'ffantasïol' ei naws o'r cychwyn cyntaf, gyda chymalau cerddorol gwrthgyferbyniol yn ymateb i'w gilydd drwy gydol y darn. Ceir cyfarwyddyd pendant a manwl ynglŷn â dewis stopiau sy'n llwyddo i greu seiniau amrywiol a dychmygus ar y cyfan, er bod, i mi'n bersonol, ychydig gormod o ddefnyddio *full swell* yn gyffredinol ac mae hynny'n gallu difetha effaith y sain arbennig honno os caiff ei ddefnyddio'n rhy aml. Mae'r adrannau *Piu Mosso* (barrau 15-25) a'r *allegro non troppo* dilynol yn cynnig amrywiaeth a ffresni i'r darn, gyda'r ffigwr rhythm dot yn y pedalau yn adlais o'r hyn a glywir ar ddechrau'r darn yn y llaw dde ar allweddell y *Great*. Yn amlwg mae *Taid Alys* yn gyfansoddwr profiadol ac yn defnyddio holl adnoddau'r offeryn yn ddeallus ac yn effeithiol.

Dyfarfnaf y wobr gyntaf i *Tomos*, gan gydnabod ar yr un pryd ddarn safonol *Taid Alys*.

**Carol Nadolig** addas i blant oedran ysgol gynradd. Dylai'r gwaith gael ei gyflwyno ar ffurf llais/ lleisiau a chyfeiliant addas (e.e. piano/ gitâr, ac yn y blaen)

BEIRNIADAETH SIÂN PHILLIPS

Daeth deuddeg o garolau i law ac roedd y safon yn uchel ar y cyfan er bod ambell ymgais yn dangos diffyg profiad.

*Llew*: 'Seren y Byd'. Carol fer a syml ar gyfer unsain a chyfeiliant piano. Roedd yr alaw'n swynol a'r rhythmau'n ddiddorol a chyfoes. Buasai ychwanegu deulais at ail hanner y penillion wedi cyfoethogi'r garol.

*Ifan*: 'Drama Fawr y Geni'. Dewiswyd geiriau hyfryd ar gyfer y garol hon ac mae barrau agoriadol pob pennill yn adlewyrchu naws y geiriau o ran melodi a chyfeiliant. Gwaetha'r modd, ceir camacennu wrth osod rhai geiriau i gerddoriaeth ym marrau 13 i 17.

*Talesyn*: 'Carol Nadolig'. Carol draddodiadol ar gyfer unsain a chyfeiliant piano a geir yma. Mae naws emyn-dôn iddi ac mae ynddi alawon swynol a chanadwy sy'n llifo'n naturiol i rediad y geiriau.

*Wil*: 'Lwli Lwla'. Carol atmosfferig gyda chyfeiliant modern a geir yma. Mae'r alawon ym mhenillion 1 a 2 yn cael eu cyfuno'n gelfydd ym mhennill 3 ond efallai fod y cyfanwaith braidd yn heriol a digywair ar gyfer oedran plant cynradd.

*Clochydd*: 'Pen-blwydd Hapus Iesu Grist'. Dyma garol sy'n cynnig hyblygrwydd i ysgol, ac er bod yr alaw a'r cyfeiliant piano yn sefyll ar eu pennau'u hunain, mae cyfle i ychwanegu parti SA dewisol, allweddell a chlychau y gallai'r plant eu canu. Cyflwynir y geiriau hyfryd ar alaw gyfoes, gofiadwy gyda rhythmau diddorol a phwrpasol a chyfeiliant sy'n defnyddio dilyniant o gordiau diddorol a chyfoethog. Mae cyffyrddiadau hyfryd a chofiadwy yn y garol hon. Gobeithio y bydd cyfle i blant ei pherfformio.

*Balthazar*: 'Y Doethion'. Carol ar gyfer deulais a chyfeiliant piano a geir yma. Mae cordio da rhwng y soprano a'r alto a rhythmau cyfoes yn yr alaw. Rhaid sicrhau bod sylw'n cael ei roi i lithrennau a hapnodau.

*Gabriella*: 'Ganwyd Crist'. Mae'r rhagarweiniad hyfryd cyfoes ar ddechrau'r garol hon ar gyfer deulais/ tri llais a chyfeiliant piano yn creu naws hudolus clychau. Ceir alawon gafaelgar a rhythmig i gyfeiliant cordiau cyfoes llawn cynghanedd. Mae'r gwaith yn cloi gyda'r alaw agoriadol yn cael ei hadeiladu'n gelfydd ac yn ddramatig i ddiweddglo tri llais gorfoleddus. Hwyrach y byddai plant oed cynradd yn ei chael hi'n anodd i gyrraedd ambell nodyn yn y diweddglo ond dyma garol sy'n aros yn y cof.

*Y Wenci*: 'Carol y Plant'. Ceir agoriad dramatig a rhythmig sy'n creu naws clychau ar ddechrau'r garol hon ar gyfer deulais a chyfeiliant piano a recorder trebl. Mae'r alaw'n cael ei thrin fel leitmotif ac fe'i defnyddir i gyfeiliant cyfoes sy'n defnyddio datblygiad cordiau cyfoethog. Yng nghanol y garol, ceir darn cyferbyniol trist ei naws, ond efallai fod angen ailymweld ag ambell gymal ynddo. Mae'r garol yn gorffen yn orfoleddus gan ddychwelyd i'r leitmotif.

*Betus*: 'Nadolig Llawen i chi [i] gyd'. Dyma garol fodern i lais, allweddell a drymiau. Mae hon yn alaw gyfoes a swynol a fyddai'n hwyl i blant ei chanu, gyda chyfeiliant hwylus. Gwaetha'r modd, dim ond tâp a ddaeth i law. Trueni nad ychwanegwyd sgôr mewn cystadleuaeth o'r safon yma.

*Taran*: 'Siôn Corn ar Draws y Byd'. Roedd ymdrech yma i gyfleu hwyl y Nadolig ond, gwaetha'r modd, roedd geiriau'r garol braidd yn wallus. Wrth gyflwyno sgôr, mae'n angenrheidiol ysgrifennu'r geiriau o dan y nodau a gosod y geiriau pwysig ar y prif acenion.

*Dwynwen*: 'Iesu Ceidwad Byd'. Carol unsain i gyfeiliant piano yw hon gydag alaw swynol iawn, yn enwedig yn y gytgan. Mae llawer iawn o drawsgyweiriadau ynddi ond rhaid rhoi mwy o sylw i ddilyniant cordiau, e.e. barrau 26 a 30-31.

*Stella*: 'Cân Nadolig (Roedd y Sêr yn Canu)'. Carol ar gyfer deulais, piano a gitâr a geir yma. Mae geiriau hyfryd y garol yn cael eu hadlewyrchu gan dôn sy'n gofiadwy o'r gwrandawiad cyntaf. Mae ynddi rythmau cyfoes a chyfeiliant sy'n creu naws clychau gyda chynganeddion cyfoethog a dilyniant harmonig cerddorol dros ben. Datblygir alaw hudolus a chofiadwy'r gytgan yn ddramatig gan bwysleisio llawenydd y Nadolig. Yna, ceir *coda* tawel, sy'n ein hatgoffa o ddiniweidrwydd baban bach mewn preseb, cyn i'r garol orffen yn orfoleddus. Mae'r garol yn ganadwy, yn aros yn y cof ac yn gyfanwaith hyfryd. Gobeithio y caiff plant gyfle i'w pherfformio.

Mewn cystadleuaeth lle gellid gwobrwyo o leiaf dri chystadleuydd, *Stella* sy'n dod i'r brig. Diolch yn fawr i bawb am gystadlu.

**Cân Gymraeg** yn seiliedig ar gerdd / rhan o gerdd gan unrhyw fardd Cymraeg. Dylai'r gân, gyda chyfeiliant piano, fod yn addas ar gyfer un o gystadlaethau lleisiol 19-25 oed yr Eisteddfod Genedlaethol

---

BEIRNIADAETH J. EIRIAN JONES

Testun balchder oedd deall bod naw cyfansoddwr wedi mentro i'r gystadleuaeth hon, yn arbennig o ystyried nad tasg hawdd yw cyfansoddi cân lwyddiannus. Mae angen arfer gofal mawr wrth ddewis geiriau addas ynghyd ag osgoi'r demtasiwn i orlwytho lleisiau ifanc gyda gofynion technegol afresymol. Da yw medru dweud bod rhinweddau amlwg i'w gweld ym mhob un o'r naw cân a dderbyniwyd.

*Isnowgood*: Gosododd y cyfansoddwr hwn eiriau Alan Llwyd, 'Mae Rhywun Heno', ar gyfer llais uchel. Ceir yma strwythur pendant gyda'r *tempo andante* sydd yn yr agoriad yn dychwelyd eto ar y diwedd. Egyr y gân drwy greu naws hyfryd gyda defnydd helaeth o gyffyrddiadau cromatig – yn wir, mae'r nodwedd hon yn britho'r gwaith cyfan. Crëwyd cyferbyniadau amlwg o fewn y gân a da gweld bod y cyfansoddwr wedi bod yn ofalus gyda'r marciau mynegiant. Mae'r gosodiad yn un heriol iawn i unrhyw oedran heb sôn am gantorion ifanc o dan 25 oed ac mae'r cymal sy'n esgyn i'r B uchel ym marrau 45 a 46 ynghyd â'r cymal clo yn enghreifftiau pendant o hyn a byddent yn fannau tramgwydd pendant i leisiau ifanc. Gwelwyd bod yr ysgrifennu i'r piano gan mwyaf yn idiomatig heblaw am ambell gord a fyddai'n gorwedd braidd yn anesmwyth i'r llaw dde.

*Disgwyliad*: Gosodiad ar gyfer llais uchel a geir yma ar eiriau William Williams, Pantycelyn, 'Y Bryniau Pell'. Llwyddwyd i greu awyrgylch pwrpasol iawn ym marrau agoriadol y cyfeiliant piano a deniadol iawn yw cymal agoriadol y llais sy'n esgyn dros gyfwng o ddegfed ac yn creu bwa cerddorol hyfryd. Cynigir digon o amrywiaeth o fewn y gosodiad o safbwynt *tempo* a dynameg gyda ffigurau'r cyfeiliant yn llwyddiannus. Teimlaf, er hynny, fod ambell gymal anodd a heriol iawn i'r llais – cymalau sy'n gofyn am dechneg a lleisio aeddfed iawn i'w cynnal.

*Graigwen*: Alan Llwyd eto yw awdur geiriau'r ymgeisydd hwn – 'Eira, Eira, Hwyr y Dydd'. Hoelir ein sylw'n syth gan y ffigwr *ostinato* a glywir yng nghyflwyniad y piano. Cymerwyd gofal mawr i amrywio'r *tempo* ac o ganlyniad cafwyd gosodiad cynhwysfawr sy'n cynnig cryn amrywiaeth. Hoffwn yn arbennig y driniaeth a roddwyd i'r gair 'eira'; triniaeth sydd yn fwy nag ailadrodd syml ond sy'n cael ei amrywio'n gelfydd iawn. Gwelwyd bod yr ysgrifennu lleisiol, er yn cynnig digon o her, yn gorwedd yn ddigon cyffyrddus i'r llais. Mae yma gyffyrddiadau cerddorol iawn ynghyd â strwythur eglur a chyfeiriad pendant er bod gofyn yn y fan hon eto am leisiwr profiadol i'w cyflwyno.

*Tomos*: Geiriau T. Llew Jones, 'Ar Noson Fel Heno', a osodwyd, a hynny'n dra llwyddiannus. Mae'r arddull yn symlach o bosib nag eiddo ambell ymgeisydd arall yn y gystadleuaeth ond, wedi dweud hynny, ceir ambell gyffyrddiad hynod o gerddorol a chrefftus yn yr iaith harmonig gyda'r rhythmau trawsacennog yn fodd i gynnal ein diddordeb. Llwydda'r cymalau agoriadol i osod naws hudolus i'r gân a thrawiadol iawn oedd y ffordd y gosodwyd geiriau teitl y gerdd yn drawsacennog ar ddechrau'r pennill olaf; mae ambell gymal yma yn cynnig digon o her i unrhyw ganwr. Un pwynt bychan – mae angen sicrhau bod y geiriau wedi eu sillafu'n gywir i gyd.

*Edie*: Diolch yn fawr am gyflwyno cân yn benodol ar gyfer llais *mezzo soprano* – mae'r deunydd ar eu cyfer yn brin. Ceir yma osodiad o gerdd Einir Jones, 'Priodas 1922', gyda'r ysgrifennu lleisiol bob amser yn gorwedd yn ddigon cyfforddus i'r llais o dan sylw. Rhoddwyd sylw manwl i'r marciau perfformio gyda'r newid amseriad cyson yn ychwanegu at yr awyrgylch. Amrywiwyd hyd y brawddegau'n ddigon celfydd ac fe welwyd bod digon o amrywiaeth yng nghyfeiliant y piano hefyd. Er hyn i gyd, teimlwn mai braidd yn ddi-fflach a phrin o ddychymyg yw'r gosodiad ar ei hyd.

*Ceri*: Dewisodd y cyfansoddwr hwn lais soprano i osod geiriau Ab Ithel, 'Hosanna Fawr', ac fe welwyd nifer o syniadau cerddorol gwreiddiol iawn, gosodiad cywir o'r geiriau ynghyd â llawer o sylw wedi ei roi i'r mynegiant yn gyffredinol. Mae'r patrwm *ostinato* a welir yn y cyfeiliant piano ar y dechrau yn fodd i roi unoliaeth i'r gân wrth i'r patrwm hwnnw ddychwelyd. Yn wir, mae'r ysgrifennu i'r offeryn yn idiomatig iawn ac yn dangos bod y cyfansoddwr yn adnabod ei gyfrwng yn dda. Gwelwyd yma iaith harmonig ddigon mentrus a rhaid cyfaddef bod y cord olaf un (cord y tonydd yn C fwyaf) ychydig yn annisgwyl. Nid oeddwn, fodd bynnag, yn llwyr argyhoeddedig fod yr iaith harmonig yn gwbl addas i naws y geiriau.

*Castell Miramare*: Detholiad o ddau bennill yn unig o gerdd T. Llew Jones, 'Y Lleidr Pen-ffordd', a osodwyd. Fe egyr yn drawiadol gan osod y naws briodol yn syth ac fe gyflwynir nifer o syniadau diddorol iawn ynghyd â rhythmau cyffrous, yn y rhan leisiol a hefyd yng nghyfeiliant y piano. Cymerwyd gofal gyda'r marciau perfformio a gwelwyd bod y gosodiad o'r geiriau yn gywir. Yn sicr, mae yma addewid, ond braidd yn fyr yw'r gân. Awgrymaf y dylai'r cystadleuydd hwn ddychwelyd at y gerdd wreiddiol ac ystyried gosod rhagor o'r penillion eto gan fod ynddynt botensial mawr am gyferbyniadau dramatig pellach.

*Clwyd*: Penderfynwyd gosod y gerdd gyfarwydd, 'Yno yn Hwyrddydd Ebrill'. Diolch am gyflwyno recordiad o'r gwaith yn ogystal – er nad yw'r ddau fersiwn yn union yr un fath chwaith. O'r frawddeg agoriadol, teimlwyd bod naws arbennig wedi ei chreu er bod y ddau gord cyntaf yn adleisio darn o gerddoriaeth gan gyfansoddwr Cymreig arall. Gosodwyd y geiriau'n gywir ond cofier mai gair unsill yw 'ŵyn'– felly 'does dim angen ei rannu'n ddau. Mae'r iaith harmonig yn gyfoethog ac yn gwbl addas i naws y geiriau er bod rhaid gofyn a yw'r anghytgord ym mar 11 y sgôr yn fwriadol – cord Eb fwyaf a glywir ar y recordiad. Hoffais yn fawr yr arddull sy'n ymylu ar fod yn adroddgan ym marrau 21-26 – effeithiol tu hwnt. Gwelwyd bod cyferbyniadau amlwg o fewn y gosodiad a thrawiadol eto yw'r uchafbwynt a geir ar y gair 'wawd' ynghyd â'r frawddeg glo.

*Claerwyn*: Cerdd enwog John Morris Jones, 'Rhieingerdd', a osodwyd. Yn sicr, mae yma gyfansoddwr aeddfed ac fe gynigiwyd syniadau cerddorol gwreiddiol iawn. Er hynny, teimlwyd nad oedd y gosodiad o'r geiriau'n gwbl naturiol bob tro. Cofier mai un sill yw 'â'i' ac felly does dim angen toriad rhwng y ddwy lythyren. Rhannwyd rhai geiriau eraill yn lletchwith hefyd. Arferwyd gofal mawr gyda'r cyflwyniad, gyda'r sgôr gerddorol yn frith o gyfarwyddiadau perfformio manwl iawn. Mae'r gofynion technegol a osodir ar y canwr a'r cyfeilydd fel ei gilydd yn heriol ac uchelgeisiol tu hwnt o gofio mai ar gyfer ein cantorion ifanc y bwriadwyd y gwaith.

Diolch i'r holl gyfansoddwyr am fentro cystadlu a diolch yn arbennig iddynt am y pleser o gael bwrw llinyn mesur dros eu gwaith. Wedi pwyso a mesur, a chydnabod hefyd y byddai nifer o'r caneuon hyn yn ychwanegiadau gwerthfawr i'r *repertoire*, dyfarnaf *Graigwen* yn fuddugol.

# Cyfansoddiad o tua 3 munud o hyd yn seiliedig ar ddetholiad penodedig o ddrama/ ffilm

BEIRNIADAETH GUTO PRYDERI PUW

Ar gyfer y gystadleuaeth hon, rhoddwyd oddeutu 10 munud o'r ddrama *Calon Gaeth* i'r cystadleuydd gyfansoddi oddeutu 3 munud o gerddoriaeth iddi. I ddechrau, carwn longyfarch yr Eisteddfod am ddangos blaengaredd drwy fentro i'r maes hwn sy'n gyfrwng poblogaidd iawn erbyn hyn. Ar yr un gwynt, carwn awgrymu y gellid ymestyn gofynion *cerddorol* y gystadleuaeth i fod ddwbl yr hyd gwreiddiol, neu hyd yn oed yr adran i gyd, lle rhoddir potensial i'r cyfansoddwr fedru datblygu ei syniadau ymhellach, yn ôl llif y ddrama, dros gyfnod ehangach o amser, gan wir arddangos ei grefft greadigol.

Daeth dwy ymgais i law, a phleser o'r mwyaf oedd gwrando (ac edrych) arnynt. Llawer gwell yw medru cynnwys y gerddoriaeth wedi ei syncroneiddio i ddelweddau'r fideo, er y prysuraf i ychwanegu na ddiystyrwyd yr ymgais honno a ddaeth gydag awdio'n unig.

*Cragen*: Cyfansoddwyd cerddoriaeth synhwyrus iawn ar gyfer y ddwy adran 'ryfel' sy'n gysylltiedig â'i gilydd o fewn y ddrama. Adlewyrchwyd y cyswllt hwn yn effeithiol yn y cynnwys cerddorol yn ogystal. Gellid dadlau bod synau'r offerynnau braidd yn 'synthetig' ar brydiau ond, yn gyffredinol, roedd sglein ar y cynhyrchu. Roedd y defnydd o harmonïau lleiaf o fewn y ddwy adran yn addas i greu awyrgylch ddwys briodol ac roedd uchafbwynt ar y goflaid yn effeithiol, er y dylid gofalu nad yw lefel y symbal yn rhy uchel o fewn y cymysgu. O ran y cyflwyniad ysgrifenedig, dylid osgoi defnyddio geirfa anffurfiol, megis 'adranne' (yn hytrach nag 'adrannau') a 'ffeili' (yn hytrach na 'methu'), ayb. Er hynny, yn greadigol gerddorol, cafwyd ymdrech o safon uchel iawn yma.

*Dwynwen*: Cafwyd cyfres o bedwar trac byrrach yn yr ymgais hon. Mae nifer o 'bwyntiau taro' effeithiol yn y traciau hyn – er enghraifft, yr agor allan yn y trac cyntaf a'r newid i'r unawd ffliwt yn yr olygfa tu allan yn yr ail drac. Fodd bynnag, dylid rhoi mwy o ymdrech i gynnal y gerddoriaeth gan y collir y momentwm tuag at ddiwedd y trac cyntaf. Yn ogystal, gwylier nad yw'r gerddoriaeth yn gorffen yn rhy gynnar cyn dyfodiad y ddeialog eiriol ddilynol – er enghraifft, ceir saib distaw 'anghyfforddus' ar ddiwedd yr ail drac, cyn i ddeialog yr olygfa nesaf ddechrau. Does dim i rwystro cyflwyno'r un syniadau mewn mwy nag un olygfa – er enghraifft, gellid bod wedi cario cerddoriaeth y capel (a chwaraeir gan yr organ) ymlaen i'r olygfa ddilynol gyda'r drol a'r ceffyl ond gyda newid (efallai'n raddol) yn yr offeryniaeth.

Yn gyffredinol, byddai hyn wedi rhoi mwy o sylwedd i'r gerddoriaeth a'i gwneud yn llai pytiog, a oedd yn un o brif wendidau'r cyflwyniad. Byddai cyflwyno rhythm mwy cyson ar y drwm cortynnau wedi ychwanegu at awyrgylch yr olygfa ryfel yn y pedwerydd trac. Er hynny, mae addewid bendant yma ac anogir yr ymgeisydd i ddyfalbarhau.

O ystyried y ddwy ymgais, mae'n bleser gennyf ddyfarnu'r wobr gyntaf i *Cragen*.

**Cyfansoddiad** o tua 5 munud a fyddai'n addas ar gyfer ei chwarae ym Mhabell Groeso'r Eisteddfod. Dylid cyflwyno'r gwaith ar ffurf *cd*. Disgwylir eglurhad o tua 100 o eiriau i egluro arwyddocâd y cyfansoddiad

---

BEIRNIADAETH JEFFREY HOWARD

Dim ond un ymgeisydd a gystadlodd.

*Tant*: 'Celtroc'. Dyma gyfansoddiad aeddfed ac ôl paratoi gofalus arno – un sy'n llwyr haeddu cael ei ddefnyddio'n broffesiynol. Mae'r briodas rhwng seiniau traddodiadol ac offerynnau modern wedi'i chynllunio'n dda a'i defnyddio'n effeithiol iawn. Mae'r arddull yn adlewyrchu parch y cyfansoddwr tuag at draddodiadau o'r fath, a gwelwn ddealltwriaeth o'r offerynnau a ddefnyddir.

Rhennir y darn yn nifer o adrannau cyferbyniol ac mae hynny'n gymorth i'r gwrandäwr 'anadlu' gyda'r gerddoriaeth ac yn caniatáu i bob arddull fabwysiadu ei phwysigrwydd ei hun. Mae'r dilyniant cordiau yn y rhannau bywiog yn golygu bod y gwrandäwr yn teimlo'n gyfforddus yn gwrando ar y gerddoriaeth o'r dechrau. I'r gwrthwyneb, clywn yn yr adrannau arafach, distawach a mwy gwerinol eu natur gordiau annisgwyl sy'n tynnu ein sylw a'n hatal rhag ymlacio gormod yn naws freuddwydiol y gerddoriaeth. Yn yr adrannau cyflym, mae defnydd da o amrywiol gynyrfiadau rhythmig a rhythmau croes sy'n gymorth i yrru'r gerddoriaeth yn ei blaen a rhoi iddi'r egni a fedd.

Credaf fod y trac a gyflwynwyd wedi'i greu'n electronig (a hynny'n grefftus iawn) ond hoffwn weld y darn hwn yn cael ei droi'n gerddoriaeth ddalen a'i berfformio gan fand byw un diwrnod. Nid syniad drwg fyddai ei anfon at bobl y *Riverdance*!

Llongyfarchiadau i *Tant* ar ei waith a phob llwyddiant i'r dyfodol yn y busnes anodd hwn.

# ADRAN GWYDDONIAETH A THECHNOLEG

## CYFANSODDI

**Erthygl neu Ymchwiliad** o dan 1000 o eiriau. Ysgrifennu erthygl yn Gymraeg sy'n ymwneud â phwnc gwyddonol ac yn addas i gynulleidfa eang.

---

BEIRNIADAETH RHODRI EVANS

Daeth pum ymgais i law. Dyma ychydig eiriau am bob un.

*Iolo Morgannwg*: 'Uwchddargludedd a'r *Large Hadron Collider*'. Cyflwynwyd erthygl glir iawn, ac iddi lif clir, da, gyda chrynodeb ar y dechrau, cyflwyniad da, diagramau a ffigurau perthnasol. Hon oedd un o'r erthyglau cryfaf yn y gystadleuaeth.

*Roberto*: 'Y Pils na Phyla Amser'. Erthygl glir wedi'i hysgrifennu'n dda. Ni chafwyd crynodeb ar y dechrau ond roedd y diagramau a'r lluniau'n dda, a lefel y cynnwys yn addas i'r cyhoedd.

*Twm Bach*: 'Metalau a'u Defnydd'. Mewn erthygl nad oedd llawer o strwythur iddi, cyflwynwyd rhestr o briodweddau rhai metalau, heb na chyflwyniad na chrynodeb. Cynhwysai wybodaeth ddiddorol ond mae angen rhagor na hynny i'w gwneud yn yn erthygl gyflawn. Hon oedd yr erthygl wannaf o'r pump.

*Brendan*: 'Sganio – Portreadu'r Corff Mewnol'. Erthygl glir gyda chyflwyniad da, wedi'i rhannu'n wahanol adrannau yn ymdrin ag amrywiol dechnegau. Cafwyd lluniau da sy'n ychwanegu at y testun, ond nid oedd crynodeb ar y diwedd. Er bod nifer o dermau technegol, maen nhw'n cael eu defnyddio mewn ffordd naturiol ac nid yw'r darllenydd yn teimlo bod yr erthygl yn rhy dechnegol. Roedd hon yn un o'r tair erthygl orau.

*Warren*: 'Yr Elfennau "prin" – Arian Cyfredol y Fasnach Fodern?'. Roedd yr ymgais hon yn debyg o ran ei chynnwys i'r erthygl gan *Twm Bach* ond wedi'i chynllunio'n llawer cliriach, gyda llif gwell, diagram, adrannau, etc. Er bod y pwnc yn un technegol, gwnaeth yr awdur yn siŵr nad yw'r darllenydd yn boddi mewn iaith dechnegol, gymhleth. Dyma'r erthygl orau o'r pump ac i *Warren* y rhoddaf y wobr.